CONCIENCIA INTELECTUAL DE AMERICA

Antología del Ensayo Hispanoamericano

(1836-1959)

Conciencia
Intelectual
de América

Antología del Ensayo Hispanoamericano

(1836-1959)

CARLOS RIPOLL

Queens College
of the
City University of New York

LAS AMERICAS PUBLISHING COMPANY
NEW YORK
1966

INTRODUCCION

LOS ENSAYISTAS

Hay escritores hispanoamericanos que no pertenecen a una u otra parte del Continente. Su idea de América, como unidad, les hace encontrar en ella la patria mayor; el lugar común donde las fronteras se cortan por la tradición, la inquietud y el destino sometidos a los mismos factores, motivaciones y esperanzas. No son ciudadanos de un país determinado porque su preocupación trasciende el propio límite geográfico o porque, sin pretender salirse de aquel contorno, buscan las raíces de su pueblo y las encuentran fundidas, en indisoluble unión, con las de naciones hermanas. Sin perder el matiz peculiar de la región a que pertenecen, forman parte de un ideal superior de patria que abarca a toda la América española. No se arrancan por eso de su suelo nativo para perderse en una abstracción estática, más bien siembran sus vidas en un concepto que tiene subsistencia propia: allí donde se han reunido el ser y la esencia de una viva comunidad internacional. De estos escritores podrá, pues, decirse que tienen dos patrias: la propia y América.

Es esa peculiaridad la que permite estudiar el conjunto de las letras americanas en función de sus obras. No es que su producción excluya a otras figuras representativas, sino que las sintetizan y representan en lo que ellas trascienden el ámbito regional. Al descubrir los rasgos diferenciadores de lo más genuino y auténtico del Continente, Pedro Henríquez Ureña concluye que "la historia literaria de la América española debe escribirse alrededor de unos cuantos nombres centrales: Bello, Sarmiento, Montalvo, Martí, Darío, Rodó". No es difícil explicar lo que motiva esta selección: Bello sienta las bases de la cultura y es la voluntad que confiere categoría original al tema netamente americano; Sarmiento descubre la naturaleza íntima de los pueblos y hace brillar su pluma en torno a ella; Martí logra la mayor calidad estética a la previsión de nuestra América y la ordena en nueva tabla de valores; Rodó enseña a sentir orgullo por los factores que integran el alma hispanoamericana y en ellos refugia todas las esperanzas. Montalvo queda corto en la *preocupación continental, aunque llega a ella persiguiendo tiranos. Pero le sobra grandeza en el ensayo. Veinticinco años antes de aparecer la primera versión española de Montaigne, ya tenía escritos los* Siete Tratados; *con ellos el genial gascón lograba su mejor discípulo en la lengua de Cervantes. Sólo la calidad literaria le encima toda su obra; la prosa de este "príncipe del estilo", como le llamó el monarca del verso modernista, fundamenta y explica la que luego se hizo orgullosa creación americana.*

Bello, Sarmiento, Montalvo, Martí y Rodó; un sabio, un profeta, un caballero andante, un apóstol y un guía espiritual forman, así, parte del mejor quehacer literario. El poeta nicaragüense lo complementa; pero queda excluido de esta antología esencialmente de ensayistas.

Se añade, sin embargo, a Manuel González Prada, porque sin él es difícil explicarse el movimiento indigenista, de gran importancia en la literatura y en el pensamiento contemporáneo de Hispanoamérica. Además, fue uno de los que primero se percató de la necesidad de renovar la prosa. Por los años en que Darío sentaba las bases de la expresión poética —a las que no fue ajeno el escritor peruano— éste sintió todo el agobio de la frase española, invariable, a veces fatigosa, resistida al ritmo acelerado y fulgente que se necesitaba en el Nuevo Mundo. Es entonces cuando recomienda y emplea la lengua nueva, "con el estruendo y valentía de las olas en la playa", que se iniciara en Sarmiento, se purifica en Montalvo y se hizo milagro inigualable en Martí. González Prada pertenece asimismo al grupo de escritores que lograron jerarquía artística para sus denuncias políticas. Los argentinos Sarmiento, Juan Bautista Alberdi, Esteban Echeverría y el mexicano José María Luis Mora, inauguran esta típica galería de hispanoamericanos que supieron trascender en el arte, también, por el estrecho camino del acontecimiento inmediato.

Eugenio María de Hostos está representado en esta colección porque, además de gran ensayista es, con Enrique José Varona y Justo Sierra, una de las cumbres del positivismo filosófico, de larga presencia en América. No fue ajeno tampoco a ninguna de sus preocupaciones: al comprender la urgente necesidad de enseñanza, consagra con su vida la profesión del maestro; desde la cátedra impartió la más alta prédica moral del Continente; quiso desentrañar la his-

toria de América y se convirtió en hito su valoración negativa de
España; anticipa a González Prada y anuncia a Mariátegui cuando
descubre la raíz social del problema indio y deja insinuadas las
bases para la "raza cósmica" de Vasconcelos. El gran antillano es,
en resumen, como señala José Agustín Balseiro, "un momento vital
en la conciencia de Hispanoamérica. Enseñarla a pensar era su meta";
por eso tras él siguieron, por diversos caminos, los buscadores de
redención y de ideas. Y entre los méritos de escritor, además de la
prosa viva y elocuente de sus ensayos, deberá recordarse también
que sus estudios literarios preludian el rigor de Pedro Henríquez
Ureña y la moderna crítica de nuestros países.

Alfonso Reyes y Vasconcelos se hacían "nombres centrales"
junto a Henríquez Ureña, cuando éste señalaba las pautas para estudiar la historia literaria. Los tres grandes ensayistas representan
muy bien la continuidad del pensar en América durante la primera
mitad de este siglo. Reyes es la inteligencia y el equilibrio, el saber
amplio al lado de Andrés Bello; Vasconcelos es la intuición apasionada, tiene errores y aciertos como los de Sarmiento, como los de
nuestras repúblicas; Henríquez Ureña es la erudición y la cultura en
busca de la auténtica expresión, el hijo espiritual de Rodó. Los tres
reciben la mejor herencia del pasado, elaboran nuevos tesoros, y la
tónica de su sentir se repite, otra vez renovada, en lo que será la
representación futura de la América española.

González Prada, Hostos, Vasconcelos, Henríquez Ureña y Alfonso Reyes: un revolucionario, un maestro, un adivino, un erudito
y un humanista se añaden a los "nombres centrales" antes mencionados, y complementan la presente antología del ensayo.

Otros escritores podrían también formar parte de esta Conciencia Intelectual de América; la calidad artística de sus ensayos y
el interés de sus opiniones hubieran justificado su inclusión. Alguna
vez faltó espacio; muchas temí lo superfluo. Para expresar la continuidad del tema de América en sus principales trayectorias, dentro
del género, bastaban los que aquí aparecen. Además quise seguir la
valiosa recomendación de Alfonso Reyes: "El fárrago es lo que nos
mata. Cuidémosle a nuestra América la silueta; pongámosla a régimen; depurémosla de adiposidades. Todos estamos convencidos
de que ha llegado para nuestra América el momento de dar, en el
mundo del espíritu, algo como un gran golpe de Estado. Conviene,

*pues, que estemos ágiles y bien entrenados. Yo no recomendaría
en los seminarios y gimnasios otro ejercicio que el despojar la tradición".*

LOS   TEMAS

A) EL PORVENIR

*Cuando las repúblicas hispanoamericanas, unidas por el pasado
común y el idioma, entraron en el escenario internacional, se las
pudo imaginar como un grupo homogéneo que habría de pesar en
el destino del mundo. Desde entonces, el pensamiento americano no
supo renunciar su sueño de un futuro glorioso. Con frecuencia el
pasado le ha sido un antecedente molesto que sólo servía para explicar los infortunios nacionales; de ahí el énfasis de los escritores
en el mañana y esa voluntad de redención universal que parece
ha de abrir las puertas de la historia al Continente. "Si hay algún
sentimiento esencialmente americano", afirma Rodó, "es, sin duda,
el sentimiento del porvenir abierto, prometedor, ilimitado, del que
se espera la plenitud de la fuerza y de la gloria y poder".*

*Con las naturales variantes que las épocas y los matices bio-
gráficos imponen, el pensador de la América española siempre demuestra un irrefrenable optimismo. "Ha hecho del futuro una simple
utopía", explica Leopoldo Zea; "se puede decir que el iberoamericano es un milenarista; un hombre que espera la llegada mesiánica
de un futuro que no cree merecer por lo que es y por lo que ha
sido". Alguna vez esta constante inclinación se interrumpe por la
visión pesimista cuando analiza la realidad de un país determinado
o algún aspecto accidental de América; pero el conjunto de todas
las naciones siempre lo salva en la más generosa esperanza, y ven a
todos los pueblos reunidos prestando el gran servicio a que los sienten
destinados.*

*No fue ajeno a los hombres de la independencia ese sentir del
papel providencial de Hispanoamérica en el escenario histórico.
Pensando lo que sería el Nuevo Mundo después de la independencia,
dejó Bolívar escritas estas palabras en su famosa* Carta de Jamaica:

"... entonces seguiremos la marcha majestuosa hacia las grandes prosperidades a que está destinada la América meridional; entonces las ciencias y las artes que nacieron en el Oriente y han ilustrado la Europa volarán a Colombia libre, que las convidará con un asilo". Pero los libertadores, urgidos por el deseo de independizar sus países, encontraron más fuerza en la observación de lo humillante del pasado que en las promesas de un porvenir ecuménico.

Concluida la hazaña independentista, se inicia la afanosa contemplación del futuro. "Formarán con el tiempo", dice Bello de las nuevas repúblicas, "un cuerpo respetable que equilibre la política europea y que, por el aumento de riqueza y población y por todos los bienes sociales que deben gozar a la sombra de sus leyes, den también, con el ejemplo, distinto curso a los principios gubernativos del Antiguo Continente". La unión más o menos política de las naciones era, al principio, un obligado supuesto para explicar el porvenir de Hispanoamérica. Todavía Hostos, empeñado en la independencia de las Antillas, habla de aquel proyecto que el hombre y la naturaleza —más el factor humano que la geografía— habían hecho inalcanzable.

Tiene la gloria Martí de haber precisado el camino para la unión suprapolítica de la América española. Sus posibilidades y peligros, el pasado común, la cultura y la voluntad unánime de superación son los lazos de la unidad espiritual que han de hermanar las repúblicas. "No podemos ser el pueblo de hojas que vive en el aire, con la copa cargada de flor, restallando o zumbando, según la acaricie el capricho de la luz, o la tundan y talen las tempestades; ¡los árboles se han de poner en fila, para que no pase el gigante de las siete leguas! Es la hora del recuento, y de la marcha unida, y hemos de andar en cuadro apretado, como la plata en las raíces de los Andes". Después se siguieron explorando los caminos martianos de la nueva unión, hasta las modernas proyecciones de Henríquez Ureña y Alfonso Reyes. Pero ya la tradición y el presente se integraban, con toda su fuerza, para formar la realidad total de Hispanoamérica.

Hasta principios de este siglo, no parecían haberse liberado nuestros escritores de una concepción inevitablemente progresista de la historia; con ella el porvenir era el enemigo de lo actual y del pasado. Martí enseña a soñar con los ojos bien puestos en la América. El "indio mudo" y el "negro oteado" formaban parte del "hom-

bre real", y el largo período de la colonia no estorbaba sino en cuanto había sobrevivido en la república. "¿En qué patria", pregunta, "puede tener un hombre más orgullo que en nuestras repúblicas dolorosas de América, levantadas entre las masas mudas de indios, al ruido de la pelea del libro con el cirial, sobre los brazos sangrientos de un centenar de apóstoles?" Por lo tanto, no había que renunciar las esperanzas del mejor futuro con la visión de todo lo que formaba el alma americana; más bien se vivificaron aquellas en un completo ideario, porque desde entonces nutriría la savia propia sin artificiosa exclusión ni copia forzada.

B) LA AUTONOMIA

La primera razón que podía explicar aquel porvenir era la originalidad. La histórica venía impuesta; había que conquistarla para las inteligencias. "América no debe imitar servilmente, sino ser original" había dicho Simón Rodríguez, el maestro de Bolívar; y desde la Alocución a la poesía de Bello, se buscaron las fórmulas del americanismo: inspiración y pensamiento nacidos con la percepción y experiencia de lo propio. El primer esfuerzo en la pesquisa de lo genuino encaminaba hacia la independencia intelectual, con ella se podría llegar a la autonomía de la cultura. Bello lo plantea en "Modo de escribir la historia", y hasta los caminos que hoy se abren al pensamiento de América, tienen como factor importante en sus programas la búsqueda del sello distintivo en la interpretación. Así está presente esa voluntad que tiende a descubrir en lo propio lo particular, para ofrecernos nuevos y originales ante el mundo.

En algunos casos parece no cumplirse el afán de lograr un pensamiento autónomo. Frente a las vacilaciones y fracasos de algunas repúblicas y la imposibilidad de contar con el pasado, grandes hombres recostaron su cansancio en soluciones exóticas. Pero éstos que proclamaron la imitación de otros países llegan a ese extremo, únicamente en función de la novedad que en ellos vislumbran, como sucede con la "nordomanía" de Francisco Bilbao o la prédica de Sarmiento: "Seamos los Estados Unidos". Es que lo heredado de España, y por la misma razón lo esencial criollo, no les daba la fórmula apetecida para América. Cuando Martí escribe desde los

Estados Unidos, y valora sus costumbres a través del prisma de una sensibilidad hispanoamericana, Sarmiento lo recrimina: "Quisiera que Martí nos diera menos Martí, menos latino, menos español de raza y menos americano del Sur, por un poco más del yankee, el nuevo tipo del hombre moderno". La imitación, pues, respondía también a la misma aspiración de originalidad. Había que pertenecer a la nueva categoría del "hombre moderno", para lograr la independencia espiritual que se anhelaba.

"Nosotros somos un pequeño género humano, poseemos un mundo aparte", había declarado Bolívar; y esa humanidad nueva, asentada en el también "orbe novo", necesitaba una respuesta para su compleja existencia. Sólo la cultura emancipada podría ofrecer los instrumentos adecuados para el conocimiento y comprensión de la propia realidad, para la autodefinición que se imponía. Ya desde mediados del siglo XVIII, por presión de las ideas enciclopedistas, aparece insistente en América el deseo de explicar, por lo menos, sus orígenes. Aquellos tratadistas no pudieron librarse de la escolástica y dan un sentido casi teológico a todos los problemas que se plantean; pero son ellos los verdaderos antecedentes en la búsqueda de una filosofía de la historia para las cosas de América. Durante los primeros años de la independencia no se tenían tampoco los medios para analizar la realidad circundante; la ciencia histórica necesaria daba sus primeros pasos en Europa. Alberdi, Sarmiento, el doctor Mora, José Victoriano Lastarria, tuvieron entonces que inventar fórmulas de interpretación con términos robados a las distintas ramas del saber; y así trataron de entender el problema en común de sus pueblos, enriqueciendo la aventura intelectual con intuiciones y ensayos que tienden a descifrar el enigma.

Y desde aquellos días ¿ha hecho el pensamiento americano esfuerzo más digno que buscar sus esencias y sobre ellas fabricarse original refugio? La libertad de los entendimientos ha posibilitado la creación de nuevos expedientes interpretativos, o ha logrado adaptar los importados. Con ellos el ensayista hispanoamericano se convierte en un Diógenes angustiado que escruta al indio, interroga al conquistador, ensaya la historia, hace autopsia del tirano, convierte en oráculos a sus héroes, o se ilumina la cara del indio para encontrar los rasgos de su cultura. Sabe nueva su posición, se independiza del mundo y emprende su insólito camino. "Se ponen en pie los pueblos y se saludan", observa Martí, "¿Cómo somos? se preguntan; y unos a otros se van diciendo cómo son. Cuando aparece en Cojímar un problema, no va a buscar la solución a Danzig. Las levitas son todavía de Francia, pero el pensamiento empieza a ser de América".

Ya en nuestro siglo, en la cruzada a que se entregó el espíritu, se intentará llegar hasta a una filosofía americana. Es que, como explicó Vasconcelos, "ninguna de las razas importantes escapa al deber de juzgar por sí misma todos los preceptos heredados o importados para adaptarlos a su propio plan de cultura, o para formularlos de nuevo si así lo dicta esa soberanía que palpita en la entraña de la vida que se levanta. No podemos entonces eximirnos de ir definiendo una filosofía, es decir, una manera renovada y sincera de contemplar el universo". Este intento, que por sí mismo trató de llevar a cabo el "Ulises criollo", empieza a lograrse a partir de Alejandro Korn en la Argentina, Alejandro Deústua en el Perú y Antonio Caso en México. América se acercaba a las metas ambiciosas de originalidad y de autonomía de la cultura que hacía tanto tiempo se había impuesto.

C) ESPAÑA Y LOS ESTADOS UNIDOS

Hispanoamérica podía emancipar su inteligencia pero no su historia; y aquella búsqueda de lo propio tenía que encontrarse con el pasado hispánico. Era inevitable, pues, que el pensamiento americano hiciera a España tema de su meditación; el idioma, la tradición cultural y tres siglos de colonia lo justificaban plenamente. Luego la geografía, la admiración y el progreso agresivo de los Estados Unidos, también franquean la entrada al "vecino formidable".

Todo grupo humano de igual origen, como señala José Gaos en Pensamiento de Lengua Española, "tiene dos vertientes de relación, aquella por la que el individuo pertenece al orbe de una nación y aquella por la que la nación, y el individuo a través de ella, forman parte de un todo multinacional, internacional, que se presenta estructurado en varios orbes incluyentes unos de otros". Por la primera de estas vertientes Hispanoamérica se encuentra con lo más auténtico de su realidad: los héroes de la independencia, sus poetas, lo telúrico de su naturaleza, el mestizaje étnico y cultural. Por la otra se proyecta hacia el oriente y hacia el norte, en busca de los países que le hacen límite histórico y geográfico. España y los Estados Unidos alternan así en el pensamiento hispanoamericano para ser unas veces la base y otras el peligro, de su originalidad y de su destino. España acecha o ayuda desde el pasado; Norteamérica desde el porvenir.

La América española no habla nunca con una sola voz, y ahí está el peligro de estas obligadas generalizaciones, pero ninguna preocupación ha creado mayores disidencias que las logradas con el tema de España y de los Estados Unidos. En una ecuación simple pudiera decirse que la nordomanía y la hispanofobia están en razón directa. Con algunas excepciones, como la de Bello, hasta fines del siglo XIX España es la vergüenza de América. Sarmiento la llama "rezagada de Europa"; Lastarria habla de su "influencia fatal". Son los tiempos de la admiración desbordada por el milagro de las antiguas colonias inglesas, que ya habían deslumbrado a los precursores de la independencia: Francisco Miranda, Fray Servando Teresa de Mier, Antonio Nariño, Camilo Henríquez. "Con la revolución americana", confiesa Alberdi, "acabó la acción de la Europa española en este continente; ... los americanos de hoy somos europeos que hemos cambiado de maestros". Mas pronto habría de terminar la favorable actitud hacia los nuevos tutores; en Montalvo ya se insinúa el defecto utilitarista de los Estados Unidos en contraste con la tradición de la América meridional. Por boca de Lamartine hace escuchar sus propias opiniones sobre las "razas". "A la norteamericana", dice, "la admiro: habilidad, fuerza, progreso inaudito; mas tiene para mí defectos que me obligan a mirarla con tedio. Su divisa es atroz: Time is money, money is God". Más tarde Rodó, el mejor apologista de Montalvo, concreta en su Ariel el peligro que supone para la vida espiritual el utilitarismo anglosajón. "Hispano-América ya no es enteramente calificable, con relación a él, de tierra de gentiles. La poderosa federación va realizando entre nosotros una suerte de conquista moral. La admiración por su grandeza y por su fuerza es un sentimiento que avanza a grandes pasos ... es necesario oponerle los límites que la razón y el sentimiento señalan de consuno". Pero al mismo tiempo que precisaba esa contin-

gencia, enseñaba a reverenciar el pasado hispánico. En su ensayo "Iberoamérica" escribe el Próspero uruguayo: "No necesitamos los sudamericanos cuando se trata de abonar la unidad de raza, hablar de una América latina; no necesitamos llamarnos latinoamericanos para levantarnos a un nombre general que nos comprenda a todos, porque podemos llamarnos algo que signifique una unidad mucho más íntima y concreta: podemos llamarnos iberoamericanos".

Martí, por su parte, no se cansó de advertir el aspecto político del riesgo. Quiso asegurar un freno para la carrera expansionista de los Estados Unidos y confesó en su última carta, que todo lo había hecho con ese objetivo. Ya en 1891 escribía: "El desdén del vecino formidable, que no la conoce es el peligro mayor de nuestra América; y urge, porque el día de la visita está próximo, que el vecino la conozca, la conozca pronto, para que no la desdeñe. Por ignorancia llegaría, tal vez, a poner en ella la codicia". Y, a pesar de ser españolas las tropas que impiden la libertad de su patria, Martí tiene en el verso y en la prosa, junto a su corazón, un lugar para España.

Ajeno a toda advertencia, el Norte avanzó mientras la antigua metrópoli retrocedía derrotada y en silencio. Más tarde, Alfonso Reyes y Henríquez Ureña, siguiendo la exhortación de Rodó, sembrarían a Castilla en sus afectos y en el de Nuestra América. De ella afirma el primero: "Si ya no en el orden político, en el orden espiritual sigue siendo —como Israel para el filósofo judío— el corazón de donde reciben su sangre todos los miembros. Castilla, 'Castilla la gentil' en el lenguaje del Cid Campeador, sigue siendo, para el orbe hispánico de ambos Continentes, el punto de referencia, el apellido común". Mientras tanto, la otra voz tutelar de aquella generación, Henríquez Ureña, denuncia con estas palabras a los Estados Unidos: "Después de haber nacido de la libertad, de haber sido escudo para las víctimas de todas las tiranías y espejo para todos los apóstoles del ideal democrático, y cuando acababa de pelear su última cruzada, la abolición de la esclavitud, para librarse de aquel lamentable pecado, el gigantesco país se volvió opulento y perdió la cabeza; la materia devoró al espíritu; y la democracia que se había constituido para bien de todos se fue convirtiendo en la factoría para lucro de unos pocos. Hoy, el que fue arquetipo de libertad es uno de los países menos libres del mundo".

Después empezó a ceder la censura contra Norteamérica. Hubo un momento en que también había perdido actualidad la reprensión contra España; criticando las diatribas a desatiempo sobre el sistema colonial, dijo Sarmiento, quien nunca podrá ser considerado hispanófilo: "Ese lenguaje era excelente como medio revolucionario; pero treinta años después es injusto y poco exacto". Pero siempre han habido rezagados que se mueven por inercia; son respuestas tardías a las fuerzas que con razón y oportunidad desataron los grandes espíritus.

Hoy es otro el peligro que amenaza. Si se concreta, la historia de la América española podrá escribirse por la huella de los gigantes, cada vez más extraños, que hollaron sus tierras.

D) LAS RAZAS

La interminable controversia sobre el indio nació con la prédica de los dominicos en La Española. Cuando sus voces llegaron a la cátedra de Teología del padre Vitoria, éste puso en juicio hasta el derecho de la conquista. Europa y América no se cansaron, desde entonces, al debatir el tema indígena; Montaigne lo adentra en el ensayismo, y el pensamiento americano lo recoge en las también divergentes opiniones de sus mejores representantes. Con el padre Bartolomé de las Casas y Gonzalo Fernández de Oviedo surgen en el Continente dos caminos: uno, para defender lo autóctono; otro, para condenar al indio. Lastarria hablará de "la cordura de Colocolo, de la prudencia y fortaleza de Caupolicán, de la puricia y denuedo de Lautaro"; Sarmiento, europeista, con su fe en la cultura, confiesa sentir por el indígena verdadera repugnancia. "Para nosotros", dice, "Colocolo, Lautaro y Caupolicán, no obstante los ropajes civilizados y nobles de que los revistiera Ercilla, no son más que unos indios asquerosos, a quienes habríamos hecho colgar y mundaríamos colgar ahora, si reapareciesen en una guerra de los araucanos contra Chile, que nada tiene que ver con esa canalla". Alberdi llama bárbaro al indio frente al europeo que ha nacido en América, habla español y cree "en Jesucristo y no en Pillán (dios de los indígenas)".

Más tarde Montalvo añora el "don de lágrimas" para su pluma; con ella hubiera escrito un libro titulado "El Indio" para hacer "llorar al mundo". Y surge la crítica severa desde los Siete Tratados, otra vez contra los Estados Unidos; pero ahora por los prejuicios raciales que le descubre, pues allí "es preciso ser rubio a carta cabal para ser gente". Hostos revela en el Perú las raíces del problema: "El cholo no es un hombre, no es un tipo, no es el ejemplar de raza; es todo eso, más una cuestión social de porvenir". En González Prada llega a su más completa expresión la cuestión indígena; su prédica revolucionaria le lleva a decir que "el indio se redimirá merced a su esfuerzo propio, no por la humanización de sus opresores". Martí adivina una América "que ha de salvarse con sus indios", y más tarde, cuando habla de los negros, precisa su concepto sobre las razas: "El hombre no tiene ningún derecho especial porque pertenezca a una raza o a otra: dígase hombre y ya se dicen todos los derechos". Vasconcelos las ve a todas formando parte de una nueva que tiene asiento en Iberoamérica; es "la raza síntesis que aspira a englobar y expresar todo lo humano en manera de constante superación".

El tema de las razas abordó todos los géneros literarios y no ha abandonado el ensayo. Forma parte también en la obra de Alcides Arguedas, Ricardo Rojas, Mariátegui, Haya de la Torre, Fernando Ortiz, Samuel Ramos y de los ensayistas que no ceden en la indagación del acontecimiento racial de América.

E) EL IDIOMA

La urgencia de los problemas nacionales ha enriquecido el ensayismo hispanoamericano con el tema ético, pedagógico, político y social. En cierto sentido esa realidad ha ocultado la presencia del tema literario y de la búsqueda de expresión original en las letras. La independencia cultural se complementaba con el acento propio en la literatura, pero la fuerza del empeño también trató de conmover las raíces del instrumento lingüístico. El idioma fue así motivo de preocupación para los escritores del siglo XIX. Luego la sombra del castellano dejó de ser prisión para ser refugio: el manto latino se abrió para mostrar, sin pudor, el íntimo elemento hispánico. Entonces ya se había consagrado el derecho de América para sus peculiaridades idiomáticas, y las letras lograban con las armas del Modernismo, como dice Alfonso Reyes, "conquistar su sitio en el sol".

Pero durante más de medio siglo, a partir de la independencia, las llagas de América se resistían a hablar exactamente el lenguaje de la soberbia de España. Alejarse de él en una u otra forma era romper en símbolo un eslabón más de la cadena colonial. "Los idiomas eran, para los hombres de entonces, instrumentos de emancipación", explica Germán Arciniegas. "Era el momento en que todo empujaba a la liberación. Exactamente lo mismo que ocurrió, siglos atrás, con el latín de los humanistas". Además, Bello observó que, en su devoción por la lengua y la literatura de los romanos, España había cometido errores en su gramática sometiéndola con exceso a la latina. Entonces él sienta reglas más racionales y aprovecha para añadir expedientes verbales y neologismos que pudieran expresar la nueva realidad del mundo y de América. Así armado, con la necesidad y la lógica de su parte, defiende la libertad del hispanoamericano para mover el idioma. "Chile y Venezuela tienen tanto derecho como Aragón y Andalucía para que se toleren sus accidentales divergencias, cuando las patrocina la costumbre uniforme y auténtica de la gente educada".

Siguieron algunas reformas de la ortografía, como la del mismo Bello y la que intentó Sarmiento, para vencer el sistema de escritura que parte de lo etimológico con el que nace de la fonética. Grandes obras de América continuaron aquellas pautas que llegan hasta las Pájinas libres de González Prada. Todavía en ellas se pretendía arrancar a España del Perú escribiendo así: "En el idioma s'encastilla el mezquino espíritu de nacionalidad. Cada pueblo admira en su lengua el non plus ultra de la perfección, i se imajina que los demás tartamudean en tosca jerga ... la lengua amolda nuestra intelijencia, la deforma como el zapato deforma el pie de la mujer china. Por eso, no hai mejor hijiene para el cerebro que emigrar a tierra estranjera ..."

En otras regiones del Continente la actitud parecía distinta. Rufino J. Cuervo, como filólogo, quería conservar el castellano en toda su pureza; Montalvo como escritor. Pero éste tira al revés del idioma: se aparta de la España del siglo XIX y se refugia en el Siglo de Oro. Era otra versión del repudio. Casi tan alejada de la era isabelina y la Restauración, debió parecerle una reforma del lenguaje como "la gran época" que él tanto admiraba. En aquel momento, como advierte Anderson Imbert, "el meridiano de la len-

gua no pasaba por ningún punto geográfico. Ni España ni América. La patria lingüística era ideal". Y porque era utopía, a Montalvo le interesaba; ya nada había que se pareciera, por la pureza de la lengua, al mundo de Santa Teresa, Cervantes y Quevedo. "En América ni en Marruecos se habla o escribe peor el castellano que en Castilla", escribió en El Cosmopolita; *y así, cuando se vanagloria con su casticismo de ser "español de los mejores tiempos", se sabe a más de dos siglos de la España que abomina González Prada. El peruano había heredado de Montalvo su odio a la tiranía, su fe en la juventud, la pasión por los libros y algo de su tímido anticlericalismo; también la preocupación por el idioma. Uno a fuerza de conservador y otro como revolucionario sumaban a la palabra cantidades iguales de espacio y de tiempo, pero con signo contrario. Eran dos respuestas a una misma preocupación americana.*

La independencia de las Antillas diluyó en el Atlántico la contienda entre España y América. Un siglo después de iniciados los ataques contra el idioma, silenciada la insolencia de algunos críticos peninsulares y vencidos los agravios, Alfonso Reyes, risueño, habla de constituir un "Imperio dialectal de la 'se' "; con él quiere otorgar categoría a su peculiar pronunciación junto a la de algunas provincias españolas. Pero ya América representaba, como dijo Ortega y Gasset, "el mayor deber y el mayor honor de España".

F) LA LITERATURA

Menos consciente pero más natural que el deseo de modificar el idioma, nace el matiz propio en la obra literaria. Forzados los escritores a irrenunciable vehículo expresivo, habrían de buscar el rasgo de originalidad a pesar de aquella aparente limitación. "El compartido idioma no nos obliga a perdernos en la masa de un coro cuya dirección no está en nuestras manos", advierte Henríquez Ureña, *"sólo nos obliga a acendrar nuestra nota expresiva, a buscar el acento inconfundible".*

La historia de la literatura hispanoamericana, desde los primeros tiempos de Bello, Olmedo y Heredia, es la de una voluntad que intenta lograr auténtica fisonomía literaria. Unos quisieron encontrarla en el hecho peculiar de América; otros siguen el tema universal para lograr, con una especial interpretación o tratamiento, la más genuina creación. El pensamiento americano se plantea esta disyuntiva porque junto a sus primeras preocupaciones aparece la voluntad de distinción en las letras. "Es una de las energías", explica Rodó en su estudio sobre el americanismo literario, "que actuaron con insistentes entusiasmos, a partir del definitivo triunfo de la independencia y en medio de las primeras luchas por la organización, en el espíritu de los hombres que presidieron esa época inicial de nuestra cultura".

A medida que se va acercando la explosión del modernismo, se hace más patente la búsqueda de "nuestra expresión". Hostos sueña con la presencia en América de un poeta "tan notablemente subjetivo, que cuando salgan los personajes a la escena, se vea que salen de su conciencia"; Martí nota cómo en América, "del peso de la idea se quiebran las frases, antes quebradas al peso de flores traperas y llanto de cristalería"; Rodó participa del momento en el que, "sobre la manifestación de la genialidad del poeta se impone la de la índole afectiva de su pueblo o su raza, el reflejo del alma de los suyos". Luego se van precisando los planes para la originalidad literaria: "El ansia de perfección es la única norma", afirma Henríquez Ureña, y deja sus seis estudios magistrales como la mejor guía.

El ensayo hispanoamericano se ha enriquecido con la crítica literaria desde la obra del argentino Juan María Gutiérrez y la publicación de la Revista Bimestre Cubana. *Ninguno de los escritores que aparecen en esta antología ha olvidado dejar, entre sus mejores páginas, estudios valiosos sobre las letras de América. Como ante los héroes de la independencia, se detuvieron frente a los poetas; también ellos tenían qué decir. Muchas veces de aquel diálogo saldría la última verdad que no advierte la sola percepción. Dice Octavio Paz que "la misión del poeta es restablecer la palabra original, desviada por los sacerdotes y los filósofos"; y para captar todo el mensaje americano, cuando el ensayo se adentra en la poesía, trata de entenderla junto a su secreto inefable.*

Por su afán de originalidad y el "ansia de perfección", las letras han adquirido todo prestigio; el ensayo siempre las ha servido para precisar sus metas y revelar sus virtudes. Y hasta los estudios de Alfonso Reyes llega el esfuerzo incansable por colocar la literatura hispanoamericana en el nivel que le corresponde en el mundo;

porque como la española, y con ella, forman las dos "parte esencial en el acervo de la cultura humana. El que las ignora, ignora por lo menos lo suficiente para no entender en su plenitud las posibilidades del espíritu; lo suficiente para que su imagen del mundo sea una horrible mutilación". Cierto es que todavía, como subraya el gran mexicano, América no ha producido un Shakespeare, un Cervantes o un Goethe; pero no le faltan los que "pueden hombrearse en su línea con los escritores de cualquier país que hayan merecido la fama universal, a veces simplemente por ir transportados en una literatura a la moda". Y todavía hay otras razones para justificar la presencia de América en el concierto literario del mundo; son las que nacen por la particular integración de su cultura. "Hemos llegado a la vida autónoma", concluye Reyes, "cuando ya nuestra lengua no dominaba el mundo. Los que se criaron dentro de un orbe cultural en auge, o siquiera dentro de una lengua que aún sostenía su fuerza imperial, por eso mismo han vivido limitados dentro de ese orbe o de esa cultura. Nosotros, en cambio, hemos tenido que buscar la figura del universo juntando especies dispersas en todas las lenguas y en todos los países. Somos una raza de síntesis humana. Somos el verdadero saldo histórico. Todo lo que el mundo haga mañana tendrá que contar con nuestro saldo".

LA ANTOLOGIA

Una antología puede responder al criterio estético de su autor o seguir una norma histórica impuesta por el propio antologista. En el primer caso, condicionada a un principio individual de selección, se recogen los materiales sobresalientes: todo aquello que por su valor literario merece especial recuerdo. El segundo obliga a distinto camino porque la antología debe ofrecer la visión integral de un asunto o su continuidad en el tiempo. Se prescinde entonces de toda consideración moral o valoración artística y se agrupa el material seleccionado para mostrar lo intrínseco del tema. En la primera, domina el antologista; en la segunda se impone el documento.

La presente antología está limitada por el tema de América dentro del ensayismo. Pretende así ofrecer un mapa ideológico y un repertorio del género. Por intentar estos dos objetivos, no pertenece en forma exclusiva a ninguno de los grupos mencionados: será objetiva en cuanto acepta la que es materia preferente del ensayo; dejará de serlo cuando se impone la responsabilidad de una elección cualitativa.

Es una afortunada coincidencia la que permite perseguir, en una misma obra, dos propósitos tan distintos: la manifestación de la conciencia de América y una colección representativa de ensayos de calidad literaria. Ello se debe a que, como ha señalado Zum Felde, "la ensayística americana adquiere su mayor valor original, y también su mayor resonancia efectiva, cuando se trata del tema americano mismo, en cualquiera de sus múltiples fases".

No es distinto el proceso en España. También allí ocurre la más genuina preocupación nacional dentro de la misma forma. El pensamiento español, desde el siglo XVIII hasta época reciente, mejor que en otra parte, se descubre en los ensayos de Feijoo, Jovellanos, Cadalso, Larra, Giner de los Ríos, Joaquín Costa, Ganivet, los hombres del 98, Ortega y Gasset. Quizás sea esto posible por la misma razón que Unamuno veía mejor la filosofía de España en las creaciones de los místicos, y en la obra de grandes figuras literarias, que en los textos de filosofía. También se debe a que el ensayo, como ha dicho Salinas, "es el mejor envase y el más adecuado para pensar en España y sus problemas, y para agitar la conciencia nacional".

El pensamiento hispanoamericano ha seguido el mismo camino. Los escritores que reúne esta antología logran su más rica expresión ensayística mientras tratan de mostrar al mundo las esencias del Continente: las raíces de su pasado, la compleja experiencia de su ser, las promesas del futuro. "El estudio adecuado a los hombres de América, es América", decía el prócer hondureño José Cecilio del Valle a raíz de la independencia; y ella ha sido el tema central en la reflexión de sus hijos. Pero como el pensamiento hispánico, hasta para exponer sus ideas de mayor densidad filosófica ha preferido mantenerse en el mundo de lo literario, no es de extrañar que América, como "deber y agonía", encuentre el mejor campo de estudio dentro del ensayo.

Pero ¿qué es el ensayo? Hacía falta un criterio para decidir el material aquí seleccionado. No puede ser la temática la que decida por sí sola un género. No todo lo que habla en prosa de América es ensayo, aunque la mejor prosa ensayística hable con preferencia de América. Ha sido de tan constante presencia la preocupación americanista en el ensayo, que se han olvidado sus límites elementales cuando aparece el tema en otras categorías literarias. Para que exista un género, las obras que en él se reúnen deberán presentar algunos atributos específicos que permitan agruparlas. "El conjunto de esos rasgos característicos", precisa Francisco Ayala, "su esquema abstracto", es en realidad lo que constituye el género; es decir, "un ente de razón, una categoría del conocimiento, un aparato mental que el historiador o el crítico arman para ordenar y clasificar los materiales ofrecidos a su cuidado por la creación poética".

Y ¿cuáles son los "rasgos característicos" que identifican el ensayo? Los hay, sí, aunque endebles. Algunos críticos los han de señalar en la forma del lenguaje, su extensión o la variedad temática; otros, en la ausencia de la "prueba científica", en el tratamiento personal o su desarrollo inconcluso; también en el estilo conversacional, la libertad de digresión o la ausencia de método. Pero ante todo, el ensayo responde a una actitud mental del escritor. Movido éste por el deseo de tratar libremente un tema determinado, se entrega a él asumiendo el riesgo de la interpretación personal, mientras se deja llevar por los impulsos del sentimiento y de la imaginación.

En esquema —que una definición se hace imposible en género tan cambiante e impreciso— podría decirse que el ensayo es el resultado de una reflexión y de la voluntad de trasmitir artísticamente las conclusiones o impresiones que de ella se derivan. La forma externa de tal voluntad de expresión se ha de conformar, sin embargo, a ese mínimo de rasgos diferenciales que claramente lo distinguen de otras categorías. Quedan así incluidos en la misma familia literaria, desde el hermano mayor, el estudio crítico, hasta el benjamín, el artículo salvado de la inmediatez del simple periodismo. Pero siempre ha de estar presente la artística expresión, el pulso de universalidad y el mérito de trascender. Monografías, críticas, memorias, crónicas de interés general, artículos; reflejos literarios todos de una posición intelectual única, cuya consecuencia especial los reúne dentro del ensayismo.

Esta antología recoge así desde páginas con severas meditaciones de Bello y Henríquez Ureña hasta preciosas y poemáticas miniaturas de Rodó, Montalvo y Alfonso Reyes. La unidad ideológica es América; ése será como el "tema radical" que Ortega y Gasset propone para que el ensayo logre su categoría; la unidad literaria la ofrece el tratamiento artístico de ese tema mientras se cumplen los requisitos que permite clasificarlos, con cierto rigor, dentro de la jerarquía del género.

Cuando ha sido posible, se incluyen las selecciones en toda su extensión original. Si sólo fuera esta obra un catálogo de ideas, hubiera bastado entresacar los párrafos de mayor contenido ideológico. Pero también pretende ser una colección de ensayos. Al respetar la hechura literaria había que mantener su unidad elemental, formada por la inspiración, el recorrido diverso del pensamiento y la conclusión o las sugerencias a que se llega. La digresión, la anécdota incidental, la cita erudita y la referencia personal forman tanta parte del ensayo como lo hacen los elementos decorativos en la estética del barroco. Suprimirlos a capricho será negar su identidad esencial, desintegrarlos, anularlos como modelos. La presente colección se interesa no solamente en qué se dice sino en el cómo de cada ensayista. Se ha respetado, pues, la forma, para que cada ejemplo conserve toda "l'allure poètique, à sauts et à gambades" de que habla Montaigne, o semejen las "dispersed meditations" de Bacon; para que sean la "cadena larga y resonante" de Montalvo, "cadena de oro sin eslabón", o vayan, como Unamuno, "descubriendo terreno según se marcha, y cambiando de rumbo a medida que cambian las vistas que se abren a los ojos del espíritu".

La Conciencia, de "con-scientia", es el conocer en común de un mismo hecho. Con ese significado aparece el vocablo en el título de esta antología. Un saber colectivo que entrega los matices diversos del mismo fenómeno, crea una verdadera conciencia. Es Intelectual porque la inteligencia está tomada como el órgano natural del conocimiento. Ella es el puente que comunica la realidad y la posibilidad de Hispanoamérica con el ensayista.

"Yo me llamo conciencia", dijo Martí, porque en él se refugiaban los desvelos y esperanzas del Continente, y porque convirtió

su alma en el circo agonal donde contendían las realidades de nuestra América. Todos los escritores reunidos aquí responden también a ese nombre. Juntos, en florilegio, forman esta Conciencia Intelectual de América.

El grupo de ensayos de cada uno de ellos, está precedido por una breve nota biográfica y de una bibliografía seleccionada de acuerdo con la temática de esta colección. Las últimas páginas recogen algunas obras que contienen estudios, muchas veces de valor superior a los de la bibliografía particular, sobre los autores que componen la antología. En la preparación de esa última selección bibliográfica, agradecemos la ayuda del editor, el señor Gaetano Massa.

Esta obra está dedicada a todos los que se interesan en la literatura y el pensamiento de Hispanoamérica. El mérito modestísimo que pueda merecer mi trabajo lo debo al estímulo generoso de Félix Lizaso. Cincuenta años dedicados al ensayismo y toda una vida de inspiración americanista, desde el ara martiana, hicieron de inapreciable valor su ayuda y su consejo. Para el ilustre cubano dejo aquí constancia de mi sincera gratitud.

C. R.

Middlebury College,
agosto de 1965

ANDRES BELLO

1781 - 1865

Basta echar la vista sobre un mapa de la América
Meridional para percibir hasta qué punto ha querido la Providencia facilitar el comercio de sus
pueblos y hacerlos a todos una sociedad de hermanos.

A. B.

Don Bartolomé Bello, abogado de la Audiencia en la ciudad de
Caracas, tuvo una prole numerosa. De sus cuatro hijas y tres hijos,
uno estaba destinado a ser el mejor representante cultural del renacer americano en el siglo XIX. La sólida formación intelectual
de Andrés Bello, necesaria para cumplir su destino histórico, tenía
que iniciarse desde sus primeros años, y siendo muy niño, aprovechó
la cercanía de un convento mercedario para satisfacer su curiosidad
sobre la vida, en el ambiente austero de los frailes. Algún tiempo
después, su primer profesor sería también un religioso, notable la-
tinista que le inició en el estudio de las lenguas y de la literatura.
Pronto se aventuró el excelente discípulo a traducir a Virgilio y a
imitarlo en sus primeras composiciones poéticas.

En 1796 ingresa en un Seminario —que más tarde se conver-
tiría en la Universidad de Caracas— para continuar sus estudios de
latín e iniciarse en la filosofía. En los comienzos del siglo se gradúa
de bachiller, pero cuando se dispone a cursar la carrera de Derecho,
las dificultades económicas de su familia le obligan a procurarse un
empleo. Hasta el año 1810, en que acompaña a Bolívar para lograr
el apoyo inglés a la Suprema Junta de Venezuela, Andrés Bello es
empleado de la Capitanía General, y se da a conocer en Caracas como
preceptor y poeta. De aquellos años de juventud, que conocieron la
influencia de la literatura francesa y se despertaron con la presencia y la amistad de Humboldt, quedaron sus poemas Al Anauco, A
la victoria de Bailén, A un samán, A una artista... Pero es Londres,
la ciudad que verá nacer lo mejor de su poesía.

Los diez y nueve años que permanece en Inglaterra dejan su huella imborrable en la personalidad del ilustre venezolano. Desde la Legación de su país, en la que ocupaba el cargo de Secretario, fue familiarizándose con la cultura y el ambiente londinense. Y para superar las estrecheces económicas, da clases particulares de latín y de español. Más tarde entretiene su nostalgia por la patria lejana aprendiendo griego, y con la edición de El Censor Americano, La Biblioteca Americana *y* El Repertorio Americano. *En estas publicaciones quedaría lo más precioso de su obra poética: la* Alocución a la Poesía *(1823) y la* Silva a la Agricultura de la Zona Tórrida *(1826). Aquélla fue como una proclama romántica de la independencia cultural en América. Dice a la "diosa", "a la "divina poesía":*

> . . .descuelga de la encina carcomida
> tu dulce lira de oro
> . . .y sobre el vasto Atlántico tendiendo
> las vagarosas alas, a otro cielo,
> a otro mundo, a otras gentes te encamina
> do viste aún su primitivo traje
> la tierra, al hombre sometida apenas,

Y su Silva a la Agricultura *era un himno que señalaba el camino de la paz para las nuevas repúblicas:*

> cerrad, cerrad las hondas
> heridas de la guerra: el fértil suelo,
> áspero ahora y bravo,
> al desacostumbrado yugo torne
> del arte humana, y le tribute esclavo.

Bello comprendía que la emancipación integral de América había que realizarla desde la tierra hasta las más altas regiones del espíritu.

Pero tan acendrado americanismo no afecta su obra erudita. En Londres comienzan sus estudios sobre la épica castellana, que continuará durante casi cincuenta años, para merecer el elogio y la admiración de los mejores hispanistas de todos los tiempos. Y traduce obras inglesas, francesas e italianas. También se preocupa por la filosofía: cultiva la amistad de Bentham y de su continuador

James Mill. *Quizás en contacto con estos representantes del utili-*
tarismo inglés, se perfiló en el carácter de Bello su repudio por los
impulsos intensos del alma. Pero la inseguridad económica le hacía
pensar con frecuencia en volver a su América. Después de enviudar
y de haber vuelto a casarse, tenía grandes dificultades para atender
a los suyos. Es entonces cuando escribe a Bolívar solicitando ayuda:
"Mi destino presente," le dice en una de sus cartas, "no me propor-
ciona sino lo muy preciso para mi subsistencia . . . veo delante de
mí, no digo pobreza, que ni a mí ni a mi familia nos espantaría, pues
ya estamos hechos a tolerarla, sino la mendicidad." Como no recibe
a tiempo una oferta aceptable, decide embarcarse para Chile. Y
cuando el Libertador —quien, además de amigo, había sido su dis-
cípulo— trata de "ganarlo para Colombia", es muy tarde: ya na-
vegaba hacia su segunda patria.

En 1829 llega a Chile donde ha de permanecer hasta su muerte.
Los treinta y seis años que pasará en aquel país le darán oportuni-
dad para ejercer su magisterio y para emplear el tesoro de su inte-
ligencia. Y allí presenciará los cambios profundos de la vida y la
cultura que él ayuda a producir. Aunque aquella República no pa-
recía, a primera vista, el mejor lugar para la actividad de Andrés
Bello, supo muy bien el pueblo chileno aprovechar la presencia del
maestro. Porque los conflictos internos absorbían las mejores fuer-
zas de la nación, se hacía necesario sembrar la preocupación inte-
lectual, cambiar el campo de batalla por el recinto universitario, y
en él, con resultados positivos, dirimir las contiendas. Cuando hacia
1842 se inicia la polémica entre clásicos y románticos, tradiciona-
listas y liberales, defensores del hispanismo y afrancesados, Bello
y sus discípulos contra Sarmiento y sus amigos, el país ha dado un
paso decisivo hacia la más alta civilidad.

La obra de Bello en Chile se inició con la publicación de un
periódico: El Araucano. *Luego sus libros irán marcando el derro-*
tero. Como en su misión magisterial, y en las gestiones oficiales que
le encomiendan los poderes ejecutivo y legislativo, puede compro-
bar la falta de programas adecuados, decide prepararlos. Para evi-
tar que el idioma se convierta "en una multitud de dialectos irre-
gulares, licenciosos y bárbaros, embriones de idiomas futuros, que
durante una larga elaboración reproducirán en América lo que fue
la Europa en el tenebroso período de la corrupción del latín," es-
cribe su obra sobre el lenguaje. Y como advierte que los códigos

"son un océano de suposiciones en que puede naufragar el piloto más diestro y experimentado," concibe su obra jurídica. Los frutos de aquella cruzada apostólica fueron sus libros Principios del Derecho de Gentes *(1832),* Principios de Ortología y Métrica de la Lengua Castellana *(1835),* Principios de Derecho Internacional *(1844),* Gramática de la lengua castellana *(1847) y el* Código Civil *(1855). Había señalado pautas para las relaciones humanas: las que debían regir la lengua para la comunicación del hombre y las que, al amparo de la ley, habrían de presidir el diálogo social. Y sin olvidar su vocación de poeta, casi para confirmar su eclecticismo estético, hace una preciosa creación en español de la* Oración por Todos *de Víctor Hugo.*

El 17 de septiembre de 1843 fue inaugurada la Universidad de Chile. Bello, su Rector vitalicio, señaló en memorable discurso el ideario del alto centro educacional, que coincidía con la perspectiva de su pensamiento: "La libertad, como contrapuesta, por una parte, a la docilidad servil que lo recibe todo sin examen, y por otra a la desarreglada licencia que se revela contra la autoridad de la razón y contra los más nobles y puros instintos del corazón humano." Con este equilibrio, y desde aquella cátedra, siguió impulsando la cultura de América cada vez que se necesitó una mano poderosa. Vestida en traje de armonía, su palabra siguió siendo una fuerza irresistible.

El, que había puesto de pie un continente y había hecho andar un pueblo, pasaría los últimos años de su vida en una silla de inválido. Pero el vigor de su entendimiento no le abandonaba: siguió completando su obra omnímoda mientras adaptaba la cultura universal a la realidad americana. Y a los ochenta y cuatro años, "cuando se apagó en sus ojos la luz de tantos días de lucha," como ha dicho Germán Arciniegas, "de tantas vigilias henchidas de claridad, cesó para él un afanoso trabajo que le ocupó hasta el último instante la vida. Santiago de Chile recogía el último aliento del hijo de Caracas. Así quedaban unidos en la biografía del sabio los dos extremos de la América del Sur, que fue toda un solo paisaje recreado muchas veces por su inteligencia y embellecido por su arte poético."

BIBLIOGRAFIA

I. EDICIONES

Obras completas de don Andrés Bello. 15 Vols. Santiago de Chile: Imprenta de P. G. Ramírez, 1881-1893.

Obras completas. Caracas: Ministerio de Educación, 1951-1962. Vols. I-VI, VIII-XIV, XVII, XIX-XX.

Obras completas. 7 Vols. Madrid: Dubrull, 1882-1905.

Antología. Selección, Prólogo y Notas de Pedro Grases. 2a. ed. Caracas: Ja Villegas, 1953.
Bello. Prólogo y Selección de Gabriel Méndez Plancarte. México: Ediciones de la Secretaría de Educación Pública, 1943.

II. ESTUDIOS

Agudo Freytes, Raúl. *Andrés Bello, Maestro de América.* Caracas: Impresores Unidos, 1945.

Alone [H. Díaz Arrieta]. "Los descendientes de don Andrés Bello en Chile," RNC, Vol. II No. 13 (1939).

—————. "Don Andrés," RNC, Vol. XVII, Nos. 106-107 (1954).

Alonso, María Rosa. "Bello, precursor," RNC, Vol. XXI, No. 131 (1958).

Amunátegui, Miguel Luis. *Vida de don Andrés Bello.* Santiago de Chile: Imprenta Pedro G. Ramírez, 1882.

—————. *Don Andrés Bello y el Código Civil.* Santiago de Chile: Imprenta Cervantes, 1885.

—————. *Nuevos estudios sobre Andrés Bello.* Santiago de Chile: Imprenta Litografía y Encuadernación Barcelona, 1902.

Araneda Bravo, Fidel. "El espíritu de don Andrés Bello," A, CXXIII, No. 365-366 (nov.-dic., 1955).

Arciniegas, Germán. *El pensamiento vivo de Andrés Bello (Antología).* 2a. ed. Buenos Aires: Losada, 1958.

Ardura, Ernesto. "El sabio Andrés Bello: Su influencia en dos continentes," AmerW, Vol. VIII, No. 11 (1956).

Balbín de Unquera, Antonio. *Andrés Bello, su época y sus obras.* Madrid: Imprenta de M. G. Hernández, 1910.

Bello en Caracas. "Alone". Prólogo de Pedro Grases. Caracas: Presidencia de la República, 1963.

Borjas Sánchez, José Antonio. "Andrés Bello y la independencia cultural de América. Su magisterio viviente," RUZ, Vol. I, No. 1 (enero-marzo, 1958).

Caldera Rodríguez, Rafael. *Andrés Bello, Ensayo.* Caracas: Editores Parra León Hnos., 1935.

————. *Andrés Bello, su vida, su obra y su pensamiento.* Buenos Aires: Editorial Atalaya, 1946.

Congreso de Academias de la Lengua Española. *Homenaje a Bello, Caro y Cuervo.* Madrid, 1956.

Cornejo Justino. *Bello: precursor universal.* Guayaquil: Universidad de Guayaquil, Departamento de Publicaciones, 1956.

Crema, Edoardo. "Chateaubriand y Bello," RNC, No. 60 (enero-febrero, 1947).

————. *Andrés Bello a través del romanticismo.* Caracas: Talleres de Gráficos Sitges, 1956.

————. *Trayectoria religiosa de Andrés Bello. Caracas:* Talleres de Gráficos Sitges, 1956.

Grases, Pedro. "Contribución al estudio de la bibliografía caraqueña de don Andrés Bello," BAV, octubre-diciembre 1943.

————. *Andrés Bello, el primer humanista de América.* Buenos Aires: Ediciones Tridente, s. a., 1946.

————. *El "Resumen de la historia de Venezuela" de Andrés Bello.* Caracas: Tipografía americana, 1946.

————. *Andrés Bello y la Universidad de Caracas; dictamen sobre la Biblioteca Universitaria.* Caracas: Dirección de Cultura Universitaria, 1950.

————. *Doce estudios sobre Andrés Bello.* Buenos Aires: Editorial Nova, 1950.

————. *En torno a la obra de Bello.* Caracas: Tipografía Vargas, 1953.

"Homenaje a Andrés Bello," RevChil, Nos. 110-111 (junio-julio, 1929).

"Homenaje a Andrés Bello, CUn, No. 4 (nov.-dic., 1947).

"Homenaje a Don Andrés Bello," AUCh, XCIII, No. 17 (1955).

"Homenaje a Andrés Bello," BUCh, No. 35 (1962).

Lira Urquieta, P. *Andrés Bello.* México: Fondo de Cultura Económica, 1948.

Menéndez Pidal, Ramón. "La nueva edición de las obras de Bello," RNC, Nos. 106-107 (sept.-dic., 1954).

Moríñigo, Mariano. "América en las Silvas de Andrés Bello," RNC, Vol. XXV (1962).

Núñez, Estuardo. "Don Andrés Bello, gran Americano," Ipna, septiembre-diciembre, 1947.

Orrego Vicuña, Eugenio. *Don Andrés Bello*. Santiago de Chile: Imprenta y Litografía Leblanc, 1940.

Pérez Luciani, Lucy. *Andrés Bello* (1781-1865). Caracas: Ediciones de la "Fundación Eugenio Mendoza," 1952.

Picón-Salas, Mariano. "Bello, entre los humanistas europeos," PolCar, No. 3 (noviembre, 1959).

Remos, Juan J. "Andrés Bello (1781-1865)," *Micrófono*. La Habana, 1937.

Rodrigo Villegas, B. "Andrés Bello espíritu inmortal," UA, Vol. XLI (1964).

Semana de Bello en Caracas. Vols. I-VI. Caracas: Ediciones del Ministerio Educación, Dirección de Cultura y Bellas Artes, 1953-1957.

Torre, Guillermo de. "Andrés Bello y la unidad del idioma," RNC, Vol. XVI, No. 102 (enero-febrero, 1954).

Tejera, Humberto. "Magisterio indolatino de Andrés Bello," HoMe, Vol. V, No. 26 (1962).

Uslar-Pietri, Arturo. "Andrés Bello, el desterrado," CuA, mayo-junio, 1947.

LAS REPUBLICAS HISPANO-AMERICANAS

El aspecto de un dilatado continente que aparecía en el mundo político, emancipado de sus antiguos dominadores, y agregando de un golpe nuevos miembros a la gran sociedad de las naciones, excitó a la vez el entusiasmo de los amantes de los principios, el temor de los enemigos de la libertad, que veían el carácter distintivo de las instituciones que América escogía, y la curiosidad de los hombres de Estado. Europa, recién convalecida del trastorno en que la revolución francesa puso a casi todas las monarquías, encontró en la revolución de América del Sur un espectáculo semejante al que poco antes de los tumultos de París había fijado sus ojos en la del Norte, pero más grandioso todavía, porque la emancipación de las colonias inglesas no fue sino el principio del gran poder que iba a elevarse de este lado de los mares, y la de las colonias españolas debe considerarse como su complemento.

Un acontecimiento tan importante, y que fija una era tan marcada en la historia del mundo político, ocupó la atención de todos los Gabinetes y los cálculos de todos los pensadores. No ha faltado quien crea que un considerable número de naciones colocadas en un vasto continente, e identificadas en instituciones y en origen, y a excepción de los Estados Unidos, en costumbres y religión, formarán con el tiempo un cuerpo respetable, que equilibre la política europea y que, por el aumento de riqueza y de población y por todos los bienes sociales que deben gozar a la sombra de sus leyes, den también, con el ejemplo, distinto curso a los principios gubernativos del Antiguo Continente. Mas pocos han dejado de presagiar que, para llegar a este término lisonjero, teníamos que marchar por una senda erizada de espinas y regada de sangre; que nuestra inexperiencia en la ciencia de gobernar había de producir frecuentes oscilaciones en nuestros Estados; y que mientras la sucesión de generaciones no hiciese olvidar los vicios y resabios del coloniaje, no podríamos divisar los primeros rayos de prosperidad.

Otros, por el contrario, nos han negado hasta la posibilidad de adquirir una existencia propia a la sombra de instituciones libres que han creído enteramente opuestas a todos los elementos que pueden constituir los Gobiernos hispanoamericanos. Según ellos, los principios representativos, que tan feliz aplicación han tenido en los Estados Unidos, y que han hecho de los establecimientos ingleses una gran nación que aumenta diariamente en poder, en industria, en comercio y en población, no podían producir el mismo resultado en la América española. La situación de unos y otros pueblos al tiempo de adquirir su independencia era esencialmente distinta: los unos tenían las propiedades divididas, se puede decir, con igualdad; los otros veían la propiedad acumulada en pocas manos. Los unos estaban acostumbrados al ejercicio de grandes derechos políticos, al paso que los otros no los habían gozado, ni aun tenían idea de su importancia. Los unos pudieron dar a los principios liberales toda la latitud de que hoy gozan, y los otros, aunque emancipados de España, tenían en su seno una clase numerosa e influyente, con cuyos intereses chocaban. Estos han sido los principales motivos, porque han afectado desesperar de la consolidación de nuestros Gobiernos los enemigos de nuestra independencia.

En efecto, formar constituciones políticas más o menos plausibles, equilibrar ingeniosamente los poderes, proclamar garantías y hacer ostentaciones de principios liberales, son cosas bastante fáciles en el estado de adelantamiento a que ha llegado en nuestros tiempos la ciencia social. Pero conocer a fondo la índole y las necesidades de los pueblos a quienes debe aplicarse la legislación, desconfiar de las seducciones de brillantes teorías, escuchar con atención e imparcialidad la voz de la experiencia, sacrificar al bien público opiniones queridas, no es lo más común en la infancia de las naciones y en crisis en que una gran transición política, como la nuestra, inflama todos los espíritus. Instituciones que en la teoría parecen dignas de la más alta admiración, por hallarse en conformidad con los principios establecidos por los más ilustres publicistas, encuentran, para su observancia, obstáculos invencibles en la práctica; serán quizá las mejores que pueda dictar el estudio de la política en general, pero no, como las que Solón* formó para Atenas, las mejores que se pueden dar a un pueblo determinado. La ciencia de la legislación, poco estudiada entre nosotros cuando no teníamos una parte activa en el gobierno de nuestros países, no podía adquirir desde el principio de nuestra emancipación todo el cultivo necesario, para que los legisladores americanos hiciesen de

* Solón (640-558 A. C.), estadista y poeta griego, redactor de una Constitución que suprimía los privilegios de la nobleza.

ella meditadas, juiciosas y exactas aplicaciones, y adoptasen, para la formación de las nuevas constituciones, una norma más segura que la que pueden presentarnos máximas abstracciones y reglas generales.

Estas ideas son plausibles; pero su exageración sería más funesta para nosotros que el mismo frenesí revolucionario. Esa política asustadiza y pusilánime desdoraría al patriotismo americano; y ciertamente está en oposición con aquella osadía generosa que le puso las armas en la mano, para esgrimirlas contra la tiranía. Reconociendo la necesidad de adaptar las formas gubernativas a las localidades, costumbres y caracteres nacionales, no por eso debemos creer que nos es negado vivir bajo el amparo de instituciones libres y naturalizar en nuestro suelo las saludables garantías que aseguran la libertad, patrimonio de toda sociedad humana que merezca nombre de tal. En América, el estado de desasosiego y vacilación que ha podido asustar a los amigos de la humanidad es puramente transitorio. Cualesquiera que fuesen las circunstancias que acompañasen a la adquisición de nuestra independencia, debió pensarse que el tiempo y la experiencia irían rectificando los errores, la observación descubriendo las inclinaciones, las costumbres y el carácter de nuestros pueblos, y la prudencia combinando todos estos elementos, para formar con ellos la base de nuestra organización. Obstáculos que parecen invencibles desaparecerán gradualmente: los principios tutelares, sin alterarse en la sustancia, recibirán en sus formas externas las modificaciones necesarias, para acomodarse a la posición peculiar de cada pueblo; y tendremos constituciones estables, que afiancen la libertad e independencia, al mismo tiempo que el orden y la tranquilidad, a cuya sombra podamos consolidarnos y engrandecernos. Por mucho que se exagere la oposición de nuestro estado social con algunas de las instituciones de los pueblos libres, ¿se podrá nunca imaginar un fenómeno más raro que el que ofrecen los mismos Estados Unidos en la vasta libertad que constituye el fundamento de su sistema político y en la esclavitud en que gimen casi dos millones de negros bajo el azote de crueles propietarios? Y sin embargo, aquella nación está constituída y próspera.

Entre tanto, nada más natural que sufrir las calamidades que afectan a los pueblos en los primeros ensayos de la carrera política; mas ellas tendrán término, y América desempeñará en el mundo el papel distinguido a que la llaman la grande extensión de su territorio, las preciosas y variadas producciones de su suelo y tantos elementos de prosperidad que encierra.

Durante este período de transición, es verdaderamente satisfactorio para los habitantes de Chile ver que se goza en esta parte de América una época de paz que, ya se deba a nuestras instituciones, ya al espíritu de orden que distingue el carácter nacional, ya a las lecciones de pasadas desgracias, ha alejado de nosotros las escenas de horror que han afligido o otras secciones del continente americano. En Chile están armados los pueblos por la ley; pero hasta ahora esas armas no han servido sino para sostener el orden y el goce de los más preciosos bienes sociales; y esta consoladora observación aumenta en importancia al fijar nuestra vista en las presentes circunstancias, en que se ocupa la nación en las elecciones para la primera magistratura. Las tempestuosas agitaciones que suelen acompañar a estas crisis políticas no turban nuestra quietud; los odios duermen; las pasiones no se disputan el terreno; la circunspección y la prudencia acompañan al ejercicio de la parte más interesante de los derechos políticos. Sin embargo, estas mismas consideraciones causan el desaliento y tal vez la desesperación de otros. Querrían que este acto fuese solemnizado con tumultos populares, que le presidiese todo género de desenfreno, que se pusiesen en peligro el orden y las más caras garantías... ¡Oh!, ¡nunca lleguen a verificarse en Chile estos deseos!

(*El Araucano,* Santiago de Chile, 1836)

ANIVERSARIO DE LA VICTORIA DE CHACABUCO

La espantosa y larga anarquía que ha afligido a casi todos los estados hispano-americanos desde los primeros tiempos de su independencia, nos parece llega ahora a una crisis favorable, que no puede menos de conducir a su última solución. No es éste para nosotros un puro presentimiento, hijo del vivo deseo que nos anima por la paz y felicidad general de los estados hermanos; es más bien una profunda convicción, fundada en la misma duración del mal; en los crueles desengaños que ha sembrado por todo, y en la decisión general en favor del orden, que ha llegado a ser el tema, hasta de los mismos desorganizadores de antes.

Que los estados americanos tienen en sí mismos los medios de establecer este orden, y de un modo sólido y permanente, apenas podrá ponerse en duda, en presencia de los ejemplos y brillantez de dos de estos estados que marchando por la misma senda, tropezando con iguales inconvenientes y sin recursos ajenos o extraordinarios, han llegado felizmente a establecer un sistema regular político y económico, que lleva todas las apariencias de estabilidad y todos los gérmenes de adelantamientos.

Estos estados especialmente favorecidos son, como es sabido, Venezuela y Chile, que disfrutan de todos los bienes de la paz pública y del orden legal, a cuya sombra benéfica se desarrollan entre ellos sus instituciones, y crecen cada día en moralidad pública y prosperidad material. Y ¡cosa digna de notarse! Venezuela y Chile se hallan sin relación alguna entre sí, y colocados en extremidades opuestas, como para servir de modelo a las demás repúblicas hermanas, marcando a todas ellas la diferencia que existe entre el orden y la anarquía, la exaltación y la prudencia, y para hacer ver a las naciones extrañas que no debe desesperarse de la suerte de unos países llamados a grandes destinos, aunque extraviados ahora de la senda que conduce a la verdadera felicidad de las naciones por pasiones muy excusables en la infancia de ellas, y atendido su origen, inexperiencia y todos los antecedentes de su existencia política.

He aquí también las causas que han movido nuestra pluma siempre que hemos tratado de hacer ver las ventajas de nuestra situación feliz, y que nos han hecho aprovechar y aun buscar las ocasiones· de inculcar el amor al orden, para hacerlo amar más y más de nuestros conciudadanos, y atraer sobre él y sobre nosotros mismos las miradas de los pueblos americanos, menos felices que nosotros, y necesitados por consiguiente de los argumentos del ejemplo y de los hechos. En esta obra, protestamos que jamás ha entrado la menor parte de vanidad o jactancia, o el ridículo orgullo de representarnos a los ojos del mundo como un pueblo excepcional entre los que tuvieron el mismo origen, o como especialmente llamado a diferentes destinos que los demás; semejante superficialidad sería indigna del carácter del país, y de la experiencia que acerca de la inestabilidad de las cosas públicas en los países nacientes, hemos llegado a adquirir a costa de los grandes sacrificios y desgracias que hemos arrostrado en común con las nuevas naciones americanas.

Estamos persuadidos, por el contrario, que lejos de dar la debida importancia a los hechos salientes de nuestra historia de ayer y la de ahora, y de representarlos con el relieve correspondiente, o los rebajamos a veces nosotros mismos, o dejamos a la posteridad el cuidado de hacernos la debida justicia; dejamos, por ejemplo, como olvidada la última gloriosa campaña de nuestras armas en el exterior, su grandiosa terminación en Yungay* y el desinterés y magnanimidad de Chile en toda la obra de la restauración del Perú; acaba de pasar el 20 de enero sin un recuerdo de estos hechos, y sin que nadie mencione que Chile adquirió desde su primer ensayo sobre las fuerzas españolas el dominio del Pacífico, que ha sabido conservarlo, y que de Chile y por él se han hecho todas las expediciones marítimas de importancia, incluso la de la restauración en beneficio de la causa americana. Más extraño parece todavía el que no se fije bastante la atención acerca de lo que pasa actualmente entre nosotros, sobre todo después de aquella gran crisis electoral del año precedente (1841) y en esta misma estación, que parecía a los ojos de muchos de un peligro inminente para la paz pública, sin que faltaran otros que la considerasen como el paso preliminar de una disolución inevitable, o de verdadera retrogradación hacia los tiempos de confusión y desorden. Y sin embargo, Chile y sus instituciones salieron triunfantes de aquella penosa prueba; nació de ella misma la obra de la reconciliación de los ánimos; la paz pública y el orden legal se cimentaron y establecieron sobre fundamentos más sólidos que nunca; y se abrió una nueva era de civilización y adelantamiento, de cuyos beneficios participan actualmente todos los chilenos.

Después de esto, y en medio del cuadro brillante de actividad industrial y de espíritu de empresa que nos rodea, y del prospecto más halagüeño todavía de continuada paz, y de mejora y prosperidad crecientes, tal vez es un signo nada equívoco de nuestra solidez de principios y sobriedad de aspiraciones en el orden político, esa misma modestia que nos hace como olvidar las páginas más

---

* Batalla de 1838 en la que los chilenos acabaron la Confederación peruanoboliviana.

gloriosas de nuestra historia y no dar importancia a los adelantamientos de todo género que hemos conseguido a favor de esos mismos principios y del orden público felizmente establecido.

Pero semejante modestia, compañera inseparable del verdadero mérito, en los individuos como en las naciones aventajadas, no debe ser llevada demasiado adelante, o en perjuicio de los bienes que podrían resultar a otros y a nosotros mismos, dando a conocer nuestra situación actual, y los medios por donde hemos llegado a ella. Importa que la conozcan, lo repetimos, los pueblos hermanos, por lo mismo que les deseamos todo el bien posible, porque estamos seguros de sus simpatías, para con nosotros. Sabemos además, por experiencia, que las mismas ideas más o menos acertadas, y aun los mismos extravíos, han señalado la carrera de sus buenas y malas fortunas en todas las secciones americanas desde el principio de su transformación política; y creemos deberles un buen ejemplo, que será fecundo en resultados importantes, y que no dudamos será seguido, como lo fue de una extremidad a otra el eco de la independencia y el instinto de libertad, desgraciadamente pervertido o extraviado en todas partes, y que ya es tiempo de sobra de que sea moderado por el buen sentido público y dirigido por la razón y la experiencia. Por eso, nunca hemos desesperado de la suerte de estas nuevas naciones, y aun creemos ver cercano el día de su paz exterior y doméstica, para darse mutuamente la mano y caminar juntas por la vía del orden hacia las mejoras sólidas y la mayor dicha social.

Del mismo modo, creemos de suma importancia que sea conocida nuestra situación actual por las naciones europeas, en donde el sobrante de capitales y de una población activa e industriosa, se hubieran abierto paso hasta nosotros, hace tiempo, sin las continuas revueltas y agitaciones que nos han atormentado, y que hacían incierta, por no decir imposible, toda especulación industrial o cualquier empresa fundada en la estabilidad de nuestros gobiernos e instituciones. Felizmente, el estado y circunstancias de Chile no han debido escaparse a la observación de aquellas naciones; y el hecho de ser este país el primero que con el pago exacto de la deuda interior y extranjera, ha dado positivas pruebas de su empeño por el restablecimiento de su crédito y el cumplimiento de sus obligaciones, empieza ya a reanimar las especulaciones de los europeos, y hoy se hacen a nuestro gobierno proposiciones de diversos géneros que deben contribuir al desarrollo de nuestras riquezas naturales, y que no dudamos, serán realizadas en breve tiempo. Sólo falta que las ventajas de Chile, así en el orden político como en el orden industrial, se hagan más generalmente conocidas; y he aquí el cargo de los escritores públicos, si desean que se apresure la época de los grandes adelantamientos a que es llamado el país.

Importa, por último, este conocimiento a los mismos chilenos, para animarles a las empresas útiles, estimular las bellas acciones con el ejemplo de nuestros conciudadanos que más se han distinguido en obsequio del bien público, y formar el carácter nacional sobre la base del amor al país y a sus instituciones, trayendo a la memoria los males y extravíos pasados, y excitando el entusiasmo público, por medio de los recuerdos gloriosos de todas épocas, o de los varones ilustres, a quienes son debidos los bienes de que disfrutamos.

¿Y qué días más oportunos para estos grandiosos recuerdos, que los de Chacabuco y la Independencia, unidos en un mismo aniversario, como lo habían sido necesariamente por la fuerza de los acontecimientos? Sí, la jornada inmortal del 12 de febrero de 1817, que aseguró la independencia de Chile, y aun abrió la puerta a la de esta parte de América, debía ser celebrada al año siguiente y en igual día, con la proclamación y juramento solemne de esa misma Independencia, perdida en una época fatal de desavenencias, y por lo mismo suspirada y más ansiada que nunca. Imponente y grandiosa fue por cierto la pompa de aquel día, sin igual el entusiasmo, puros y fervientes los votos del pueblo... El entusiasmo reparó en breve el desastre de Cancha-Rayada, y los votos de la Independencia fueron sellados con sangre chilena en Maipú. El dominio español cayó para siempre en Chile; nació nuestro poder marítimo sólo por obra de este mismo entusiasmo, y con él solo fuimos a desafiar a nuestros antiguos señores en el mar, y en aquel imperio de los Incas, centro de todos sus recursos y empresas. Cuatro años más tarde había terminado en toda la América la guerra de la Independencia.

Tales fueron en compendio las consecuencias de aquel famoso día de Chacabuco, o más bien el rápido encadenamiento de acontecimientos extraordinarios y gloriosos derivados de él, que lo harán memorable para siempre, y que no haya un chileno, que deje de saludar con entusiasmo la vuelta de cada uno de sus aniversarios. En el presente que vemos realizados todos los bienes que se proponían los autores de la Independencia, no podremos menos de volver nuestras miradas de reconocimiento hacia ellos, y penetrarnos sobre todo del más religioso respeto para con la Providencia especial que tan visiblemente nos protege. ¡Honor y homenaje eterno al 12 de febrero!

(El Araucano, Santiago de Chile, 1842)

AUTONOMIA CULTURAL DE AMERICA*

Es fuerza decir que aunque el señor Chacón, al principio de su artículo primero, se ha propuesto fijar la cuestión (que, a nuestro juicio, bien clara estaba) nos parece más bien haberla sacado de sus quicios. La comisión, después de haber dado los debidos elogios al *Bosquejo Histórico*, dice que carece de suficientes datos para aceptar el juicio del autor sobre el carácter y tendencias de los partidos que figuraron en la revolución chilena. Juzga con sobrada razón que sin tener a la vista un cuadro en donde aparezcan de bulto los sucesos, las personas y todo el tren material de la historia, el trazar lineamientos generales tiene el inconveniente de dar mucha cabida a teorías y desfigurar en parte la verdad; inconveniente, añade, de todas las obras que no suministran todos los antecedentes de que el autor se ha servido para formar sus juicios. Y se siente inclinado a desear que se emprendan antes de todo los trabajos destinados a poner en claro los hechos: "la teoría que ilustra esos hechos vendrá en seguida, andando con paso firme sobre un terreno conocido".

No se trata pues de saber si el *método ad probandum,* como lo llama el señor Chacón, es bueno o malo en sí mismo; ni sobre si el *método ad narrandum,* absolutamente hablando, es preferible al otro: se trata sólo de saber si el *método ad probandum,* o más claro, el método que investiga el íntimo espíritu de los hechos de un pueblo, la idea que expresan, el porvenir a que caminan, es oportuno relativamente al estado actual de la historia de Chile independiente,

---

* Este estudio de Andrés Bello, sobre la obra de Jacinto Chacón, fue publicado con el título "Modo de escribir la Historia." El de "Autonomía cultural de América" ha sido usado en varias Antologías para presentar una selección del mismo.

que está por escribir, porque de ella no han salido a luz todavía más que unos pocos ensayos, que distan mucho de formar un todo completo; y ni aun agotan los objetos parciales a que se contraen. ¿Por cuál de los dos métodos deberá principiarse para escribir nuestra historia? ¿Por el que suministra los antecedentes o por el que deduce las consecuencias? ¿Por el que aclara los hechos, o por el que los comenta y resume? La comisión ha creído que por el primero. ¿Ha tenido o no fundamento para pensar así? Esta y no otra es la cuestión que ha debido fijarse.

Cada uno de los métodos tiene su lugar; cada uno es bueno a su tiempo; y también hay tiempos en que, según el juicio o talento del escritor, puede emplearse el uno o el otro. La cuestión es puramente de orden, de conveniencia relativa.

Sentado esto, es fácil ver que la cita de Barante, en que se apoya como decisiva el señor Chacón, no toca el punto que se discute. Barante, a presencia de los grandes trabajos históricos de sus contemporáneos, dice que ninguna dirección es exclusiva, ningún método obligatorio. Lo mismo decimos nosotros poniéndonos en el punto de vista en que se coloca Barante. Cuando el público está en posesión de una masa inmensa de documentos y de historias, puede muy bien el historiador que emprende un nuevo trabajo sobre esos documentos e historias, adoptar o el método del encadenamiento filosófico, según lo ha hecho Guizot en su *Historia de la Civilización*, o el método de la narrativa pintoresca, como el de Agustín Thierry en su *Historia de la Conquista de Inglaterra por los Normundos*. Pero cuando la historia de un país no existe, sino en documentos incompletos, esparcidos, en tradiciones vagas, que es preciso compulsar y juzgar, el método narrativo es obligado. Cite el que lo niegue una sola historia general o especial que no haya principiado así. Pero hay más: Barante mismo en el punto de vista en que se coloca no disimula su preferencia de la filosofía que resalta como espontáneamente de los sucesos, referidos en su integridad y con sus colores nativos, a la que se presenta con el carácter de teoría o sistema *exprofeso*; que siempre induce cierto temor de que involuntariamente se violente la historia para ajustarla a un tipo preconstituido, que, según la expresión de Cousin, la adultere. Véase la prefación de Barante a su *Historia de los Duques de Borgoña*, y véase sobre todo esa historia misma, que es un tejido admirable de testimonios originales, sin la menor pretensión filosófica.

No es nuestro ánimo decir que entre los dos métodos que podemos llamar narrativo y filosófico haya o deba haber una separación absoluta. Lo que hay es que la filosofía que en el primero va envuelta en la narrativa y rara vez se presenta de frente, en el segundo es la parte principal a que están subordinados los hechos, que no se tocan ni se explayan, sino en cuanto conviene para manifestar el encadenamiento de causas y efectos, su espíritu y tendencias. Cabe entre ambos una infinidad de matices y de medias tintas, de que no sería difícil dar ejemplos en los historiadores modernos.

El juicio de la comisión no es exclusivo, ni su preferencia absoluta. No hay más que leer su informe, para convencernos de que los argumentos aducidos por el autor del Prólogo son inconducentes: impugnan lo que nadie ha dicho ni pensado. La comisión no ha emitido fallo alguno sobre cuestión alguna que tenga divididas las opiniones del mundo literario, como se supone. Ha deseado... ni aun tanto... se ha sentido inclinada a desear que se nos ponga en posesión de las premisas antes de sacar las consecuencias; del texto, antes que de los comentarios; de los pormenores antes de condensarlos en generalidades. Es imposible enunciar con más modestia un juicio más conforme a la experiencia del mundo científico y a la doctrina de los autores célebres que han escrito de propósito sobre la ciencia histórica. Y más diremos: dado que el punto fuese cuestionable, la comisión, declarándose por una de las opiniones controvertidas, no hubiera hecho más que poner en ejercicio un derecho que los fueros de la república literaria franquean a todos. ¿Por ventura no es lícito a todo el que quiera hacer uso de su entendimiento elegir entre dos opiniones contrarias la que le parezca más razonable y fundada? ¿Y es el campeón de la libertad literaria el que nos impone la obligación de suspender nuestro juicio sobre toda cuestión debatida, y de no emitir otras ideas que las que llevan el *imprimatur* de la aprobación universal?

El señor Chacón nos da una reseña del origen y progresos de la historia en Europa desde las cruzadas; reseña gratuita para el asunto de que se trata, y no del todo exacta. En ella se principia por Froissart;* y se le hace encabezar la serie de cronistas "que en los siglos XII y XIII mezclaron la historia y la fábula, los ro-

---

* Jean Froissart (1337-1410), cronista francés. La falta de método histórico y lo maravilloso de sus descripciones dan fama a los cuatro libros que forman sus *Chroniques*.

mances de Carlomagno y de Arturo con los hechos de la caballería".
El señor Chacón olvida que Froissart floreció en el siglo XIV, y
parece ignorar que los romances de Carlomagno y de Arturo habían
empezado a contaminar la historia algún tiempo antes de la primera
cruzada. A juzgar por esta reseña, pudiera creerse que en el primer
período de la lengua francesa (que propiamente no es la *lengua de
los trovadores*) faltaron historiadores verídicos, testigos de vista
de los sucesos mismos de las cruzada, como Villehardouin y Join-
ville. Como quiera que sea, se hace desfilar a nuestra vista una pro-
cesión de cronistas, historiadores y filósofos de la historia, que
principia en Froissart y acaba en Hallam. "¿Y se quiere" (se nos
pregunta) "que nosotros retrogrademos; se quiere que cerremos
los ojos a la luz que nos viene de Europa; que no nos aprovechemos
de los progresos que en la ciencia histórica ha hecho la civilización
europea, como lo hacemos en las demás artes y ciencias que se nos
transmiten, sino que debemos andar el mismo camino desde la crónica hasta la filosofía de la historia?"

No es difícil responder a este interrogatorio. Mal puede re-
troceder el que no ha hecho más que poner los pies en el camino.
No pedimos que se escriban otra vez las crónicas de Francia: ¿qué
retroceso cabe en hacer la historia de Chile, que no está hecha; para
que ejecutado este trabajo venga la filosofía a darnos la idea de
cada personaje y de cada hecho histórico (de los nuestros se entiende), *andando con paso firme sobre un terreno conocido?* ¿Hemos de ir a buscar nuestra historia en Froissart, o en Comines, o
en Mizeray, o en Simondi? El verdadero movimiento retrógrado
consistiría en principiar por donde los europeos han acabado.

Suponer que se *quiere que cerremos los ojos a la luz que nos
viene de Europa*, es pura declamación. Nadie ha pensado en eso.
Lo que se quiere es que abramos bien los ojos a ella, y que no imaginemos encontrar en ella lo que no hay, ni puede haber. Leamos,
estudiemos las historias europeas; contemplemos de hito en hito el
espectáculo particular que cada una de ellas desenvuelve y resume;
aceptemos los ejemplos, las lecciones que contienen, que es tal vez
en lo que menos se piensa: sírvannos también de modelo y de guía
para nuestros trabajos históricos. ¿Podemos hallar en ellas a Chile,
con sus accidentes, su fisonomía característica? Pues esos accidentes, esa fisonomía es lo que debe retratar el historiador de Chile,
cualquiera de los dos métodos que adopte. Abranse las obras céle-

bres dictadas por la filosofía de la historia. ¿Nos dan ellas la filosofía de la historia de la humanidad? La nación chilena no es la humanidad en abstracto; es la humanidad bajo ciertas formas especiales; tan especiales como los montes, valles y ríos de Chile; como sus plantas y animales; como las razas de sus habitantes; como las circunstancias morales y políticas en que nuestra sociedad ha nacido y se desarrolla. ¿Nos dan esas obras la filosofía de la historia de un pueblo, de una época? ¿De la Inglaterra bajo la conquista de los normandos, de la España bajo la dominación sarracena, de la Francia bajo su memorable revolución? Nada más interesante, ni más instructivo. Pero no olvidemos que el hombre chileno de la Independencia, el hombre que sirve de asunto a nuestra historia y nuestra filosofía peculiar, no es el hombre francés, ni el anglo-sajón, ni el normando, ni el godo, ni el árabe. Tiene su espíritu propio, sus facciones propias, sus instintos peculiares.

Sea en hora buena culpa nuestra haber encontrado inconsecuencia u oscuridad en ciertos pasajes del Prólogo. A la verdad, no dejó de ocurrirnos la clave con que en el artículo primero del señor Chacón se ha tratado de conciliarlos. Pero la idea nos pareció demasiado repugnante al sentido común para atribuírsela. Ello es que ni aun ahora nos atrevemos a imputársela, y preferimos creer que (por culpa nuestra seguramente) no hemos acabado de entenderle.

Pedimos perdón a nuestros lectores. Hemos prolongado fastidiosamente la defensa de una verdad, de un principio evidente, y para muchos trivial. Pero deseábamos hablar a los jóvenes. Nuestra juventud ha tomado con ansia el estudio de la historia; acabamos de ver pruebas brillantes de sus adelantamientos en ella; y quisiéramos que se penetrase bien de la verdadera misión de la historia para estudiarla con fruto.

Quisiéramos sobre todo precaverla de una servilidad excesiva a la ciencia de la civilizada Europa.

Es una especie de fatalidad la que subyuga las naciones que empiezan a las que las han precedido. Grecia avasalló a Roma; Grecia y Roma a los pueblos modernos de Europa, cuando en ésta se restauraron las letras; y nosotros somos ahora arrastrados más allá de lo justo por la influencia de la Europa, a quien, al mismo tiempo que nos aprovechamos de sus luces, debiéramos imitar en la independencia del pensamiento. Muy poco tiempo hace que los poetas de Europa recurrían a la historia pagana en busca de imágenes, e invocaban a las musas en quienes ellos ni nadie creía; un amante desdeñado dirigía devotas plegarias a Venus para que ablandase el corazón de su querida. Esta era una especie de solidaridad poética semejante a la que el señor Chacón parece desear en la historia.

Es preciso además no dar demasiado valor a nomenclaturas filosóficas; generalizaciones que dicen poco o nada por sí mismas al que no ha contemplado la naturaleza viviente en las pinturas de la historia, y, si ser puede, en los historiadores primitivos y originales. No hablamos aquí de nuestra historia solamente, sino de todas. ¡Jóvenes chilenos! aprended a juzgar por vosotros mismos; aspirad a la independencia del pensamiento. Bebed en las fuentes; a lo menos en los raudales más cercanos a ellas. El lenguaje mismo de los historiadores originales, sus ideas, hasta sus preocupaciones y sus leyendas fabulosas, son una parte de la historia, y no la menos instructiva y verídica. ¿Queréis, por ejemplo, saber qué cosa fue el descubrimiento y conquista de América? Leed el diario de Colón, las cartas de Pedro de Valdivia, las de Hernán Cortés. Bernal Díaz os dirá mucho más que Solís y que Robertson. Interrogad a cada civilización en sus obras; pedid a cada historiador sus garantías. Esa es la primera filosofía que debemos aprender de la Europa.

Nuestra civilización será también juzgada por sus obras; y si se la ve copiar servilmente a la europea aun en lo que ésta no tiene de aplicable, ¿cuál será el juicio que formará de nosotros, un Michelet, un Guizot? Dirán: la América no ha sacudido aún sus cadenas; se arrastra sobre nuestras huellas con los ojos vendados; no respira en sus obras un pensamiento propio, nada original, nada característico; remeda las formas de nuestra filosofía, y no se apropia su espíritu. Su civilización es una planta exótica que no ha chupado todavía sus jugos a la tierra que la sostiene.

Una observación más y concluimos. Lo que se llama filosofía de la historia, es una ciencia que está en mantillas. Si hemos de juzgarla por el programa de Cousin, apenas ha dado los primeros pasos en su vasta carrera. Ella es todavía una ciencia fluctuante; la fe de un siglo es el anatema del siguiente; los especuladores del siglo XIX han desmentido a los del siglo XVIII; las ideas del más elevado de todos éstos, Montesquieu, no se aceptan ya sino con muchas restricciones. ¿Se ha llegado al último término? La posteridad lo dirá. Ella es todavía una palestra en que luchan los partidos: ¿a cuál de ellos quedará definitivamente el triunfo? La ciencia, como la naturaleza, se alimenta de ruinas, y mientras los sistemas nacen y crecen y se marchitan y mueren, ella se levanta lozana y florida sobre sus despojos, y mantiene una juventud eterna.

(El Araucano, Santiago de Chile, 1848)

EL CASTELLANO EN AMERICA

Aunque en esta Gramática hubiera deseado no desviarme de la nomenclatura y explicaciones usuales, hay puntos en que me ha parecido que las prácticas de la lengua castellana podían representarse de un modo más completo y exacto. Lectores habrá que califiquen de caprichosas las alteraciones que en esos puntos he introducido, o que las imputen a una pretensión extravagante de decir cosas nuevas: las razones que alego probarán, a lo menos, que no las he adoptado sino después de un maduro examen. Pero la prevención más desfavorable, por el imperio que tiene aun sobre personas bastante instruidas, es la de aquellos que se figuran que en la gramática las definiciones inadecuadas, las clasificaciones mal hechas, los conceptos falsos, carecen de inconveniente, siempre que por otra parte se expongan con fidelidad las reglas a que se conforma el buen uso. Yo creo, con todo, que esas dos cosas son inconciliables; que el uso no puede exponerse con exactitud y fidelidad sino analizando, desenvolviendo los principios verdaderos que lo dirigen; que una lógica severa es indispensable requisito de toda enseñanza; y que, en el primer ensayo que el entendimiento hace de sí mismo es en el que más importa no acostumbrarle a pagarse de meras palabras.

El habla de un pueblo es un sistema artificial de signos, que bajo muchos respectos se diferencia de los otros sistemas de la misma especie: de que se sigue que cada lengua tiene su teoría particular, su gramática. No debemos, pues, aplicar indistintamente a un idioma los principios, los términos, las analogías en que se resumen bien o mal las prácticas de otro. Esta misma palabra idioma está diciendo que cada lengua tiene su genio, su fisonomía, sus giros; y mal desempeñaría su oficio el gramático que explicando la suya se limitara a lo que ella tuviese de común con otra, o (todavía peor) que supusiera semejanzas donde no hubiese más que diferencias, y diferencias importantes, radicales. Una cosa es la gramática general, y otra la gramática de un idioma dado: una cosa comparar entre sí dos idiomas, y otra considerar un idioma como es en sí mismo. ¿Se trata, por ejemplo, de la conjugación del verbo castellano? Es preciso enumerar las formas que toma, y los significados y usos de cada forma, como si no hubiese en el mundo otra lengua que la castellana; posición forzada respecto del niño, a quien se exponen las reglas de la sola lengua que está a su alcance, la lengua nativa. Este es el punto de vista en que he procurado colocarme, y en el que ruego a las personas inteligentes, a cuyo juicio someto mi trabajo, que procuren también colocarse descartando, sobre todo, las reminiscencias del idioma latino.

En España, como en otros países de Europa, una admiración excesiva a la lengua y literatura de los romanos dió un tipo latino a casi todas las producciones del ingenio. Era ésta una tendencia natural de los espíritus en la época de la restauración de las letras. La mitología pagana siguió suministrando imágenes y símbolos al poeta; y el período ciceroniano fue la norma de la elocución para los escritores elegantes. No era, pues, de extrañar que se sacasen del latín la nomenclatura y los cánones gramaticales de nuestro romance.

Si como fue el latín el tipo ideal de los gramáticos, las circunstancias hubiesen dado esta preeminencia al griego, hubiéramos probablemente contado cinco casos en nuestra declinación en lugar de seis, nuestros verbos hubieran tenido no sólo voz pasiva, sino voz media, y no habrían faltado aoristos y paulo-post-futuros en la conjugación castellana.

Obedecen, sin duda, los signos del pensamiento a ciertas leyes generales, que derivadas de aquellas a que está sujeto el pensamiento mismo, dominan a todas las lenguas y constituyen una gramática universal. Pero si se exceptúa la resolución del razonamiento en proposiciones, y de la proposición en sujeto y atributo; la existencia del sustantivo para expresar directamente los objetos, la del verbo para indicar los atributos y la de otras palabras que modifiquen y determinen a los sustantivos y verbos a fin de que, con un número limitado de unos y otros, puedan designarse todos los objetos posibles, no sólo reales sino intelectuales, y todos los atributos que percibamos o imaginemos en ellos; si exceptuamos esta armazón fundamental de las lenguas, no veo nada que estemos obligados a reconocer como ley universal de que a ninguna sea dado eximirse. El número de las partes de la oración pudiera ser mayor o menor de lo que es en latín o en las lenguas romances. El verbo pudiera tener géneros y el nombre tiempos. ¿Qué cosa más natural que la concordancia del verbo con el sujeto? Pues bien; en griego era no sólo permitido sino usual concertar el plural de los nombres neutros con el singular de los verbos. En el entendimiento dos negaciones se destruyen necesariamente una a otra, y así es también casi siempre en el habla; sin que por eso deje de haber en castellano circunstancias en que dos negaciones no afirman. No debemos, pues, trasladar ligeramente las afecciones de las ideas a los accidentes de las palabras. Se ha errado no poco en filosofía suponiendo a la lengua un trasunto fiel del pensamiento; y esta misma exagerada suposición ha extraviado a la gramática en dirección contraria: unos argüían de la copia al original; otros del original a la copia. En el lenguaje lo convencional y arbitrario abraza mucho más de lo que comúnmente se piensa. Es imposible que las creencias, los caprichos de la imaginación, y mil asociaciones casuales, no produjesen una grandísima discrepancia en los medios de que se valen las lenguas para manifestar lo que pasa en el alma; discrepancia que va siendo mayor y mayor a medida que se apartan de su común origen.

Estoy dispuesto a oír con docilidad las objeciones que se hagan a lo que en esta gramática pareciere nuevo; aunque, si bien se mira, se hallará que en eso mismo algunas veces no innovo, sino restauro. La idea, por ejemplo, que yo doy de los casos en la declinación, es la antigua y genuina; y en atribuir la naturaleza de sustantivo al infinito, no hago más que desenvolver una idea perfectamente enunciada en Prisciano.* "Vim nominis habet verbum infinitum; dico enim bonum est legere ut si dicam bona est lectio".** No he querido, sin embargo, apoyarme en autoridades, porque para mí la sola irrecusable en lo tocante a una lengua es la lengua misma. Yo no me creo autorizado para dividir lo que ella

---

* Gramático latino de fines del siglo V y principios del VI. Sus *Instituciones grammaticae* se consideran la mejor obra didáctica de gramática latina.
** El verbo es infinitivo tiene fuerza de nombre; por eso digo que es bueno leer, es decir, que la lectura es buena.

constantemente une, ni para identificar lo que ella distingue. No miro las analogías de otros idiomas sino como pruebas accesorias. Acepto las prácticas como la lengua las presenta; sin imaginarias elipsis, sin otras explicaciones que las que se reducen a ilustrar el uso por el uso.

Tal ha sido mi lógica. En cuanto a los auxilios de que he procurado aprovecharme, debo citar especialmente las obras de la Academia española y la gramática de D. Vicente Salvá.* He mirado esta última como el depósito más copioso de los modos de decir castellanos; como un libro que ninguno de los que aspiran a hablar y escribir correctamente nuestra lengua nativa debe dispensarse de leer y consultar a menudo. Soy también deudor de algunas ideas al ingenioso y docto D. Juan Antonio Puigblanch** en las materias filológicas que toca por incidencia en sus Opúsculos. Ni fuera justo olvidar a Garcés,*** cuyo libro, aunque sólo se considere como un glosario de voces y frases castellanas de los mejores tiempos, ilustradas con oportunos ejemplos, no creo que merezca el desdén con que hoy se le trata.

Después de un trabajo tan importante como el de Salvá, lo único que me parecía echarse de menos era una teoría que exhibiese el sistema de la lengua en la generación y uso de sus inflecciones y en la estructura de sus oraciones, desembarazado de ciertas tradiciones latinas que de ninguna manera le cuadran. Pero cuando digo *teoría* no se crea que trato de especulaciones metafísicas. El señor Salvá reprueba con razón aquellas abstracciones ideológicas que, como las de un autor que cita, se alegan para legitimar lo que el uso proscribe. Yo huyo de ellas, no sólo cuando contradicen al uso, sino cuando se remontan sobre la mera práctica del lenguaje. La filosofía de la gramática la reduciría yo a representar el uso bajo las fórmulas más comprensivas y simples. Fundar estas fórmulas en otros procederes intelectuales que los que real y verdaderamente guían al uso, es un lujo que la gramática no ha menester. Pero los procederes intelectuales que real y verdaderamente

---

* Vicente Salvá y Pérez (1786-1849), filólogo valenciano, autor de un *Compendio de Gramática castellana* publicado en París en 1838.

** Antonio Puig y Blanch (1775-1840), político y filólogo español que publicó, entre 1828 y 1832 sus *Opúsculos gramático-satíricos.*

*** Gregorio Garcés (1733-1805) escribió en 1791 su obra *Fundamento del vigor y elegancia de la lengua castellana,* para explicar el sentido de pureza en el idioma.

le guían, o en otros términos, el valor preciso de las inflexiones y las combinaciones de las palabras, es un objeto necesario de averiguación; y la gramática que lo pase por alto no desempeñará cumplidamente su oficio. Como el diccionario da el significado de las raíces, a la gramática incumbe exponer el valor de las inflexiones y combinaciones, y no sólo el natural y primitivo, sino el secundario y el metafórico, siempre que hayan entrado en el uso general de la lengua. Este es el campo que privativamente deben abrazar las especulaciones gramaticales, y al mismo tiempo el límite que las circunscribe. Si alguna vez he pasado este límite, ha sido en brevísimas excursiones, cuando se trataba de discutir los alegados fundamentos ideológicos de una doctrina, o cuando los accidentes gramaticales revelaban algún proceder mental curioso: trasgresiones, por otra parte, tan raras, que sería demasiado rigor calificarlas de importunas.

Algunos han censurado esta gramática de difícil y oscura. En los establecimientos de Santiago que la han adoptado, se ha visto que esa dificultad es mucho mayor para los que, preocupados por las doctrinas de otras gramáticas, se desdeñan de leer con atención la mía y de familiarizarse con su lenguaje, que para los alumnos que forman por ella sus primeras nociones gramaticales.

Es, por otra parte, una preocupación harto común la que nos hace creer llano y fácil el estudio de una lengua, hasta el grado en que es necesario para hablarla y escribirla correctamente. Hay en la gramática muchos puntos que no son accesibles a la inteligencia de la primera edad; y por eso he juzgado conveniente dividirla en dos cursos, reducido el primero a las nociones menos difíciles y más indispensables, y extensivo el segundo a aquellas partes del idioma que piden un entendimiento algo ejercitado. Los he señalado con diverso tipo y comprendido los dos en un solo tratado, no sólo para evitar repeticiones, sino para proporcionar a los profesores del primer curso el auxilio de las explicaciones destinadas al segundo, si alguna vez las necesitaren. Creo, además, que esas explicaciones no serán enteramente inútiles a los principiantes, porque, a medida que adelanten, se les irán desvaneciendo gradualmente las dificultades que para entenderlas se les ofrezcan. Por este medio queda también al arbitrio de los profesores el añadir a las lecciones de la enseñanza primaria todo aquello que de las del curso posterior les pareciere a propósito, según la capacidad y aprovechamiento de los alumnos. En las notas al pie de las páginas llamo la atención a ciertas prácticas viciosas del habla popular de los americanos, para que se conozcan y eviten, y dilucido algunas doctrinas con observaciones que requieren el conocimiento de otras lenguas. Finalmente, en las notas que he colocado al fin del libro me extiendo sobre algunos puntos controvertibles, en que juzgué no estarían de más las explicaciones para satisfacer a los lectores instruídos. Parecerá algunas veces que se han acumulado profusamente los ejemplos; pero sólo se ha hecho cuando se trataba de oponer la práctica de escritores acreditados a novedades viciosas, o de discutir puntos controvertidos, o de explicar ciertos procederes de la lengua a que creía no haberse prestado atención hasta ahora.

He creído también que en una gramática nacional no debían pasarse por alto ciertas formas y locuciones que han desaparecido de la lengua corriente; ya porque el poeta y aun el prosista no dejan de recurrir alguna vez a ellas, y ya porque su conocimiento es necesario para la perfecta inteligencia de las obras más estimadas de otras edades de la lengua. Era conveniente manifestar el uso impropio que algunos hacen de ellas, y los conceptos erróneos con que otros han querido explicarlas; y si soy yo el que ha padecido error, sirvan mis desaciertos de estímulo a escritores más competentes, para emprender el mismo trabajo con mejor suceso.

No tengo la pretensión de escribir para los castellanos. Mis lecciones se dirigen a mis hermanos, los habitantes de Hispano-América. Juzgo importante la conservación de la lengua de nuestros padres en su posible pureza, como un medio providencial de comunicación y un vínculo de fraternidad entre las varias naciones de origen español derramadas sobre los dos continentes. Pero no es un purismo supersticioso lo que me atrevo a recomendarles. El adelantamiento prodigioso de todas las ciencias y las artes, la difusión de la cultura intelectual y las revoluciones políticas, piden cada día nuevos signos para expresar ideas nuevas, y la introducción de vocablos flamantes, tomados de las lenguas antiguas y extranjeras, ha dejado ya de ofendernos, cuando no es manifiestamente innecesaria, o cuando no descubre la afectación y mal gusto de los que piensan engalanar así lo que escriben. Hay otro vicio peor, que es el prestar acepciones nuevas a las palabras y frases conocidas, multiplicando las anfibologías de que por la variedad de significados de cada palabra adolecen más o menos las lenguas todas, y acaso en mayor proporción las que más se cultivan, por el casi infinito número de ideas a que es preciso acomodar un número necesariamente limitado de signos. Pero el mayor mal de todos, y el que, si no se ataja, va a privarnos de las inapreciables ventajas de un lenguaje común, es la avenida de neologismos de construcción, que inunda y enturbia mucha parte de lo que se escribe en América, y alterando la estructura del idioma, tiende a convertirlo en una multitud de dialectos irregulares, licenciosos, bárbaros; embriones de idiomas futuros, que durante una larga elaboración reproducirían en América lo que fue la Europa en el tenebroso período de la corrupción del latín. Chile, el Perú, Buenos Aires, Méjico, hablarían cada uno su lengua, o por mejor decir, varias lenguas, como sucede en España, Italia y Francia, donde dominan ciertos idiomas provinciales, pero viven a su lado otros varios, oponiendo estorbos a la difusión de las luces, a la ejecución de las leyes, a la administración del Estado, a la unidad nacional. Una lengua es como un cuerpo viviente: su vitalidad no consiste en la constante identidad de elementos, sino en la regular uniformidad de las funciones que éstos ejercen, y de que proceden la forma y la índole que distinguen al todo.

Sea que yo exagerare o no el peligro, él ha sido el principal motivo que me ha inducido a componer esta obra, bajo tantos respectos superior a mis fuerzas. Los lectores inteligentes que me honren leyéndola con alguna atención, verán el cuidado que he puesto en demarcar, por decirlo así, los linderos que respeta el buen uso de nuestra lengua, en medio de la soltura y libertad de sus giros, señalando las corrupciones que más cunden hoy día, y manifestando la esencial diferencia que existe entre las construcciones castellanas y las extranjeras que se les asemejan hasta cierto punto, y que solemos imitar sin el debido discernimiento.

No se crea que recomendando la conservación del castellano sea mi ánimo tachar de vicioso y espurio todo lo que es peculiar de los americanos. Hay locuciones castizas que en la Península pasan hoy por anticuadas y que subsisten tradicionalmente en Hispano-América ¿por qué proscribirlas? Si según la práctica general de los americanos es más analógica la conjugación de algún verbo, ¿por qué razón hemos de preferir la que caprichosamente haya prevalecido en Castilla? Si de raíces castellanas hemos formado vocablos nuevos, según los procederes ordinarios de derivación que el castellano reconoce, y de que se ha servido y se sirve continuamente para aumentar su caudal, ¿qué motivos hay para que nos avergoncemos de usarlos? Chile y Venezuela tienen tanto derecho como Aragón y Andalucía para que se toleren sus accidentales divergencias, cuando las patrocina la costumbre uniforme y auténtica de la gente educada. En ellas se peca mucho menos contra la pureza y corrección del lenguaje, que en las locuciones afrancesadas, de que no dejan de estar salpicadas hoy día aun las obras más estimadas de los escritores peninsulares.

He dado cuenta de mis principios, de mi plan y de mi objeto, y he reconocido, como era justo, mis obligaciones a los que me han precedido. Señalo rumbos no explorados, y es probable que no siempre haya hecho en ellos las observaciones necesarias para deducir generalidades exactas. Si todo lo que propongo de nuevo no pareciere aceptable, mi ambición quedará satisfecha con que alguna parte lo sea, y contribuya a la mejora de un ramo de enseñanza, que no es ciertamente el más lucido, pero es uno de los más necesarios.

("Prólogo," *Gramática de la Lengua Castellana*, Chile, 1847)

DOMINGO FAUSTINO SARMIENTO

1811 - 1888

Vamos derecho al mal donde está. ¿Qué le falta
a la América del Sur, para ser asiento de naciones
poderosas? Digámoslo sin reparo: Instrucción.

D. F. S.

*Agobiado por las urgencias mismas de su patria, Sarmiento fue
tejiendo el perfil de su rica personalidad en la obra extensísima que
nos legó. Y en ella quedaba planteado el problema argentino como
reflejo de la realidad americana. Por eso fue un acierto de la esposa de Horace Mann, decir que el autor de Facundo era toda "una
nación". No sólo porque su vida se proyecta con ansias semejantes
a las de nuestras repúblicas, sino porque en su obra, lo autobiográ-
fico y lo histórico, el problema individual y el nacional, se complementan, se confunden, y las más de las veces se hacen inseparables
para comprender su contenido esencial.*

*Nacido de una humilde familia de San Juan, al pie de los
Andes argentinos, Sarmiento no pudo tener —como su propio
país— la preparación necesaria para enfrentarse con su magnífico
destino. Pero una poderosa intuición y la más grande voluntad de
superarse, le capacitan para sintetizar las complejas realidades de
la historia y ofrecer oportunas soluciones. Obligado desde los quince
años a valerse sin la ayuda familiar, dedica su tiempo a combatir
los abusos de Juan Facundo Quiroga, que asolaba su región con
crueles excesos. Y al cumplir los diez y ocho, se ve obligado a refugiarse en Chile huyendo de su terrible enemigo. Allí estudia varios
idiomas y se familiariza con la literatura europea que ya había conocido desde su infancia provinciana.*

*Después de más de diez años de intensa vida intelectual sin
olvidar su país, publica Mi defensa, su primera obra importante.
Ya en estos escritos de 1843 se adivina la dicotomía que hace Sarmiento en su análisis del drama argentino. Dos gigantescos perso-*

najes resumen la lucha del bien contra el mal: el primero, repre-
sentado por las esencias tradicionales de la virtud; la inercia, la
ignorancia y el servilismo forman al segundo, un monstruo de mal-
dad que se alimenta con las mejores esperanzas del futuro. Dos
años más tarde, en Civilización y barbarie: Vida de Juan Facundo
Quiroga, *Sarmiento logra con la magia de sus simplificaciones una*
ecuación afortunada. Reduce a su mínima expresión —en dos ele-
mentos contrapuestos— la complicada estructura del problema na-
cional: el siglo XII se manifiesta con la barbarie, el siglo XIX con
la civilización; y los dos se enfrentan en el mismo momento his-
tórico: es el campo contra la ciudad. Sacrificando toda pretensión
literaria, en este estudio se hacinaron ideas filosóficas, enfoques
sociológicos, historia, novela, cuadros de costumbres, arengas: tra-
zos diversos cuyo abigarrado conjunto retratan una situación que
por otros medios escaparía de aprehenderse. La tesis expuesta en
Facundo *ha sido combatida en más de una oportunidad, pero la per-*
manencia de su validez fundamental aun parece superior a sus
grandes valores literarios. "No ha envejecido," afirma de esta obra
Ezequiel Martínez Estrada, "porque las cosas perduran en su calidad
de signos que conservan su semántica vieja. Algunos creen que ha
sobrevivido por su buena prosa, y eso es lo que ha envejecido más,
pues ahora escribimos peor."

Durante los tres años que siguieron la publicación de Facundo,
Sarmiento viajó por Europa y los Estados Unidos, encargado por el
gobierno chileno de estudiar los métodos educativos en varios países.
Frutos de sus investigaciones y recorridos son lo libros que publica
en 1849: De la educación popular y Viajes. *Un año más tarde, para*
defenderse de las acusaciones de Rosas, continúa en Recuerdos de
Provincia *la autobiografía que iniciara en* Mi defensa. *Entre 1851*
y 1852, recoge en primera fila el material que aparece publicado en
Campaña del Ejército Grande: *el diario de un escritor en las luchas*
del general Urquiza contra Rosas. Después de tres años de per-
manencia en Chile, derrocado el tirano, vuelve a la Argentina
para contribuir con su prestigio y con su inteligencia a la recons-
trucción del país. De diputado pasa a gobernador de su provincia
natal; luego, en 1865, es designado embajador en los Estados Uni-
dos. Y en un viaje que realizaba desde New York a Buenos Aires
en el mes de julio de 1868, recibe la noticia de haber sido electo
presidente: "El mapa de la guerra civil queda enrollado," dijo, y

dedicó su esfuerzo a sembrar en la Argentina todos los adelantos de los países más civilizados.

Al terminar su período presidencial en 1874, continúa sus labores de escritor. Los tiempos cambiaron su visión de la historia, y las doctrinas del positivismo —que se adueñaban de la cultura con sus fórmulas del medio ambiente y del evolucionismo naturalista— hicieron que Sarmiento tratara de estructurar sus ideas dentro de rígidos esquemas filosóficos. Es el año 1883, cuando publica Conflicto y armonías de las razas en América. Allí dejaba un cuadro incompleto de las limitaciones que imponen las razas a los pueblos de Hispanoamérica. Aunque no tuvo mucha fortuna este último empeño del escritor argentino, no deja de mostrar su valentía para adentrarse en diversas aventuras del pensamiento.

Siempre armado con prosa fecunda, Sarmiento supo esgrimir su espíritu práctico y su idealismo romántico, razón e intuición, pensamiento y sentimiento, en impulso "aplicado a la patria y recibido de ella," como dice Nerio Rojas, "escultor y mármol, metal y fragua, tierra y semilla, yunque y martillo, ideal y acción." Así, su fértil dualidad se convierte en instrumento precioso para entender el alma de América, y para descubrir las fuerzas que se mueven en el interior de su historia. Así nace el prodigio de su adivinación.

BIBLIOGRAFIA

I. EDICIONES

Obras de D. F. Sarmiento. 52 Vols. Santiago de Chile: Imprenta Gutemberg, 1885-1903.

Obras escogidas. 18 Vols. Buenos Aires: Editorial "La Facultad," 1938.

Obras selectas. 2 Vols. Buenos Aires: Editorial "La Facultad," 1944.

Sarmiento, textos fundamentales. 2 Vols. Buenos Aires: Compañía general Fabril, 1959.

Viajes. 3 Vols. Buenos Aires: Librería Hachete, 1959.

Antología de Sarmiento. 2 Vols. Buenos Aires: Ediciones Culturales Argentinas, 1962.

II. ESTUDIOS

Anderson Imbert, Enrique. "El historicismo de Sarmiento," CuA, Vol. XXIII, No. 5 (sept.-oct., 1945).

——————. "Sarmiento el escritor," AmerW, Vol. VIII, No. 11 (1956).

Barisani, Blas. *En torno a Sarmiento.* Buenos Aires: Reina y Madre, 1961.

Belín Sarmiento, A. *Epistolario de Sarmiento.* Buenos Aires: "Coni," 1925.

——————. *El joven Sarmiento.* Saint Cloud: Imprenta Belín, 1929.

——————. *Sarmiento, anecdótico.* Saint Cloud: Imprenta Belín, 1929.

Berdiales, Germán. *El maestro de América, vida anecdótica de Sarmiento; de El Carrascal a Chungay,* 1811-1849. Buenos Aires: Editorial Acme, 1961.

Bibliografía de Sarmiento. Buenos Aires: Universidad Nacional de la Plata, 1911.

Bucich Escobar, Ismael. *Las reliquias de Sarmiento.* Buenos Aires: Imprenta Ferrari Hnos., 1940.

Bunge, Carlos Octavio. "Sarmiento, El escritor," Nos, Vol. XXIX (julio, 1918)

Bunkley, Allison Williams. *The life of Sarmiento.* Princeton: Princeton University Press, 1952.

Campobassi, José Salvador. *Sarmiento y Mitre, hombres de Mayo y Caseros.* Buenos Aires: Editorial Losada, 1962.

Carilla, Emilio. "Lengua y estilo en el Facundo," MP, Vol. XXXV, No. 332 (noviembre, 1954).

————. *El embajador Sarmiento; Sarmiento y los Estados Unidos.* Rosario: Universidad Nacional del Litoral, 1961.

Carsuzán, María Emma. *Sarmiento el escritor.* Buenos Aires: El Ateneo, 1949.

Castro, Américo. "En torno al 'Facundo' de Sarmiento," Sur, agosto, 1938.

Castro, Antonio Pedro. *San Martín y Sarmiento.* 2a. ed. Buenos Aires: Museo Histórico Sarmiento, 1950.

Colmo, Alfredo. *Sarmiento y los Estados Unidos.* Buenos Aires: "Oceana," 1915.

Correas, Edmundo. *Andanzas de un civilizador; Sarmiento y Maria Mann.* Mendoza: Best Hnos., 1944.

————. *Sarmiento and the United States.* Gainesville: University of Florida Press, 1961.

Cúneo, Dardo. *Sarmiento y Unamuno.* Buenos Aires: Editorial Poseidón, 1949.

Chavarría, Juan Manuel. *Donoidad espiritual de Sarmiento.* Buenos Aires, 1962.

Delucchi, Francisco J. *Sarmiento, 1811-1961. Biografía y antología de obras completas.* Buenos Aires: Editorial Textos, 1961.

Espinosa, Enrique. *El espíritu criollo: Sarmiento, Hernández, Lugones.* Santiago de Chile: Babel, 1951.

Fernández Peláez, Julio. *Sarmiento y "el ángel viejo."* La Habana: Imprenta "El Siglo XX," 1955.

Galván Moreno, G. *Radiografía de Sarmiento.* 2a. ed. Buenos Aires: Editorial Claridad, 1961.

Gálvez, Manuel. *Vida de Sarmiento, el hombre de autoridad.* Buenos Aires: Emecé editores, s. a., 1945.

González Arrili, Bernardo. *Sarmiento.* Buenos Aires: Editorial Kapeluzs, 1946.

González, Joaquín B. *D. F. Sarmiento y su obra.* Buenos Aires, 1913.

Guerrero, César H. *Sarmiento, historiador y biógrafo.* Buenos Aires: "El Ateneo," 1950.

"Homenaje a Sarmiento," REd, Vol. I, No. 1 (1956).

"Homenaje a Sarmiento," CBA, Vol. VIII, No. 27 (1961).

Iduarte, Andrés. *Sarmiento, Martí y Rodó.* La Habana: "El Siglo XX," 1955.

Korn Alejandro. "Sarmiento," CurCon, abril-junio, 1947.

Lazo, Raimundo. "Impresión hispanoamericana de Sarmiento," BACLH, Vol. X, Nos. 1-2 (1961).

Lugones, Leopoldo. *Historia de Sarmiento*. 2a. ed. Buenos Aires: Editorial Universitaria de Buenos Aires, 1960.

Martínez Estrada, Ezequiel. *Sarmiento*. Buenos Aires: Biblioteca Argos, 1956.

――――――. "Sarmiento y los Estados Unidos," CuA, Vol. LXIII, No. 3 (mayo-junio, 1952).

――――――. "Sarmiento y Martí," CuA, Vol. V, No. 4 (1946).

Monner Sanz, José María. "Sarmiento escritor," UnivSF, No. 53 (1962).

Montserrat, Santiago. "Sarmiento y nosotros," Real, Vol. III (1948).

Mortillaro, Gaspar. *Sarmiento en anécdotas*, 1811-1888. Buenos Aires: Ediciones de Sarmiento, 1961.

Nichols, Madaline Wallis. *Sarmiento; a chronicle of inter-American friendship*. Washington, D. C., 1940.

"Número dedicado a Sarmiento," Hu, Vol. XXXVII, Nos. 1, 2, 3 (1961).

Onetti, Carlos María. *Cuatro clases sobre Sarmiento escritor*. Tucumán: Universidad Nacional de Tucumán, 1939.

Orgaz, Alfredo. *Linaje espiritual de Sarmiento*. Córdoba: Editorial Assandri, 1960.

Orgaz, Raúl A. *Sarmiento y el naturalismo histórico*. Córdoba, 1940.

Ottolenghi, Julia. *Vida y obra de Sarmiento en síntesis cronológica*. Buenos Aires: Editorial Kapelusz, 1950.

Palcos, Alberto. *El Facundo. Rasgos de Sarmiento*. Buenos Aires: Editorial Elevación, 1945.

――――――. "Las ideas estéticas de Sarmiento," Nos, Vol. LXIV (mayo, 1929).

――――――. *Sarmiento: la vida, la obra, las ideas, el genio*. Buenos Aires: Editorial Emecé, 1962.

Picón-Salas, Mariano. "Todavía Sarmiento," ND, Vol. XLII, No. 4 (1962).

Ponce, Aníbal. *Sarmiento, constructor de la nueva Argentina*. Madrid: Espasa Calpe, s. a., 1932.

Presencia y perennidad de Sarmiento. Homenaje en el sesquicentenario del nacimiento del prócer. Santa Fe, Argentina: Universidad Nacional del Litoral, 1961.

Quiroga, Carlos Buenaventura. *Sarmiento (Hacia una reconstrucción del espíritu argentino)*. Buenos Aires: A. Zamora, 1961.

Rojas, Nerio A. *Psicología de Sarmiento*. Buenos Aires: Editorial G. Kraft Ltd, 1961.

Rojas, Ricardo. *Bibliografía de Sarmiento.* Buenos Aires: Coni Hnos., 1911.

————. *El profeta de la pampa; vida de Sarmiento.* Buenos Aires: Editorial Guillermo Kraft, 1962.

Sanhueza, G., V. Cutinella, E. Carrilla y F. Romero. *Sarmiento y la educación pública.* Buenos Aires: Editorial Losada, 1962.

Santovenia, Emeterio. *Genio y acción, Sarmiento y Martí.* La Habana: Editorial Trópico, 1938.

————. *Sarmiento y su americanismo.* Buenos Aires: Editorial Americalee, 1949.

Tamagno, Roberto. *Sarmiento, los liberales y el imperialismo inglés.* Buenos Aires: A. Peña Lillo, 1963.

REVOLUCION DE 1810

Es inútil detenerse en el carácter, objeto y fin de la revolución de la independencia. En toda la América fueron los mismos, nacidos del mismo origen, a saber: el movimiento de las ideas europeas. La América obraba así porque así obran todos los pueblos. Los libros, los acontecimientos, todo llevaba a la América a asociarse a la impulsión que a la Francia habían dado Norteamérica y sus propios escritores; a la España, la Francia y sus libros. Pero lo que necesito notar para mi objeto es que la revolución, excepto en su símbolo exterior, independencia del rey, era sólo interesante e inteligible para las ciudades argentinas, extraña y sin prestigio para las campañas. En las ciudades había libros, ideas, espíritu municipal, juzgados, derechos, leyes, educación, todos los puntos de contacto y de mancomunidad que tenemos con los europeos; había una base de organización, incompleta, atrasada, si se quiere, pero precisamente porque era incompleta, porque no estaba a la altura de lo que ya se sabía que podía llegar, se adoptaba la revolución con entusiasmo. Para las campañas la revolución era un problema; substraerse a la autoridad del rey era agradable, por cuanto era substraerse a la autoridad. La campaña pastora no podía mirar la cuestión bajo otro aspecto. Libertad, responsabilidad del poder, todas las cuestiones que la revolución se proponía resolver, eran extrañas a su manera de vivir, a sus necesidades. Pero la revolución le era útil en este sentido, que iba a dar objeto y ocupación a ese exceso de vida que hemos indicado, y que iba a añadir un nuevo centro de reunión, mayor al circunscrito a que acudían diariamente los varones en toda la extensión de las campañas.

Aquellas constituciones espartanas, aquellas fuerzas físicas tan desenvueltas, aquellas disposiciones guerreras que se malbarataban en puñaladas y tajos entre unos y otros, aquella desocupación romana a que sólo faltaba un Campo de Marte para ponerse en ejercicio activo, aquella antipatía a la autoridad, con quien vivían en continua lucha, todo encontraba, al fin, camino por donde abrirse paso y salir a la luz, ostentarse y desenvolverse.

Empezaron, pues, en Buenos Aires, los movimientos revolucionarios, y todas las ciudades del interior respondieron con decisión al llamamiento.

Las campañas pastoras se agitaron y adhirieron al impulso.

En Buenos Aires, empezaron a formarse ejércitos, pasablemente disciplinados, para acudir al Alto Perú y a Montevideo, donde se hallaban las fuerzas españolas mandadas por el general Vigodet.* El general Rondeau** puso sitio a Montevideo con un ejército disciplinado. Concurría al sitio Artigas, caudillo célebre, con algunos millares de gauchos. Artigas había sido contrabandista temible hasta 1804, en que las autoridades civiles de Buenos Aires pudieron ganarlo y hacerle servir en carácter de comandante de campaña en apoyo de esas mismas autoridades a quienes había hecho la guerra hasta entonces. Si el lector no se ha olvidado del baquiano y de las cualidades generales que constituyen el candidato para la comandancia de campaña, comprenderá fácilmente el carácter e instintos de Artigas.

Un día Artigas, con sus gauchos, se separó del general Rondeau y empezó a hacerle la guerra. La posición de éste era la misma que hoy tiene Oribe*** sitiando a Montevideo y haciendo a retaguardia frente a otro enemigo. La única diferencia consistía en que Artigas era enemigo de los patriotas y de los realistas a la vez. Yo no quiero entrar en la averiguación de las causas o pretextos que motivaron este rompimiento; ni tampoco quiero darle nombre ninguno de los consagrados en el lenguaje de la política, porque ninguno le conviene. Cuando un pueblo entra en revolución, dos intereses opuestos luchan al principio: el revolucionario y el conservador; entre nosotros se han denominado los partidos que los sostenían, patriotas y realistas. Natural es que después del triunfo el partido vencedor se subdivida en fracciones de moderados y exaltados; los unos que quieren llevar la revolución en todas sus consecuencias, los otros que quieren mantenerla en ciertos límites. También es del carácter de las revoluciones que el partido vencido primeramente vuelva a reorganizarse y triunfar a merced de la división de vencedores. Pero, cuando en una revolución, una de las fuerzas llamadas en su auxilio, se desprende inmediatamente, forma una tercera entidad, se muestra indiferentemente hostil a unos

* Gaspar Vigodet, general español, gobernador de Montevideo. Fue derrotado por Artigas en 1810.
** José Rondeau (1773-1845), general argentino que por dos veces puso sitio a la ciudad de Montevideo. Siendo Comandante en Jefe del Ejército fue destinado al Alto Perú. Perdió la batalla de Sipe-Sipe en 1815.
*** Manuel Oribe, nacido en Montevideo murió en 1857. Llevó su país a la guerra de los Nueve Años. Por sus virtudes cívicas se le considera entre los primeros libertadores del Uruguay.

y otros combatientes, a realistas y patriotas; esta fuerza que se separa es heterogénea; la sociedad que la encierra no ha conocido hasta entonces su existencia, y la revolución sólo ha servido para que se muestre y desenvuelva.

Este era el elemento que el célebre Artigas ponía en movimiento; instrumento ciego, pero lleno de vida, de instintos hostiles a la civilización europea y a toda organización regular; adverso a la monarquía como a la república, porque ambas venían de la ciudad, y traían aparejado un orden y la consagración de la autoridad. ¡De este instrumento se sirvieron los partidos diversos de las ciudades cultas, y principalmente el menos revolucionario, hasta que, andando el tiempo, los mismos que lo llamaron en su auxilio, sucumbieron, y con ellos la ciudad, sus ideas, su literatura, sus colegios, sus tribunales, su civilización.

Este movimiento espontáneo de las campañas pastoriles fue tan ingenuo en sus primitivas manifestaciones tan genial y tan expresivo de su espíritu y tendencias, que abisma hoy el candor de los partidos de las ciudades que lo asimilaron a su causa y lo bautizaron con los nombres políticos que a ellos los dividían. La fuerza que sostenía a Artigas en Entre Ríos era la misma que en Santa Fe a López, en Santiago a Ibarra, en los Llanos a Facundo. El individualismo constituía su esencia, el caballo su arma exclusiva, la pampa inmensa su teatro. Las hordas beduinas que hoy importunan con sus algaradas y depredaciones las fronteras de la Argelia dan una idea exacta de la montonera argentina, de que se han servido hombres sagaces o malvados insignes. La misma lucha de civilización y barbarie de la ciudad y el desierto existe en Africa; los mismos personajes, el mismo espíritu, la misma estrategia indisciplinada, entre la horda y la montonera. Masas inmensas de jinetes vagando por el desierto, ofreciendo el combate a las fuerzas disciplinadas de las ciudades, si se sienten superiores en fuerza; disipándose como las nubes de cosacos, en todas direcciones, si el combate es igual siquiera, para reunirse de nuevo, caer de improviso sobre los que duermen, arrebatarles los caballos, matar a los rezagados y a las partidas avanzadas; presentes siempre, intangibles por su falta de cohesión, débiles en el combate, pero fuertes e invencibles en una larga campaña en que al fin la fuerza organizada, el ejército, sucumbe diezmado por los encuentros parciales, las sorpresas, la fatiga, la extenuación.

La montonera, tal como apareció en los primeros días de la República bajo las órdenes de Artigas, presentó ya ese carácter de ferocidad brutal, y ese espíritu terrorista que al inmortal bandido, al estanciero de Buenos Aires, estaba reservado convertir en un sistema de legislación aplicado a la sociedad culta, y presentarlo, a nombre de la América avergonzada, a la contemplación de la Europa. Rosas no ha inventado nada; su talento ha consistido sólo en plagiar a sus antecesores. Y hacer de los instintos brutales de las masas ignorantes un sistema meditado y coordinado fríamente. La correa de cuero sacada al coronel Maciel y de que Rosas se ha hecho una "manea" que enseña a los agentes extranjeros, tiene sus antecedentes en Artigas y los demás caudillos bárbaros, tártaros. Las montoneras de Artigas "enchalecaban" a sus enemigos; esto es, los cosían dentro de un retobo de cuero fresco, y los dejaban así abandonados en los campos. El lector suplirá todos los horrores de esta muerte lenta. El año 36 se ha repetido este horrible castigo con un coronel del ejército. El ejecutar con el cuchillo "degollando" y no fusilando, es un instinto de carnicero que Rosas ha sabido aprovechar para dar todavía a la muerte formas gauchas, y al asesino placeres horribles; sobre todo, para cambiar las formas "legales" y admitidas en las sociedades cultas, por otras que él llama americanas y en nombre de las cuales invita a la América a que salga a su defensa, cuando los sufrimientos del Brasil, del Paraguay y del Uruguay invocan la alianza de los poderes europeos, a fin de que les ayuden a librarse de ese caníbal que ya los invade con sus hordas sanguinarias. ¡No es posible mantener la tranquilidad de espíritu necesaria para investigar la verdad histórica, cuando se tropieza a cada paso con la idea de que ha podido engañarse a la América y a la Europa tanto tiempo con un sistema de asesinatos y crueldades, tolerables tan sólo en Ashanthy o Dahomey, en el interior de Africa!

Tal es el carácter que presenta la montonera desde su aparición: género singular de guerra y enjuiciamiento que sólo tiene antecedentes en los pueblos asiáticos que habitan las llanuras, y que no han debido confundirse con los hábitos, ideas y costumbres de las ciudades argentinas, que eran, como todas las ciudades americanas, una continuación de la Europa y de España. La montonera sólo puede explicarse examinando la organización íntima de la sociedad de donde procede. Artigas, baquiano, contrabandista, esto

es, haciendo la guerra a la sociedad civil, a la ciudad: comandante
de campaña por transacción; caudillo de las masas de a caballo,
es el mismo tipo que con ligeras variantes continúa reproduciéndose
en cada comandante de campaña que ha llegado a hacerse caudillo.
Como todas las guerras civiles en que profundas desemejanzas de
educación, creencias y objetos dividen a los partidos, la guerra interior de la República Argentina ha sido larga, obstinada, hasta que
uno de los elementos ha vencido. La guerra de la revolución argentina ha sido doble: 1º, guerra de las ciudades, iniciada en la cultura europea, contra los españoles, a fin de dar mayor ensanche a
esa cultura; 2º, guerra de los caudillos contra las ciudades, a fin
de librarse de toda sujeción civil, y desenvolver su carácter y su
odio contra la civilización. Las ciudades triunfan de los españoles,
y las campañas de las ciudades. He aquí explicado el enigma de la
revolución argentina, cuyo primer tiro se disparó en 1810 y el último no ha sonado todavía.

No entraré en todos los detalles que requeriría este asunto; la
lucha es más o menos larga; unas ciudades sucumben primero,
otras después. La vida de Facundo Quiroga nos proporcionará ocasión de mostrarlos en toda su desnudez. Lo que por ahora necesito
hacer notar, es que con el triunfo de estos caudillos, toda forma
"civil", aun en el estado en que la usaban los españoles, ha desaparecido totalmente en unas partes; en otras de un modo parcial,
pero caminando visiblemente a su destrucción. Los pueblos en masa
no son capaces de comparar distintivamente unas épocas con otras;
el momento presente es para ellos el único sobre el cual se extien-
den sus miradas; así es como nadie ha observado hasta ahora la
destrucción de las ciudades y su decadencia; lo mismo que no pre-
vén la barbarie total a que marchan visiblemente los pueblos del
interior.

Buenos Aires es tan poderosa en elementos de civilización europea, que concluirá por educar a Rosas, y contener sus instintos
sanguinarios y bárbaros. El alto puesto que ocupa, las relaciones
con los gobiernos europeos, la necesidad en que se ha visto de respetar a los extranjeros, la de mentir por la prensa y negar las atrocidades que ha cometido, a fin de salvarse de la reprobación universal que lo persigue, todo, en fin, contribuirá a contener sus des-
afueros, como ya se están sintiendo; sin que eso estorbe que Bue-

nos Aires venga a ser, como La Habana, el pueblo más rico de
América, pero también el más subyugado y más degradado. [. . .]

La cultura de los modales, el refinamiento de las costumbres,
el cultivo de las letras, las grandes empresas comerciales, el espíritu público de que estaban animados los habitantes, todo anunciaba
al extranjero la existencia de una sociedad culta, que caminaba
rápidamente a elevarse a un rango distinguido, lo que daba lugar
para que las prensas de Londres divulgasen por América y Europa
este concepto honroso: ". . . manifiestan las mejores disposiciones
para hacer progreso en la civilización; en el día se considera a este
pueblo como el que sigue a Buenos Aires más inmediatamente en
la marcha de la reforma social; allí se han adoptado varias de las
instituciones nuevamente establecidas en Buenos Aires, en proporción relativa; y en la reforma eclesiástica han hecho los sanjuaninos progresos extraordinarios, incorporando todos los regulares al
clero secular, y extinguiendo los conventos que aquéllos tenían . . ."

Pero lo que dará una idea más completa de la cultura de entonces, es el estado de la enseñanza primaria. Ningún pueblo de
la República Argentina se ha distinguido más que San Juan en su
solicitud por difundirla, ni hay otro que haya obtenido resultados
más completos. No satisfecho el gobierno de la capacidad de los
hombres de la provincia para desempeñar cargo tan importante,
mandó traer de Buenos Aires el año 1815 un sujeto que reuniese, a
una instrucción competente, mucha moralidad. Vinieron unos señores Rodríguez, tres hermanos dignos de rolar con las primeras familias del país, y en las que se enlazaron; tal era su mérito y la
distinción que se les prodigaba. Yo, que hago profesión hoy de la
enseñanza primaria; que he estudiado la materia, puedo decir que,
si alguna vez se ha realizado en América algo parecido a las famo-
sas escuelas holandesas descritas por Mr. M. Cousin, es en San
Juan. La educación moral y religiosa era acaso superior a la instrucción elemental que allí se daba; y no atribuyo a otra causa el
que en San Juan se hayan cometido tan pocos crímenes, ni la conducta moderada del mismo Benavides, sino a que la mayor parte
de los sanjuaninos, él incluso, han sido educados en esa famosa
escuela, en que los preceptos de la moral se inculcaban a los alumnos con una especial solicitud. Si estas páginas llegan a manos de
don Ignacio y de don Roque Rodríguez, que reciban este débil homenaje que creo debido a los servicios eminentes hechos en unión

de su finado hermano don José, a la cultura y moralidad de un pueblo entero.

Esta es la historia de las ciudades argentinas. Todas ellas tienen que reivindicar glorias, civilización y notabilidades pasadas. Ahora el nivel barbarizador pesa sobre todas ellas. La barbarie del interior ha llegado a penetrar hasta las calles de Buenos Aires. Desde 1810 hasta 1840, las provincias que encerraban en sus ciudades tanta civilización, fueron demasiado bárbaras, empero, para destruir con su impulso la obra colosal de la revolución de la independencia. Ahora que nada les queda de lo que en hombres, luces e instituciones tenían, ¿qué va a ser de ellas? La ignorancia y la pobreza, que es la consecuencia, están como las aves montecinas, esperando que las ciudades del interior den la última boqueada, para devorar su presa, para hacerlas campo, estancia. Buenos Aires puede volver a ser lo que fue, porque la civilización europea es tan fuerte allí, que a despecho de las brutalidades del gobierno se ha de sostener. Pero en las provincias ¿en qué se apoyará? Dos siglos no bastarán para volverlas al camino que han abandonado, desde que la generación presente educa a sus hijos en la barbarie que a ella le ha alcanzado. Pregúntasenos ahora: ¿por qué combatimos? Combatimos por volver a las ciudades su vida propia.

(De *Civilización y Barbarie: Vida de Juan Facundo Quiroga*, Chile, 1845)

EL SISTEMA COLONIAL

No debieran ya nuestros escritores insistir sobre la crueldad de los españoles para con los salvajes de la América, ahora como entonces, nuestros enemigos de raza, de color, de tendencias, de civilización; ni principiar la historia de nuestra existencia por la historia de los indígenas, que nada tienen de común con nosotros.* Si los bárbaros de la Germania, cayeran de improviso sobre las Galias, los Hunos sobre la Italia, y se refundieran sobre pueblos antiguos y civilizados allí existentes, podría en buena hora hablar-

---

* Se refiere a las *Investigaciones sobre la influencia social de la conquista y del sistema colonial de los españoles en Chile* de José Victoriano Lastarria, leídas en la Universidad de Chile el 22 de septiembre de 1844.

se de la influencia de la conquista de los germanos sobre la sociedad; pero parécenos que la cuestión cambia de aspecto cuando se trata de Chile, donde no existió esa sociedad, donde los salvajes que lo poblaban fueron exterminados o confundidos en la chusma. Y sobre este punto debemos aún señalar alguna diferencia entre la colonización española y la inglesa, por ejemplo. Nada más justo que la conducta observada por los primeros colonizadores ingleses en el norte de América con respecto a los salvajes indígenas; allí no hubo conquista, sino ocupación del territorio, las más veces comprado a los habitantes; y sin embargo, el resultado ha sido que en menos de tres siglos han desaparecido más de doscientas naciones de indígenas, y que una sola de ellas ha mezclado su sangre con la de los europeos, siendo por tanto, en Norte América la condición de los indígenas mucho más desesperada, más oprimida, más afligente, que lo que ha sido en las colonias españolas. La razón de este fenómeno está en las antipatías de raza y de civilización. No hay amalgama posible entre un pueblo salvaje y uno civilizado. Donde éste ponga su pie, deliberada o indeliberadamente, el otro tiene que abandonar el terreno y la existencia; porque tarde o temprano ha de desaparecer de la superficie de la tierra, y si algo arguye en favor de los españoles, es el que los salvajes, cuyos descendientes forman hoy nuestra plebe de color, hayan sido tolerados y protegidos.

Decimos otro tanto con respecto a la violación de los principios del derecho de gentes para con los salvajes. Este derecho supone gente, naciones que pactan entre sí, que se respetan, que reconocen derechos o los reclaman, y esto no puede tener lugar en las luchas que sostienen las naciones civilizadas con los salvajes, en las que para medir la justicia de los procedimientos recíprocos, bastaría apreciar el estado de civilización de unas y otras. ¿Cómo trataban los araucanos a los españoles? ¿Cuál era el código de derecho de gentes que los europeos hallaron establecido en América? En muchas partes consistía en comerse los prisioneros; en sacrificarlos a los dioses, como en México, a martirizarlos y saetearlos como en las demás partes. ¿Querríamos, por ventura, que se les tratase de otro modo? No es nuestro ánimo abogar por las inútiles crueldades cometidas con los indios, pero no podemos menos que reconocer en los pueblos civilizados cierto odio y desprecio por los salvajes, que los hace crueles sin escrúpulos; y ese odio

y ese desprecio eran tan patentes en los españoles contra los indios
y los infieles, que se discutió largo tiempo entre teólogos y sabios
si los indios eran *hombres*. Sobre todo, quisiéramos apartar de toda cuestión social americana a los salvajes, por quienes sentimos,
sin poderlo remediar, una invencible repugnancia, y para nosotros
Colocolo, Lautaro y Caupolicán, no obstante los ropajes civilizados
y nobles de que los revistiera Ercilla, no son más que unos indios
asquerosos, a quienes habríamos hecho colgar y mandaríamos colgar
ahora, si reapareciesen en una guerra de los araucanos contra Chile, que nada tiene que ver con esa canalla.

Cuando uno lee a Ercilla y oye repetir hoy día de aquellas
imaginadas virtudes de Colocolos y Lautaros, está a punto de creer
que los antiguos araucanos eran otro pueblo distinto de los araucanos que conocemos nosotros; de esos salvajes del sur, borrachos, estúpidos, crasos e ignorantes, y sin sentimiento alguno de dignidad,
salvo el gusto por la independencia, que es distintivo de las tribus
salvajes. ¿Cuántos Colocolos, Lautaros y Caupolicanes lancean todos
los días nuestros soldados de la frontera? Y estos héroes de nuestra
historia ¿qué algazara feroz no armarían si Concepción cayese una
hora en sus manos? ¿Y esto por odio a la dominación española?
No; es preciso no ser condorosos; por amor a la rapiña, por sus
instintos salvajes de matanza y destrucción.

Iguales observaciones nos ocurren contra ese pretendido plan
de opresión abrazado por la España con respecto a sus colonias,
supuesto cuando se trataba de sublevar la América. Ese lenguaje
era excelente como medio revolucionario; pero treinta años después es injusto y poco exacto. La España ha procedido para con
sus colonias, como Chile procedería con las suyas, sin otra diferencia que las que establecerían las luces de la época y las diversas
formas de gobierno. Las colonias españolas tienen eso de particular, que eran ni más ni menos en sus derechos, verdaderas provincias españolas, sobre las que pesaba en el nuevo continente como en
la península el mismo despotismo y la misma arbitrariedad. Es preciso fijarse en los diversos caracteres que tienen las colonias según
su origen. La España y la Inglaterra pueden servirnos de ejemplo
en los tiempos modernos. No sabemos con qué motivo decía Víctor Hugo, con aquella especie de abandono que caracteriza a los
espíritus superiores: "la América del Norte habla inglés, la del Sur
español". He aquí, en efecto, toda la historia comparada de estas

dos colonizaciones. La Inglaterra, cuando ha establecido en su seno un sistema vivo de gobierno, de industria y de ideas, arroja colonias y de ésas nacen naciones poderosas. La España, cuando ha logrado sofocar todo progreso, todo movimiento civilizador, cuando cree haber asegurado a la feudalidad y a la ignorancia de la edad media una existencia duradera, arroja también colonias. ¿Qué había de resultar de esto, pues? La vida en el norte, la muerte en el sur; en el norte se habla inglés, en el sur se habla español. Pero culpar a la España de hacer mal a designio, cuando el mal era su propia esencia, su vida, su modo de ser, esto es soberanamente injusto, y los documentos históricos están en contra. Si era prohibido a los americanos, por un mal sistema de economía política, cultivar o fabricar lo que se producía en España, a los españoles era igualmente prohibido cultivar lo que eran productos americanos; y en cuanto a educación, las universidades pululaban por la América, tan atrasadas, tan escolásticas, tan rutineras, como las españolas, a las que no iban en zaga.

No es pues, lo que debemos estudiar en la colonización española los males que deliberadamente ha causado; pues que esos males ni ella los comprendía, y refluían menos directamente sobre ella misma y su riqueza, que sobre nosotros. Porque es preciso convenir, si el gobierno español era absoluto por su esencia, en Chile, sobre todo, era patriarcal, blando, benigno, imprevisor. Es uno de los caracteres del despotismo, que menos se hace sentir sobre los individuos, que sobre las naciones en masa; menos obra a la luz del día, que lentamente y sin que sea posible descubrir los estragos que causa; a la manera de una tisis que deja vivir largo tiempo a su víctima alegre y sin dolor, consumiéndola lentamente hasta llevarla a la tumba. ¿Quién no ha oído a nuestros viejos acordarse de los felices tiempos del coloniaje, en que se llevaba una vida tan pacífica, tan sin temor del gobierno, ni de las persecuciones?

Ya nos imaginamos que esto va a sublevar patriotismos tan quisquillosos, tan alborotadizos, como el raquítico del *Telégrafo* y otros que gritarían todavía: *¡muera el rey! ¡viva la patria!* Pero hay diferencia entre la felicidad material de los individuos y la de las naciones; a aquélla puede proveer el despotismo; a esta otra sólo provee la libertad.

La España, pues, se reproducía en América; y echarle en cara los males que nos ha legado como causados intencionalmente, sería lo mismo que si el joven negro culpase a su madre negra también, del infame y siniestro designio que había concebido y consumado de parirlo negro. Todos los males que se desenvolvían en América, se desenvolvían a la par en España, y la pintura que hacen Juan y Ulloa, sólo es comparable a la que un ministro de Carlos III elevó al rey de los males que sufría la España y de las causas de su ruina y decadencia.

(*Progreso*, Chile, 27 de septiembre de 1844)

EDUCACION COMUN: NUEVO RUMBO MARCADO A LA AMERICA DEL SUR

Estas páginas van encaminadas a señalar al patriotismo y a los sentimientos liberales de la América del Sur, el camino que han seguido en la del Norte, para llegar, en cortos años, a los resultados de prosperidad, grandeza y libertad, que tienen, con sus enérgicas manifestaciones recientes, sorprendido al mundo, habituado a esperar del lento sedimento, que en su transcurso dejan los siglos, la formación y el progreso de las naciones.

La vez que una mente joven se sintió fuerte para el cálculo matemático, interrogó al astrónomo Arago: "qué haría para ser útil al progreso de la ciencia". "En el cielo, contestó el sabio, sólo queda un problema astronómico por resolver: las perturbaciones de Urano. Conságrese Ud. a buscar un planeta hipotético; y si lo fija por el cálculo, las ciencias habrán dado un gran paso". El joven se llama hoy Leverrier, en los fastos de la inmortalidad, y Neptuno es el planeta encontrado en las profundidades del espacio.

¡Quién explicará las aberraciones de la América del Sud, cuyos desordenados movimientos, la hacen la hablilla del mundo, a punto de negar a estas Repúblicas su lugar, como cuerpos fijos, en el universo de las naciones, y desear, si más no fuera, que sean absorbidas una a una por los cuerpos de antiguo reconocidos!

Penosa, y por demás humillante tarea, sería reproducir aquí los conceptos, el disgusto, el desprecio con que la prensa de Europa y Estados Unidos recibe y reproduce, casi siempre exagerándolos, y comprendiéndolos mal la noticia, por desgracia harto frecuente, de frescos y nuevos desórdenes de las repúblicas americanas en revueltas sin nombre, en guerras civiles sin propósito; y en complicaciones, que, repitiéndose medio siglo sin intermisión, han fatigado al fin la más indulgente espectación pública, y convertido en disfavor en unos, en casi hostilidad en otros, el sentimiento que indujo a Mr. Canning y al Presidente Monroe a ponerse de por medio, cuando se trató de ahogar en su cuna las nacientes Repúblicas.

Tarea más ímproba todavía sería intentar explicar a los extraños, cómo aquellos desórdenes son el legítimo resultado de un perverso sistema de colonización, y efecto de causas que, como subterráneos gases, dilatables e inflamables, están estallando sucesivamente, a medida que nuevos elementos se incorporan en la asociación; ya sea éstos el extranjero con sus reclamos, ya la libertad religiosa, que enciende viejas preocupaciones, ya la prensa, que con su libre exposición del pensamiento suscita tempestades, al remover el mal avezado sentimiento público, no siempre bien dirigido aún de parte de los que lo excitan a la acción, ni más previsor de consecuencias finales y remotas de los que, movidos por motivos generosos las más veces, no aciertan con el remedio a males urgentes.

Pero una vez que se hubiera logrado calmar la exasperación del mundo, que sufre, aunque más no sea, moralmente, con los disturbios sud-americanos, la noticia de nuevas guerras y revoluciones viene a dar al traste con las mal aceptadas explicaciones, y presentar a la América del Sur, como entregada a un vértigo, que tanto muestra sus furores, en las orillas del Pacífico como en las del Atlántico, al pie del Chimborazo como en las Pampas Argentinas, en el Sur como en el Centro de aquella América, en el continente como en las islas.

¿No valdría más que nos contrajésemos a estudiarnos a nosotros mismos, y puesto que los efectos se muestran por todas partes idénticos, durante medio siglo, lo que les quita la disculpa de fenómenos accidentales, buscásemos una causa común a todos, para pasar a sus efectos, una vez que fuera encontrada aquella, limitando así sus manifestaciones perturbadoras, con la esperanza y el propósito de llegar a su extinción final?

Para la demostración palpable de la existencia de un Dios inteligente, se apela con buen éxito a la idea que al salvaje suministraría el encontrar sobre alguna roca un reloj en movimiento, señalando con precisión las horas y minutos; y que al examinar su mecanismo interno, hallase, que un maravilloso encadenamiento de ruedas, para regularizar la tensión de un muelle generador, había sido calculado por alguien, a fin de producir un efecto ostensible, de donde no se podía deducir otra cosa, dado que el salvaje fuese capaz de ello, sino que un ser inteligente, y no él acaso, concibió el plan de aquella obra.

Pero si, por el contrario, se presentase a la observación de hombres civilizados catorce relojes del mismo diseño, aunque ejecutados por distintos artistas, colocados en varios puntos de un gran continente, y bajo diversas presiones atmosféricas, todos andando mal, después de medio siglo de experimentos, y de composturas diarias, y cada vez yendo de mal en peor, dando las catorce a las doce, como vulgarmente se dice, y mostrando todos el mismo defecto de precisión, ¿no dirían que a todos ellos les falta en su mecanismo una rueda reguladora del movimiento? ¿Y si echándose a buscarla, tuvieren noticia, que en una extensión vecina del mismo continente, precisamente otros catorce relojes, colocados igualmente bajo influencias y circunstancias diversas entre sí, pero análogas a las de los otros catorce, funcionaron, durante el mismo tiempo, con admirable exactitud, sin requerir diarias composturas, y que estos catorce tenían un *regulador* de que carecían los primeros, aunque en lo demás la forma fuese idéntica; y si tal sucediera, y por una demostración palpable se convencieran todos de ello, no se apresurarían a reponer el regulador, cuyo lugar está marcado en el diseño común, pero que olvidaron u omitieron por inexperiencia los importadores de aquellos relojes?

Valga por lo que valiere la comparación, el hecho a que se refiere es positivo. Repúblicas emanadas de colonias europeas, en cada uno de los continentes que ligan el Istmo de Panamá, y se levantan de la común cordillera de los Andes, realizan la sublime e instructiva parábola de las diez vírgenes, de las cuales cinco eran prudentes, y cinco necias; las necias al coger sus lámparas no se proveyeron de aceite como las prudentes; mas llegada la media noche, se oyó una voz que gritaba: "Mirad que viene el esposo, salidle al encuentro. Entonces las necias dijeron a las prudentes: dadnos de vuestro aceite, porque nuestras lámparas se apagan. Id a comprar el que os falta, respondieron las prudentes. Mientras iban a comprarle, las que estaban preparadas entraron con él a las bodas, y se cerró la puerta. Al cabo vinieron también las otras vírgenes, diciendo: ¡Señor, señor, ábrenos! Pero él respondió: en verdad os digo que no os conozco".

Y esto dirá luego el mundo a las Repúblicas sud-americanas, si dejan cerrarse sobre ellas las puertas del porvenir, que ya se conmueven y rechinan sobre sus goznes. El siglo marcha muy de prisa a nuevos y gloriosos destinos, y no hay tiempo de aguardar a rezagados perezosos. El sol no se para ya, para ver el fin de la batalla.

No nos detendremos a examinar las causas históricas, de raza, de nación, de clases, de costumbres, de formas sociales, que nos complacemos, con sobrada justicia, en dar como explicación del más chocante contraste, que se haya presentado jamás a la contemplación humana: atraso, desorden crónico, despoblación, pobreza de un lado, y prodigios en contrario del otro, en dos secciones de un mismo continente, a un tiempo descubiertas, a un tiempo pobladas, casi a un tiempo independientes, a un tiempo republicanas. Admisibles son las diferencias, las gradaciones; pero la antítesis, la negación de una parte, la afirmación luminosa de la otra de verdades y hechos no cuestionados en teoría; la noche y el día produciéndose a la misma hora en las mismas latitudes, jamás lo aceptará como natural, ya que ve que es posible, la conciencia humana. No es éste el caso de discutir las causas atenuantes. Vamos derecho al mal donde está. ¿Qué le falta a la América del Sud, para ser asiento de naciones poderosas? Digámoslo sin reparo. Instrucción, educación difundida en la masa de los habitantes, para que sean cada uno elemento y centro de producción, de riqueza, de resistencia inteligente contra los bruscos movimientos sociales, de instigación y freno al gobierno. El despotismo, la libertad, la monarquía, la República, no cambiarán la esencia de las cosas: la libertad, porque deja libre las pasiones sin inteligencia; el despotismo, porque aplasta las pocas fuerzas útiles y agrava el mal futuro, en busca de un reposo efímero; la República, porque no se gobierna a sí misma; la monarquía, porque a los males conocidos añade el trabajo de crear uno nuevo y el dispendio de mantenerlo.

(De *Las Escuelas, base de la prosperidad y de la República en Estados Unidos. Obras Completas*, Buenos Aires, Vol. 30, 1899)

EL DESTERRADO

¡Polonia! ¡Desdichada Polonia!* Polonia, cuyo nombre solo
revela al pensamiento contristado todo lo que tiene de sublime el
patriotismo, y todas las tribulaciones que pueden abrumar a una
generación de héroes; toda la barbarie de los déspotas y la cruel
indiferencia del egoísmo de las naciones y de los gobiernos. ¡Polonia!, triste Polonia, yo te saludo desde el hogar extraño que me
presta su asilo. Nosotros, sí, solamente nosotros sabemos sentir tus
angustias, porque la desgracia aguza la facultad de sentir las desgracias ajenas; porque la desgracia simpatiza con la desgracia.
Como tus hijos que mendigan hospitalidad en las puertas de las
naciones europeas, así vagamos nosotros, sin patria, sin asilo, sin
posar tranquilos nuestra vagabunda planta, por la vasta extensión
de América que circunda nuestra patria desdichada; los ojos fijos
en ella por sorprenderle un momento de vida, para ayudarla a levantarse, si un momento logra desasir uno solo de sus debilitados
brazos de las garras ensangrentadas del monstruo que la ahoga y
la despedaza.

¡El destierro! ¡Ah! ¿Quién de vosotros conoce lo que tiene
de despiadado esta desapacible palabra? ¿Habéis, por desgracia,
andado vagando prófugo y sin amigos en tierra extraña? ¿Quién
sino el que a su pesar se aleja de la patria, donde queda la casa
de sus padres y la escena de sus recuerdos, sabe sentir la insipidez
del pan extraño, y la desazón de la mesa en cuyo derredor no se
sientan la madre y los hermanos? La fortuna puede en hora buena
ofrecer sus goces a precio de oro comprados; pero todo el oro del
mundo no hará sentir aquella dicha inexplicable, aquel tranquilo
contento con que bajo el techo paterno, a la vista de los más indiferentes objetos, siente uno reproducirse mil reminiscencias vagas,
indefinibles, que le retrazan los juegos infantiles, las primeras afecciones y las caricias maternales.

Los argentinos gimen en el destierro, si por ventura escapan
del látigo, de los calabozos y del puñal del verdugo de su patria.
Por todas partes refieren sus insoportables desgracias, y por todas
partes arrostran semblantes fríos que no demuestran piedad, oídos
que oyen porque no pueden evitarlo, corazones que compadecen sin

---

* Desde 1830 había sido anulada la Constitución polaca por la rebelión popular contra los rusos.

simpatía y sin emociones, llegando la frialdad al extremo de poner
en duda los hechos mismos que en toda su deformidad el déspota
ostenta con impavidez a la faz y en presencia de todos los pueblos,
a semejanza del poderoso que ultraja al mendigo que su socorro
implora, apellidando superchería la miseria y desvalimento que se
presenta a sus puertas.

El nombre argentino es la fábula de América; pero las desgracias y los horrores que revela, sólo son amargos e insoportables
para los proscritos que lo llevan. Los americanos de hoy no conocen
ya a estos argentinos que, en los tiempos gloriosos de la independencia, hacían resonar sus gritos de libertad en todas las asambleas,
se hallaban presentes en todos los combates, y eran los hermanos
queridos de los valientes y de los patriotas de todos los pueblos. Mas
aquellos días de gloria, de esfuerzos y combates comunes, pasaron, y
ahora en todas partes son desconocidos y extranjeros.

Si al anunciarse sus huéspedes, su apellido trae a la memoria
de éstos algún borrado recuerdo, es sólo para revelarle el triste
fin de su padre, su hermano o su pariente, a quien le vieron morir
en Chacabuco, Maipú, Callao, Junín o Ayacucho. Y si por desaho-
garse del peso de sus males presentes vuelve sus miradas a lo pasado, aquellos tiempos gloriosos de la guerra americana, en que
sus padres prestaron tan grande apoyo a los chilenos, bolivianos
y peruanos, sus huéspedes, le echan en cara los males que causaron
y las injusticias que dice que cometieron, y humillado y sin saber
justificar la ultrajada memoria de sus padres, baja los ojos y cierra
los labios.

Una negra y espantosa cadena de delitos ha eslabonado todos
los actos de nuestro verdugo, y después de diez años, su relación
no ha llegado todavía a los oídos de los gobiernos y de los pueblos
de las demás naciones americanas.

Los cónsules de Buenos Aires presencian diariamente los actos
de barbarie que humillan y envilecen a los ciudadanos; ellos han
visto morir al ministro Maza en el santuario de las leyes; ellos
ven ahora salpicadas las veredas de la sangre de los ancianos y de
las niñas, derramadas por la caterva furibunda que, cual jauría de
perros, anima y azuza nuestro verdugo; ellos saben que estos actos
no son la obra de la irritación popular de un momento, sino que
es un sistema de gobierno organizado que cada día despliega más
y más resortes, a medida que su propia absurdidad lo hace insos-

tenible; todo en fin lo han visto, todo lo ven, y parece que se olvidan de revelarlo a sus gobiernos. Los gobiernos y los pueblos americanos han oído los gritos de nueve provincias, han visto brillar una espada que clamaba venganza; mas aquellos, los gobiernos, las han escarnecido como revoltosas, y los pueblos, sí, los pueblos americanos no han saludado a los que desafiaban la rabia de su verdugo, ni han sabido animarlos con palabras de consuelo. Ellos ven ahora a aquellas desdichadas próximas a ser aplastadas por la poderosa masa de la fuerza material, ultrajadas por los soldados estúpidos, y derribadas y pisoteadas por los caballos de los indios de las pampas, y ni una sola mirada les dirigen, ni una sola muestra de compasión dulcifica sus desgracias.

¡Felices los pueblos que ya se han dado instituciones!

Felices, porque ya pueden gozar de sus ventajas, sin curarse de los males de sus hermanos. La República Argentina peleó quince años por darse independencia a ella misma y ayudar a las otras a adquirirla. No dejó las armas, sino cuando no hubo enemigos que vencer; malbarató el pan de sus hijos y los dejó pobres y desnudos; derramó su sangre a torrentes, y se quedó exhausta y débil; y cuando creyó concluida su larga y laboriosa carrera, cuando volvía a encerrarse en su casa, para arreglarla y hacerla prosperar, un tigre que desde largo tiempo la acechaba, cayó sobre ella en un día aciago y la tomó en sus garras para devorarla. Por toda la América se han oído sus gritos. Nadie ha dado vuelta a buscar el lugar de donde venían.

Cuando un ambicioso dominó al Perú, en Chile se elevaron gritos que proclamaron los grandes principios que la revolución y la independencia habían sancionado, y Buin y Yungay probaron al mundo que tales gritos no eran inútil ni impotente algazara; y mientras que en Buenos Aires se ha alzado un Sila, que gobierna por el asesinato, la proscripción y los salvajes, nadie ha preguntado si aquel pueblo sufría voluntariamente sus desdichas.

¡Felices los pueblos que ya se han dado instituciones!

(*Mercurio*, Chile, 17 de marzo de 1840)

EVOCACION DE JUAN FACUNDO QUIROGA

¡Sombra terrible de Facundo, voy a evocarte, para que, sacudiendo el ensangrentado polvo que cubre tus cenizas, te levantes a explicarnos la vida secreta y las convulsiones internas que desgarran las entrañas de un noble pueblo! Tú posees el secreto, ¡revélanoslo! Diez años aun, después de tu trágica muerte, el hombre de las ciudades y el gaucho de los llanos argentinos, al tomar diversos senderos en el desierto, decían: "¡No!, ¡no ha muerto! ¡Vive aún! ¡El vendrá!" ¡Cierto! Facundo no ha muerto; está vivo en las tradiciones populares, en la política y revoluciones argentinas; en Rosas, su heredero, su complemento: su alma ha pasado a este otro molde más acabado, más perfecto; y lo que en él era sólo instinto, iniciación, tendencia, convirtióse en Rosas en sistema, efecto y fin. La naturaleza campestre, colonial y bárbara, cambióse en esta metamorfosis en arte, en sistema y en política regular, capaz de presentar a la faz del mundo como el modo de ser de un pueblo encarnado en un hombre que ha aspirado a tomar los aires de un genio que domina los acontecimientos, los hombres y las cosas. Facundo, provinciano, bárbaro, valiente, audaz, fue reemplazado por Rosas, hijo de la culta Buenos Aires sin serlo él; por Rosas, falso, corazón helado, espíritu calculador, que hace el mal sin pasión y organiza lentamente el despotismo con toda la inteligencia de un Maquiavelo. Tirano sin rival hoy en la tierra, ¿por qué sus enemigos quieren disputarle el título de grande que le prodigan sus cortesanos? Sí, grande y muy grande es, para gloria y vergüenza de su patria, porque si ha encontrado millares de seres degradados que se unzan a su carro para arrastrarlo por encima de cadáveres, también se hallan a millares las almas generosas que en quince años de lid sangrienta no han desesperado de vencer al monstruo que nos propone el enigma de la organización política de la República. Un día vendrá, al fin, que lo resuelva, y la Esfinge Argentina, mitad mujer por lo cobarde, mitad tigre por lo sanguinario, morirá a sus plantas, dando a la Tebas del Plata el rango elevado que le toca entre las naciones del Nuevo Mundo.

Necesítase, empero, para desatar este nudo que no ha podido cortar la espada, estudiar prolijamente las vueltas y revueltas de los hilos que lo forman, y buscar en los antecedentes nacionales, en la fisonomía del suelo, en las costumbres y tradiciones populares, los puntos en que están pegados.

La república Argentina es hoy la sección hispanoamericana que en sus manifestaciones exteriores ha llamado preferentemente la atención de las naciones europeas, que no pocas veces se han visto envueltas en sus extravíos o atraídas, como por una vorágine, a acercarse al centro en que remolinean elementos tan contrarios. La Francia estuvo a punto de ceder a esta atracción, y no sin grandes esfuerzos de remo y vela, no sin perder el gobernalle, logró alejarse y mantenerse a la distancia. Sus más hábiles políticos no han alcanzado a comprender nada de lo que sus ojos han visto al echar una mirada precipitada sobre el poder americano, que desafiaba a la gran nación. Al ver las lavas ardientes que se revuelcan, se agitan, se chocan, bramando en este gran foco de lucha intestina, los que por más avisados se tienen han dicho: "Es un volcán subalterno, sin nombre, de los muchos que aparecen en   América; pronto se extinguirá"; y han vuelto a otra parte sus miradas, satisfechos de haber dado una solución tan fácil como exacta de los fenómenos sociales que sólo han visto en grupo y superficialmente. A la América del Sur en general, y a la República Argentina, sobre todo, le ha hecho falta un Tocqueville, que, premunido del conocimiento de las teorías sociales, como el viajero científico de barómetros, octantes y brújulas, viniera a penetrar en el interior de nuestra vida política, como en un campo vastísimo y aún no explorado ni descrito por la ciencia, y revelase a la Europa, a la Francia, tan ávida de fases nuevas en la vida de las diversas porciones de la humanidad, este nuevo modo de ser que no tiene antecedentes bien marcados y conocidos.

Hubiérase entonces explicado el misterio de la lucha obstinada que despedaza a aquella república; hubiéranse clasificado distintamente los elementos contrarios, invencibles, que se chocan; hubiérase asignado su parte a la configuración del terreno, y a los hábitos que ella engendra; su parte a las tradiciones españolas y a la conciencia nacional, íntima, plebeya, que han dejado la Inquisición y el absolutismo hispano; su parte a la influencia de las ideas opuestas que han trastornado el mundo político; su parte a la barbarie indígena su parte a la civilización europea; su parte, en fin, a la democracia consagrada por la Revolución de 1810, a la igualdad cuyo dogma ha penetrado hasta las capas inferiores de la sociedad.

Este estudio, que nosotros no estamos aún en estado de hacer, por nuestra falta de instrucción filosófica e histórica, hecho por observadores competentes, habría revelado a los ojos atónitos de Europa en mundo nuevo en política, una lucha ingenua, franca y primitiva entre los últimos progresos del espíritu humano y los rudimentos de la vida salvaje, entre las ciudades populosas y los bosques sombríos. Entonces se habría podido aclarar un poco el problema de la España, esa rezagada de Europa que, echada entre el Mediterráneo y el Océano, entre la Edad Media y el siglo XIX, unida a la Europa culta por un ancho istmo, y separada del Africa bárbara por un angosto estrecho, está balanceándose entre dos fuerzas opuestas, ya levantándose en la balanza de los pueblos libres, ya cayendo en la de los despotizados; ya impía, ya fanática; ora constitucionalista declarada, ora despótica impudente; maldiciendo sus cadenas rotas a veces, ya cruzando los brazos y pidiendo a gritos que le impongan el yugo, que parece ser su condición y su modo de existir. ¡Qué! ¿El problema de la España europea no podría resolverse examinando minuciosamente la España americana, como por la educación y hábitos de los hijos se rastrean las ideas y la moralidad de los padres? ¡Qué! ¿No significa nada para la historia ni la filosofía esta eterna lucha de los pueblos hispanoamericanos, esa falta supina de capacidad política e industrial que los tiene inquietos y revolviéndose sin norte fijo, sin objeto preciso, sin que sepan por qué no pueden conseguir un día de reposo, ni qué mano enemiga los echa y empuja en el torbellino fatal que los arrastra, mal de su grado, y sin que les sea dado substraerse a su maléfica influencia? ¿No valía la pena de saber por qué en el Paraguay, tierra desmontada por la mano "sabia" del jesuitismo, un "sabio" educado en las aulas de la antigua Universidad de Córdoba,* abre una nueva página en la historia de las aberraciones del espíritu humano, encierra a un pueblo en sus límites de bosques primitivos, y, borrando las sendas que conducen a esta China recóndita, se oculta y esconde durante treinta años su presa en las profundidades del continente americano, y sin dejarle lanzar un solo grito, hasta que, muerto él mismo por la edad y la quieta fatiga de estar inmóvil pisando un pueblo sumiso, éste puede, al fin, con voz extenuada y apenas inteligible, decir a los que vagan por sus inmediaciones:

---

* José Gaspar Rodríguez Francia (1766-1840), el doctor Francia, "supremo dictador" del Paraguay desde 1814 hasta 1840.

"¡vivo aún!, ¡pero cuánto he sufrido!" "Quantum mutatus ab illo!" ¡Qué transformación ha sufrido el Paraguay!, ¡qué cardenales y llagas ha dejado el yugo sobre su cuello, que no oponía resistencia! ¿No merece estudio el espectáculo de la República Argentina, que después de veinte años de convulsión interna, de ensayos de organización de todo género, produce, al fin, del fondo de sus entrañas, de lo íntimo de su corazón, al mismo doctor Francia en la persona de Rosas, pero más grande, más desenvuelto y más hostil, si se puede, a las ideas, costumbres y civilización de los pueblos europeos? ¿No se descubre en él el mismo rencor contra el elemento extranjero, la misma idea de la autoridad del gobierno, la misma insolencia para desafiar la reprobación del mundo, con más su originalidad salvaje, su carácter fríamente feroz y su voluntad incontrastable, hasta el sacrificio de la patria, como Sagunto y Numancia; hasta abjurar el porvenir y el rango de nación culta, como la España de Felipe II y de Torquemada? ¿Es éste un capricho accidental, una desviación momentánea causada por la aparición en la escena de un genio poderoso, bien así como los planetas se salen de su órbita regular, atraídos por la aproximación de algún otro, pero sin substraerse del todo a la atracción de su centro de rotación, que luego asume la preponderancia y les hace entrar en su carrera ordinaria?

M. Guizot ha dicho desde la tribuna francesa: "Hay en América dos partidos: el partido europeo y el partido americano; éste es el más fuerte"; y cuando le avisan que los franceses han tomado las armas en Montevideo, y han asociado su porvenir, su vida y su bienestar al triunfo del partido europeo civilizado, se contenta con añadir: "Los franceses son muy entremetidos, y comprometen a su nación con los demás gobiernos" ¡Bendito sea Dios! M. Guizot, el historiador de la "Civilización" europea, el que ha deslindado los elementos nuevos que modificaron la civilización romana, y que ha penetrado en el enmarañado laberinto de la Edad Media, para mostrar cómo la nación francesa ha sido el crisol en que se ha estado elaborando, mezclando y refundiendo el espíritu moderno; monsieur Guizot, ministro del rey de Francia, da por toda solución a esta manifestación de simpatías profundas entre los franceses y los enemigos de Rosas: "¡son muy entremetidos los franceses!". Los otros pueblos americanos, que, indiferentes e impasibles, miran esta lucha y estas alianzas de un partido argentino con todo elemento europeo que venga a prestarle su apoyo, exclaman, a su vez, llenos de indignación: "¡Estos argentinos son muy amigos de los europeos!" Y el tirano de la República Argentina se encarga oficiosamente de completarles la frase, añadiendo: "¡Traidores a la causa americana!". ¡Cierto!, dicen todos; ¡traidores!, esta es la palabra. ¡Cierto!, decimos nosotros; ¡traidores a la causa americana, española, absolutista, bárbara! ¿No habéis oído la palabra "salvaje" que anda revoloteando sobre nuestras cabezas?

De eso se trata, de ser o no ser "salvaje". Rosas, según esto, no es un hecho aislado, una aberración, una monstruosidad. Es, por el contrario una manifestación social; es una fórmula de una manera de ser de un pueblo. ¿Para qué os obstináis en combatirlo, pues, si es fatal, forzoso, natural y lógico? ¡Dios mío!, ¡para qué lo combatís!... ¿Acaso porque la empresa es ardua, es por eso absurda? ¿Acaso porque el mal principio triunfa se le ha de abandonar resignadamente el terreno? ¿Acaso la civilización y la libertad son débiles hoy en el mundo, porque la Italia gima bajo el peso de todos los despotismos, porque la Polonia ande errante sobre la tierra mendigando un poco de pan y un poco de libertad? ¡Por qué lo combatís!... ¿Acaso no estamos vivos, los que después de tantos desastres sobrevivimos aún; o hemos perdido nuestra conciencia de lo justo y del porvenir de la patria, porque hemos perdido algunas batallas? ¡Que! ¿se quedan también las ideas entre los despojos de los combates? ¿Somos dueños de hacer otra cosa que lo que hacemos, ni más ni menos como Rosas no puede dejar de ser lo que es? ¿No hay nada de providencial en estas luchas de los pueblos? ¿Concedióse jamás el triunfo a quien no sabe perseverar? Por otra parte, ¿hemos de abandonar un suelo de los más privilegiados de la América a las devastaciones de la barbarie, mantener cien ríos navegables abandonados a las aves acuáticas que están en quieta posesión de surcarlos ellas solas desde ab initio?

¿Hemos de cerrar voluntariamente la puerta a la inmigración europea, que llama con golpes repetidos para poblar nuestros desiertos y hacernos, a la sombra de nuestro pabellón, pueblo innumerable como las arenas del mar? ¿Hemos de dejar ilusorios y vanos los sueños de desenvolvimiento, de poder y de gloria, con que nos han mecido desde la infancia los pronósticos que con envidia nos dirigen los que en Europa estudian las necesidades de la humanidad? Después de la Europa, ¿hay otro mundo cristiano civilizable y desierto que la América? ¿Hay en la América muchos pueblos que están como el argentino, llamados por lo pronto a recibir la población europea que desborda como un líquido en un vaso? ¿No queréis, en fin, que vayamos a invocar la ciencia y la industria en nuestro auxilio, a llamarlas con todas nuestras fuerzas, para que vengan a sentarse en medio de nosotros, libre la una de toda traba puesta al pensamiento, segura la otra de toda violencia y de toda coacción? ¡Oh! ¡Este porvenir no se renuncia así no más! No se renuncia porque un ejército de 20.000 hombres guarde la entrada de la patria: los soldados mueren en los combates, desertan o cambian de bandera. No se renuncia porque la fortuna haya favorecido a un tirano durante largos y pesados años: la fortuna es ciega, y un día que no acierte a encontrar a su favorito entre el humo denso y la polvareda sofocante de los combates, ¡adiós, tirano!, ¡adiós, tiranía! No se renuncia porque todas las brutales e ignorantes tradiciones coloniales hayan podido más en un momento de extravío en ánimo de las masas inexpertas; las convulsiones políticas traen también la experiencia y la luz, y es ley de la humanidad que los intereses nuevos, las ideas fecundas, el progreso, triunfen al fin de las tradiciones envejecidas, de los hábitos ignorantes y de las preocupaciones estacionarias. No se renuncia porque en un pueblo haya millares de hombres candorosos que tomen el bien por el mal; egoístas que sacan de él su provecho; indiferentes que lo ven sin interesarse; tímidos que no se atreven a combatirlo; corrompidos, en fin, conociéndolo, se entregan a él por inclinación al mal, por depravación; siempre ha habido en los pueblos todo esto, y nunca el mal ha triunfado, definitivamente. No se renuncia porque los demás pueblos americanos no puedan prestarnos su ayuda; porque los gobiernos no ven de lejos sino el brillo del poder organizado, y no distinguen, en la oscuridad humilde y desamparada de las revoluciones, los elementos grandes que están forcejeando por desenvolverse; porque la oposición pretendida liberal abjure de sus principios, imponga silencio a su conciencia, y, por aplastar bajo su pie un insecto que importuna, huelle la noble planta a que ese insecto se apegaba. No se renuncia porque los pueblos en masa nos den la espalda a causa de que nuestras miserias y nuestras grandezas están demasiado lejos de su vista para que alcancen a conmoverlos. ¡No!, no se renuncia a un porvenir tan inmenso, a una misión tan elevada, por ese cúmulo de contradicciones y dificultades. ¡Las dificultades se vencen, las contradicciones se acaban a fuerza de contradecirlas! [...]

(Introducción de *Civilización y Barbarie*:
Vida de Juan Facundo Quiroga, Chile, 1845)

LA NOSTALGIA EN AMERICA

El italiote Ovidio ha dejado en sus *Tristes* la expresión más dolorosa del sentimiento antiguo del patriotismo. Era el romano arrancado al mundo civilizado, y transportado de la ciudad Cesárea a la Propóntide.

Cicerón, en sus cartas a Atticus, dirige, desde el destierro, desgarradoras elegías. ¿Cómo podía concebir la vida Cicerón, sin el Foro Romano, sin la Tribuna?

Pero estas y otras manifestaciones, lo son puramente de sentimientos individuales. Y, sin embargo, la lengua de Cicerón clavada en los Rostros por sus enemigos, era el símbolo de la época.

Las *lamentaciones* de la poesía hebraica contienen los ayes más tiernos que se hayan escapado a un pueblo, volviendo los ojos hacia la patria de la que fueron sus hijos arrastrados cautivos. Ninguna lengua humana posee tales llantos, consignados en poesía más sublime.

Es que la patria tenía encantos y la expatriación forzada de los antiguos, horrores de que no tenemos idea hoy.

El destierro era salir del mundo de ideas, costumbres, religión y lengua en que se había nacido. Griegos y bárbaros, he ahí el mundo. Otra es la constitución del mundo moderno. Perdónennos los patriotas de todos los pueblos, si decimos que los ingleses viven mejor y más contentos en París que en Londres: testigo el príncipe de Gales, que luego será rey. Hay más libertad para los que la aman como institución, en Nueva York que en París; "París en América" es una demostración. Vale cien veces más un italiano artista, en Buenos Aires que en Milán, si no alcanza a ser Cánova o Donizetti, que entonces el mundo civilizado es pequeño para ser su patria. Las *lamentaciones*, echando menos, desde las márgenes del Eufrates, las desoladas faldas del Monte Sión, serían hoy ridículas.

¿Qué gentleman inglés lloraría a Londres desde Melbourne; ni qué parisiense desde la calle de la Florida si no es echando de menos sus *cocottes,* nos hablaría de su París, que conocemos tanto como él, de que somos tan dueños como él y no lo amamos menos?

En nuestros tiempos de civilización homogénea y universal, americana, europea, de líneas de vapores por caminos y de cables submarinos por estafeta, el patriotismo como recuerdo, es simplemente una enfermedad que se llama *nostalgia.* La nostalgia de los chinos los lleva a ahorcarse en California, con la esperanza de volver más pronto a su patria por esa vía. Los cadáveres de los que fallecen de muerte natural son enviados a Cantón, por centenares, todos los años, y se cuentan por millares los pasajeros de la línea de vapores desde San Francisco a la China. Ninguno se entierra fuera del Celeste Imperio, que es el Imperio del medio, el ombligo de la tierra. Muchos emigrados en América pretenden que el rincón de Europa donde han nacido, es en civilización, riqueza, gobierno y libertad, el cerebro del universo. ¡Pura nostalgia!

Tan arriba se han levantado los Estados Unidos de la América del Norte en civilización y riqueza, e individualmente cada hombre, sobre toda nación y raza, que unos carboneros y leñadores norteamericanos, dándole a un labriego francés el parabién, como vecinos de la vida del bosque, por haber pedido carta de ciudadanía, le decían tendiéndole la mano y ofreciéndole sus valiosos servicios: "al fin se ha hecho usted un hombre blanco", porque para el yanki *pur sang,* europeo, negro, chino, indio, todo es lo mismo.

La América del Sur tiene, es verdad, sus Irlandas, sus Sicilias y Córcegas en atraso, sus Tiroles, sus Galicias y sus Abruzzos de que dan testimonio los emigrados de tierras parecidas que nos llegan de allende los mares; pero ya no es de buen gusto echar en un platillo de la balanza a la Europa y en el otro la América; porque así, en globo, la América pesa endiabladamente. ¿Qué van a decirnos de civilización, de riqueza, de instituciones? Los Estados del Oeste en los Estados Unidos, el Wisconsin, Ohio, Michigan, tienen en menos a los *Old States;* Nueva York, Massachusetts, la Nueva Inglaterra, por atrasados, por casi europeos; pues que el atraso es, según ellos, europeo.

Viniendo a nuestras comarcas, y para aplicar el remedio a la nostalgia, diremos que Buenos Aires, Río de Janeiro, Montevideo, Santiago y Valparaíso están a igual o a mayor altura que la mayor parte de las ciudades europeas, que no les exceden en población. En Buenos Aires hay más *confort*, más gusto que en Havre o en Barcelona. En cuanto a la cultura general de estos países, hay mucho que desear; pero tomada en masa la población, en cuanto a desarrollo intelectual, no cede a ciertas comarcas de Italia, España, Irlanda, Francia, por no nombrar el resto. El censo no da mayor número de personas que sepan leer de entre los inmigrantes que entre los hijos del país, y esta es medida infalible, y téngase presente que el acto de emigrar ya es indicio de cierta cultura, la bastante para saber que el mundo no se acaba a pocas leguas de la aldea y aun de la ciudad en que hemos nacido. Los alemanes emigran en mayor número que nación alguna, porque todos saben leer y en la escuela aprenden que en América son mejores las condiciones de la vida.

El patriotismo retrospectivo del emigrante en esta América, porque en la otra no se desarrolla sino para hacerse americano, es otra muestra de mayor desenvolvimiento intelectual, moral y civil que se adquiere en América y no se sentía allá en Italia, Holanda, España, etc. No creemos mucho en los suspiros de los vascos establecidos en la República Argentina por volver a España, sabiendo que hace siglos luchan por conservar sus fueros y son carlistas por tener que oponer a los cristianos que tanto les importa ser españoles. Un emigrado de la masa común de los que vienen de cualquiera nación a nuestras playas, viene tan desnudo de nacionalismo como ligero de moneda o equipaje. Muchos apenas saben de dónde vienen.

Rogamos a los que tienen justos títulos para colocarse en esfera superior, no se den por comprendidos en esta clasificación que hacemos, porque en tal caso nos creeríamos a nuestro turno incluídos en la medida con que juzgan la inferioridad relativa de estos pueblos y entonces diríamos a tales pretensiones que, conociéndonos todos aquí, no concedemos superioridades marcadas, sino son las que nos llevan los Burmeister, los Gould, y en otros ramos individuos conocidos y atacados por su elevación intelectual de este lado y del otro del Atlántico.

La masa inmigrante se la ve, al desembarcar, atravesar las calles en silencio, casi siempre por el medio, el traje si es de domingo, es grotesco y vulgar, y si es el de todos los días, revela una humildísima procedencia. En Caroya está viva una parte de Tirol, conservando sus industrias, la cría del gusano de seda y el telar primitivo para tejer el lino de que se visten. Los tachos de cobre son los que se usan en Venecia.

En Buenos Aires se opera la transformación del emigrante oscuro, encorvado al llegar, vestido de labriego o peor, y azorado de verse en grandes ciudadès, primero, en hombre que siente su valor, después en francés, italiano, español, según su procedencia, en seguida en *extranjero*, como un título y una dignidad, y al fin en un ser superior a todo lo que lo rodea, de labriego que comenzó.

Las mariposas, antes de lanzarse a los aires a ostentar sus bellos matices, han sido larvas escondidas en el capullo, para transformarse de *chenilles* que eran. Esta otra transformación, más lenta, se hace a vista de todos. Debemos decir en loor de los que la experimentan, que nuestras masas populares, hechas de la misma pasta al parecer, no tienen la misma idoneidad y maleabilidad para asumir nuevas formas.

Sigamos las diversas *mudas* del que será, más tarde, productor de la seda, tachero, albañil, pintor, pulpero, comerciante, escritor.

Tocónos seguir a uno hace años. Era un guapo mocetón, de rostro proporcionado, lo que en Europa se llama un palurdo, cargado de hombros y membrudo. Distinguímoslo entre los recién desembarcados, y su ropilla era pobre y mal cortada en demasía.

Un mes después lo vimos en el atrio de la Catedral, contemplando complacido una parada, y por los gestos y miradas, se comprendía que nada del género había visto antes. Había ya ganado con qué comprarse un vestido mejor. Se tenía más derecho.

Un año después lo encontramos saliendo de una cancha de pelota. El ejercicio, sin duda, le había dado animación. Era otro hombre. Se veía, de a leguas, que se sentía feliz, libre e igual a los demás. Estaba perfectamente vestido a la moda, sin rastros ya del palurdo que desembarcó.

Estos son los efectos de la emigración a la América del Norte o a la del Sur. Tentados estamos a creer que el desarrollo es más rápido aquí que allá. El buen salario, la comida abundante, el bien vestir, la libertad ilimitada, educan a un adulto más que la Escuela a un niño.

Un lechero vasco come pollo todos los días y con excelentes vinos, mejor y más abundantemente que muchos propietarios, y a uno, que una señorita de doce años le pedía con instancia un vaso de leche fuera de cuenta, dándoselo, le decía: "Tome, patroncita, que en dos años más, me he de sacar una lotería y la he de pedir para casarme". Y ¡vive Dios! que se lo decía de veras, según la alegría y desenfado de su semblante varonil y bello, porque era un buen mozo el tuno.

Cuando se ha llegado ya a esta altura, empiezan, sin duda, a apuntar en el alma del neófito, barruntos oscuros del patriotismo.

El patriotismo es el civismo, el sentimiento social que existe en cada hombre aún en estado latente; el sentimiento del Gobierno, si se puede decir así. Un hombre que no sea un *castrati*, no puede vivir sin patria, es decir, sin tomar su parte en la vida social: si esclavo por su sumisión, acaso oprimiendo en nombre del amo; si libre, aprobando, criticando, aplaudiendo, ayudando, conspirando.

En Estados Unidos, de los trescientos mil inmigrantes que llegan al año, los doscientos cincuenta mil hacen luego su declaración de ciudadanía: las tierras públicas no se dan sino a los ciudadanos.

En la República Argentina, de los cuarenta mil que le llegan anualmente, *ninguno* toma carta de ciudadanía, porque hace, al parecer, más cuenta; y en los años posteriores, cuando ya se siente la necesidad de ser patriota, el ejemplo de los que le precedieron, las instancias y lecciones de sus compatriotas, le hacen desdeñar tal carácter de ciudadano, aprendiendo a saborear las ventajas de no serlo y a enorgullecerse de saber que hay al otro lado del Atlántico un país, cuyo nombre puede servir para entretener, disimular o extraviar los impulsos del patriotismo.

Entonces principia la nostalgia patriótica, que degenera luego en odio y menosprecio al país donde se empezaron a desenvolver con la fortuna, los comienzos de desarrollo moral e intelectual. Andando el tiempo y bajo la dirección de Mazzinis, copistas al revés, se empezarán a formar naciones en América, principiando por acometer la extraña empresa de hacer su fuego aparte, y dividirse en colonias extranjeras, reclamando sus hijos para fundar el Estado futuro.

(*El Nacional*, Buenos Aires,
24 de enero de 1881)

CONFLICTO Y ARMONIAS DE LAS RAZAS
EN AMERICA

Podría un sudamericano presentar como una capacidad propia para investigar la verdad, las variadas y extrañas vicisitudes de una larga vida, surcada su frente por los rayos del sol esplendente de la época de la lucha por la Independencia o las sangrientas de la guerra civil; viviendo tanto en las capitales de Sud América, como al lado de la cúpula del Capitolio de Washington; y en la vida ruda de los campos, como viajero y soldado; y en los refinamientos de la vida social más avanzada; con los grandes caudillos y con los grandes escritores y hombres de Estado; y lo que es más, nacido en Provincia y viviendo en las cortes, sin perder, como se dice, el pelo de la dehesa, como se preciaba.

Poner ante los ojos del lector americano los elementos que constituyen nuestra sociedad; explicar el mal éxito parcial de las instituciones republicanas en tan grande extensión y en tan distintos ensayos por la resistencia de inercia. que al fin desenvuelva calor en lo moral como en lo físico, señalar las deficiencias y apuntar los complementos, sin salir del cuadro que trazan a la América sus propios destinos, tal es el objeto de *Conflicto de las Razas en América* que presento al público y que reclamo sea leído.

Sin ir más lejos, ¿en qué se distingue la colonización del Norte de América? En que los anglo-sajones no admitieron a las razas indígenas, ni como socios, ni como siervos en su constitución social.

¿En qué se distingue la colonización española? En que la hizo un monopolio de su propia raza, que no salía de la edad media al trasladarse a América y que absorbió en su sangre una raza prehistórica servil.

¿Qué le queda a esta América para seguir los destinos prósperos y libres de la otra?

Nivelarse; y ya lo hace con las otras razas europeas, corrigiendo la sangre indígena con las ideas modernas, acabando con la edad media. Nivelarse por la nivelación del nivel intelectual y mientras tanto no admitir en el cuerpo electoral sino a los que se suponen capaces de desempeñar sus funciones.

Si se retarda desde Méjico hasta Valdivia y Magallanes el desarrollo de cuanto elemento, ya moral, ya científico, ya industrial abraza la civilización moderna, ¿quedará probado que la raza latina está condenada a ir a la zaga de la raza sajona, puesto que al otro extremo norte de la América se acelera, en lugar de retardarse, el progreso de la especie humana?

Mirando bajo este punto de vista general, y no del punto de vista parcial de cada fracción; con relación al mundo, y no con relación a la localidad, al derecho que llamaríamos *araucano* y que otros querrían ennoblecer y generalizar un poco más llamándole el derecho *latino* en oposición al derecho anglo-sajón, la cuestión toma grandiosas proporciones; y resolver, y cuando más no fuese que ilustrar los puntos que abraza, sería rendir un señalado servicio a la humanidad entera, y dar a la América, en iguales proporciones de uno o del otro lado del istmo de Panamá, el mismo rol a desempeñar en la economía del mundo moderno.

El hecho se está produciendo en proporciones tales, que es acto de estolidez o de demencia cerrar los ojos para no verlo. Bordeando anda por un millón anual de hombres los que llegan de todo el mundo a enrolarse como nacionales en las filas de los ejércitos y en las listas electorales de los Estados Unidos de Norte América; mientras que a territorio tres veces mayor, a quince compartimientos que debieran como Estados aumentar la atracción, no se dirigen menos de cien mil, pero sin adhesión, sin cohesión orgánica; o lo que es más significativo, sólo en un punto, cual si fuera el único accesible, se hace sentir una débil corriente de emigración que vacila en su marcha, sin embargo, que disminuye o aumenta sin sistema, como el crecimiento de las plantas, y como si encontrara obstáculos invisibles, acaso falta de desnivel para que se precipite en la corriente, habiendo acaso bancos y arrecifes que la detienen en su curso.

¿Por qué no es el mismo el movimiento? ¿También es peculiaridad de la raza latina no atraer nuevos emigrantes de toda la Europa y marchar a paso de plomo, cuando corren los compatriotas de Fulton, Morse y Edison?

Sin preocuparnos de la generalidad de estos hechos, y tomando por punto de partida lo que ya ocurre en esta parte de América que tiene por expresión geográfica el estuario del Río de la Plata, he creído que así como la emigración se ha dirigido hacia sus costas, con cierta intensidad, lo que mostraría que entramos a participar del privilegio anglo-sajón, puesto que anglo-sajona sería la atracción y la corriente de adhesiones que a su modo de ser le llegan con un millón de nuevos colonizadores, así debemos hallarnos en mejor aptitud que otras porciones de la América del Sud para juzgar sobre las causas que aceleran o retardan el progreso, o la organización de gobiernos regulares, libres y representativos en esta parte de América.

Deber nuestro es ilustrar estas cuestiones, señalando las rémoras o las desviaciones.

La reproducción de la especie obedece en cada país a circunstancias peculiares, de clima, alimentación y poder físico; pero en la América del Norte, sobre todo, ha tomado tal fijeza y se aumenta el número de habitantes con tal rapidez, que la fábula de Deucalión parece realizarse en los tiempos históricos. La emigración sola bastaría de hoy en adelante para crear una nación en una generación, igual a cualquiera de las que más poder ostentan hoy en la Europa occidental. Este hecho, que es nuevo en la historia humana, si no apelamos a las emigraciones arias y pelásgicas de que no tenemos idea, debe determinar una política americana, que generalice el hecho, como las aguas fecundan por la irrigación ciertas comarcas, sin ponerse de por medio a detener o contrariar el hecho donde ya se produce espontáneamente y en aquella enorme escala.

Obrar de otro modo sería tan insensato como querer detener un río, cerrándole con una barrera el paso. El mundo, y principalmente la Europa, vaciarán constantemente el exceso de la población sobre los territorios vacíos de la América, faltándole territorio para todos sus habitantes. Es la colonización en permanencia; pero ya ha transcurrido un siglo de ensayo para mostrar que aún la dirección que toma ese traspaso y traslación de habitantes de un continente a otro, obedece a reglas.

Desde luego es el emigrante el que resuelve allá en su país a dónde habrá de dirigirse. Los Estados Unidos no han fomentado la inmigración directamente. A veces le han puesto trabas, como Nueva York, exigiendo que el inmigrante contase al desembarcar $200 ante un empleado, para responder de su manutención mientras hallaba trabajo. La Inglaterra fomenta la emigración a sus colonias, pero se ve que doce mil de esos emigrantes pasan el San Lorenzo para engrosar la población norteamericana.

Si no se sabe por qué naciones como la Francia necesitan casi dos siglos para duplicarse, diremos lo mismo que no puede saberse por qué los hombres se dirigen a los Estados Unidos y no a otros territorios baldíos.

¿Llamaremos nosotros a son de pregón, carteles y almanaques noticiosos, la emigración a nuestras playas que apellidamos afortunadas? Algo podrá obtenerse con grandes sacrificios y el desenvolvimiento de otra clase de males.

¿Sintiéndose varias naciones preocupadas de la necesidad de expansión, no les ocurrirá la idea de recolonizar esta retardataria América en su provecho, aunque la humanidad de allá y los americanos de aquí duden un poco de la eficacia del remedio? ¡Qué! ¿es colonizadora la nación que quiere tener colonias o extender sus dominios? No ha mostrado esa aptitud la Francia en América, perdiendo sus colonias, aunque más aleccionada hoy, dirija su acción sobre el Africa y el Asia; y como la España no se ha engrandecido, pues más bien se ha desangrado en la noble tentativa de poblar un mundo, no debemos concederle la palma en esta clase de negocios de Estado.

¡Oh, gloria de la especie humana! No coloniza ni funda naciones sino el pueblo que posee en su sangre, en sus instituciones, en su industria, en su ciencia, en sus costumbres y cultura todos los elementos sociales de la vida moderna. No coloniza la Turquía, sino que arruina cuanto toca. Colonizan el mundo deshabitado por las razas privilegiadas los que poseen todas aquellas dotes. La Francia ni la España tenían instituciones de gobierno que llevar a sus colonias, y han perecido los gajos de sí mismas que implantaron momentáneamente. La Australia prueba en veinte años lo que el traspaso de una mano a otra probó con California y Tejas, lo que probaron las trece colonias inglesas al mismo rey y Parlamento inglés que se olvidaron un día que el pueblo se impone a sí mismo las contribuciones por medio de sus representantes en Parlamento.

¿Qué deberíamos hacer los americanos del Sur, para no ser distanciados de tal manera que no se haga cuenta de nosotros en treinta años más, o tener que resistir a las tentativas de recolonización de los que pretendan que está mal ocupada esta parte del continente subsidiario del europeo? Preparar la respuesta a esta pregunta es el objeto de este libro, creyéndose el autor preparado para acumular los datos, acaso para dar la solución final, con sólo seguir el camino que le viene trazado por los antecedentes históricos de su propio país, el conocimiento del de los otros y como una iniciativa personal que le ha cabido en varios ramos accesorios de aquel conjunto de adquisiciones que constituyen la civilización de nuestro siglo.

No es indiferente al acierto de tal empresa que el autor haya participado medio siglo del movimiento político, intelectual y de transformación y desarrollo de su propio país.

Los largos viajes no dañan a los lores ingleses para conocer el continente: sus costumbres e instituciones, ya que naciendo legisladores de una isla, se expondrían sin eso a ensimismarse y separarse del resto de la humanidad. La residencia en países distintos, sin dejar de vivir de la vida del suyo propio, haría de un hombre de Estado otros tantos hombres, como creía Rousseau del que conoce varios idiomas.

¿Qué falta a esta parte de América, para recibir y aclimatar todas las fuerzas activas y los progresos intelectuales que andan como flotantes en la atmósfera y sólo piden un pico de montaña que los detenga, acumule, condense y convierta en nube y lluvia fecundante?

Una mala constitución geográfica daba una sola entrada en un puerto único al ambiente exterior y trabajó por abrir los ríos a la libre navegación. Están mezcladas a nuestro ser como nación, razas indígenas, primitivas, prehistóricas, distituídas de todo rudimento de civilización y gobierno; y sólo la escuela puede llevar al alma el germen que en la edad adulta desenvolverá la vida social; y a introducir esta vacunación, para extirpar la muerte que nos dará la barbarie insumida en nuestras venas, consagró el que esto escribe su vida entera, aunque no fuese siempre comprendido el objeto político de su empeño.

Pero como el primer censo, mandado levantar por sus previsiones, ha mostrado que ocupamos dos kilómetros de tierra por habitante, lo que nos hace el pueblo más diluído, un desierto poseído, un *soupçon* de nación, pusimos desde hace cuarenta años la mano en la llaga, hasta hacer de la inmigración parte constituyente del Estado. Los que se persuaden, al ver realizados ciertos resultados: la pampa taraceada por líneas de eucaliptus o de alambres, escuelas en rincones cuyo nombre ignora el geógrafo, las poblaciones del mundo desembarcando en los puertos, como en el Támesis el ganado vivo de América, se imaginan que estas cosas vienen de sí mismas y por sus pasos contados.

El año pasado, sin embargo, se ha instalado una primera colonia italiana en Méjico, a donde pocos extranjeros penetran, y la Inglaterra acaba en este año de restablecer sus relaciones diplomáticas interrumpidas desde la muerte del emperador Maximiliano. El resto de la América está cerrado a toda influencia exterior, salvo débiles ensayos de imitación nuestra, mientras que la educación primaria encontraría resistencias invencibles de la apatía y egoísmo de la raza blanca, mientras no reconozca el principio etnológico que la masa indígena absorbe al fin al conquistador y le comunica sus cualidades e ineptitudes, si aquél no cuida de transmitirle, como los romanos a galos y españoles, a más de su lengua, sus leyes, sus códigos, sus costumbres y hasta las preocupaciones de raza, o las creencias religiosas prevalentes.

Los políticos que quieran llegar a ser en América los representantes de la raza latina, quisieran pararse en medio de la calle donde transitan carros, animales, pasajeros y todo el ajuar del comercio de todos los pueblos del mundo. Pretenderían dividir el mundo en dos mitades y ya que el istmo de Panamá va a ser camino público, decirse que a este lado está el atraso, el despotismo de régulos ignorantes, cortados a la medida de los que ha dejado producirse aquí y allí la raza latina, sin mirar el rostro del soldado que la vigila y gobierna, que es cobrizo y tostado, llamando latino al araucano, al azteca, quichua, al guaraní, al charrúa, amos de la raza de los amos que los oprimen.

La obra de Dios es más grande, y es a la inteligencia de sus obras que para comprenderlas nos ha dado, a quien toca, como a Juan el Precursor, allanarle los caminos.

Lleguemos a enderezar las vías tortuosas en que la civilización europea vino a extraviarse en las soledades de esta América. Reconozcamos el árbol por sus frutos: son malos, amargos a veces, escasos siempre.

La América del Sur se queda atrás y perderá su misión providencial de sucursal de la civilización moderna. No detengamos a los Estados Unidos en su marcha; es lo que en definitiva proponen algunos. Alcancemos a los Estados Unidos. Seamos la América, como el mar es el Océano. Seamos Estados Unidos.

(De *Conflicto y armonías de las razas en América,* Buenos Aires, 1883)

JUAN MONTALVO

1832-1889

> Bolívar tiene aún que hacer: su espada no va
> a suspenderse en el templo de la gloria, pues mien-
> tras hay en el Nuevo Mundo un pueblo esclavo, su
> tarea no se ha concluído.
>
> J. M.

*Hacía tres años que Juan José Flores —el teniente de Bolí-
var— había, ambicioso, arrancado a Colombia el territorio ecuatoriano, cuando la entraña de los Andes concibió a Montalvo para
frenar tiranos. En Ambato, un pueblecito hasta entonces desconocido,
nació el 13 de abril de 1832 el autor de Los siete tratados. "Allí
reunió en una sola personalidad Naturaleza," dice Rodó, "el don de
los artífices más altos que hayan trabajado en el mundo la lengua
de Quevedo, y la fe de uno de los caracteres más constantes que
hayan profesado en América el amor de la libertad."*

*Tendrían que pasar los años de gobiernos absurdos, para que
en 1845 triunfara en el Ecuador la revolución liberal. Montalvo
llega entonces a Quito para iniciar sus estudios, escribir poemas
románticos e iniciarse en el periodismo. No fue afortunado en sus
dos primeros empeños: nunca terminó su carrera en la Universidad,
ni pudo crear verdadera poesía. Pero sí descubrió en la prosa un
camino feliz hacia la fama. A los veintisiete años de edad, cuando
empezaba a ser conocido por sus cualidades de escritor, es enviado
a Francia para trabajar en la legación ecuatoriana de París. Allí
conoce a Lamartine, ya viejo, su admirado ídolo. "A la hora del
crepúsculo, solos," cuenta Montalvo, "esperando la luna en alguna
alameda silenciosa, me refería esas cosas vagas y encantadoras que
sólo saben los poetas." Y el joven americano se salva, al calor de
aquel anciano generoso, del París amenazador, que él siente como
"una mujer bella de alma corrompida, una mujer hirviendo en
ardides, filtros diabólicos y misteriosos de amor y brujería, una
Circe."*

Después de visitar Suiza, España e Italia, permanece en la capital francesa para escribir sus impresiones de viaje, que aparecieron publicadas en un semanario de Quito. Llevaba dos años ausente del Ecuador, cuando la salud quebrantada le obliga a buscar el reposo que sólo ofrece la patria. Es el año 1860 y ya el destino le exige el inicio de su misión. El general García Moreno se ensayaba de tirano, como para contender con tan ilustre adversario. Convaleciente, retirado en una provincia, Montalvo le escribe su carta famosa del 26 de septiembre. Durante los dos años en Europa ha aprendido a aborrecer los despotismos del viejo continente, para mejor poder despreciar a los "tiranuelos de la América." Y advierte a García Moreno: "Si alguna vez me resigno a tomar parte en nuestras pobres cosas, usted y cualquier otro cuya conducta política fuera hostil a las libertades y derechos de los pueblos tendrán en mí un enemigo, y no vulgar." Llegado el momento oportuno, cumplió su promesa: durante cinco años escribió desde El cosmopolita para combatir al gobierno, y denunciar la aquiescencia de la Iglesia en los desmanes del tirano. Allí, mientras condenaba los torpes manejos de la política, también iba insinuando, en artículos diversos, la proximidad de sus Siete tratados y los Capítulos que se le olvidaron a Cervantes.

Cuando en 1869 García Moreno se impone de nuevo como presidente —después de algún gobierno inepto— Montalvo tiene que refugiarse en Colombia. Seis años más tarde ha de exclamar: "¡Mía es la gloria; mi pluma lo mató!": García Moreno había sido asesinado por unos jóvenes liberales de Quito. Ya en aquel pueblo fronterizo de Ipiales había escrito sus tratados y la imitación cervantina. Pero como dijera desde su destierro medio siglo después aquel otro proscrito, Miguel de Unamuno, Montalvo venció, no porque imitara a Cervantes, sino porque imitó a Don Quijote. Y es que los escritos de combate en El Cosmopolita, El Regenerador y el opúsculo La Dictadura perpetua, le ganan la inmortalidad por la fuerza de un idealismo que no calla su voz. En algún momento le ha de parecer clamor infatigable en una América desierta.

Pronto encuentra el Quijote ecuatoriano nueva empresa que acometer. El gobierno que sucede a García Moreno ha logrado emular la anterior tiranía. Brillan de nuevo sus armas incansables, generosas, en las Catilinarias. La prosa clásica de aquel hombre romántico, de aquel estilista exigente, confiere superior categoría literaria al insulto airado, en casi un libelo. Ha sido un fenómeno *frecuente en nuestras repúblicas. "Quieren las condiciones a que ha debido adaptarse la obra de la inteligencia en los pueblos de América," observa Rodó, "que algunas de las cosas mejores de la literatura americana tengan originariamente el carácter de panfletos políticos, y que debajo de estas formas transitorias hayan alentado inscripciones de pensamiento y arte, de esas que en un ambiente de cultura adulta florecen en su forma propia y cabal." Y las* Catilinarias *quedaron así, para las letras hispánicas, como ejemplo de "pensamiento y arte," porque venciendo el estrecho margen de su ámbito histórico, recogieron trozos de la mejor prosa de América, así como las más oportunas denuncias: "Tiranía," dijo allí, "son atropellos, insultos, allanamientos; tiranía son bayonetas caladas de día y de noche contra los ciudadanos; tiranía son calabozos, grillos, selvas inhabitadas; tiranía es impudicia acometedora, codicia infatigable, soberbia gorda al pasto de las humillaciones de los oprimidos".*

Deja publicada en Panamá su denuncia contra Veintemilla y se dirige a París para publicar los Tratados *y los* Capítulos. *Luego lleva sus libros a Madrid. En la capital española, Castelar lo presentó al mundo literario de "Clarín," Juan Valera, Núñez de Arce, Campoamor y la Pardo Bazán. Pero España no estaba en su mejor momento para rendir el homenaje que merecía aquel hijo americano. Montalvo se volvió a París. Ya ha caído Veintemilla y se le ofrece un importante cargo público en el Ecuador, mas la presión eclesiástica y el presagio de nuevas desgracias para su país le retienen en Francia. Si regresara, quizás tendría que volver a expatriarse. Y hay sólo un dolor que supera la vida del destierro: es el de un día volver a él. Pero añora la patria. "Si yo pudiera dar," dice, "los ocho años de Europa por cuatro días de felicidad doméstica acendrada, no vacilaría un punto."*

Montalvo dedicó sus últimos años a preparar la colección de artículos periodísticos o crónicas que forman El Espectador. *En esos empeños editoriales cae gravemente enfermo. Se viste de frac y espera estoico la muerte. Tenía cincuenta y siete años y había librado las más heroicas batallas por la libertad de su tierra. Supo renunciar a todo lo que podía alejarle de su misión de belleza y justicia, que en él supieron ser ideales inseparables. "En la prestante individualidad de este americano por excelencia," dice Zaldumbide, "de este americano por entero, bien pueden remirarse sin mezquindad veinte patrias."*

BIBLIOGRAFIA

I. EDICIONES

OBRAS COMPLETAS, SELECCIONES Y ANTOLOGIAS

Juan Montalvo. Selección de G. Zaldumbide. Puebla, México: Editorial J. M. Cajica, 1960.

Montalvo. Prólogo y Selección de Manuel Moreno Sánchez. México: Ediciones de la Secretaría de Educación Pública, 1942.

Páginas escogidas. Selección y Prólogo de Arturo Giménez Pastor. Buenos Aires: Editorial Estrada, 1952.

Inéditos y artículos escogidos de Juan Montalvo. Quito: Imprenta de "El Pichincha," 1897.

Prosas de Juan Montalvo. Buenos Aires: Ediciones Mínimas, 1918.

LIBROS

El Cosmopolita. Ambato: Publicaciones del Ilustre Consejo Municipal, 1945.

El Espectador. París: Librería franco-hispano-americana, 1888.

El Regenerador. París, 1929.

Geometría moral. Madrid: "Sucesores de Rivadeneyra," 1902.

Las Catilinarias. 2 Vols. París: Editorial Garnier Hnos., 1925.

Los héroes de la emancipación de la raza hispano-americana. Quito, 1909.

Siete tratados. 2 Vols. París: Garnier Hnos., 1923.

II. ESTUDIOS

Agramonte y Pichardo, Roberto. *El panorama cultural de Montalvo.* Ambato: Casa de Montalvo, 1935.

Alvárez, R. y H. Toro B. *Biografía y crítica de Montalvo.* Quito: Imprenta de la Escuela Central Técnica, 1939.

Anderson Imbert, Enrique. *El arte de la prosa en Juan Montalvo.* México: El Colegio de México, 1948.

Andrade, Roberto. *Montalvo y García Moreno.* Guayaquil: Imprenta La Reforma, 1925.

Blanco-Fombona, Rufino. "Don Juan Montalvo," RAm, Vol. I (1912).

—————. (Prólogo) *Siete tratados.* París: Garnier y Hnos., 1923.

Carrera Andrade, Jorge. "Juan Montalvo, defensor de los derechos humanos," CCLC, marzo-abril, 1956.

Carrión, Benjamín. *El pensamiento vivo de Montalvo.* Buenos Aires: Editorial Losada, 1961.

Córdova, Federico. *Juan Montalvo.* La Habana: Imprenta "El Siglo XX," 1922.

González, Clodoveo. *San Juan Montalvo; soldado y campeón de la libertad, maestro de los maestros laicos.* Quito: Editorial Atahualpa, 1960.

Guevara, Darío C. *Magisterio de dos colosos: Montalvo, Rodó.* Quito: Talleres Gráficos "Minerva," 1963.

—————. *Quijote y maestro; biografía novelada de Juan Montalvo; o el Cervantes de América.* Quito: Editorial Ecuador, 1947.

"Homenaje a Juan Montalvo," Amer, No. 49 (abril, 1932).

"Homenaje a Juan Montalvo," CM, 1931, 1932.

Iduarte, Andrés. "Un libro sobre Juan Montalvo," RHM, Vol. XIII, Nos. 3-4 (julio-octubre, 1947).

Lagmanovich, David. "Relectura de un libro de Montalvo [El regenerador]," UnivSF, No. 43 (enero-marzo), 1960.

Lloret Bastidas, Antonio. "Montalvo y una glosa a las *Catilinarias*," AUCuen, Vol. XVIII (1962).

Monge, Celiano. "Anecdotario de Montalvo," CA, No. 11 (abril, 1927).

Piquet, Juan Francisco. "Juan Montalvo," RNLCS, Vol. II, No. 42 (1896).

Reyes, Alfonso "Sobre Montalvo," *Obras completas.* Vol. IV. México: Fondo de Cultura Económica, 1956.

Reyes, Oscar Efrén. *Vida de Juan Montalvo.* 2a. ed. Quito: Talleres gráficos de Educación, 1943.

Rodó, José Enrique. "Introducción al estudio sobre Montalvo," Nos, Vol. X (marzo, 1913).

—————. "Montalvo," *El Mirador de Próspero.* Barcelona: Cervantes, 1917.

Rolando, Carlos A. *Don Juan Montalvo 1832-1932.* Guayaquil, 1932.

Rosemblant Angel. (Prólogo). *Capítulos que se le olvidaron a Cervantes.* Buenos Aires: Americalee, 1944.

Sáenz, Vicente. "Actualidad y elogio de Don Juan Montalvo," CaCE, Vol. III, No. 7 (agosto-diciembre, 1948).

"Semana Montalvina," RCNVR, Vol. XXVIII, No. 61 (octubre, 1951).

Unamuno, Miguel de. (Prólogo). *Las Catilinarias.* 2 Vols. París: Editorial Garnier Hnos., 1925.

Vásconez Hurtado, Gustavo. *Pluma de acero; o la vida novelesca de Juan Montalvo.* México: Biblioteca Continental, 1944.

Valera, Juan. (Prólogo). *Geometría moral.* Madrid: Sucesores de Rivadeneyra, 1902.

Yerovi, Agustín L. *Juan Montalvo; ensayo biográfico.* París, 1901.

Zaldumbide, Gonzalo. *Cuatro clásicos americanos: Rodó-Montalvo-Fray Gaspar de Villarroel-P. J. B. Aguirre.* Madrid: Ediciones Cultura Hispánica, 1951.

——————. *Juan Montalvo en el centenario de su nacimiento.* Washington, D. C.: Unión Panamericana, 1932.

——————. *Montalvo.* París: Garnier Hnos., 1937.

——————. *Montalvo y Rodó.* New York: Instituto de las Españas en los Estados Unidos, 1938.

OJEADA SOBRE AMERICA

Los filósofos han sacado no pocas consecuencias funestas para la especie humana, haciendo un principio de un hecho que bien podía tener lugar fuera de las reglas de la razón, y estableciendo como axiomas palabras sofísticas o atroces juicios de hombres poco adictos al alto Señor Dios, que nunca hubiera creado un mundo en el cual su criatura viviese como en infierno, nadando en sangre, ardiendo en llamas, vociferando contra la divina Providencia. Así, al ver el constante y vasto degüello que tiene lugar de polo a polo, han concluído que la guerra era de derecho natural, y que nuestra vida no estaba en cobro sino con la muerte de nuestros semejantes. Desde Caín hasta nuestros días todo es matarse unos a otros: nacen las humanas sociedades, y matándose principian: el hogar doméstico se riega con sangre, la primera familia sufre el peso de esa dura ley. Hay dos hermanos y el uno mata al otro; Caín, ¿qué has hecho de tu hermano? ¿Soy por ventura su custodio? Contesta al Señor el réprobo, dando a entender con su insolencia cuán poco le había derribado una acción que él pensaba acaso tenerla por derecho propio. Conque la familia está manchada en sangre. Fórmase la tribu, y esa tribu procura dar con otra con quién entrar en guerra: los hijos de Jacob no dieron al mundo pobladores pacíficos: el maldito y el bendito de su padre son contrarios, se aborrecen de muerte y se hacen cruda guerra. Los Israelitas y los Amalecitas no pueden respirar el mismo aire; el universo les viene angosto si los unos no exterminan a los otros y quedan dueños de la vasta creación.

¿Cómo es en efecto que el salvaje ignorante e insensible está de suyo al cabo de las cosas que constituyen la guerra? Todo se le ignora, y sabe que puede matar a los demás; carece hasta de los instrumentos necesarios para la vida, y armas no le faltan, y las sabe forjar, y las emplea con arte y sabiduría. El rústico esquimal persigue al hurón, el hurón al iroqués, el iroqués al natche, y el selvoso Nuevo Mundo se llena con el ruido de las armas y los ayes de los moribundos en sus inmensas soledades.

Se forman las naciones, y las naciones se acometen desde sus principios, y las naciones se agarran cuerpo a cuerpo, y las naciones se destruyen. ¿No va el pueblo de Dios en triste cautiverio a Babilonia? Cambises se engolfa con millones de soldados en el desierto, y va sin rumbo, y va sin agua, y va sin guía en busca de pueblos que exterminar. Semíramis alza todos sus reinos, y va sin rumbo, y va sin agua, y va sin guía en busca de pueblos que exterminar. Ciro alza medio mundo y va sin rumbo, y va sin agua, y va sin guía en busca de pueblos que exterminar: y todos estos exterminadores son exterminados, y los conquistadores son conquistados, y los bebedores de sangre beben sangre. *Satia te sanguine, quem sitiste.** Y a todo esto la tierra queda despoblada, cumpliendo los hombres con la *ley natural* de matarse unos a otros.

Cartago no puede sufrir a Roma ni Roma a Cartago: los moros acaban con los españoles, los españoles con los moros; los turcos detestan a los francos, los francos abominan a los turcos, y una guerra eterna está librada entre los hombres de razas y religiones diferentes. ¿Qué digo? Los pueblos más civilizados, aquellos cuya inteligencia se ha encumbrado hasta el mismo cielo y cuyas prácticas caminan a un paso con la moral, no renuncian a la guerra: sus pechos están ardiendo siempre, su corazón celoso salta con ímpetus de exterminación. Europa no es estéril, como se diría exageradamente, por motivo de la sangre y los huesos humanos que la fecundizan y devuelven su vigor perdido: todo es campo de batalla, todo pirámides de cráneos, todo inscripciones a las víctimas de los reyes y de las revoluciones. Morat y Waterloo, Rocroy y Marengo, las Naves de Tolosa y la Rochela se encuentran por donde el viajero lleve sus pasos. ¿Cuántos millares de hombres no han muerto en la Crimea? ¿Cuántos millares de hombres no han muerto en Solferino? ¿Y cuántos tienen que morir, oh Dios, en los campos que el demonio tiene previstos para sus festines? Y aquí, en este Nuevo Continente, en este virgen mundo están pasando los acontecimientos más terribles que nunca vio la tierra.

Veis a una gran nación dividirse en dos falanges formidables: hermanos eran ayer, hoy enemigos: se arman de la cabeza a los pies, blandean la espada y se amenazan. Notad esa mirada horrible... ¡Qué odio, qué rencor, qué furia no indican esos ojos sanguíneos, esa arqueada ceja, ese aspecto cuyos rasgos todos intimidan a los enemigos de la paz! Llegó el instante . . . los ríos corren bramando con redoblado caudal, a causa de la sangre que cae en ellos a torrentes: la metralla destruye las ciudades, la muerte en todas formas se ceba en los americanos. Media nación ha perecido, y nadie triunfa, porque de los restos sojuzgados salen asesinos y siguen matando:

* Sáciate con la sangre que deseaste.

¿a quién? ¡Al libertador de los esclavos, al amigo de las leyes, al padre de los pueblos!

Dad un paso y en Méjico halláis a la muerte de mantel largo, borracha, dando gritos y danzando frenética de un extremo al otro de la infortunada República. El mejicano muere por defender su patria, el francés por dar nuevos esclavos a la suya; el dominicano muere por defender su patria, el español por dar nuevos esclavos a la suya; pero todos mueren y cumplen con la *ley natural* de matarse unos a otros.

El Plata corre también ensangrentado arrastrando hacia el mar cadáveres sin cuento. Si las naciones no aciertan a matar con propias fuerzas, se ligan, aúnan las armas y, fuertes contra el débil, aniquilan al menor número, cosa para ellas de gran júbilo, materia de *Te Deum*, iluminaciones y fuegos de Bengala. El Brasil, Uruguay y Buenos Aires, agavillados contra el heroico Paraguay, sostienen con la punta de la lanza no sé qué derechos, piden no sé qué seguridades, llevan adelante no sé qué pretensiones que ellos mismos no aciertan a entender, no sabiendo de fijo sino que tanto más labrarán su fortuna cuanto más acosen al vecino, disminuyan su resistencia, lastimen al género humano. Buen derecho, punto de honra, cualquiera cosa podrá mediar allí; pero al hombre de bien, al hombre civilizado, al cristiano le basta saber que el Brasil es comerciante de carne humana, que compra y vende esclavos, para inclinarse a su adversario y poner de su parte la razón. Dios nos guarde de esos pueblos feroces que mandan buques a Guinea o a las Costas de Oro, y allí con agujas, chupadores de cristal y abalorios se vuelven dueños de sus semejantes, amos de sus iguales, tiranos de los desgraciados. Estos pueblos jamás tienen razón, porque ella es una misma cosa con Dios, y Dios reprueba ese mercadear infame, esa ganancia impía sacada de la libertad ajena. Como quiera que sea, el Paraná y el Plata arrastran sangre en lugar de agua, y mugientes e impetuosos van a teñir los mares.

Atravesad las Pampas, en donde ni por deshabitada y oscura está la tierra libre de la muerte, porque el silvestre *gaucho* vuela en su yegua veloz tras el viajero y allí luego le mata; y dais en Chile, abrasada a la hora de hoy en guerra que amenaza ser larga y espantosa.* Los enemigos la han mojado ya con su sangre, el orgu-

---

* Se refiere a la guerra del Perú y Chile con España. Esta reclamaba el pago de "deudas de la Independencia" según el acuerdo de Ayacucho.

lloso español ve ya su estandarte flameando en uno de los templos de la nación acometida. He aquí el caso en que la guerra es justa, necesaria. Una potencia amiga se presenta de repente, y encumbrando el pendón de la injusticia, pide dinero, reparaciones, deshonra al que ella tiene por indefenso; pues todo se le niega, que cuando sobra valor, superabundan los medios de resistencia. La lucha es desigual con una nación antigua, avezada a la conquista, poderosa de suyo, ufana con recientes triunfos: empero si una república joven y de estrechos lindes no llevaría lo mejor en la contienda, atentos sus recursos físicos, su fuerza moral es inmensa. De mala gana defendería un caminante una moneda de oro contra un bandido; mas una doncella brega hasta morir por la conservación de su honra, y en la misma debilidad encuentra el violador fuerzas invencibles. Se atraviesa la honra en esta guerra, la libertad corre peligro; pues Chile será fuerte, audaz, terrible y ayudada por la justicia, dará al través con estos viejos godos tan enemigos del reposo. La iniquidad está de su parte, Chile sostiene su derecho: Chile está en guerra, guerra justa para ella, honrosa guerra, permitida, disculpada, aconsejada por la ley de las naciones. *Justum est bellum, quibus necessarium et pia armae quibus nulla nisi in armis relinquitur spes.**

Se halla el Perú en el mismo trance, el mismo enemigo le acomete. ¿En donde está la paz? ¿Qué rincón ignorado habita ese ente divino? La paz es una lengua de fuego que baja momentáneamente, como el Espíritu Santo, sobre algún mortal afortunado, y torna al cielo, habiendo sido apenas conocida de los hombres. La paz es el demonio de Sócrates, la ninfa Egeria de Numa, el genio de Pen. Oh paz, cordero de Dios, paloma celestial, Paz, ¿en dónde estás ahora? No en el Asia, porque el japonés degüella al franco; no en el Africa, porque el franco degüella al cabila; no en Europa, porque el cosaco degüella al polonés; no en América, porque los americanos se degüellan entre los americanos. La paz es el ave Fénix; nace cada quinientos años, vuela por regiones desconocidas, y cuando muere no deja sino un descendiente: la mirra, el orobias, arden en la pira de esta ave del Paraíso; pero esos humos sabrosos y vivificantes no llegan a nosotros. ¿Por dónde vuela ahora el ave Fénix? ¿Cruza los verdes prados de la Arabia feliz? ¿Para en un oasis del gran desierto de Sahara? ¿Gorgoritea posada tranquilamente en un

---

* La guerra es justa para aquellos que las armas les son un deber y para los que en ellas tienen su única esperanza.

aromo de los jardines de Bóboli? Si está en alguna de estas partes del mundo, en América no está, nunca ha estado en la desventurada América. Guerra en los Estados Unidos, guerra en Méjico, guerra en la República Argentina, guerra en Chile, guerra en el Perú; en Bolivia, en Venezuela, en Colombia ¡guerra, guerra! Guerra en Venezuela, ¡sí! guerra en Venezuela: guerra sin fin, exterminadora, abominable: treinta mil víctimas ha hecho la revolución:* treinta mil ciudadanos menos en las familias: madres, esposas, hijas sin cuento lloran a treinta mil hijos, maridos o padres. Número descomunal para un estadillo miserable en lo perteneciente a la población, aunque grande, egregio en lo que mira al valor, la inteligencia y más prendas morales. ¡Qué desgracia! Venezuela despuntada con la exuberancia de las más ricas y fructuosas plantas, quería ser la primera de las repúblicas de la América latina, si por lo relativo al pensamiento, si por lo tocante a la industria y los progresos materiales: ¿cómo había de ser? La patria de Bolívar abriga en su seno la simiente de los grandes hombres: donde nacen Sucres, Guales y Bellos, por fuerza y razón hay un principio de grandeza que tarde o temprano se desenvolverá grandioso y producirá efectos superiores: la guerra lo embaraza, la guerra lo pervierte: los venezolanos descendientes de los héroes de la independencia, y por el mismo caso llamados al más eminente puesto, se ocupan en matarse entre ellos, en destruirse, en ser inferiores a los que valen menos. Todo es guerra, todo sangre en Venezuela.

¿Pues Colombia? ¡Pobre Colombia!** ¡Cómo se han acostumbrado a matar los colombianos! Entre las víctimas de las batallas y las del cadalso dicen que han perecido el largo de 25.000 hombres en estos últimos años. A este paso, ¿qué será de la desdichada América del Sur? Lo que piden sus desiertos para ser campos y tierras pertenecientes a la civilización es pobladores; pues la revolución los despuebla más y más, y con la despoblación y el apego a la matanza viene la barbarie. Y se ha dicho en verdad, la sangre de los colombianos es de muy buena consistencia; les hierve en las venas noblemente, y son capaces de arrojarse a las mayores cosas. Tengo por acertado el dicho vulgar de que en ellos hay algo

---

* La guerra federal que dio, en 1865, el poder a Juan Crisóstomo Falcón derrotando a José Antonio Páez.
** El general Tomás Cipriano Mosquera, desde 1861, trataba de armonizar las discordias que se iniciaron en 1850 entre los diversos partidos políticos.

de franceses, vivos, inquietos, ardientes, acometedores de peligros y rebosando en pundonor. Tal es el carácter de la nación en general; y si el carácter general es bueno, como observa un filósofo, ¿qué importan las excepciones? Poco hace al caso que algunos colombianos me hayan insultado recientemente: no soy hombre de partido, no discurro como parcial: el escritor debe girar en órbita muy dilatada, sin parar la atención en tropiezos incapaces de detenerle en su carrera: no debe expresarse como rojo ni conservador, como secuaz de Mosquera ni Arboleda, como urbinista ni floreano: ésta es mezquina condición que no habla con los que profesan la verdad. El que habla mal de mí, no habla de mí: ni he sabido que Diógenes se haya irritado contra los que le llamaban tonto y querían hacer fisga de él. Diógenes, esa gente se burla de vos. Y yo, respondió el filósofo, no me tengo por burlado. Tan cierto es, como afirma Cicerón, que el hombre de bien no puede recibir injuria.

¡Lástima grande que tan buenas cualidades vengan a ser no tan útiles como pudieran, si los granadinos tirasen un poquillo la rienda al pensamiento y se dejasen estar quedos en donde la razón lo manda! Si algo les falta es buen juicio: son alborotados, anhelosos de lo imposible, *progresistas* a despecho del progreso la mayor parte de ellos; los otros, por convicción o por contradicción, apenas si se mueven. De aquí resulta un choque sempiterno entre los exaltados y los moderados, entre el espíritu de progreso violento y el espíritu de progreso paulatino, entre el sistema de Chateaubriand y el de los Girondinos. Yo pienso que el acierto está en la moderación, y tengo por axioma digno de Sócrates el vulgar proverbio que dice que *despacio se va lejos*. No merece aplauso aquel frenesí de *progresar* atropellando por la razón, la prudencia, la filosofía y todo; menos aún aquel espíritu de quietismo que aconseja no dar un paso, aquella tenacidad en aferrarse a lo establecido, bueno o malo, aquella alma de plomo que cae verticalmente y se asienta como *de punto* para más no levantarse. Si nos lanzamos ciegos tras lo que a nosotros mismos se nos ignora, corremos el peligro de dar pasos en vago, a modo del Cíclope de Virgilio que persigue a los griegos de Ulises, dando trancadas descomunales sin saber dónde pisaba. El paso más seguro es ese sostenido, firme y al mismo tiempo moderado con el cual no se pierde el aliento y se llega tarde o temprano a donde uno se propone. Arrancad vuestro caballo, y en media hora salváis dos o tres leguas; pero allí le faltan las fuerzas;

espumoso y jadeante, temblando, cae y os deja en media jornada. Ponedle en paso llano, tenedle a media rienda, y fresco y robusto llega a donde os dirigíais. Entre los granadinos unos quieren volar a toda rienda, otros moverse como tortugas, y se encuentran, y se chocan, y resultan heridos en la frente: de ahí la guerra, de ahí la sangre que no deja de correr en esas comarcas tan favorecidas por la naturaleza.

¿Cuál de las repúblicas sud-americanas puede lisonjearse de situación pacífica? Respuesta triste y verdadera, ninguna, ninguna. Revolución en Venezuela, revolución en Colombia, revolución en el Perú, revolución en Bolivia; en Bolivia, revolución tras revolución:* Linares, Achá Belzu, Melgarejo, Arguedas se derriban unos a otros cada día, y en este campo de Agramante no hay un rey Sobrino que ponga en orden a tanto desordenado ambicioso que derrama la sangre de sus propios hermanos por designios que nada tienen que ver con la patria ni con la libertad. *La libertad y la patria* en la América latina son la piel de carnero con que el lobo se disfraza: *patria* dicen los traidores, los enemigos de ella, los que la venden a Europa: éstos son *americanos* cuando va en ello su provecho; mañana volverán a ser franceses o españoles, enemigos de la *turbulenta demagogia de América*, reconocedores del imperio mejicano. ¡Oh escarnio! ¡oh ruin juego de pasiones! ¡oh inicuo entremeterse en la política para mal del género humano!

Es asimismo Centro-América teatro de sangrientas escenas: Carrera, el selvático y poderoso. Carrera, ese Maximino falsificado, desoló a Guatemala, el Salvador y otras repúblicas; tiranizó a todas, corrompió a muchas, y la guerra y el patíbulo fueron la orden del día durante la larga dominación de ese indio atroz. Carrera ha muerto, y el cadalso sigue de pie, y más y más se gallardea en las ciudades. ¿Pues no matan a Barrios a despecho de la palabra empeñada, a despecho de la misericordia y de la ley? Barrios representaba en Centro-América el liberalismo, el americanismo, el progreso; pues matan a Barrios, y los tiranos siguen reinando en las tinieblas, y la sangre corre, y el hombre vive para la desgracia.

¡El Ecuador ha vivido *en paz!* ¡Oh desdichada paz! ¡Oh paz vergonzosa y miserable! Esta ha sido la paz de la cárcel en donde los pobres indios tributarios gemían amontonados sufriendo el lá-

---

* Hasta 1871 se mantendría en el poder el gobierno despótico de Mariano Melgarejo.

tigo de los capataces; la paz de los condenados a bóvedas, la paz de los obrajes: silencio profundo o llanto ahogado; abatimiento, miseria, terror, esclavitud. Los deportados al Napo están en paz; los cadáveres encerrados en los nichos de San Diego están en paz. En vez de esta paz quiero la guerra, la guerra con todos sus trabajos y desdichas: la guerra de los cartagineses, la guerra de los moros, la guerra de los judíos, cualquiera guerra, cualquiera muerte; porque al fin el que muere deja de ser esclavo, deja de temer, y empieza a descansar; descansa sí, descansa en el seno de Dios, y olvida las miserias y calamidades de este mundo .

¿Y qué llaman paz lós sayones del tirano?* Dos guerras con la Nueva Granada, centenares de víctimas; fuga, deshonra, vergüenza, ¿ésto llaman paz? Mil y mil conspiraciones sofocadas, ahogadas en sangre; infinitos hombres muertos en los calabozos y el patíbulo; ¿ésto llaman paz? ¡Esta es la paz de los demonios! Idos con vuestra paz a los infiernos.

Ved aquí, americanos, el cuadro fiel de América: extiendo la mirada del uno al otro extremo del continente, y no veo sino guerra en todas las naciones conocidas que se titulan *civilizadas*. ¿Quién sabe si en Patagonia y Polinesia los salvajes son más felices que nosotros? No es probable: en guerra deben de estar: en guerra constante, perpetua están los záparos con los jíbaros, los jíbaros con los canelos, los canelos con los murgas, y el hombre civilizado y el salvaje cumplen con la *ley natural* de matarse unos a otros.

No ha sido mi intento desfavorecer al continente americano con esta pintura sombría y nada halagadora: de América he hablado, porque de América quería hablar. No es más feliz Europa, y nada tiene que echarnos en cara en punto a calamidades y desventuras. Verdad es que en algunos de sus pueblos reina la paz a la hora de hoy; pero ¡qué paz! Media nación armada, apercibida a la pelea, mantiene en paz a la otra media nación; Estados que han menester setecientos mil soldados sobre las armas, ¿podrán lisonjearse de la paz? Que falte un punto ese forzado equilibrio; y la guerra se precipita afuera, rugiendo y sacudiendo un tizón ensangrentado. La paz de Europa no es la paz de Jesucristo, no: la paz de Europa es la paz de Francia e Inglaterra, la desconfianza, el temor recíproco, la amenaza; la una tiene ejércitos para sojuzgar el

---

* Gabriel García Moreno. Desde 1861 gobernó el país directa o indirectamente, hasta que en 1875 fue asesinado.

mundo, y sólo así se cree en paz; la otra se dilata por los mares, se apodera de todos los estrechos, domina las fortalezas más importantes de la tierra, y sólo así se cree en paz. Los zuavos, los húsares, los cazadores de Vincennes son la paz de Francia; los buques acorazados, Gibraltar, Malta son la paz de Inglaterra. ¡Paz mezquina e inútil aquella que necesita las lanzas y cañones! Rusia ahogando a Polonia, ahorcándola, azotándola, mandándola a los *steeps* de Siberia, es la paz de Europa. La Gran Puerta degollando, desterrando, aniquilando a mansalva a los montenegrinos, es la paz de Europa. Prusia defendiendo *el derecho divino*, oprimiendo a Dinamarca, despedazando a los ducados; con su rey Guillermo, ese triste Fernando VII, con su Bismark, ese horroroso duque de Alba, es la paz de Europa; Austria remachando más y más las cadenas de Venecia, sepultándola en los *pozos*, imponiéndole su lengua montaraz a viva fuerza, es la paz de Europa. ¡Oh paz de Europa hermana de la paz de América!

Tras esta paz está la guerra, viva, ardiente, vigente e infalible como *ley natural*, que no puede dejar de obrar en las humanas sociedades. Mas sea ello como fuere, nunca creeré en esa *ley de la naturaleza*. Las leyes de la naturaleza son todas justas, blandas, cumplideras; leyes de Dios al fin, y como tales, buenas y caritativas. El hombre las escatima, las pervierte, e investido de un derecho que no tiene, se dispara con sus armas a acometer al hombre. Pues ¿no ha pretendido que la esclavitud tenía origen en la caridad? Según el derecho antiguo el vencedor tenía sobre los vencidos el de matarlos, y aun en el tormento: el vencedor, que en vez de quitar la vida al prisionero le cargaba de cadenas y le hacía su esclavo, era hombre *caritativo*. El acreedor tenía asimismo sobre el deudor insolvente el poder de vida o muerte, podía matarlo, hacerle pedazos descoyuntándole según le inspirase su perverso instinto: si en vez de poner en ejecución esta facultad monstruosa le hacía *esclavo* dejándole con vida, era hombre *caritativo*. Luego la esclavitud nació de la misericordia, como lo sienta el autor de "El Espíritu de las leyes", para refutarlo en seguida victoriosamente.

Si se discurre de ese modo vendremos a parar en que los mayores abusos, las costumbres más atroces, los crímenes de lesa humanidad mismos nacieron de alguna de las acciones aconsejadas por Dios, de alguna de las virtudes teologales. Bien que haya un viso de bondad en no quitar la vida a quien podemos quitarla; pero,

¿quién nos invistió de este derecho? ¿Fue la equidad divina o la injusticia humana? ¿No es ley abominable, reprobada por el cielo, aquello que pone al vencido inocente a merced del vencedor inicuo? ¡Caritativo afecto debió de ser sin duda aquel que inspiró a los romanos la ley por la cual una deuda podía cobrarse en pedazos de carne del cuerpo humano, en miembros palpitantes, atenaceando, desperdigando, haciendo menudo picadillo del infeliz que a pesar de su honradez no podía satisfacerla!

Si la esclavitud tiene su origen en la misericordia, ¿por qué la guerra no había de ser de derecho natural? Los brutos se devoran unos a otros, y esto sin motivos de venganza ni temores para el porvenir, sino tan sólo por natural instinto, por necesidad física e inevitable: el tigre persigue al corzo, el lobo al cordero, el alcotán a la paloma: desde el león hasta la hormiga, desde el águila hasta la abeja todos tienen víctimas, todos se ceban en una especie inferior: la muerte es la vida, la guerra el trabajo que les proporciona la subsistencia. Subamos al hombre; ¿no le vemos a éste devorar al hombre en varias comarcas de la tierra? Pueblos hay en donde los ancianos sirven de plato en los festines de los hijos; otros en donde los extranjeros son muy sabrosos para el ávido diente del salvaje; otros en fin, en donde pelean entre vecinas tribus para agenciarse el alimento en los miembros de los vencidos. Luego tan natural es la guerra entre brutos como entre racionales.

No, no, oh Dios, esto no puede ser: un ente desposeído de razón está muy lejos de otro que la tiene: bien que el tigre devora al corzo, pero ¿vemos que jamás el tigre devora al tigre, ni el oso al oso, el buitre al buitre? sólo el hombre devora al hombre, y en esto viene a ser de peor condición que la bestia misma.

Este es un abuso de su libre albedrío y nada más: ¿cuántas cosas hay que hacemos y no debemos hacer? ¿Cuántas acciones prohibidas por el Legislador Supremo no las estamos poniendo por obra cada día? ¿Cuántas palabras indecorosas, indecentes, que no debía contener la lengua, no las soltamos insolentes a cada paso? El hombre comete adulterio, luego puede cometerlo por derecho; el hombre roba, luego puede robar; el hombre dice soberbio: ¡No hay Dios! luego Dios no existe. Esto sería tomar el efecto por la causa, uno de los vicios de raciocinio que lleva a los mayores errores, señalado por la lógica como el arma del impío, que la suele forjar, no teniéndola de mejor temple para sus combates. El hombre mata, luego puede matar; puede matar, luego lo hace por derecho propio; lo hace por derecho propio, luego Dios lo permite, lo manda; Dios lo permite, lo manda, luego Dios es... ¡Oh Dios, contén el ímpetu del ateo! Rompe esa cadena de blasfemias, pon aquí tu mano y muéstranos la verdad. Matamos así como robamos; matamos así como mentimos; matamos así como envidiamos: todas estas son transgresiones de la ley natural: el estado de guerra es estado de crimen para el que no tiene de su parte la justicia y la defensa propia; y aquel discurso por el cual la guerra viene a ser ley de la naturaleza, y por el mismo caso a investir al Criador de pasiones horrorosas, no es sino el soritis de Caracalla: Quien nada me pide, no confía en mí; quien no confía en mí, se recela; quien se recela, cela, me teme, me aborrece; quien me aborrece, desea mi muerte; quien desea mi muerte, conspira; quien conspira, debe morir. Consecuencias hiladas de este modo no tienen ningún peso en la razón, y no queda en limpio sino el abuso bárbaro, constante que los hombres hacen de uno de sus más preciosos atributos. No debe mentir, y miente, y ha mentido desde el principio del mundo; no debe codiciar, y ha codiciado siempre. Por el mismo tenor, no debe matar, y mata, y ha matado, y ha de matar hasta la consumación de los siglos, porque como dice Platón, no esperéis reformar las costumbres de los hombres a menos que no plazca a la Divinidad enviarnos un Genio revestido de todos sus poderes.

Sin los argumentos de raciocinio hay otros, y de mayor importancia, por donde venimos a la persuasión de que la guerra no es de derecho natural. Si así fuera, el Redentor del mundo no habría predicado la paz, no habría aconsejado el sufrimiento y el perdón de los agravios; porque siendo ellos motivos de guerra, bien así entre personas como entre naciones, —"Sosteneos hubiera dicho, no evitéis la guerra, vengaos de vuestros enemigos".— La guerra es de derecho humano y como tal, errado, perverso; es el yugo que los reyes ponen a los pueblos, la triste necesidad en que éstos entran a causa de las inicuas tiranías. Y por más que me probasen lo contrario, yo jamás daría ascenso a derecho tan monstruoso; porque según el dicho de Pascal, el corazón tiene razones que la razón no tiene. Esas razones del corazón me convencen de que no debo llevar adelante a viva fuerza mis pretensiones, vertiendo la sangre de mis semejantes; me convencen de que es bárbaro y cruel sentenciar con la espada en favor del fuerte; me convencen de que es cosa indigna del hombre entrar una ciudad por fuerza de armas, degollar a ciegas, ancianos y niños, hombres y mujeres, culpables e inocentes; me convencen de que es injusto y atroz prevalerse del número y el arte para imponer deshonrosas condiciones a pueblos indefensos, obligarles a duros actos, y donde no, vomitar sobre ellos torrentes de metralla. Esto no lo permite la ley natural, éstas son sugestiones del demonio. Tuvo quien le defienda Jesucristo, partidarios tuvo sin cuento, ejércitos hubiera tenido, y no hemos visto que se haya valido de la fuerza. ¿Peleó con los Judíos? ¿Peleó con los Romanos? Al contrario, improbó la única acción sanguinaria que se cometió por él, volviendo a su lugar la oreja derribada por la espada de uno de sus discípulos. Esto no es instituír la guerra, esto es reprobarla; y ¿ha reprobado Jesucristo ninguna de las leyes naturales?

(*El Cosmopolita*, Quito, 1866)

TIRANO DE MEDIA MARCA

Hablando de nosotros, achicándonos, descendiendo a la órbita como un arito donde giran nuestros hombres y nuestras cosas, podemos decir que don Gabriel García Moreno fue tirano: inteligencia, audacia, ímpetu; sus acciones atroces fueron siempre consumadas con admirable franqueza; adoraba al verdugo, pero aborrecía al asesino; su altar era el cadalso, y rendía culto público a sus dioses, que estaban allí danzando, para embeleso de su alto sacerdote. Ambicioso, muy ambicioso, de mando, poder, predominio; inverecundo salteador de las rentas públicas, codicioso ruin que se apodera de todo sin mirar en nada, no. Si García Moreno robó, lo que se llama robar, mía fe, señor fiscal, o vos, justicia mayor de la República, que lo fizo con habilidad e manera. Un periódico notable de los conservadores lo acusó de tener en un banco de Inglaterra un millón y medio de pesos. El tiempo, testigo fidedigno, aún no depone contra ese terrible difunto: allá veremos si sus malas mañas fueron a tanto; en todo caso, su consumada prudencia para sinrazones y desaguisados al Erario, queda en limpio.

Ignacio Veintemilla no ha sido ni será jamás tirano: la mengua de su cerebro es tal, que no va gran trecho de él a un bruto. Su corazón no late; se revuelca en un montón de cieno. Sus pasiones son las bajas, las insanas; sus ímpetus, los de la materia corrompida e impulsada por el demonio. El primero soberbia, el segundo avaricia, el tercero lujuria, el cuarto ira, el quinto gula, el sexto envidia, el séptimo pereza; ésta es la caparazón de esa carne que se llama Ignacio Veintemilla.

Soberbio. Si un animal pudiera rebelarse contra el Altísimo, él se rebelara, y fuera a servir de rufián a Lucifer. "Yo y Pío IX", "yo y Napoleón", éste es su modo de hablar. Entre los volátiles, el huacamayo y el loro se acomodan a la pronunciación humana: si hubiera cuadrúpedos que gozasen del mismo privilegio, los ecuatorianos vivirían persuadidos de que su dueño le crió a ése enseñándole a decir: "Yo y Pío IX", "yo y Napoleón". Un célebre bailarín del siglo pasado solía decir de buena fe: No hay sino tres grandes hombres en Europa: yo, el rey de Prusia y Voltaire. Pero ese farsante sabía siquiera bailar, tenía su oficio, y en él era perfecto: el rey de las ranas, la viga con estómago y banda presidencial que se llama Ignacio Veintemilla, ¿sabe bailar? Zapatetas en el aire, de medio arriba vestido, y de medio abajo desnudo, puede ser que las haga, cuando amores de la República le escamonden quitándole su vestimento para pedirle cuenta y razón de traiciones y fechorías. Entretanto, puede seguir diciendo: "Yo y el presidente de los Estados Unidos."

El segundo avaricia. Dicen que esta es pasión de los viejos, pasión ciega, arrugada, achacosa: excrecencia de la edad, sedimento de la vida, sarro ignoble que cría en las paredes de esa vasija rota y sucia que se llama vejez. Y este sarro pasa a el alma, se aferra sobre ella y le sirve de lepra. Ignacio Veintemilla no es viejo todavía; pero ni amor ni ambición en sus cincuenta y siete años de cochino: todo en él es codicia; codicia tan propasada, tan madura, que es avaricia, y él, su augusta persona, el vaso cubierto por el sarro de las almas puercas. Amor... nadie le conoce un amor; no es para abrigarlo en su pecho, ni para infundirlo en suaves corazones. Orlando por Angélica, don Quijote por Dulcinea pierden el juicio; y don Gaiferos por Melisendra:

> *Tres años anduvo triste*
> *Por los montes y los valles,*
> *Trayendo los pies descalzos,*
> *Las uñas chorreando sangre.*

¿Qué juicios ha perdido Ignacio de Veintemilla? ¿qué calabazadas se ha dado contra agudas peñas? ¿qué árboles ha arrancado de cuajo? ¿qué ríos ha desportillado? ¿qué pies ha traído descalzos, ni qué uñas le han chorreado sangre, para ser digno émulo de esos famosos enamorados? La parte invisible del amor, la parte espiritual, no es suya; él se queda a los tres enemigos del alma, mundo, demonio y carne, y busca su ralea en las casas de prostitución. El amor purifica, el amor santifica: amor encendido, amor fulgurante; amor profundo, alto; amor que abraza el universo, abrasando lo que toca; este amor hace Abelardos, Leandros y Macías; esto es, filósofos, héroes y mártires, y de él no son capaces esos hombres rudos que no están en los secretos divinos de la naturaleza. Cuanto a la ambición, pesia a mí si la ha de experimentar ánimo tan bajo y corazón tan plebeyo como los de ese hijo de la codicia. Ambición es afecto de los más elevados, vicio sublime de hombres raros, que no puede concurrir sino en compañía de virtudes grandes. La pasión, la noble pasión de guerreros y conquistadores; pasión de Alejandro Magno, pasión de Pirro, de Julio César y Napoleón, ¿puede caber en pecho sin luz, pecho de vulgo, donde se apagaría al punto que allí tocase la chispa de locura y furor santo que está inflamando de continuo a los varones eminentes? Sed de sangre y de dinero, vanidad insensata, estos son los móviles con que muchas veces la fortuna saca de la nada a los más ruines, y los dispara hacia la cumbre de la asociación civil, como quien hace fisga de los hombres de mérito.

El tercero lujuria. Este vicio nos tiene clavados a la tierra; a causa de él no son ángeles los individuos agraciados por el Criador con la inteligencia soberana que los eleva al cielo en esos ímpetus de pensamiento con los cuales rompen la obscuridad y ven allá el reflejo de la luz infinita. Alejandro decía que en dos cosas conocía no ser dios: en el sueño y en los empujes de los sentidos. Ignacio Veintemilla conoce que es ser humano en esas mismas cosas. Ser humano digo, por decoro de lenguaje; esas dos cosas suben de punto en este Alejandro de escoria, que le sacan de los términos comunes, y dan con él en la jurisdicción de la irracionalidad. El sueño, suyo es; no hay sol ni luz para ese desdichado: aurora, mañana, mediodía, todo se lo duerme. Si se despierta y levanta a las dos de la tarde, es para dar rienda floja a los otros abusos de la vida, para lo único que necesita claridad, pues su timbre es ofender con ellos a los que le rodean. Da bailes con mujeres públicas, y se le ha visto al infame introducir rameras a su alcoba, rompiendo por la concurrencia de la sala. Pudor, santo pudor, divinidad tímida y vergonzosa, tú no te asomas por los umbrales de esas casas desnudas de virtudes, porque recibirías mil heridas por los oídos, por los ojos. El valiente, el héroe tienen pudor: esta afección amable no está reñida con los ímpetus del valor, ni es atropellada por esas grandes obras que se llaman proezas. Soldados hay capaces de dejarse morir, por no exponer el cuerpo herido a las miradas de las hermanas de la caridad, con ser que estas mujeres, cuando siguen los ejércitos al campo de batalla, lo van dejando todo en el templo de la misericordia: juventud, hermosura, atractivos, malicia, todo. Pudor, santo pudor, tú nos liberarás del fuego de Sodoma, sirviéndonos de escudo contra las iras del cielo. Huye, huye de la casa del malvado, pero no salgas ni un instante de la del hombre de bien. Tras el hombre de bien está casi siempre la mujer honesta; y el hombre de bien y la mujer honesta son los fiadores que responden de la salvación del género humano.

El cuarto ira. La serpiente no se hincha y enciende como ese basilisco. Un día un oficial se había tardado cinco minutos más de lo que debiera: presentóse el joven, ceñida la espada, a darle cuenta de su comisión: verle, saltar sobre él, hartarle de bofetones, fue todo uno. La ira, en forma de llama infernal, volaba de sus ojos; en forma de veneno fluía de sus labios. Y se titulaba jefe supremo el miserable: ¡jefe supremo que se va a las manos, y da de coces a un subalterno que no puede defenderse! Viéndole están allí, en Quito: eso no es gente; es arsénico amasado por las furias a imagen de Calígula. Hay ponzoña en ese corazón para dar torrentes a esa boca: agravios, denuestos, calumnias feroces, amenazas crueles, todo sale empapado en un mar de cólera sanguinaria. ¡Qué natural tan enrevesado y perverso! Me llama ladrón, asesino, delincuente en mil maneras, porque, bajo el ala de la Providencia, he podido escapar de calabozo, los grillos, el hambre, la muerte en el aspecto que aterra al más impávido. Siguiéndome está con el puñal; pero yo estoy vestido de un vapor impenetrable, vapor divino, que se llama ángel de la guarda. A un tirano antiguo *se le había escapado* una víctima, con haberse dado muerte por su propia mano: yo, huyendo al destierro, *me he escapado* también; y el destierro es la más triste de las penas. ¿Luego su ánimo era quitarme la vida en el martirio? Nadie lo duda, Dios me salvó sacándome de la mano a mediodía por entre sus enemigos y los míos. Su fin tendrá. ¡Y qué arrebatos los de ese dragón plebeyo! ¿Conque yo no tengo el derecho de la defensa personal? ¿No me competía el salvar la vida propia? Cólera no es muchas veces sino tontera carbonizada al fuego del infierno: pasión injusta, ciega. Los hombres de corazón mal formado nunca experimentan esos empujes de santa ira que los dispara contra las iniquidades del mundo: ellos no sienten sino la fuerza de Satanás que se desenvuelve en su pecho y engendra allí esos monstruos que salen afuera con nombre de asesinatos, envenenamientos, proscripciones: antes de nacer a la luz se llamaban odios, celos, venganzas: sentimientos del ánimo convertidos en hechos; coronación del mal, gloria del crimen.

El quinto guía. Los atletas o gladiadores comían cada uno como diez personas de las comunes: la carne mataba en ellos el espíritu, y así eran unos como irracionales que tenían adentro muerta el alma. La materia no medra sino a costa de la parte invisible del hombre, esa chispa celestial que ilumina el cuerpo humano, cuando éste sabe respetar sus propios fueros. Sabiduría, virtud son abstinentes: los gimnosofistas, esos filósofos indios cuya vida en el mundo partía términos con la inmortalidad, se mantenían de puros vegetales, y algunas gotas de miel, tenue como el rocío. La inteligencia come poco; la virtud, menos: los solitarios de la Tebaida estaban esperanzados en los socorros de los espíritus celestiales. Epicuro fue el corruptor de la antigüedad, y Sardanápalo está allí como el patrón eterno de los infames para quienes no hay sino comer, beber y estarse hasta el cuello en la concupiscencia. Yo conozco a Sardanápalo: su pescuezo es cerviguillo de toro padre: sus ojos sanguíneos miran como los del verraco: su vientre enorme está acreditando allí un remolino perpetuo de viandas y licores incendiarios. Su comida dura cuatro horas: aborrece lo blanco, lo suave: carne, y mucha; carne de buey, carne de borrego, carne de puerco. Mezclad prudentemente, dice un autor, las viandas con los vegetales. Sardanápalo detesta los vegetales: si supiera qué y quién es Pitágoras, mandara darle garrote en efigie. Las sopas son de cobardes, las frutas de poetas, los dulces de mujeres: hombres comen carne; carne valientes, carne varones de pro y fama. ¿Es perro, es tigre? ¡Oh Dios, y cómo engulle, y cómo devora piezas grandes el gladiador! Ignacio Veintemilla da soga al que paladea un bocadito delicado, tiene por flojos a los que gustan de la leche, se ríe su risa de caballo cuando ve a uno saborear un albérchigo de entrañas encendidas: carne el primer plato, carne el segundo, carne el tercero; diez, veinte, treinta carnes. ¿Se llenó? ¿se hartó? Vomita en el puesto, desocupa la andarga, y sigue comiendo para beber, y sigue bebiendo para comer. Morgante Maggiore se comía de una sentada un elefante, sin sobrar sino las patas; Ignacio Veintemilla se lo come con patas y todo. "Vamos a la *muquición*",[1] dice; y verle *muquir*, es admirarle sin envidia, es perder el apetito.

En casa del fondista Bonnefoi, en París, pedí una vez albaricoques: las frutas, y principalmente las redondas esos pomitos de color de oro, que parecen del jardín de las Hespérides, me deleitan. Como aún no había plenitud de frutas, cada pieza importaba dos francos, o cuatro reales.

¡Oh dicha, tomar esa pella suavísima en los tres dedos de cada mano, y abrir por la comisura esa esfera rabicunda, en cuyas entrañas están cuajados los delirios y las concupiscencias del dios de los placeres inocentes! Ignacio Veintemilla me estaba tratando de bruto con los ojos. Hombre, dijo al cabo de su admiración, usted nunca ha de ser nada; y pidió estofado de liebre por postres. Ha bía comido res, carnero, gallina, pato, pavo, conejo; raya, salmón, corvina; ostiones, ostras, cangrejo, y de postres pide liebre; ¿hay animal estrafalario? Desde el tiempo de Horacio los ajos han sido comida del verdugo: cuando este santo varón no ayuna ni está de vigilia, come liebre. Esa carne gruesa, negra, pesada, me parece que no sufre digestión sino en el estómago de ese que vive de carne humana. Los españoles y principalmente las españolas, saben lo que son postres: sorbetes para Musas; suspiros leves, que oa borean ninfas impalpables, suplicaciones doradas, regalo de almas que se salvan. Los franceses no gustan de los dulces, pero tienen postres con que quebrantaran peñas en el Olimpo, si las diosas adolecieran de hambre ni golosina. El dulce de ellos es el queso, o más bien los quesos de mil linajes con que sus manteles prevalecen sobre todos los del mundo. Un *brie* delicado *le hace honor*, como suele decir la galicana, al paladar de una hermosa de quince abriles; un *chantilly* aristocrático *ineria* a un emperador; un *roquefort* violento hace voluptuosos estragos en el gaznate de los hombres

---

[1]*Muquición*, *muquir*, germanía: comida, comer. Término de la cofradía de Monipodio.

de fierro que se agradan de esa pólvora comestible. Lord Byron, a fuero de inglés de casta pura, *pur sang*, como dicen sus vecinos, comía por postres un tallo de cebolla fuerte, mal que les pese a las lindas hispanoamericanas, para quienes los panales del Hibla no son harto suaves y aromáticos. ¿Cogerían, morderían, mascarían ellas un tronco de cebolla cruda en vez de sus azucarados *chamburitos?*

Lord Byron, con ser como era, sueño de las bellas, por ese su talento, su varonil gentileza y las poéticas extravagancias de su vida, hubiera estado en un tris de no hallar quien le quisiera en Lima, Quito o Bogotá. No de otro modo a una joven poetisa admiradora apasionada de Lamartine se le subió el santo al cielo, y ella cayó en un abismo de desengaño y desamor, cuando le vio a mi don Alfonso el día que fue a conocerle, sacar del bolsillo un pañuelo colorado de cuadros azules, bueno por la extensión para colcha de novios de aldea. ¡Gran Dios! exclamó la poetisa, en tanto que el poeta, viejo ya, eso sí, sonaba armoniosamente; ¡gran Dios! ¿conque éste había sido Lamartine? Desde que tuve noticia del acaecido, mis pañuelos son el ampo de la nieve, y no mayores que un lavabo: por esta parte seguro está que me vaya mal con las dulces nuestras enemigas. Otrosí, no como cebolla, ni en presencia de ellas ni a mis solas. Ignacio Veintemilla pide liebre cuando ha de pedir gragea: si le fuera posible, tomara café de carne de puerco, y se echara a los dientes una cuarta de morcilla negra a modo de puro habano. Los ajos, por no desmentirle a Horacio, siempre han sido de su gusto.

El sexto envidia. Nelson no tenía idea del miedo: cuando en su presencia nombraban este ruin afecto, no le era dable saber cuál fuese su naturaleza. Hay asimismo seres agraciados por Dios con una mirada especial, que no tienen nociones de la envidia; saben qué es, pero no la experimentan por su parte, con ser como es achaque de que adolecen, cual más cual menos, todos los mortales. La envidia es una blasfemia: envidia es cólera muda, venganza de dos lenguas que muerde al objeto de ella y al Hacedor, dueño en verdad de los favores que irritan a los perversos. Dones de la naturaleza, virtudes eminentes, méritos coronados, son puñal que bebe sangre en el corazón del envidioso. Inteligencia descollante es injuria para él; consideración del mundo, injusticia que no puede sufrir. Virtudes ajenas son vicios a su fosca vista; verdad es hipocresía, austeridad soberbia, valor avilantez: desdichado el hombre de altas prendas entre la canalla del género humano que ni ve con luz del cielo, ni juzga a juicio de buen varón, ni funda sus fallos en el convencimiento y la conciencia. Envidia es serpiente que está de día y de noche tentando a los hombres con la fruta de perdición: ¡Cómela! ¡cómela! La come un desdichado, y mata a su semejante. Envidia, Caín armado de un hueso, tú no mueres jamás.

Por una correlación que se pierde en las tinieblas del pecado, las pasiones criminales y soeces cultivan estrecho maridaje: podemos afirmar de primera entrada que donde se halla una de estas culebras, allí está el nido. Soberbia e ira comen en un mismo plato, lascivia y gula duermen en una misma cama. El soberbio, avaro, libidinoso, caja de ira, glotón, ¿será extraño a la hermana de esas Estinfálidas la peor de todas, la envidia? Aun los hombres superiores suelen estar sujetos a ese mortal gravamen de la naturaleza humana. Luis XIV, rey poderoso, adornado con mil prendas, experimentaba profundas corazonadas de envidia. Alarga la mano a todos, como todos confiesen su inferioridad: guerreros, hombres de Estado, poetas, escritores, artistas, todos son sus protegidos, puesto que ninguno blasone de echarle el pie adelante, ni en su profesión respectiva. Y con todo, cuando pone en olvido la soberbia, da muestras de humildad que le vuelven más y más grande. "Señor Boileau —le dijo un día a este famoso crítico—, ¿cuál es el primer escritor de nuestra época? —Molière, señor, contestó el maestro. —No lo pensaba yo así; pero vos sois el juez, y de hoy para adelante abrazo vuestra opinión".

Ignacio Veintemilla, más rey y más inteligente que ese monarca, no la abrasa. Censura a Bolívar, moteja a Rocafuerte, lo da una cantaleta a Olmedo. La ignorancia, la ignorancia suprema, es bestia apocalíptica: el zafio estampa su nombre, sin tener conocimiento ni de los caracteres; no sabe más, y hace sanquintines en los hombres de entender y de saber. Que se haya burlado de mí, cogiéndome puntos en *El Regenerador*, riéndose de mis *disparates*, estaría hasta puesto en razón; pero, afirma que si él hubiera estado en Junín *la cosa hubiera sido de otro modo;* que Sucre triunfó en Ayacucho por casualidad, no porque hubiese dado la batalla conforme a las reglas del arte; que Napoleón I perdió la corona por falta de diplomacia y otras de éstas.

Un testigo presencial me ha contado que en Madrid, en una mesa redonda, se puso a departir con suma delicadeza en esto que llamamos buenas letras. Habló, y así engullía tasajos de más de libra, como echaba por la boca lechigadas de sabandijas. No sé por dónde fue a dar con el poeta Zorrilla, a quien no ha leído, puesto que no sabe ni deletrear. Las torpezas que dijo, sólo las pueden creer los que le oyeron. Un cuasi anciano que se hallaba a la mesa estaba oyendo a su vez en curioso silencio y viéndole la cara al razonador. El buen viejo se levanta, se va, sin decir palabra. Uno de los concurrentes le sigue, le alcanza y, con el sombrero en la mano: "Señor Zorrilla, no haga usted caso de las necedades de ese hombre, ni juzgue por él de todos los americanos. —¿Es loco? pregunta el viejo. —No; no es sino tonto. Pero de capirote", agrega el aficionado a las musas, y se va con ánimo secreto de ponerle en un entremés el *señor mariscal de Veintemilla,* como andaba titulándose el conde de Gallaruza. Desde entonces su alátere o compañero de viajes no era dueño de sentarse a la mesa sin esta imprecación, poniéndole las manos: "*¡Ignacio, pas de bêtises!*"

El séptimo pereza.

Ni Dios ama el reposo; de improviso
Sobre las alas de los vientos vuela,
O de las tempestades en el carro,
Atronando los cielos se pasea.

El movimiento es propiedad del espíritu: la inteligencia vive en agitación perpetua. Tierra, luna, cuerpos sin vida, giran sobre sí mismos raudamente y se beben los espacios, volando por sus órbitas en locura sublime. Los ríos corren, lento unos, contoneándose por medio de sus selvas; furibundos otros y veloces entre las rocas que los echan al abismo quebrantados en ruidosas olas. Los vientos silban y pasan por sobre nuestras cabezas; los bosques mugen en sus profundidades; y las nubes, holgazanas que parecen estar disfrutando de la blanda pereza a mediodía, se mueven, helas allí, se encrespan, se hinchan y enlobreguecidas con la cólera, se dan batalla unas a otras, salta el rayo, y el trueno, en invasión aterrante, llena la bóveda celeste.

¿Ahora el hombre? El hombre todo es actividad todo movimiento: su corazón palpita: la sístole y la diástole, este vaivén armonioso, aunque precipitado, es fundamento de la vida: la **sangre** corre por las venas; los humores permanecen frescos, a causa de su circulación perpetua: todo es movimiento en nuestra parte física. La moral, oh, la moral es la más vertible, más inquieta del género humano: inteligencia que no se mueve, se seca, se pierde, como hierba sin lluvias; corazón que no se agita, se corrompe. Sabiduría, cosa que tan reposada parece, es efecto de los torbellinos del pensamiento, pues las ideas van brotando del choque de la duda con la verdad, dura labor que fortifica a los que se andan a buscarla por los abismos de lo desconocido, y regalan al mundo con los conocimientos humanos.

Pereza es negación de las facultades del hombre; el perezoso es nefando delincuente; mata en sí mismo las de su alma, y deicida sin remordimientos, se deja estar dormido a las obras que nos recomiendan a nuestro Criador. No moverse, no trabajar, no cumplir con nuestros deberes ni con una santa ley de la naturaleza; comer, beber, dormir sin término, esto es ser perezoso: no despertar ni erguirse sino para el pecado, esto es ser perverso. Ignacio Veintemilla cultiva la pereza con actividad y sabiduría; es jardinero que cosecha las manzanas de ceniza de las riberas del Asfáltico. Ese hombre imperfecto, ese monte de carne echado en la cama, derramándosele el cogote a uno y otro lado por fuera del colchón, es el mar Muerto que parece estar durmiendo eternamente, sin advertencia a la maldición del Señor que pesa sobre él. Su sangre medio cuajada, negruzca, lenta, es el betún cuyos vapores quitan la vida a las aves que pasan sobre el lago del Desierto. Los ojos chiquitos, los carrillos enormes, la boca siempre húmeda con esa baba que le está corriendo por las esquinas: respiración fortísima, anhélito que semeja el resuello de un animal montés; piernas gruesas, canillas lanudas, adornadas de trecho en trecho con lacras o costurones inmundos; barriga descomunal, que se levanta en curva delincuente, a modo de preñez adúltera; manzanas de gañán, cerradas aún en sueños, como quienes estuvieran apretando el hurto consumado con amor y felicidad; la uña, cuadrada en su base, ancha como la de Monipodio, pero crecida en punta simbólica, a modo de empresa sobre la cual pudiera campear este mote sublime: *Rompe y rasga, coge y guarda.* Este es Ignacio Veintemilla, padre e hijo de la pereza, por obra de un misterio cuyo esclarecimiento quedará hecho cuando la ecuación entre los siete pecados capitales y las siete virtudes que los contrarían quede resuelta.

¡Oh flaqueza del hombre! este mar Muerto de estampa semihumana presume de garzón florido, las da de majo, y se anda por ahí a conquista de corazones y caza de supremos placeres. Para hacer ver que *desprecia* cargos y donaires de la imprenta, hace leer las obras de esta sabia encantadora, rodeándole sus Entropios: callando estuvo una ocasión mientras oía una verrina de las mejores: cuando el lector hubo llegado a un pasaje donde se le llamaba "cara de caballo", saltó y dijo: "¡Eso no! seré ladrón, glotón, traidor, ignorante, asesino, todo; pero figura sí tengo". Figura de caballo dijo una dama, soltando la carcajada, cuando oyó referir esta graciosa anécdota, o *anidiucta*, como le he oído decir a él doscientas veces. [. . .]

(De *Las Catilinarias* [Primera], Panamá, 1880)

WASHINGTON Y BOLIVAR

El renombre de Washington no finca tanto en sus proezas militares, cuanto en el éxito mismo de la obra que llevó adelante y consumó con tanta felicidad como buen juicio. El de Bolívar trae consigo el ruido de las armas, y a los resplandores que despide esa figura radiosa vemos caer y huir y desvanecerse los espectros de la tiranía: suenan los clarines, relinchan los caballos, todo es guerrero estruendo en torno al héroe hispanoamericano: Washington se presenta a la memoria y la imaginación como gran ciudadano antes que como gran guerrero, como filósofo antes que como general. Washington estuviera muy bien en el senado romano al lado del viejo Papirio Cúrsor, y en siendo monarca antiguo, fuera Augusto, ese varón sereno y reposado que gusta de sentarse en medio de Horacio y Virgilio, en tanto que las naciones todas giran reverentes alrededor de su trono. Entre Washington y Bolívar hay de común la identidad de fines, siendo así que el anhelo de cada uno se cifra en la libertad de un pueblo y el establecimiento de la democracia. En las dificultades sin medida que el uno tuvo que vencer, y la holgura con que el otro vió coronarse su obra, ahí está la diferencia de esos dos varones ilustres, ahí la superioridad del uno sobre el otro. Bolívar, en varias épocas de la guerra, no contó con el menor recurso, ni sabía dónde ir a buscarlo: su amor inapeable hacia la patria; ese punto de honra subido que obraba en su pecho; esa imaginación fecunda, esa voluntad soberana, esa actividad prodigiosa que constituían su carácter, le inspiraban la sabiduría de hacer factible lo imposible, le comunicaban el poder de tornar de la nada al centro del mundo real. Caudillo inspirado por la Providencia, hiere la roca con su varilla de virtudes, y un torrente de agua cristalina brota murmurando afuera; pisa con intención, y la tierra se puebla de numerosos combatientes, esos que la patrona de los pueblos oprimidos envía sin que sepamos de dónde. Los americanos del Norte eran de suyo ricos, civilizados y pudientes aun antes de su emancipación de la madre Inglaterra: en faltando su caudillo, cien Washingtons se hubieran presentado al instante a llenar ese vacío, y no con desventaja. A Washington le rodeaban hombres tan notables como él mismo, por no decir más beneméritos: Jefferson, Madison, varones de alto y profundo consejo, Franklin, genio del cielo y de la tierra, que al tiempo que arranca el cetro a los tiranos, arranca el rayo a las nubes: *Eripui coelo fulmen sceptrumque tyranis.** Y éstos y todos los demás, cuán grandes eran y cuán numerosos se contaban, eran unos en la causa, rivales en la obediencia, poniendo cada cual su contingente en el raudal inmenso que corrió sobre los ejércitos y las flotas enemigas, y destruyó el poder británico. Bolívar tuvo que domar a sus tenientes, que combatir y vencer a sus propios compatriotas, que luchar con mil elementos conjurados contra él y la independencia, al paso que batallaba con las huestes españolas y las vencía o era vencido. La obra de Bolívar es más ardua, y por el mismo caso más meritoria.

Washington se presenta más respetable y majestuoso a la contemplación del mundo, Bolívar más alto y resplandeciente: Washington fundó una república que ha venido a ser después de poco una de las mayores naciones de la tierra; Bolívar fundó asimismo una gran nación, pero, menos feliz que su hermano primogénito, la vio desmoronarse, y aunque no destruída su obra, por lo menos desfigurada y apocada. Los sucesores de Washington, grandes ciudadanos, filósofos y políticos, jamás pensaron en despedazar el manto sagrado de su madre para echarse cada uno por adorno un jirón de púrpura sobre sus cicatrices; los compañeros

* Arranqué a los tiranos el cetro y a los cielos el rayo.

de Bolívar todos acometieron a degollar a la real Colombia y tomar para sí la mayor presa posible, locos de ambición y tiranía.
En tiempo de los dioses Saturno devoraba a sus hijos; nosotros
hemos visto y estamos viendo ciertos hijos devorar a su madre. Si
Páez, a cuya memoria debemos el más profundo respeto, no tuviera su parte en este crimen, ya estaba yo aparejado para hacer
una terrible comparación tocante a esos asociados del parricidio
que nos destruyeron nuestra grande patria; y como había además
que mentar a un gusanillo y rememorar el triste fin del héroe de
Ayacucho, del héroe de la guerra y las virtudes, vuelvo a mi asunto
ahogando en el pecho esta dolorosa indignación mía. Washington,
menos ambicioso, pero menos magnánimo, más modesto, pero menos elevado que Bolívar. Washington, concluída su obra, acepta
los casi humildes presentes de sus compatriotas; Bolívar rehusa
los millones ofrecidos por la nación peruana: Washington rehusa
el tercer período presidencial de los Estados Unidos, y cual un
patriarca se retira a vivir tranquilo en el regazo de la vida privada,
gozando sin mezcla de odio las consideraciones de sus semejantes,
venerado por el pueblo, amado por sus amigos: enemigos, no los
tuvo, ¡hombre raro y feliz! Bolívar acepta el mando tentador que
por tercera vez, y ésta de fuente impura, viene a molestar su espíritu, y muere repelido, perseguido, escarnecido por una buena
parte de sus contemporáneos. El tiempo ha borrado esta leve mancha, y no vemos sino el resplandor que circunda al mayor de los
sudamericanos. Washington y Bolívar, augustos personajes, gloria
del Nuevo Mundo, honor del género humano junto con los varones más insignes de todos los pueblos y de todos los tiempos.

("Los héroes de la emancipación de la raza hispanoamericana", *Siete Tratados*, París, 1883)

LA HERMOSURA INVISIBLE

El hombre prevalece por el valor: su belleza es la honra, su
poder la inteligencia. Un muchacho hermoso es menos que uno a
quien agracian los gérmenes de las virtudes; y por dicha ni los
reyes buscan hoy privados de quince años a quienes marchitar y en-

vilecer, ni el pueblo se reúne para aplaudir las gracias no adquiridas de esos triunfadores sin mérito que la antigüedad coronaba, sin más que mirarlos y apasionarse de ellos. No pocas veces ha ganado la hermosura una corona en nuestros tiempos: dígalo Atenaís, muchacha sin herencia, desgraciada peregrina que llega cubierta de harapos a las puertas de Constantinopla, y luego sube al trono al lado de Teodosio para asombro del mundo. Mas no deja de ser verdad de a folio que en el hombre la belleza, hoy día, es timbre del todo secundario, que se retrae y huye ante las prendas varoniles que componen la verdadera importancia masculina. El varón poseído del principio del deber, que cultiva el pundonor y da realce a su talento con las obras magnánimas; el valiente cuyo ánimo parte límites con el heroísmo; el hombre cortés que sabe hacer su mesura ante las damas de guisa, como era costumbre en los tiempos caballerescos; el de carácter elevado que tiene en poco ambiciones y triunfos comunes; el generoso, culto, fino, pero enérgico y aun inapeable cuando lo exige la honra, ése es bello para todos, y más para las mujeres que saben poner las cosas en su punto, y están viendo un Alcibíades debajo de las propiedades y facultades de ese hombre. ¿Qué son los más apuestos caballeros delante de Beltrán Duguesclin, el personaje más feo de la Edad Media? Las damas, de las reinas para abajo, venden sus joyas y le rescatan cuando está cautivo: acerca de aventuras amorosas, vengan y díganme Leandro, Macías, el moro Gazul, ¿cuál de ellos las corrió nunca ni en más número ni más almibaradas? Ese feo era por adentro el más bello de los mortales, y su alma nobilísima le estaba de contínuo saliendo afuera por los ojos. Paladín esforzado, no hay empresa que no tome sobre sí: campeador sin rival, se lleva de calles a cuantos son los enemigos: vencedor, siempre magnánimo: vencido, nunca. En medio de las armas y la cólera de la batalla, su cortesía sirve de modelo a los mejores: como galán, el más cumplido: enamorado, un don Gaiferos: ¿qué mucho se los hubiese llevado por delante a los más gallardos paladines? Verdad es que para ver y palpar la hermosura interior, la hermosura invisible e impalpable, los ojos han de tener el alcance y la penetración de la inteligencia: el vulgo no toma sino lo que está a la mano, y a la mano se halla la materia: lo que tomamos con el espíritu, eso es lo bueno, y don de pocos la facultad de mirar adentro de nuestros semejantes y admirar las flores y esencias que adornan y suavizan esa mansión recóndita de la Divinidad. Una alma pura, grande, gloriosa, ¿qué es sino mansión de la Divinidad? La belleza física está dentro de los términos del poder humano: al paso que la belleza moral es obra exclusiva de la sabiduría divina. Cuadros, estatuas, bajos relieves, cualquier hábil artista los pergeña: mujeres delicadas, honestas, diligentes cuyo pecho es semillero de santas afecciones; hombres íntegros, valerosos, magnánimos, dentro de los cuales está ardiendo la inteligencia, no los hacen Fidias ni Praxiteles; formados salen de manos del soberano artífice, y la educación los encamina a sus grandiosos fines.

No niego que un joven apuesto, cuya galanura cautiva a los que le contemplan, lleve mil ventajas sobre los hombres vulgares, y abrume con el peso de su hermosura a los mal apersonados: tez blanca, ojos negros de largas pestañas; labios encendidos, dientes primorosos; barba suave, crecida en las dos alas de ave Fénix que forman las patillas; frente dura, límpida, no muy ancha; cabellera revuelta en magníficos anillos que llevan adelante una insurrección perpetua; cuello delgado, recto, que ostenta orgullosamente la nuez, símbolo de la masculinidad; cabeza bien plantada sobre los hombros; pecho prominente, echado afuera como en desafío honroso al mundo: victoria anticipada son todas estas distinciones en campañas de amor, y salvoconducto ciego entre gente y pueblos ajenos a la patria. He oído que para viajar con gusto habemos menester tres cosas: buen ánimo, buena cara y buen dinero. Ninguna de estas prendas ha de faltar, no sea que nos ocurra lo que al gran capitán de la Liga Aquea, a quien, sobre su mala representación una buena mujer le puso a rajar leña; y lo que, no ha mucho tiempo, a un embajador del Brasil que fue ignominiosamente arrojado del célebre apeadero de *San Nicolás* de Nueva York, porque el dueño de casa echó de ver que ese hijo del sol ecuatorial, cuya tez semejaba a la de un pastor de la Calabria, tenía acaso una gota de sangre africana en las venas. El buen parecer halla las puertas de par en par: todos los ruines son ujieres que anuncian en voz alta: "¡Su alteza monseñor el Gran Duque de Gerolstein!" cuando comparece allí un personaje cuyos títulos resonantes son el cutis blanco, la barba aristocrática, el cuello enhiesto, la mirada imperiosa, el porte real con que adelanta, una bolsa de escudos en la mano, pagando la multa de sus insolencias y sus desprecios a los a quienes obliga a servirle y reverenciarle, cual otro Veracio que descuenta los bofetones que va repartiendo por la calle con la talega de oro que en pos de él lleva un esclavo. Las prendas intelectuales y morales, por desgracia, son divinidades recónditas que no vienen en nuestro auxilio sino donde hay ojos que las miren, oídos que las oigan; lo cual no sucede sino en ese recinto sacrosanto iluminado por la inteligencia donde moran las virtudes. Hombres de primera línea hay que si son prudentes huirán los concursos y certámenes cuyo primer premio se lleva la cara, sin que jurado equitativo se lo hubiese adscrito. Un mequetrefe sin mérito ni valor, como su estampa le favorezca, pasará antes que el hombre de pro entre gentes que no conocen ni al uno ni al otro. No son pocas las amarguras que los ignorantes y ruines le hacen apurar al alma grande, humillándola con injustas preferencias o con desabrimiento descortés: entre necios y soberbios, los hijos de la fortuna son reyes; los príncipes de naturaleza, pobres diablos. Viajeros conozco que hubieran hecho muy bien de no pasar de sus umbrales, disfrutando el humo simbólico de la felicidad, ese humo que Montesquieu veía desde lejos con indecible pena levantarse del fogón, del horno de su casa. En pueblos cultos, interesados, como Francia, aun no tan malo: el buen dinero suple la buena cara, y el buen ánimo está allí para echar raya con los más pintados y hacer temblar las barbas a soberbios y atrevidos. Pero nación tan extravagante y caprichosa como los Estados Unidos de América, donde las costumbres contrarrestan a las leyes; donde éstas llaman al Senado a los negros, y ésas los repelen de las fondas, las posadas; donde impera la democracia en las instituciones, y la aristocracia en forma de orgullo y menosprecio excluye del gremio común a los que no brillan por el color; donde nada presta el talento mismo, ni las riquezas, cuando el individuo está oindiondo de cuarterón o de mulato; donde la tez tanto cuanto apagada es lepra que el oráculo de Amón denuncia a los Faraones y condena al destierro al pueblo de Israel; esta nación, digo, en medio de su libertad, su liberalismo, su progreso, debe infundir terror en los sud-americanos que, ya porque en su abolengo está brillando una sombra obscura, ya porque el calor exuberante de la zona tórrida imprime en su rostro el sello de la luz, espesa y fosca a fuerza de tomar punto, no se recomiendan con la blancura deslumbrante del germano ni con las mejillas rubicundas del indígena del Támesis.

Cuando el señor de Lamartine le hubo agraciado al autor de estas páginas con dirigirle una esquela y otorgarle una visita, le dijo: "Entre las cartas que ayer recibí, diez había de viajeros de los Estados Unidos que solicitaban verme en mi casa: a todos me he negado. De la América Española no hallé sino la vuestra: os la he contestado, y os recibo con gusto, tanto más cuanto que habéis prevenido mi ánimo en vuestro favor con la hermosa epístola impresa con la cual me habéis favorecido. Quiero mucho a la raza hispanoamericana: su generosidad, su elevación, sus prendas caballerescas me cautivan. A la norteamericana, la admiro: habilidad, fuerza, progreso inaudito; mas tiene para mí defectos que me obligan a mirarla con tedio. Su divisa es atroz: *time is money, money is God*. La esclavitud, como institución, me asombra, por otra parte, en pueblo tan inteligente, religioso y adelantado; y el escarnio con que envilecen y oprimen a los mulatos, y aun a los que no lo son, me llena de amargura cuando contemplo en los caracteres de las naciones". Lamartine se hubiera reconciliado, sin duda, con los Estados Unidos, y Lincoln fuera para él uno de los varones más egregios del Nuevo Mundo; pero en llegando a su noticia la acción nefaria de que fue víctima el embajador del Brasil, hubiera vuelto a cerrarles su puerta a los norteamericanos. Su Majestad don Pedro segundo fue bien recibido por ellos, merced a la sangre de Braganza que corre por sus venas, a lo blanco de su rostro y lo bien puesto de su barba: si el emperador fuera autóctona del imperio y no tan aventajado de persona, Nueva York le echara a rodar sus baúles y le enviara a buscar posada en un camaranchón del barrio más humilde. Pero venga un condenado a muerte huyendo de su patria, como sea teutón o hijo de la Selva Negra, le enviará de embajador y le hará ministro de Gobierno: testigo Carl Schurz,* alemán a quien España ha visto ladearse con los enviados de primera clase de las potencias europeas. ¿Y cómo no? Carl Schurz es blanco, de ojos garzos y barba rubia: importa poco que los tribunales de Berlín le hubiesen condenado al último suplicio. Averigüemos bien, señores: ese extranjero declarado criminal por Alemania, no había sido conspirador: hombre de ánimo, acometió a pelear bajo la enseña de la unidad americana, sirvió a Abraham Lincoln en la santa causa de la libertad, ganó batallas, alcanzó las primeras graduaciones de la milicia, y concluida la guerra, el presidente le honró con el alto cargo de ministro

---

* Carls Schurz, nació en Alemania en 1829 y murió en New York en 1906. En los Estados Unidos se identificó con el Partido Republicano y, con sus discursos, convenció a los ciudadanos de origen alemán de los males de la esclavitud. Hasta el año 1861 fue ministro del gobierno de Lincoln en España.

de los Estados Unidos en Madrid, y después en Berlín mismo, cosa
rara. Aquí hay grandeza: no impruebo esta conducta; pero el embajador del Brasil ... esto es lo que me desatina. Cuando me preguntan cómo en dos viajes al viejo mundo, ni de ida, ni de vuelta
he pasado por los Estados Unidos, la vergüenza me obliga a reservar
la verdadera causa: no ha sido sino temor, temor de ser tratado como
brasileño, y de que el resentimiento infundiese en mi pecho odio
por un pueblo al cual tributo admiración sin límites. Un irlandés
sin ejecutorias de ninguna clase, sin luces ni virtudes, llega ahí con
su cara rubicunda, y como no traiga el bolsillo escueto, será un lord
de la República: a un hijo del Ecuador, el Perú o Venezuela no le
aprovecharán inteligencia, sabiduría ni dinero, si a estas ventajas
no acompaña la preeminencia de la tez. Entre nosotros somos hi-
dalgos, y aun hijosdalgo, lo que llamamos *caballeros*, con nuestro
colorcito de perla impregnado de coral; y *cholos* empalagosos hay
que con su cara de morcilla quieren también ser nobles: en el país
más democrático del mundo es preciso ser rubio a carta cabal para
ser gente. Los yankees ignoran, sin duda, que en el Egipto conde-
naban a muerte a todo pelirrojo, y que Judas fue un austríaco y
tuvo la cabellera a la inglesa: un *entire*, como decimos en América.
Puesto que nunca me han de ver la mayor parte de los que
lean este libro, yo debía estarme calladito en orden a mis desméri-
tos corporales pero esta comezón del egotismo que ha vuelto célebre
a ese viejo gascón llamado Montaigne y la conveniencia de ofrecer
algunos toques de mi fisonomía, por si acaso quiere hacer mi copia
algún artista de mal gusto, me pone en el artículo de decir francamente que mi cara no es para ir a mostrarla en Nueva York, aunque, en mi concepto, no soy zambo ni mulato. Fue mi padre inglés
por la blancura, español por la gallardía de su persona física y moral. Mi madre, de buena raza, señora de altas prendas. Pero, quien
hadas malas tiene en cuna, o las pierde tarde o nunca. Yo venero
a Eduardo Jenner,* y no puedo quejarme de que hubiese venido
tarde al mundo ese benefactor del género humano: no es a culpa
suya si la vacuna, por pasada, o porque el virus infernal hubiese
hecho ya acto posesivo de mis venas, no produjo efecto chico ni
grande. Esas brujas invisibles, Circes asquerosas que convierten a

* Edward Jenner (1749-1823), médico inglés, descubridor de la vacuna
contra la viruela. El resultado de sus investigaciones apareció publicado en
1798 con el título *Inquiry into the Cause and Effects of Virolae Vaccinae*.

los hombres en monstruos, me echaron a devorar a sus canes; y dando gracias a Dios salí con vista e inteligencia de esa negra batalla: lo demás, todo se fue anticipadamente, para advertirme quizá que no olvidase mis despojos y fuese luego a buscarlos en la deliciosa posesión que llamamos sepultura. ¡Deteneos! ¡o no! no vayáis a discurrir que puedo entrar en docena con Scarrón y Mirabeau: gracias al cielo y a mi madre no quedé ni ciego, ni tuerto, ni remellado, ni picoso hasta no más, y quizás por esto he perdido el ser un Milton, o un Camoens, o *la mayor cabeza de Francia* pero el adorado blancor de la niñez, la disolución de rosas que corría debajo de la epidermis aterciopelada, se fueron, ¡ay! se fueron, y harta falta me han hecho en mil trances de la vida. Desollado como un San Bartolomé, con esa piel tiernísima, en la cual pudiera haberse imprimido la sombra de una ave que pasara sobre mí, salga usted a devorar el sol en los arenales abrasados de esa como Libia que está ardiendo debajo de la línea equinoxial. No sería tarde para ser bello; mas esas virtudes del cuerpo ¿en dónde? prescritas son, y yo no sé cómo suplirlas. Consolémonos, oh hermanos en Esopo, con que no somos fruta de la horca y con que a despecho de nuestra antigentileza no hemos sido tan cortos de ventura que no hayamos hecho verter lágrimas y perder juicios en este mundo loco, donde los bonitos se suelen quedar con un palmo de narices, mientras los pícaros feos no acaban de hartarse de felicidad. Esopo he dicho: ¿tuvo él acaso la estatura excelsa con la cual ando yo prevaleciendo? ¿esta cabeza que es una continua explosión de enormes anillos de azabache? ¿estos ojos que se van como balas negras al corazón de mis enemigos, y como globos de fuego celeste al de las mujeres amadas? Esta barba ... Aquí te quiero ver, escopeta: Dios en sus inescrutables designios dijo: A éste nada le gusta más que la barba; pues ha de vivir y morir sin ella: conténtese con lo que le he dado, y no se ahorre las gracias debidas a tan espontáneos favores. Gracias, eternamente os sean dadas, Señor: si para vivir y morir hombre de bien; si para ayudar a mis semejantes con mis escasas luces fuera necesario perder la cabellera aquí la tendríais, aquí; y mirad que no es la de Absalón, el hermoso traidor.

("De la belleza en el género humano",
Siete Tratados, París, 1883)

INDIOS

No escribiría yo en conciencia, si me pusiese a sincerar a los hispano-americanos del modo como todavía tratan a los indios. Los indios son libertos de la ley, pero ¿cómo lo he de negar?, son esclavos del abuso y la costumbre. El indio, como su burro, es cosa mostrenca, pertenece al primer ocupante. Me parece que lo he dicho otra vez. El soldado le coge, para hacerle barrer el cuartel y arrear las inmundicias: el alcalde le coge, para mandarle con carta a veinte leguas: el cura le coge, para que cargue las andas de los santos en las procesiones: la criada del cura le coge, para que vaya por agua al río; y todo de balde, si no es tal cual palo que le dan, para que se acuerde y vuelva por otra. Y el indio vuelve, porque esta es su condición, que cuando le dan látigo, temblando en el suelo, se levanta agradeciendo a su verdugo: "Diu su lu pagui, amu", dice: "Dios se lo pague, amo", a tiempo que se está atacando el calzoncillo. ¡Inocente, infeliz criatura! Si mi pluma tuviese don de lágrimas, yo escribiría un libro titulado "El Indio", y haría llorar al mundo. No, nosotros no hemos hecho este ser humillado, estropeado moralmente, abandonado de Dios y la suerte; los españoles nos lo dejaron hecho y derecho, como es y como será por los siglos de los siglos. El zar de Rusia ha abolido la servitud, "le servage"; pero, ¿cuándo saldrán de entre esos siervos libertados un Pouchkine, un Gortschakoff, un Turgueneff, un Tolstoy? Las razas oprimidas y envilecidas durante trescientos años, necesitan ochocientos para volver en sí y reconocer su derecho de igualdad ante Dios y la justicia. La libertad moral es la verdadera, la fecunda. Decirle a un negro: "Eres libre", y seguir vendiéndolo; decirle a un indio: "Eres libre", y seguir oprimiéndolo, es burlarse del cielo y de la tierra. Para esta infame tiranía todos se unen; y los blancos no tienen vergüenza de colaborar con los mulatos y los cholos en una misma obra de perversidad y barbarie.

(*El Espectador*, París, 1887)

DE LA BELLEZA AMERICANA

Los turcos sacan en el día las mujeres más hermosas con las cuales enriquecen los serrallos del Gran Señor y los príncipes Bajaes, las sacan, digo, de Mingrelia, Circasia y Georgia, comarcas afortunadas que han heredado algo de las antiguas Chipres, Gnido y Amatonte. La Imerecia suele producir beldades primorosas; y esto mismo sucede con los pueblos que habitan las faldas del Cáucaso, siendo la cosa más notable del mundo que al lado de muestras tan cumplidas del género humano vivan las castas más deformes y repulsivas que conoce el viajero, como son los calmucos y los tártaros nogiás. Callot, pintor perpetuo de lo feo, hallaría su paraíso entre esos bárbaros desventurados, y nada tendría que hacer en Georgia, Circasia ni Mingrelia. Entre las naciones europeas que hoy dan la ley de la civilización al mundo, Inglaterra se lleva la palma en orden a la hermosura de las mujeres: altas, blancas, rubias, las inglesas son deidades mitológicas que andan entre los mortales, combatiendo a unos, favoreciendo a otros. Algo hay de las heroínas de Ossián en una bella hija del Támesis: blanca y fría, es una nube fantástica que revolotea misteriosa por la orilla de un río o por una verde colina en busca de la sombra de su amante muerto en la batalla. La célebre querida de Nelson tiene fama de hermosa tanto como de desapiadada; y no puede uno contemplar sin celos y despecho ese grupo de divinas muchachas que están besando apasionadamente los largos bigotes del prusiano Blücher después de la victoria de Waterloo.

Las francesas no preponderan por la hermosura, sino por la gracia, el tanteo exquisito con que gobiernan el mundo con las leyes de la moda y la elegancia. Ciertos pueblos del mediodía de la península ibérica presentan modelos perfectísimos de mujeres bellas: el reino de Valencia es almáciga de hermosuras, y hermosuras tan diferentes de las del Támesis, que bien merecen algunas pinceladas que las pongan de manifiesto. Raro, muy raro es ver una rubia en la patria del Cid Campeador, el cual debió ser trigueño: la valenciana es de un blanco aceitunado que tira a perla salida del baño de la aurora: sus ojos son negra noche, rota de cuando en cuando por relámpagos de luz celeste: sus labios están ardiendo como piropos en la fragua de Cupido: su cabellera abundante, espesa, forma contraste admirable con la blancura de los hombros sobre los cuales descansa en lánguidos tirabuzones. El porte de la hija del Turia es regular: sus carnes, frescas, apretadas, le están condenando a la tortura al espíritu del que lo deja ir trabucando por las curvas y altos derrames de esos miembros presentes a la imaginación. Esta española pudiera concurrir a un certamen universal de mujeres bellas, y sobre mí si no se llevara el primer premio, puesto que no se lo disputase la portuguesa con sus pechos sobresalientes, palacios gemelos donde habitan amor y voluptuosidad.

En Italia hay mujeres que pasan al lienzo en forma de ángeles y vírgenes celestiales, sin que el artista hubiese hecho modificación ninguna en sus facciones. Dicen que Rafael no hacía sino copiar a su bella Fornarina para sacar esas Madonas que andan por toda Europa, valiosas como un cuadro de Apeles. Las obras más cumplidas de los grandes maestros son retratos: bien así como los poetas suelen celebrar a sus amadas en sus poema, así los artistas inmortalizan a las suyas en sus cuadros o sus estatuas. Ejemplo de lo uno puede ser Jorge de Montemayor en la *Diana enamorada*, y de lo otro el gran pintor de Urbino en la *Virgen del Niño*.

Pudiera yo ser imputado de falta de amor nacional y patriotismo, si en tratándose de hermosura y gentileza mi. mostraso ingrato con desentenderme de estas beldades americanas que tanto dan en qué merecer a los que alcanzamos espíritus para saberlas juzgar y apreciar. Las bogotanas son bellas, sumamente bellas en sus floridos años. Su tez delicadísima no ha menester limosna cotidiana del infame albayalde ni el plebeyo bismuto para desafiar en lo blanco a la azucena. Acerca de las mejillas, pálida es la rosa, y llena de rubor agacha la cabeza, cuando una dríada del Funza comparece en el jardín vestida de pastora. Desgraciadamente, dicen, la belleza es de corta vida en esta hermosa: será como la mujer árabe que a los veinte años es vieja, y no tiene la memoria provista sino de diez o doce de amores y felicidades. Tan pronto, no se envejece; pero ese bribón de Emiro Kastos* dice que a los veinticinco es... es... coto, dice el hereje: yo no he de repetir ni en artículo de muerte esta atrocidad sin ejemplo. En los bailes de Emiro Kastos hay siempre dos departamentos: en el uno, las jóvenes de quince a diez y ocho años están hirviendo como una manga de espíritus divinos encarnados en miembros de mujer; en el otro, las... las ... cotos (¡y

* Seudónimo del escritor colombiano Juan de Dios Restrepo (1825-1897), autor de cuadros de costumbres antioqueñas y bogotanas.

no se abren los abismos y me tragan!) están silbando y fumando
su cigarro. ¡Miente Emiro Kastos! me dijo una vez un granadino:
esa enfermedad es desconocida en la Nueva Granada. Por desgracia
todos hemos leído las disquisiciones científicas publicadas acerca de
ese horrible desvío de la naturaleza en la meseta de Bogotá, Mari-
quita y otras comarcas de Neo-Colombia; y hemos gemido de corazón con los poetas colombianos que lloran esa ruina prematura de
la belleza en su patria. Si de los veinticinco para delante están con-
denadas a ir con esa cruz a cuestas, no olviden las ninfas del Mon-
serrate que hasta los veinticinco son las más lindas de las sudamerica-
nas; si ya no dan sobre ellas, rompiendo por Boyacá, las hermosas
caraqueñas, y les arrebatan la palma. Si un Emiro Kastos ha sacado
a la luz del mundo *el Aranjuez* de su coto, consuélense con que un
Cosmopolita lo niega de redondo, y reta a singular batalla al descortés y mal nacido que se atreva a poner lengua en la porción más
amable del sexo femenino en el nuevo continente.

La suavidad del clima, la transparencia de la atmósfera, la
esplendidez del firmamento, la pureza del agua son, sin duda, partes
para que la quiteña conserve, muchas veces hasta los cuarenta años,
el verdor y la frescura marzal de las colinas y los prados que cir-
cundan su población elevadísima. Para donosa y elegante, la quiteña: con la mirada se insinúa, con la sonrisa conquista, con el porte
general de su persona pone el yugo debajo del cual pesadumbres son
delicias, desdenes incentivos, rigores esperanzas. La ojinegra del
Pichincha es el demonio vuelto a la gracia de Dios con sus rezagos
de malicia. Carirredonda, por la mayor parte, sus mejillas son bóvedas de rosa dentro de las cuales los Genios del Amor, reducidos
a mínima estatura, están soplando la fragua del placer. Su pecho
es comba sublime: su brazo está desafiando al filósofo y al santo,
si por lo blanco, si por lo gordo. La manecita es joya preciosa: los
dedos suavísimos: la uña, espejo de las Gracias y las Musas. En
cuanto a pasiones, estas estrellas de la Cinosura suelen morir de amor,
y quitar la vida muchas veces. El Gran Mariscal de Ayacucho, que
había estado en casi todas las capitales de Sud-América, sólo en
Quito halló mujer digna de su corazón y su mano; y es sabido
que Bolívar a Quito vino a buscar la amazona que le salvó la vida
cubriéndole con el escudo de Palas, esa mujer tan fiera como hermosa
a quien el Genio del Nuevo Mundo amó como Aquiles a la belleza
de Sciros.

Los climas ardientes imprimen caracteres excepcionales en el sexo femenino: la luz encendida que devora la tierra afina el espíritu y le da los mayores quilates que él puede alcanzar: una guayaquileña de pelo suelto, cuyos hombros están forzando la chaqueta; vestida de holandas y sinabafas delgadísimas que van y vienen cual ondas de blanca espuma, primero que mujer parece nereida que dejando sus grutas del Pacífico, ha subido al redropelo el Guayas, y se ha instalado en uno de esos palacios de fragantes maderas que producen sus bosques. Viva, picotera, esta ninfa del grande río es propensa a las pasiones más nobles y elevadas, las cuales cuando están en su punto suelen convertir en poética melancolía la electricidad de su alma que brota afuera y chisporrotea en los ojos y los labios. Las chilenas pueden pasar por las inglesas del Nuevo Mundo, ya porque viven recostadas hacia el norte, ya por su temperamento sereno y grave en cuerpo eminente y facciones señoriles. Las argentinas van a un paso con sus hermanas de América, si por las prendas físicas, si por la belleza del alma; y acerca de las mejicanas, sabido es que les echan el pie adelante a las mejores. Pero hay unas en la América Española que a justo título han granjeado nombre do *parisienses del nuevo mundo*; éstas son las hijas del Perú, tierra del sol, esa como Pancaya en donde nace el Fénix. La limeña es el dechado de la belleza femenina en lo tocante a la persona visible; que en lo que mira a los afectos, una italiana de Palermo no los abriga ni más ardientes ni más profundos. Los usos de la tierra le comunican singular donaire y seducción; usos que van cayendo, para mengua del prurito nacional y la elegancia propia. El manto de la peruana, bien como la capa del español, es vestido tan magnífico, que si a cada uno de éstos le da aspecto de rey, a cada uno de ésas la vuelve princesa misteriosa que refuerza el deseo con la curiosidad, dando a entender con la lumbre de los ojos el ángel lleno de delicada malicia que va desconocido tras el rebujo impenetrable.

Después de esta revista en donde la galantería pasa por alto algunas omisiones y el amor suple lo que falta, ¿será bien digamos al fin lo que es belleza y en lo que consiste? La belleza, como no tiene reglas ni modelos prescritos, carece de definición. Belleza es armonía visible, música personificada: una mujer bella es una melodiosa expresión de la naturaleza.

There is music even in beauty,

ha dicho un bardo inglés: hay música en la belleza. Cuando fascinado contemplo una joven hermosa, oigo que sus ojos están cantando a mis oídos: una niña fresca, pura, alegre es nota musical de la armonía eterna. ¿En qué consiste que tal rostro es bello y cuál no lo es? Consiste en que en el uno hay compás, cadencia, ritmo sonoro; en el otro todo es mudo, o sus toques y su conjunto suenan desagradablemente a nuestros ojos. Belleza es armonía; gracia es melodía. La belleza infunde admiración; la gracia es cuna de la simpatía: y como la gracia es alma de la belleza, belleza y gracia dan nacimiento al amor. Viendo estoy ahora mismo con la imaginación una persona cuyos ojos me causan miedo; ese miedo que nos hace estremecer profunda y deliciosamente de anhelos vagos, los cuales no sabemos si son culpas o ambición de cosas celestiales. Música visible es la belleza; el amor es música desleída en afecciones que están hirviendo en el pecho al santo fuego de las Gracias.

("De la belleza en el género humano", *Siete Tratados*, París, 1883)

EUGENIO MARIA DE HOSTOS

1839-1903

América está colocada en donde está y ha llegado
a la Historia en el momento propicio en que ha
llegado, porque está llamada a ser el intermediario
universal del progreso humano, el modificador intelectual y moral de la civilización.

E. M. H.

En Mayagüez, Puerto Rico, nació el ilustre antillano que ha
merecido el título de "Ciudadano de América." Y lo fue, sin duda,
porque el peregrinar de sus anhelos y de su vida le llevaron por el
continente, para que todas las latitudes conocieran de su virtud y
de su pluma. Media docena de países le tuvieron en la cátedra, una
veintena de sus tratados enseñaron a un largo momento de nuestra
historia, y más de un centenar de periódicos americanos recogieron
sus escritos. Por la gran extensión de su escenario vital, pudo decir
en el término de sus viajes: "Yo no tengo patria en el pedazo de
tierra en que nació mi cuerpo; pero mi alma se ha hecho de todo
el Continente americano una patria intelectual, que amo más cuanto
más la conozco y compadezco."

La primera etapa en la vida de Hostos se enriquece en España.
Después de haber completado los primeros estudios en San Juan,
es enviado a Bilbao para terminar el bachillerato. Tenía doce años.
Hubiera querido hacerse artillero mas no logra vencer la oposición
paterna. A los diez y ocho se matricula en la Universidad Central
de Madrid, pero no termina la carrera de Derecho que había iniciado. Recibe allí, sin embargo, con los discípulos krausistas de
Sanz del Río, la preocupación por la enseñanza, que nunca le abandonará. En 1863 escribe su novela La peregrinación de Bayoán.
Muchos años después atacará —desde Moral Social— el género
literario en que expresara sus primeras emociones: "La novela es
necesariamente malsana," dirá en su anatema contra el Arte. "Lo es
dos veces; una, para los que la cultivan; otra, para los que la leen."
Pero allí quedaba su protesta, todavía pequeña, contra el sistema

colonial, y deja ver la preocupación por su propio destino: "Me pregunto," decía, "*por qué el mundo convierte el amor de la patria en una espina que nos punza sin cesar el corazón; me pregunto por qué me he visto yo obligado a separarme del rincón en que Dios quiso arrojarme, y en donde quiero yo vivir eternamente; pregunto por qué cambio por esta ansiedad, por el vacío que arranca de su sitio al corazón, la ignorada tranquilidad que allí gozaba, el sosiego, la paz, el abandono que mis campos, mis flores, mi retiro, mi soledad me daban."* Era que ya la conciencia se le había convertido en el campo de batalla donde luchaban contra España las mejores esperanzas de un pueblo.

Hostos había declarado: *"Más que al sentimiento de la patria, sirvo, al servirla, al de justicia."* Se entrega a la causa republicana de España, que logra triunfar con la Revolución de septiembre, en 1868. Las promesas que para las Antillas le habían hecho los hombres de la futura República, quedaron diluidas en cortos compromisos políticos. Indignado arranca, para siempre, a España de su corazón. Pasa por París, y se dirige a New York para sumarse a los esfuerzos cubanos que sostenían en su Isla la primera guerra de independencia. Reforzado el credo democrático con la organización política de los Estados Unidos, Hostos comprende que debe predicar, en toda la América, la razón de su causa: la necesidad continental de la independencia para Puerto Rico y Cuba.

Comienza entonces su extenso recorrido por Hispanoamérica. Primero visita Colombia; luego se establece en el Perú para defender desde la prensa a los explotados: escribe en La Sociedad sus ensayos: *"El chino," "El indio," "El cholo."* Años después, González Prada iniciaría su prédica indianista. En 1872 llega a Chile. Allí publica la Biografía crítica de Plácido y su magnífico estudio sobre Hamlet. El hospitalario país premia al desterrado antillano con las mejores pruebas de afecto, y concede el primer lugar, en un concurso nacional, a su artículo Chile.

Tanto ama a Cuba en sus actos y en sus escritos que, cuando llega a Buenos Aires en 1873, el periódico El Argentino, en su número del 26 de septiembre, dice: *"Hostos ha nacido en Cuba, nuestra hermana esclavizada, jadeante por el cansancio y enrojecida por la sangre de sagrados combates en busca de su emancipación."* Es que en cada ciudad visitada ha ido fundando la Liga de Auxilios para la independencia cubana, y ha dejado su encendida denuncia *contra España. La Argentina no puede retenerle más que hasta el siguiente año, aunque en Buenos Aires le ofrecen la cátedra de Filosofía en la Universidad.* "He venido a la América latina," dice, "con el fin de trabajar por una idea. Todo lo que de ella me separa, me separa del objeto de mi vida." *Sigue su peregrinación. Después de algunas semanas en Río de Janeiro, llega a New York a mediados de 1874. Allí continúa su campaña en favor de Cuba, a costa de horribles estrecheces económicas. Publica* La América Ilustrada *y se embarca en la expedición de patriotas cubanos que dirigía Francisco Vicente Aguilera. Hostos quiso ser militar, pero el destino le torcía su proyecto: esta vez le hizo naufragar casi iniciando el viaje.*

Se establece entonces en Santo Domingo y funda en Puerto Plata, el periódico Las tres Antillas. *Luego viaja a Venezuela. Desarrolla allí una intensa labor pedagógica, y se casa con la hija de un cubano desterrado. Le llega un momento de reposo en el que cristaliza su obra educacional. Dos años más tarde vuelve a la República Dominicana y es nombrado director de la recién fundada Escuela Normal. En la primera graduación de los que se van a dedicar a la enseñanza explica la razón de su obra. "Era indispensable formar un ejército de maestros que, en toda la República, militara contra la ignorancia, contra la superstición, contra el cretinismo, contra la barbarie." El frustrado artillero había encontrado las tropas que mejor sabía capitanear, y el campo de batalla para la acción.*

Desempeña también en Quisqueya otros cargos educacionales hasta 1888 en que es llamado por el gobierno de Chile para reorganizar la educación en aquel país. Había ya publicado Los frutos de la Normal (1881), Lecciones de derecho constitucional (1887), Moral social (1888). *Y tiene dictadas conferencias que formarán el* Tratado de Lógica, *la* Geografía Política e Histórica *y las* Nociones de la Ciencia de la Pedagogía. *Nueve años permanece esta vez en Chile. Junto a su labor de maestro sigue creciendo la obra escrita: en 1891 prepara la* Crisis constitucional de Chile, *en años sucesivos, los* Prolegómenos de Ciencia de la Historia, Historia y Geografía, Ensayo sobre la historia de la lengua castellana, Lecciones de Literatura *y las* Cartas Públicas acerca de Cuba.

Hostos siente que la guerra de España con los Estados Unidos está próxima, y quiere estar cerca para defender los intereses de su patria. En 1898 embarca hacia New York. Siguen meses de grandes decisiones durante los cuales orienta a su pueblo frente a la ocupación americana. Al entrevistarse con el presidente McKinley, escribe en su Diario, acerca de las gestiones que realiza por la "pobre Isla": "De todo esto no sacará otra cosa Puerto Rico que la satisfacción de saber que no se cierran las puertas de la Casa Blanca a sus voceros y emisarios." Pero no coincidieron del todo sus proyectos con los de Estados Unidos.

La intensa actividad que venía realizando dentro y fuera de su país, le separa demasiado de la familia. Además, está cansado; tiene sesenta años y sus "ejércitos" lo llaman desde la República Dominicana. Acepta dirigir allí la actividad docente y funda escuelas e institutos en aquella nación que ha sido su segunda patria. Sabe que "en toda la América Española el porvenir será de la nueva organización de la enseñanza"; a ella dedica sus últimas fuerzas: concibe un Proyecto general de enseñanza, redacta la Historia de la Pedagogía y deja sin terminar un estudio sobre la educación infantil.

El 11 de agosto de 1903 Cuba tiene cercenada su soberanía por la Enmienda Platt; Puerto Rico está ocupado por los Estados Unidos; la República Dominicana se desangra en revoluciones internas. Y Hostos muere con el sabor agridulce de la desilusión y la gloria. El gran cubano murió vestido de esperanza; este otro Martí, había ido muriendo, lentamente, por su América grande.

BIBLIOGRAFIA

I. EDICIONES

Obras completas. 21 Vols. La Habana: Cultural, s. a., 1939-1954.

Antología. Prólogo de Pedro Henríquez Ureña, Selección de Eugenio Carlos de Hostos. Madrid: Imprenta Juan Bravo, 1952.

Hostos. Prólogo y Selección de Pedro de Alba. México: Ediciones de la Secretaría de Educación Pública, 1944.

II. ESTUDIOS

Alba, P. de. " 'La moral social' de Eugenio María de Hostos," BUPan, Vol. LXXIII (1939).

América y Hostos. Colección de ensayos acerca de Hostos. Edición del Centenario del Natalicio de Eugenio María de Hostos (1839-1939). La Habana: Cultural, 1939.

Balseiro, José A. "Crítica y estilo literarios en Eugenio María de Hostos," RevIb, Vol. I, No. 1 (1939).

——————. "Eugenio María de Hostos," ALatPR, 16 de octubre, 1954.

——————, *Eugenio María de Hostos, Hispanic America's public servant.* Coral Gables, Fla.: University of Miami, 1949.

——————. "Hostos," MLJ, Vol. XVII (1933).

Blanco-Fombona, Rufino "Eugenio María de Hostos," CuC, Vol. IV (1914).

——————. (Prólogo) *Moral Social.* 9a. ed. New York: Las Américas Publishing Co., 1964.

Bosch, J. *Hostos, el sembrador.* La Habana: Editorial Trópico, 1939.

——————. *Mujeres en la vida de Hostos.* San Juan, Puerto Rico: Asociación de Mujeres Graduadas de la Universidad de Puerto Rico, 1938.

Carreras, Carlos N. *Hostos, Apóstol de la Libertad.* Madrid: Imprenta Juan Bravo, 1951.

Caso, A. "La filosofía moral de Hostos," *Conferencias del Ateneo de la Juventud.* México: Imprenta Lacaud, 1910.

"Centenario del sabio maestro e ilustre antillano Eugenio M. de Hostos," Clío, Vol. VII (1939).

148   CONCIENCIA INTELECTUAL DE AMERICA

Cestero, T. M. *Eugenio María de Hostos, hombre representativo de América.* Buenos Aires: Talleres Gráficos Rodríguez Giles, 1940.

Esténger, Rafael. *Sociopatía Americana.* Comentarios a Hostos. La Habana: Molina y Cía., 1939.

Eugenio María de Hostos (1839-1903) *Vida y obra. Bibliografía-Antología.* New York: Hispanic Institute, 1940.

Henríquez Ureña, Camila. "Las ideas pedagógicas de Hostos," REdTr, marzo, 1932.

Henríquez Ureña, Pedro. "Biografía mínima: Eugenio María de Hostos, 1839-1939," BICLA, enero-febrero, 1939.

—————. "Ciudadano de América," Nac, 28 de abril, 1934.

—————. "Hostos," LD, 29 de septiembre, 1903.

—————. "Hostos o la concepción sociológica de Hostos," Clio, abril, 1939.

—————. "Ideas pedagógicas de Eugenio María de Hostos," RFLCHabana, Vol. XXXIX (1929).

"Homenaje a Eugenio María de Hostos," ALatPR, Vol. IX, No. 165 (1939).

"Homenaje a Eugenio María de Hostos en el centenario de su nacimiento," CIBA, No. 336 (junio, 1939).

Hostos Adolfo de. *Indice hemero-bibliográfico de Eugenio María de Hostos* (1863-1940). La Habana: Cultural, S. A., 1940.

Hostos, B. de. *Eugenio María de Hostos íntimo.* Santo Domingo: Imprenta Montalvo, 1929.

Hostos, Eugenio Carlos de. *Eugenio M. de Hostos. Biografía y Bibliografía.* Santo Domingo: Imprenta Oiga, 1904.

—————. *Hostos, peregrino del ideal.* París: Ediciones Literarias y Artísticas, 1954.

Hostos hispanoamericanista. Colección de ensayos sobre E. M. de Hostos. Madrid: Imprenta Juan Bravo, 1952.

Lepervanche Parparcén, R. *Hostos.* Caracas: Editorial Bolívar, 1941.

Magdaleno, Mauricio. *Hostos y Albizu Campos.* San Juan: Editorial Puerto Rico Libre, 1939.

Meléndez, Concha. "Hostos y la naturaleza de América," RHM, Vol. V (octubre, 1939).

O'Neill, Luis. *Eugenio María de Hostos.* San Juan, P. R.: Imprenta del Gobierno Insular, 1950.

Pedreira, Antonio Salvador. "El maestro Eugenio María de Hostos," UDLH, Vol. VIII, No. 22 (1939).

—————. "El pensamiento político de Hostos," RevIb, No. 1 (1939).

————. *Hostos, ciudadano de América.* Madrid: Espasa-Calpe, 1932.

————. "Hostos y Martí," RBC, noviembre-diciembre, 1930.

Rodríguez Demorizi, E. *Camino de Hostos.* Ciudad Trujillo: Imprenta Montalvo, 1939.

————. *Hostos en Santo Domingo.* Ciudad Trujillo: Imprenta J. R. Vda. García Sucs., 1939.

————. *Luperón y Hostos.* Ciudad Trujillo: Imprenta Montalvo, 1939.

Roig de Leuchsenring, Emilio. *Hostos, apóstol de la independenciu y de la libertad de Cuba y Puerto Rico.* La Habana: Cuadernos de la Historia Habanera, 1939.

————. "Hostos y Martí, dos ideologías antillanas concordantes," RBC, Vol. XLIII (1939).

Tojada, Francisco Elías de. *Las doctrinas políticas de Eugenio María de Hostos.* Madrid: Editorial Cultura Hispánica, 1949.

EL DIA DE AMERICA

Hoy, doce de octubre, es cumpleaños del Nuevo Continente.

Hoy hace tantos años cuantos van transcurridos desde el doce de octubre de 1492 hasta este día, que nació el Nuevo Mundo para la Historia de la Civilización y de la humanidad occidental.

En aquellas horas indecisas de la noche que convienen a la consumación de un acontecimiento extraordinario, porque simbolizan el tránsito de un día a otro día, distinguió en el espacio el ojo seguro de Colón, la luz que su razón profética había estado viendo en la soledad de la creencia combatida.

La luz afirmaba una realidad; la realidad científica que Colón había sostenido en vano: *La Tierra es redonda.*

Si no hubiera sido por esa convicción científica, el navegante genovés no hubiera emprendido su pavoroso viaje, ni llegado a un término de viaje tan incalculablemente superior al que se había propuesto, como era superior a la noción teológica del mundo, la noción positiva que lo había impulsado, sostenido y dirigido.

Sí: la Tierra era redonda como es, y por eso llegó Colón a donde no pensaba. Partiendo de oriente hacia occidente la misma redondez del planeta le hubiera llevado a la parte de oriente que buscaba: Colón había calculado bien, y sin duda alguna habría llegado a la India, si entre el punto de partida y el de término no hubiera habido un continente. Mas como, a pesar de Colón y los cosmógrafos, que creían un tercio menos de lo que es en realidad el diámetro de la Tierra, podía caber un continente en el espacio que el error de ellos suprimían, América estaba en su puesto y cortaba el paso al navegante.

Así fue como su fe en una verdad científica hizo a Colón el descubridor de dos trascendentes realidades; la una, el diámetro verdadero del planeta; la otra, el mundo nuevo que tantas verdades estaba llamado a proclamar, tantas novedades llamado a establecer, con tanta ciencia llamado a mejorar el orden material, con tanta cantidad de conciencia llamado a transformar el orden político y social.

Mañana, cuando esa nación de Europa se apodere del centenario del Descubrimiento para hacer alardes a que tan propicias son la vanidad y la necedad de las naciones, estallará sin duda en el mundo de los propagadores de ruido, aquel siempre póstumo, siempre tardío concierto de alabanzas que recompensa en la Historia los sacrificios de una vida: tiempo será entonces de hacer de Colón lo que no fue: hoy nos baste pensar de su grandeza que fue tanta, que nos dio un mundo nuevo cimentado en la Verdad. Y tomando como base de juicio la idea de que el descubrimiento de América se debe a la Verdad, consagremos el aniversario del nacimiento a pedir rápida cuenta del empleo de su vida a nuestra patria inmensa.

I

Lo primero que la historia del Continente nos señala con su índice, es la diferencia de vida resultante de la diferente aplicación de la Verdad, que se ve en la formación, desarrollo y existencia de las dos grandes porciones que geográfica e históricamente lo constituyen.

Mientras la una empieza por adoptar el régimen municipal y regional que conviene a una soberanía más exacta que la establecida en Europa, la otra fracción se somete a todos los errores políticos y administrativos que importó de Europa. En tanto que la una continúa la evolución del libre examen hasta llegar con los católicos de Maryland a la libertad de cultos y con los disidentes de Rhode Island a la separación de las órdenes temporal y espiritual, la otra fracción obedeció tan pasivamente a la contrarrevolución religiosa y filosófica, que ni siquiera se espanta de que le traigan la Inquisición. Al paso que la una rompe la atadura que embarazaba su desarrollo, y el mundo le es deudor de la democracia representativa, la más elevada concepción política y el régimen jurídico más poderoso a que los hombres han llegado, la otra fracción se hace independiente de una metrópoli incapaz, para hacerse dependiente de los errores políticos en que la había imbuido el coloniaje, y de las incoherencias doctrinales que resultaban alternativa o simultáneamente de la mala influencia de la Revolución Francesa y de la mal aprovechada influencia de la Revolución Americana. Una fracción, pensando en los deberes y en las responsabilidades de su desarrollo, reacciona previsoramente contra el exclusivismo, sacrifica leyes, instituciones, costumbres, modos ya tradicionales de su existencia colonial, y fabrica en la Federación la unidad nacional más extensa, más vigorosa, mejor articulada y más llena de fuerza orgánica que tiene el mundo: la otra fracción rompe la unidad tradicional a que durante más de tres siglos había vivido sometida, y en vez de labrar con ella la base de una existencia una y varia, nacional y regional, fabrica una porción de nacioncitas sin vigor, que están predestinadas por su propio origen y por la misma necesidad de su existencia colectiva, a pasar por vicisitudes perturbadoras, antes de encontrar la base de equilibrio y de reposo que en el primer momento malograron.

II

No obstante la diferencia de conducta, desarrollo y carácter que se patentiza en la vida particular de cada una de las fracciones del Continente, comunes a ambos son los más trascendentales beneficios que debe la Humanidad al descubrimiento del Nuevo Mundo, puesto que del nacimiento de ese mundo nuevo se han derivado las transformaciones que desde entonces ha estado realizando la Civilización.

Si oportuno es este aniversario para indicar severamente las faltas de la gran vida colectiva que empezó en 1492, oportuno sea para enumerar con sobrio regocijo los bienes con que nuestro Continente de Colón ha contribuido al desenvolvimiento físico e intelectual de la Humanidad.

Así completaremos el examen de conciencia con que debemos consagrar éste y todos los grandes días de la patria continental.

III

En el momento de aventurarse el Descubridor en las "tinieblas" del Atlántico,[1] este camino de la civilización yacía desierto. La humanidad no había sabido utilizar la fuerza civilizadora que, en el plan de la naturaleza, era él, como son todos los océanos. Tan pronto como Colón lo recorrió, el Atlántico fue un elemento de civilización. Este, el primero de los grandes beneficios con que saludó América a la Historia, desde el primer momento equivalió a un aumento de fuerza física para la Humanidad.

La aplicación, en grande escala, de la brújula, que sólo había

---

[1]   Los contemporáneos de Colón llamaban "mar tenebroso" al Atlántico, y las supersticiones que suscitó ese nombre fue una de las luchas que tuvo Colón que sustentar.

servido para tímidas experiencias de los chinos y para ineficaces experimentos de los mareantes del Mediterráneo; el examen de la desviación de la brújula, que sustancialmente equivalió al descubrimiento del Polo magnético; la forma esferoidal del planeta y su diámetro efectivo, beneficios inmediatos son que, con sólo nacer para la Historia, hizo a la ciencia el Nuevo Continente. Y como todas las varias consecuencias, así del orden material como intelectual, así sociales como religiosas, que han tenido en la vida humana aquellas verdades, son bienes reales para el Hombre, bienes han sido y son que debe a América.

La afectividad no debe a continente alguno el noble desarrollo y la portentosa cantidad de materia poética y estética que debe al Mundo Nuevo, donde una raza inocente es víctima de su inocencia en las Antillas; donde una raza, generosa por realmente valerosa, perece, defendiendo su inteligente civilización, en Méjico; donde una raza benévola llora todavía, en las altiplanicies de los Andes bolivianos y peruanos, la asombrosa civilización a que quichúas y aymarás habían llegado bajo la conducta de los Incas; donde el prototipo del aborigen, el nobilísimo araucano, personifica con épico heroísmo la fuerza de resistencia opuesta a la invasión de hombres, instituciones, costumbres y gobiernos desconocidos, junto con la rápida apropiación de medios y recursos de ofensa y de defensa, para sostener su inquebrantable independencia.

El arte, que sigue en Europa manoseando formas viejas y manipulando estrechos moldes, tiene en la ante-historia, en el Descubrimiento, en la Conquista, en el Coloniaje, en la Independencia, en la variedad de razas, en la diversidad de tipos, en la compenetración de lo nuevo por lo viejo, en la transformación de lo viejo por lo nuevo, en la grandeza imponente del escenario y en el espíritu nuevo del actor, los elementos de una lírica descriptiva y subjetiva; de una dramática social o familiar, de una épica narrativa o filosófica que, una vez reunidos e incorporados por cultivadores profundos de cada una de esas ramas de la poesía, darán a la dulce admiración del mundo y a la plácida complacencia de la humanidad futura, una poesía completa, no sólo porque recorrerá toda la variedad de formas y toda la variedad de géneros, sino porque la materia poética que está obligada a manejar y transformar, por ser más humana, es más universal.

Tres razas madres, la autóctona, la conquistadora y la africana, han regado con su sangre el Continente y han peleado y pelean en él la durísima lucha de la vida; y las otras dos ramas de la especie humana que en un principio no habían tomado parte en las agitaciones de nuestra vida, vienen, representadas por el *paria* de la India (el coolie) y por el desheredado de la China, a poblar de lamentos nuestra atmósfera. Los dolores de la raza aborígena, exterminada en las Antillas, peor que exterminada, envilecida y azotada en el Continente, desde los hielos del Canadá y las praderas del Far West hasta las soledades del Amazonas y las pampas de la Patagonia; las inquietudes de la raza civilizadora, responsable de una nueva civilización en el Norte, enferma de pasado en Centro y Sur; las angustias de la raza etiópica, así cuando gime bajo el látigo y la cadena del esclavo, como cuando la hacen solidaria de una civilización que no comprende; las agonías del *paria* y del chino, condenados a incesante trabajo, como la hormiga, y sañudamente perseguidos porque desarrollan en su trabajo barato las virtudes de la hormiga, no piden otra cosa que un alma verdadera de poeta, que condense en su sollozo el vario lamentar de esa humanidad adoptada por América, para producir la lírica más bella, más profunda, más racional y más humana.

La dramática miseranda que los dramaturgos europeos están reduciendo a crítica rimada de las malas costumbres europeas o a comentarios versificados de artículos de códigos penales, nacerá más persuasiva, más convincente, más ejemplar que fue en boca de los grandes poetas cómicos de China, Grecia, Roma, España, Francia, Inglaterra y Dinamarca: más lúgubre y patética que la hicieran Esquilo o Shakespeare, cuando haya en el Continente un poeta tan profundamente objetivo que reproduzca exactamente la completa realidad social del Continente; y tan noblemente subjetivo, que cuando salgan los personajes a la escena, se vea que salen de su conciencia.

Sin duda fueron grandes motivos épicos la evolución de la raza helénica que Homero o los homéridas cantaron; sin duda que fue grande el prototipo nacional que cantó el épico de Roma; sin duda que Allighieri, al consignar en su *Divina Comedia* las evoluciones luctuosas de la Edad media de Italia, consagró el pensamiento épico de una edad entera; sin duda que las luchas de las dos personificaciones soberanas del mal y el bien fueron una concepción épica tan sublime como el sublime ciego que le dio forma en *Paradise Lost;* sin duda que Klopstok acertó con una de las transformaciones más épicas de la sociedad occidental, cuando concibió y dio cima a la *Cristiada;* sin duda que los dos poemas dramáticos, de Goethe el más bello, de Byron el más épico, corresponden a la misma épica congoja del espíritu individual en todo tiempo; sin duda que, por encima de todos esos poemas, se levanta, como en la soledad ardiente del desierto líbico se eleva la pirámide de Cheops, aquella construcción monumental del Ramayama o aquella colosal conglomeración épica del Mahabarata; pero un día será cierto en la Historia de la Literatura universal, que el Descubrimiento, la Independencia, la vida compendiada de toda la humanidad en América y el ideal americano de una civilización universal, son elementos épicos tan superiores a todos los utilizados por los poetas épicos de Europa y Asia, como es más humana, más extensa, más completa la vida del Nuevo Continente.

Ya, aún sin llegar a completo desarrollo el embrión poético de América, Heredia, Bello y Matta, han comprendido la lírica descriptiva, como ningún europeo contemporáneo; Longfellow, Guido Spano y J. J. Pérez se han lanzado a la verdadera fuente de inspiración lírica, a llorar los dolores de la familia humana avecindada en América o nacida en ella; Olmedo encontró una personificación épica de América; y Ercilla, el buen Ercilla, la mejor personificación de las virtudes del carácter ibérico, empezó a realizar en la *Araucana,* la más justiciera de todas las concepciones épicas, uno de los fines que el poema debe realizar, no el endiosamiento de una familia humana, sino el entronizamiento de la justicia.

IV

Los servicios que, con sólo ser venero de materia poética y estética, ha hecho a las Bellas Artes el Nuevo Continente, no pueden todavía pesar tanto en la gratitud del mundo, como los servicios que le ha hecho con la aplicación del vapor al movimiento, con la aplicación de la electricidad a la comunicación del pensamiento y los sentidos, o con la omnímoda aplicación de las ciencias a las artes de la vida, y es natural que estos servicios materiales sean mejor apreciados que aquellos servicios intelectuales y morales. Pero lo incomprensible es que no sean en general bien apre-

ciados los dos mayores beneficios que el Nuevo Continente ha hecho
al porvenir de la Humanidad.

Esos dos beneficios, complemento el uno del otro, coinciden
tan exactamente con el probable destino del Hombre en el planeta
y con la secular tendencia de su naturaleza, que harán de América
el centro de gravedad del mundo, el fundamento de todas las civilizaciones, el seno común de la Humanidad del porvenir.

Esos dos beneficios son el descubrimiento del océano Pacífico
y el descubrimiento de la Federación.

El descubrimiento del Pacífico fue como un símbolo de la
vida; la Federación fue como la expresión orgánica del símbolo.
El camino del Pacífico era el camino del ideal americano; la fusión
de las razas en una misma civilización. La Federación era la meta
del ideal del Nuevo Mundo; la unión de todas las naciones.

Sean todos los doce de octubre, día de conmemoración de ese
ideal.

(Obras Completas, Vol. X: La Cuna de
América. La Habana, 1939)

AYACUCHO

Cuando el tiempo haya pasado por encima de la leyenda, y
destruídola; cuando al irreflexivo vivir de sociedades que se forman,
haya sucedido el vivir reflexivo de sociedades ya formadas; y los
hombres y las ideas, los acontecimientos y los principios, los medios y los fines, las causas y los efectos tengan el valor limitado que
la razón colectiva les dará, en vez del ilimitado, exclusivo, apasionado e inseguro que les da la fantasía individual; cuando empiece
para la América colombiana la existencia completa, de total desarrollo de sus fuerzas físicas morales y mentales; de armónica consideración de su pasado, su presente y su futuro; en pocas palabras,
cuando pueda haber historia de América, Ayacucho será más que
una gloria, será un servicio.

Dejará de ser una gloria de estos pueblos para ser un servicio
de la humanidad. Dejará de ser un hecho para ser un derecho. Dejará de ser una promesa, para ser un compromiso.

I

El ideal cristiano no cabía en la unidad católica, y la rompió. El ideal social no cabía en la unidad monárquica, y la rompió. El ideal del progreso no cabía en la unidad territorial, y la rompió. Cada uno de estos rompimientos era una necesidad, es una gloria, y será un adelanto del espíritu humano. A cada uno de ellos ha correspondido una revolución, una evolución y una conquista. El sentimiento religioso produjo la revolución protestante en Alemania, en los Países Bajos, en Suecia, en Inglaterra y Francia; la evolución filosófica de las sociedades europeas, la conquista de la independencia para la conciencia y la razón universal. El rompimiento político produjo la revolución inglesa y la Revolución Francesa, la evolución de la sociedad europea hacia un estado social basado en el trabajo, en la justicia y en la libertad; la conquista de los derechos individuales. El rompimiento territorial produjo una revolución colonial en Norte América y otra revolución colonial en Sur América; la evolución de las sociedades coloniales hacia la posesión absoluta de sí mismas; la conquista de la independencia territorial, la política y social.

Los rompimientos europeos eran una necesidad, porque sin libertad no hay vida, y, esclavitud en su conciencia, en su voluntad y en sus afectos, Europa moría encerrada en las tres unidades de religión, de rey y de régimen despótico. Son una gloria, porque todos ellos han ejercitado las facultades más activas, los sentimientos más generosos, la voluntad más sana de los pueblos.

Serán un progreso, porque de todos ellos se producirá, se está produciendo una humanidad más inteligente, más concienzuda, más moral.

Los rompimientos americanos eran una necesidad, porque sin independencia no hay dignidad, y América moría en la indignidad de una dependencia sofocante.

Son una gloria, porque todos esos rompimientos han puesto en actividad las fuerzas poderosas, los deseos sacrosantos, las ideas reformadoras de una humanidad más joven, sana, renovadora, que ha traído nuevos factores a la sociedad, nuevos principios a la moral, nuevos problemas a las ciencias políticas y naturales, nuevos estímulos a la civilización, nueva savia a la vida universal.

Serán un progreso, porque el día en que esos rompimientos

hayan elaborado las consecuencias radicales que buscaban, la civilización fijará sus reales en el Nuevo Continente, y siendo esa civilización más completa, más humana, por ser más completa, la humanidad vivirá mejor que ha vivido, la ciencia tendrá más horizontes que descubrir, la conciencia más leyes que acatar.

II

Para romper la cadena que ligaba una sociedad naciente a otra sociedad agonizante; para hacer dueños de Colombia a los colombianos; árbitro de su destino al continente colombiano; posesión de la industria y del trabajo libre a la tierra esclavizada; tribunal de su fe a la conciencia individual; juez de todo, hombre sin Dios, naturaleza y sociedad, a la razón humana; organismos de derecho a la libertad individual, organismo de libertades al derecho social y nacional; sistema científico a las instituciones políticas, administrativas y económicas; sistema filosófico a las instituciones sociales y morales; para unir a todas las razas en el trabajo, en la libertad, en la igualdad y en la justicia; para ligar todos los pueblos de una raza, de una lengua, de una tradición, de unas costumbres, para eso fue Ayacucho.

III

Ayacucho no es el esfuerzo de un solo pueblo; es el esfuerzo de todos los pueblos meridionales del Continente; no es el resultado de una lucha parcial, es el resultado de una lucha general; no es la victoria de un solo ejército, es la victoria de todos los ejércitos sudamericanos; no es el triunfo militar de un solo capitán, es el triunfo intelectual de todos los grandes capitanes, desde la fantasía fascinadora que se llamó Bolívar hasta la conciencia impasible que se llamó San Martín; no es el campo de batalla de peruanos y españoles, es el campo de batalla de América y España, no es la colisión de dos contrarios, es la última colisión de un porvenir contra otro porvenir, no es la batalla de una guerra, es la batalla decisiva de una lucha secular.

A los ojos de una historia filosófica, Ayacucho empezó en 1533. A los ojos de la crítica, Ayacucho empezó en 1810. Sólo a los mal abiertos de la narrativa empezó y acabó el 9 de diciembre de 1824.

1533-1810-1824, tres cifras que compendian la historia colonial de Sur América; proporción aritmética que sintetiza una proporción social, política, moral e intelectual. 1533 es a 1810, como 1810 es a 1824, porque la conquista aniquiladora debía producir una revolución proporcional a ella, y la revolución debía un triunfo proporcional a sus inmensos fines.

La civilización, que necesitaba más espacio, descubrió un nuevo mundo. Entregó a España medio mundo, y en vez de civilizarlo, de educarlo, de prepararlo para su altísimo destino, España lo oprimió. Esta es la historia de 1533 a 1810. El progreso, que por medio del vapor, iba a disminuir el espacio, y por medio de la electricidad iba a anularlo, necesitaba sociedades nuevas para impulsos nuevos; y reconquistó de España el medio mundo que erróneamente le había confiado.

La historia que empieza en las aventuras de Ojeda, de Pinzón, de Juan de la Cosa y de Ponce de León; en el épico descubrimiento del Pacífico; en el incendio heroico de las naves y en las dramáticas astucias de Tlascala; en el pacto ridículo-sublime de Pizarro, Almagro y Luque, dos soldados, un fraile y ningún hombre; en la escena grandiosa de la isla del Gallo; en la sangrienta traición de Cajamarca; en la exploración monumental de Gonzalo Pizarro; en el descubrimiento casual de Valdivia; en la matanza universal de indios, en la feroz imposición de una creencia; en la voraz avidez de plata y oro; en el quinto real, en los diezmos, en la capitación, en la mita, en las encomiendas, en los acotamientos, en las misiones, en la substitución del esclavo indio con el africano esclavo, en el privilegio de castas, en el monopolio de empleos y funciones; la historia que empieza en la lucha latente de todos los elementos sociales, que es igual a sí misma desde 1492 hasta 1870, siempre opresión, siempre opresión, siempre opresión, debía producir una revolución total y un triunfo universal.

Produjo la revolución total. Desde Méjico hasta Chile, desde el Plata al Orinoco, desde el Misti al Chimborazo, desde Bogotá hasta Guatemala, desde el territorio que pueblan los *mosquitos* hasta el que recientemente ha inmortalizado el heroísmo de la raza guaraní.

Produjo el triunfo universal. De naciones, de razas, de principios, de derechos, de moral, de justicia, de igualdad, de libertad.

Y para que las cifras correspondan absolutamente al movimiento que simbolizan, y para que las consecuencias de 1824 equi-

valgan a los principios de 1810 y a la premisa de 1533, el triunfo
fue en un día, en un lugar y para todos, como de todos había sido
en trescientos lugares y en trescientos años de opresión.

IV

Ayacucho es, pues, más que una gloria de estos pueblos, más que
en servicio hecho al progreso, más que un hecho resultante de otros
hechos, más que un derecho conquistado, más que una promesa
hecha a la historia y a los contemporáneos de que los vencedores
en el campo de batalla eran la civilización contra el quietismo, la
justicia contra la fuerza, la libertad contra la tiranía, la república
contra la monarquía; Ayacucho es un compromiso contraído por
toda la América que dejó de ser española en aquel día.

Venezolanos y argentinos, neogranadinos y peruanos, ecuatorianos y chilenos, mejicanos y antillanos, llaneros, gauchos, pas-
tusos, cholos, federalistas, unitarios, conservadores, radicales, los
combatientes del primer día en Angosturas, en Carabobo, en Casa-
nare, en San José, en Cataguata, en San Lorenzo; los combatientes
de los últimos días, en Ríobamba, en Pichincha y en Junín, cuantos
elementos etnográficos, políticos, militares y morales constituían la
sociedad americano-colombiana, todos estuvieron unidos, confundidos, hermanados en la hora suprema de Ayacucho: todos derramaron
su sangre generosa, todos tomaron el paso de triunfadores, en nombre de la independencia de *toda* la América latina, y a la voz de
un sentimiento unánime: la unión perpetua de los pueblos aliados
por la desgracia y la victoria. Si nadie hubiera dicho en aquel día
que aquella primera aurora de la independencia era también la primera de la confederación, el mundo y la historia, la necesidad y
el interés lo habrían dicho.

Los dos pueblos que empezaron la tarea gloriosa, antes de
concluirla para sí, la emprendieron en favor de sus hermanos. Aún
no era independiente Venezuela, cuando ya combinaba sus fuerzas
con las de Nueva Granada, y, después de aniquilar las españolas
y al partido peninsular, que se rehacían, emprendió su marcha
triunfal hacia Caracas. Aún era insegura la independencia de las provincias unidas de la Plata, cuando ya los granaderos de a caballo y
los artilleros de los Andes acompañaban desde Cuyo a los emigrados
chilenos, y en Chacabuco y en Maipú, les devolvían la patria.

¿En qué pensaban los dos hombres más poderosos que creó la revolución? En la revolución total de todos los pueblos colombianos y en la unión como efecto de la lucha.

Cuando los más firmes vacilaban, y toda Venezuela sometida se abandonaba al dolor de una impotencia, los pocos que huían con Bolívar, declararon demente al grande hombre. ¿Por qué? Porque fijo su espíritu en el fin predominante, se olvidaba del presente por antever el porvenir, y desde aquellos días tenebrosos, vislumbraba los radiantes días en que, emancipadas del yugo común por su común esfuerzo, todas las sociedades colombianas, todos sus gobiernos formaran una liga permanente.

Cuando alboreaban para él los días de triunfo, ¿por qué se sustrajo San Martín al triunfo, y dimitió el mando del ejército argentino, y se retiró a Cuyo, y vivió en solitaria incubación de su ideal? Porque aquel espíritu sano, quizá el más sano de cuantos produjo aquella revolución desinfectante, buscaba el triunfo de su idea, pensaba en América más que en sí, quería la dilatación de Buenos Aires a Chile y al Perú, y comprendía, como Bolívar, que sólo la independencia de todos era seguridad para la independencia de cada uno de los pueblos, que sólo de la unión de todos ellos surgirían la estabilidad, la libertad y la paz.

¿Por qué se confederaron Venezuela, Nueva Granada y el Ecuador? ¿Por qué se ligaron el Perú y Bolivia? ¿Por qué se unieron las cinco repúblicas centrales?

¿Qué grande hombre, estadista o guerrero, poeta o pensador, produjo aquella salvadora convulsión, qué grande hombre, para quien no fuera ideal el más amado la confederación de los gobiernos y de todos los pueblos colombianos?

¿A qué voz del sentimiento, a qué estímulo del pensamiento respondían más enérgicamente estos pueblos, que al estímulo y a la voz persuasiva de la unión?

La misma Europa, que apenas se había incorporado en su lecho de espinas para celebrar y venerar el movimiento de estas sociedades, ¿por qué se electrizó con la electricidad que comunica toda idea sublime, cuando oyó que los pueblos recién desuncidos del yugo español se congregaban para pactar su unión en Panamá? Porque la idea salvadora de la unión era sublime, porque el hecho que el Congreso realizaba era sublime.

V

Y sin embargo, hoy, 9 de diciembre de 1870, cuarenta y seis años después de la batalla de América contra España, el triunfo de aquella batalla no es completo, el compromiso contraído en el campo de Ayacucho por todos los pueblos en él representados, no se ha cumplido todavía. ¡Todavía no hay una Confederación Sudamericana! ¡Todavía hay pueblos americanos que combaten solitariamente contra España! ¡Todavía hay repúblicas desgarradas por las discordias civiles! ¡Todavía no tienen fuerza internacional las sociedades y los gobiernos colombianos! ¡Todavía puede un imperio atentar alevemente contra Méjico! ¡Todavía puede otro imperio destrozarnos impunemente al Paraguay!

En tanto que esto suceda, imperativamente os lo ordena la conciencia americana, celebradores de Ayacucho, no, no celebréis la victoria sacrosanta.

Enlazados los pueblos que ella creó definitivamente, encaminándose unidos hacia el porvenir, tienen derecho; separados, ¡no! Aquella no fue la victoria de una u otra parcialidad del Continente, fue la victoria suprema de toda la América, y sólo cuando la política obedezca a la geografía, la realidad a la necesidad, la consecuencia a la premisa, sólo entonces será lógico el sagrado regocijo.

Entonces el Continente se llamará Colombia, en vez de no saber como llamarse; en vez de ser la patria de peruanos, chilenos, argentinos, mejicanos; cada república, independiente en sí misma, concurrirá con todas las demás al gobierno internacional de todas, y el poder exterior que no ha logrado crear la fuerza individual de cada una de las naciones constituidas, lo impondrá eficazmente la fuerza colectiva.

Entonces, cumplido el compromiso, será un derecho el aniversario de Ayacucho; entonces, la historia vigilante, contemplando en la confederación permanente de la paz el resultado de la confederación momentánea de la guerra, verá que es buena, e inscribirá la fecha de Ayacucho entre las solemnidades de la religión infalible del progreso.

(El Nacional, Lima,
9 de diciembre de 1870)

EL CHOLO

El Nuevo Mundo es el horno donde han de fundirse todas las razas, donde se están fundiendo.

La obra es larga, los medios lentos; pero el fin será seguro. Fundir razas es fundir almas, caracteres, vocaciones, aptitudes. Por lo tanto, es completar. Completar es mejorar.

La ciencia que se ocupa de las razas, Etnología, está dividida en dos campos: el de los pesimistas y el de los optimistas. Como de costumbre los pesimistas son tradicionalistas, autoritarios, protestantes del progreso. Los optimistas son racionalistas, liberales, creyentes del progreso.

Los etnólogos pesimistas sostienen que fundir es pervertir; fusión de razas, perversión de razas. Se funden los elementos malos —dicen.

Los etnólogos optimistas afirman que fusión es progresión. Se funden los elementos buenos —aseguran.

El efecto producido fue de vivo interés.

Era indudable que aquel hombre era el tipo de un cruzamiento, el ejemplar de una mezcla, el producto de dos razas.

¿En dónde estaban las razas productoras de él?

Me fijé en el alma de la cara; me fijé en los ojos. Perplejidad completa. El ojo negro es común a los indios y blancos. Pero si los ojos son el alma de la cara y el alma es expresión del individuo, en esos ojos, negros como los ibéricos —me dije—, debe haber algún distintivo. Lo había; la mirada, melancólica, como la vida soñadora de los pueblos primitivos, como las ideas de los pueblos conquistados, como los sentimientos de las naciones que lloran grandezas, ya pasadas, era símbolo vivo de la raza indígena. Aquella mirada contaba, sin saberlo, la historia desesperante de los indios. La raza india predominaba en los ojos.

Los primeros argumentan en hechos arbitrarios. Hacen abstracción de circunstancias sociales y políticas, aíslan al hombre de las influencias físicas, morales e intelectuales que pesan sobre él, y triunfan de la irreflexión, gritando: "Los mestizos son débiles de cuerpo y alma dondequiera que hay mestizos".

Un etnólogo racionalista argumenta con la razón. Prescinde del hecho del momento, lo atribuye a las circunstancias que lo determinan, lo liga a las influencias, sociales, políticas, económicas, morales, que lo crean, y triunfan de la reflexión diciendo: "Los mestizos serán, aunque hoy no sean, el conjunto de fuerzas físicas y morales de las razas madres".

América deberá su porvenir a la fusión de razas; la civilización deberá sus adelantos futuros a los cruzamientos. El mestizo es la esperanza del progreso.

Y al primero que vi, lo contemplé con aquella reverencia cariñosa que tiene mi alma para todo lo que puede ser un bien. El primero que vi era un cholo recién exportado de la sierra. Era un hombre como los mil que se ven por esos valles. Estatura regular, musculatura enérgica, cráneo desarrollado, frente ancha, ojos intensamente negros, pómulos salientes, nariz aguileña, boca grande, cabellera abundante, barba rara, color bronceado, actitud indecisa entre humilde y soberbia; aspecto agradable. No era bello pero era sano.

¿Cuál de las dos predominaba en la frente? La raza europea. El ángulo facial del indio es más agudo, los senos de su frente menos bastos, la depresión de sus sienes es mayor.

El indio reaparecería en los pómulos. En la nariz, el europeo. El color denunciaba la raza americana; el contorno del cráneo, a la caucásica.

Estaba inquieto.

En todo problema social busco yo el triunfo de la justicia: no concibo el triunfo de la justicia en el Nuevo Continente sino mediante la rehabilitación de la raza abrumada por la conquista, envilecida por el coloniaje, desamparada por la Independencia, y esa rehabilitación me parece imposible en tanto que la fusión no dé por resultado una raza que, poseedora de la inteligencia de los conquistadores, tenga también la sensibilidad de los conquistados y aquella voluntad intermedia, enérgica para el bien, pasiva para el mal, producto de una gran inteligencia y una gran sensibilidad que puede darse por la fusión de los caracteres definitivos de las razas europeas y la americana.

Para mí, el cholo no es un hombre, no es un tipo, no es el ejemplar de la raza; es todo eso, más una cuestión social de porvenir.

Si el cholo, en el cual predominan las cualidades orgánicas de la raza india, la gran cualidad moral de esa noble raza, abatida pero no vencida por la conquistadora, abrumada pero no sometida por el coloniaje, desenvuelve la fuerza intelectual que ha recibido de la raza europea, el cholo será un miembro útil, activo, inteligente, de la sociedad peruana; mediador natural entre los elementos de las dos razas que representa, las atraerá, promoverá aún más activamente su fusión, y la raza intermedia que él anuncia, heroicamente pasiva como la india, activamente intelectual como la blanca, alternativamente melancólica y frívola como una y otra, artística por el predominio del sentimiento y de la fantasía en ambas razas, batalladora como las dos, como las dos independiente en su carácter, formará en las filas del progreso humano, y habrá reparado providencial las iniquidades cometidas con una de sus razas madres.

Entonces, los cholos, sin dejar de ser aptos para la guerra justa, dejarán de ser instrumentos de guerra; sin dejar de ser sencillos, dejarán de ser esclavos de su ignorancia y candor.

Entonces no se regalarán cholos como se regalan chotos, y el hijo de un hombre será más respetado que el de un toro.

Para eso ¿qué debe hacerse?

Lo que siempre, seguir a la naturaleza.

Ella ha mezclado las cualidades orgánicas, morales y mentales, de tal modo y en tales proporciones, que el producto de las razas cruzadas tenga todos los elementos buenos de ambas; pero el carácter interior y el aspecto exterior de la raza que más ha padecido.

Educar, desarrollar por la educación esas cualidades, secundar los esfuerzos de la naturaleza, preparar para su próximo destino al que ha de ser pueblo de esta sociedad, ése es el deber.

Hoy no se cumple.

(*La Sociedad*, Lima,
23 de diciembre de 1870)

LA EDUCACION CIENTIFICA DE LA MUJER

Al aceptar nuestra primera base, que siempre será gloria y honra del pensador eminente que os la propuso y nos preside, todos vosotros la habéis meditado; y la habéis abarcado, al meditarla, en todas sus fases, en todas sus consecuencias lógicas, en todas sus trascendencias de presente y porvenir. No caerá, por lo tanto, bajo el anatema del escándalo el tema que me propongo desarrollar ante vosotros: que cuando se ha atribuido al arte literario el fin de expresar la verdad filosófica; cuando se le atribuye como regla de composición y de críticas el deber de conformar las obras científicas a los hechos demostrados positivamente por la ciencia, y el deber de amoldar las obras sociológicas o meramente literarias al desarrollo de la naturaleza humana, se ha devuelto al arte de la palabra, escrita o hablada, el fin esencial a que corresponde; y el pensador que en esa reivindicación del arte literario ha sabido descubrir la rehabilitación de esferas enteras de pensamiento, con sólo esa rehabilitación ha demostrado la profundidad de su indagación, la alteza de su designio, y al asociarse a vosotros y al asociaros a su idea generosa, algo más ha querido, quería algo más que matar el ocio impuesto: ha querido lo que vosotros queréis, lo que yo quiero; deducir de la primera base las abundantes consecuencias que contiene.

Entre esas consecuencias está íntegramente el tema que desenvolverá este discurso.

Esta Academia quiere un arte literario basado en la verdad, y fuera de la ciencia no hay verdad; quiere servir a la verdad por medio de la palabra, y fuera de la que conquista prosélitos para la ciencia, no hay palabra; quiere, tiene que querer difusión para las verdades demostradas, y fuera de la propaganda continua no hay difusión; quiere, tiene que querer eficacia para la propaganda, y fuera de la irradiación del sentimiento no hay eficacia de verdad científica en pueblos niños que no han llegado todavía al libre uso de razón. Como el calor reanima los organismos más caducos, porque se hace sentir en los conductos más secretos de la vida, el sentimiento despierta el amor de la verdad en los pueblos no habituados a pensarla, porque hay una electricidad moral y el sentimiento es el mejor conductor de esa electricidad. El sentimiento es facultad inestable, transitoria e inconstante en nuestro sexo; es facultad estable, permanente, constante, en la mujer. Si nuestro fin es servir por medio del arte literario a la verdad, y en el estado actual de la vida chilena el medio más adecuado a ese fin es el sentimiento, y el sentimiento es más activo y por lo tanto más persuasivo y eficaz en la mujer, por una encadenación de ideas, por una rigurosa deducción llegaréis, como he llegado yo, a uno de los fines contenidos en la base primera: la educación científica de la mujer. Ella es sentimiento: educadla, y vuestra propaganda de verdad será eficaz; haced eficaz por medio de la mujer la propaganda redentora, y difundiréis por todas partes los principios eternos de la ciencia; difundid esos principios, y en cada labio tendréis palabras de verdad; dadme una generación que hable la verdad, y yo os daré una generación que haga el bien; daos madres que lo enseñen científicamente a sus hijos, y ellas os darán una patria que obedezca virilmente a la razón, que realice concienzudamente la libertad, que resuelva despacio el problema capital del Nuevo Mundo, basando la civilización en la ciencia, en la moralidad y en el trabajo, no en la fuerza corruptora, no en la moral indiferente, no en el predominio exclusivo del bienestar individual.

Pero educar a la mujer para la ciencia es empresa tan ardua a los ojos de casi todos los hombres, que aquellos en quienes tiene luz más viva la razón y más sana energía la voluntad, prefieren la tiniebla del error, prefieren la ociosidad de su energía, a la lucha que impone la tarea. Y no seréis vosotros los únicos, señores, que al llevar al silencio del hogar las congojas acerbas que en todo espíritu de hombre destila el espectáculo de la anarquía moral e intelectual de nuestro siglo, no seréis vosotros los únicos que os espantéis de concebir que allí, en el corazón afectuoso, en el cerebro ocioso, en el espíritu erial de la mujer, está probablemente el germen de la nueva vida social, del nuevo mundo moral que en vano reclamáis de los gobiernos, de las costumbres, de las leyes. No seréis los únicos que os espantéis de concebirlo. Educada exclusivamente como está por el corazón y para él, aislada sistemáticamente como vive en la esfera de la idealidad enfermiza, la mujer es una planta que vegeta, no una conciencia que conoce su existencia; es una mimosa sensitiva que lastima el contacto de los hechos, que las brutalidades de la realidad marchitan; no una entidad de razón y de conciencia que amparada por ellas en su vida, lucha para desarrollarlas, las desarrolla para vivirlas, las vive libremente

las realiza. Vegetación, no vida; desarrollo fatal, no desarrollo libre;
instinto, no razón; haz de nervios irritables, no haz de facultades di-
rigibles; sístole-diástole fatal que dilata o contrae su existencia, no
desenvolvimiento voluntario de su vida; eso han hecho de la mujer
los errores que pesan sobre ella, las tradiciones sociales, intelectuales
y morales que la abruman, y no es extraordinario que cuando con-
cebimos en la rehabilitación total de la mujer la esperanza de un
nuevo orden social, la esperanza de la armonía moral e intelectual,
nos espantemos: entregar la dirección del porvenir a un ser a quien
no hemos sabido todavía entregar la dirección de su propia vida, es
un peligro pavoroso.

Y sin embargo, es necesario arrostrarlo, porque es necesario
vencerlo. Ese peligro es obra nuestra, es creación nuestra; es obra
de nuestros errores, es creación de nuestras debilidades; y nosotros los hombres, los que monopolizamos la fuerza de que casi
nunca sabemos hacer justo empleo; los que monopolizamos el poder social, que casi siempre manejamos con mano femenina; los
que hacemos las leyes para nosotros, para el sexo masculino, para el sexo fuerte, a nuestro gusto, prescindiendo temerariamente de
la mitad del género humano, nosotros somos responsables de los
males que causan nuestra continua infracción de las leyes eternas
de la naturaleza. Ley eterna de la naturaleza es igualdad moral del
hombre y de la mujer, porque la mujer, como el hombre, es obrero de la vida; porque para desempeñar ese augusto ministerio, ella
como él está dotada de las facultades creadoras que completan la
formación física del hombre-bestia por la formación moral del
hombre dios. Nosotros violamos esa ley, cuando reduciendo el ministerio de la mujer a la simple cooperación de la formación física
del animal, le arrebatamos el derecho de cooperar a la formación
psíquica del ángel. Para acatar las leyes de la naturaleza, no basta
que las nuestras reconozcan la personalidad de la mujer, es necesario que instituyan esa personalidad, y sólo hay personalidad en
donde hay responsabilidad y en donde la responsabilidad es efectiva.
Más lógicos en nuestras costumbres que solemos serlo en las especulaciones de nuestro entendimiento, aún no nos hemos atrevido a
declarar responsable del desorden moral e intelectual a la mujer,
porque, aún sabiendo que en ese desorden tiene ella una parte de
la culpa, nos avergonzamos de hacerla responsable. ¿Por magnanimidad, por fortaleza? No; por estricta equidad, porque si la mu-

jer es cómplice de nuestras faltas y coopartícipe de nuestros males, lo es por ignorancia, por impotencia moral; porque la abandonamos cobardemente en las contiendas intelectuales que nosotros sostenemos con el error, porque la abandonamos impíamente a las congojas del cataclismo moral que atenebra la conciencia de este siglo. Reconstituyamos la personalidad de la mujer, instituyamos su responsabilidad ante sí misma, ante el hogar, ante la sociedad; y para hacerlo, restablezcamos la ley de la naturaleza, acatemos la igualdad moral de los dos sexos, devolvamos a la mujer el derecho de vivir racionalmente; hagámosle conocer este derecho, instruyámosla en todos sus deberes, eduquemos su conciencia para que ella sepa educar su corazón. Educada en su conciencia, será una personalidad responsable: educada en su corazón, responderá de su vida con las amables virtudes que hacen del vivir una satisfacción moral y corporal tanto como una resignación intelectual.

¿Cómo?

Ya lo sabéis: obedeciendo a la naturaleza. Más justa con el hombre que lo es él consigo mismo, la naturaleza previó que el ser a quien dotaba de la conciencia de su destino, no hubiera podido resignarse a tener por compañera a un simple mamífero; y al dar al hombre un colaborador de la vida en la mujer, dotó a ésta de las mismas facultades de razón y la hizo colaborador de su destino. Para que el hombre fuera hombre, es decir, digno de realizar los fines de su vida, la naturaleza le dio conciencia de ella, capacidad de conocer su origen, sus elementos favorables y contrarios, su trascendencia y relaciones, su deber y su derecho, su libertad y su responsabilidad; capacidad de sentir y de amar lo que sintiera; capacidad de querer y realizar lo que quisiera; capacidad de perfeccionarse y de mejorar por sí mismo las condiciones de su ser y por sí mismo elevar el ideal de su existencia. Idealistas o sensualistas, materialistas o positivistas, describan las facultades del espíritu según orden de ideas innatas o preestablecidas, según desarrollo del alma por el desarrollo de los sentidos, ya como meras modificaciones de la materia, ya como categorías, todos los filósofos y todos los psicólogos se han visto forzados a reconocer tres órdenes de facultades que conjuntamente constituyen la conciencia del ser humano, y que funcionando aisladamente constituyen su facultad de conocer, su facultad de sentir, su facultad de querer. Si estas facultades están con diversa intensidad repartidas en el hombre y la mujer, es un problema; pero que están total y parcialmente determinando la vida moral de uno y otro sexo, es un axioma: que los positivistas refieran al instinto la mayor parte de los medios atribuidos por los idealistas a la facultad de sentir; que Spinoza y la escuela escocesa señalen en los sentidos la mejor de las aptitudes que los racionalistas declaran privativas de la razón; que Krause hiciera de la conciencia una como facultad de facultades; que Kant resumiera en la razón pura todas las facultades del conocimiento y en la razón práctica todas las determinaciones del juicio, importa poco, en tanto que no se haya demostrado que el conocer, el sentir y el querer se ejercen de un modo absolutamente diverso en cada sexo. No se demostrará jamás, y siempre será base de la educación científica de la mujer la igualdad moral del ser humano. Se debe educar a la mujer para que sea ser humano, para que cultive y desarrolle sus facultades, para que practique su razón, para que viva su conciencia, no para que funcione en la vida social con las funciones privativas de mujer. Cuanto más ser humano se conozca y se sienta, más mujer querrá ser y sabrá ser.

Si se me permitiera distribuir en dos grupos las facultades y las actividades de nuestro ser, llamaría *conciencia* a las primeras, *corazón* a las segundas, para expresar las dos grandes fases de la educación de la mujer y para hacer comprender que si la razón, el sentimiento y la voluntad pueden y deben educarse en cuanto facultades, sólo pueden dirigirse en cuanto actividades: educación es también dirección, pero es externa, indirecta, mediata, extrapersonal; la dirección es esencialmente directa, inmediata, interna, personal. Como ser humano consciente, la mujer es educable; como corazón, sólo ella misma puede dirigirse. Que dirigirá mejor su corazón cuando esté más educada su conciencia; que sus actividades serán más saludables cuanto mejor desenvueltas estén sus facultades, es tan evidente y es tan obvio, que por eso es necesario, indispensable, obligatorio, educar científicamente a la mujer.

Ciencia es el conjunto de verdades demostradas o de hipótesis demostrables, ya se refieran al mundo exterior o al interior, al yo o al no-yo, como dice la antigua metafísica; comprende, por lo tanto, todos los objetos de conocimiento positivo e hipotético, desde la materia en sus varios elementos, formas, transformaciones, fines, necesidades y relaciones, hasta el espíritu en sus múltiples aptitudes, derechos, deberes, leyes, finalidad y progresiones; desde el ser hasta el no-ser; desde el conocimiento de las evoluciones de los astros hasta el conocimiento de las revoluciones del planeta; desde las leyes que rigen el universo físico hasta las que rigen el mundo moral; desde las verdades axiomáticas en que está basada la ciencia de lo bello, hasta los principios fundamentales de la moral; desde el conjunto de hipótesis que se refieren al origen, transmigración, civilización y decadencia de las razas, hasta el conjunto de hechos que constituyen la sociología.

Esta abrumadora diversidad de conocimientos, cada uno de los cuales puede absorber vidas enteras y en cada uno de los cuales establecen diferencias, divisiones y separaciones sucesivas el método, el rigor lógico y la especialización de hechos, de observaciones y de experimentaciones que antes no se habían comprobado, esta diversidad de conocimientos está virtualmente reducida a la unidad de la verdad, y se puede, por una sencilla generalización, abarcar en una simple serie. Todo lo cognoscible se refiere necesaria y absolutamente a alguno de nuestros medios de conocer. Conocemos por medio de nuestras facultades, y nuestras facultades están de tan íntimo modo ligadas entre sí, que lo que es conocer para las unas es sentir para las otras y querer para las restantes; y a veces la voluntad es sentimiento y conocimiento, y frecuentemente el sentimiento suple o completa e ilumina a la facultad que conoce y a la que realiza. Distribuyendo, pues, toda la ciencia conocida en tantas categorías cuantas facultades tenemos para conocer la verdad, para amarla y para ejercitarla, la abarcaremos en su unidad trascendental, y sin necesidad de conocerla en su abundante variedad, adquiriremos todos sus fundamentos, en los cuales, hombre o mujer, podemos todos conocer las leyes generales del universo, los caracteres propios de la materia y del espíritu, los fundamentos de la sociabilidad, los principios necesarios de derecho, los motivos, determinaciones y elementos de lo bello, la esencia y la necesidad de lo bueno y de lo justo.

Todo eso puede saberlo la mujer, porque para todos esos conocimientos tiene facultades; todo eso debe saberlo, porque sabiendo todo eso se emancipará de la tutela del error y de la esclavitud en que la misma ociosidad de sus facultades intelectuales y morales la retienen. Se ama lo que se conoce bello, bueno, verdadero; el universo, el mundo, el hombre, la sociedad, la ciencia, el arte, la moral, todo es bello, bueno y verdadero en sí mismo; conociéndolo todo en su esencia, ¿no sería todo más amado? Y habiendo necesariamente en la educación científica de la mujer un desenvolvimiento correlativo de su facultad de amar, ¿no amaría más conociendo cuanto hoy ama sin conocer? Amando más y con mejor amor, ¿no sería más eficaz su misión en la sociedad? Educada por ella, conocedora y creadora ya de las leyes inmutables del universo, del planeta, del espíritu, de las sociedades, libre ya de las supersticiones, de los errores, de los terrores en que continuamente zozobran su sentimiento, su razón y su voluntad, ¿no sabría ser la primera y la última educadora de sus hijos, la primera para dirigir sus facultades, la última para moderar sus actividades, presentándoles siempre lo bello, lo bueno, lo verdadero como meta? La mujer es siempre madre; de sus hijos, porque les ha revelado la existencia; de su amado, porque le ha revelado la felicidad; de su esposo, porque le ha revelado la armonía. Madre, amante, esposa, toda mujer es una influencia. Armad de conocimientos científicos esa influencia, y soñad la existencia, la felicidad y la armonía inefable de que gozaría el hombre en el planeta, si la dadora, si la embellecedora, si la compañera de la vida fuera, como madre, nuestro guía científico; como amada, la amante reflexiva de nuestras ideas, y de nuestros designios virtuosos; como esposa, la compañera de nuestro cuerpo, de nuestra razón, de nuestro sentimiento, de nuestra voluntad y nuestra conciencia. Sería hombre completo. Hoy no lo es.

El hombre que educa a una mujer, ése vivirá en la plenitud de su ser, y hay en el mundo algunos hombres que saben vivir su vida entera; pero ellos no son el mundo, y el infinito número de crímenes, de atrocidades, de infracciones de toda ley que en toda hora se cometen en todos los ámbitos del mundo, están clamando contra las pasiones bestiales que la ignorancia de la mujer alienta en todas partes, contra los intereses infernales que una mujer educada moderaría en el corazón de cada hijo, de cada esposo, de cada padre.

Esta mujer americana, que tantas virtudes espontáneas atesora, que tan nobles ensueños acaricia, que tan alta razón despliega en el consejo de familia y tan enérgica voluntad pone al infortunio, que tan asombrosa perspicacia manifiesta y con tan poderosa intuición se asimila los conocimientos que el aumento de civilización diluye en la atmósfera intelectual de nuestro siglo; esta mujer americana, tan rebelde por tan digna, como dócil y educable por tan buena, es digna de la iniciación científica que está destinada a devolverle la integridad de su ser, la libertad de su conciencia, la responsabilidad de su existencia. En ella más que en nadie es perceptible en la América latina la trascendencia del cambio que se opera en el espíritu de la humanidad, y si ella no sabe de dónde viene la ansiosa vaguedad de sus deseos, a dónde van las tristezas morales que la abaten, dónde está el ideal en que quisiera revivir su corazón, antes marchito que formado, ella sabe que está pronta para bendecir el nuevo mundo moral en donde, convertida la verdad en realidad, convertida en verdad la idea de lo bello; convertida en amable belleza la virtud, las tres Gracias del mito simbólico descienden a la tierra y enlazadas estrechamente de la mano como estrechamente se enlazan la facultad de conocer lo verdadero, la facultad de querer lo justo, la facultad de amar lo bello, ciencia, conciencia y caridad se den la mano.

(*Revista Sudamericana*, Chile, junio de 1873)

QUILAPAN

En la extremidad austral del territorio chileno (del poblado, pues más allá del territorio araucano y de las provincias litorales que lo limitan, está el despoblado de Chile, entre 41 y 55 grados de latitud austral); se extiende entre los Andes y las costas de las provincias de Arauco, Valdivia y Llanquihué, un pedazo de tierra deliciosa, que la naturaleza ha desgarrado y que el hombre ha ensangrentado. El taumaturgo hizo su obra; el pobre diablo hizo la suya, y así es allí tan grandiosa la primera como tan penosa la segunda. Obra de la naturaleza aquellas hondas concavidades de las montañas, aquellas crestas agujadas de los cerros, aquellos senos armoniosos de las colinas, aquellos oteros decrecientes que, a manera de un mar recién tranquilizado, terminan en la serenidad del llano imperturbable las perturbaciones anteriores y la tierra infunde la admiración que merece lo que es grande.

Obra del hombre los recuerdos de muerte, el vértigo de sangre, los resplandores de odio y de venganza que allí excitan la memoria del pasado y la severa reflexión del presente, aquel pedazo de tierra infunde la piedad que inspira lo que es triste, que en el ánimo justiciero concita lo pequeño. Los ríos más claros que el ojo oscuro puede ver; las márgenes de ríos más poéticas que los poetas del bien puedan soñar; las frondas más pintorescas que el paisajista de la realidad pueda imitar; las penumbras más persuasivas que el pensador de la claroscura verdad pueda anhelar; las pendientes más ásperas que puedan advertir al reflexivo; los desfiladeros más violentos que puedan amonestar al inexperto; las sorpresas más peligrosas que puedan fortalecer al que de su vida haya hecho una continua educación; las transiciones más inesperadas, los contrastes más brutales, selvas tenebrosas terminadas en praderas, resplandecientes, campos de flores halagüeñas terminando en el cementerio del cacto cadavérico; la agonizante Vega Larga a dos pasos de la vega redivivente de Purén; detrás del horizonte completamente cerrado del Lumaco, el horizonte ilimitadamente abierto del Nogol; encima del Lanalhué proceloso, la eminencia desde donde a la vez se contemplan las aguas batalladoras del lago de Cordillera y las ondas pacíficas de mar del sur; frente a las montañas selváticas de Nahuelbuta, los conos volcánicos de la cadena de cráteres y la sublimidad helada de los Andes. Eso es lo que la naturaleza ha hecho para producir aquel pedazo de tierra, y eso es grande.

Una guerra de exterminio hecha por los bárbaros de la civilización a los bárbaros de la naturaleza; una obra de conquista a sangre y fuego emprendida a nombre de una fe de paz y de un predicador del derecho; sorpresas, emboscadas, asechanzas, traiciones, asesinatos, matanzas, incendios, inundación de sangre, violencias de todo orden y violaciones de toda ley. Esa es la obra del hombre en aquel pedazo de tierra, y eso es triste y es pequeño.

Como en los cuadros de los paisajistas excelentes: naturaleza grande, hombre pequeño.

Pero ¡guerra, guerra perpetua a la injusticia! El hombre pequeño que ha entristecido aquella naturaleza poderosa, no es el hombre primitivo que ella espontáneamente generó, fuerte como ella, independiente como ella, severo como ella, indomable como ella, su hijo legítimo, su creación legítima, su legítima concentración de esfuerzos en individualidades forjadas a yunque y martillo: ese hombre es el araucano, y el araucano fue digno de su tierra. El hombre pequeño que la entristeció fue el sin conciencia que trajo al templo natural del Nuevo Mundo la tiranía de la conciencia, la esclavitud de cuanto es libre por esencia, la negación de cuanto tiene al derecho por cimiento, y que como aniquiló al yanacona borinqueño y al cacique cubano y a las tribus guajiras y a las jíbaras y a las yucatecas y a los áztecas y a los incas, quiso aniquilar al araucano, y apoderarse de su tierra y robarle su patria y asesinar su independencia.

Pero el hierro era digno de la forja, y en tres siglos de interminable prueba no se maleó, y en tres siglos de interminable lucha no lograron ni el conquistador ni el colono arredrar por un solo minuto al siempre vigilante defensor de Arauco.

Digno de su noble tierra, el nobilísimo araucano peleó como hombre y como fiera; como hombre, y se apoderó por entendimiento de todos los recursos de guerra de su contrario; como fiera, y no le perdonó ni una alevosía, ni una infamia, ni una crueldad, ni una queja, ni un sollozo, ni un gemido, ni un hueso, ni un músculo, ni un nervio.

Dicen que, en su rabia, hasta se comía al conquistador vencido. Hizo muy mal ante la ética, y probablemente también ante la estética, que no debe carne de conquistadores ser manjar digno de un gusto delicado. Mas los eruditísimos cronistas latinoamericanos que hoy resucitan arteramente las sandeces de los cronistas coloniales, y más *españolistas* (de *españolismo*, enfermedad mental de los españoles) que los españoles y más ciegos que los ciegos y más sordos de razón que los más sordos, atribuyen a los araucanos todas las atrocidades de la guerra secular de Arauco, y los condenan por crímenes y horrores que los españoles suscitaron, son unos varones excelentes que conseguirán su manifiesto empeño de no pasar por descendientes de araucanos, pero no conseguirán que ningún secuaz de la verdad y la justicia prefiera la triste vanidad de ser descendiente de conquistadores, a la gloria virtuosa de tener por ascendientes históricos aquellos héroes salvajes del patriotismo que, desde el primer momento de la Conquista, lanzaron el clamor que trescientos años después resucitó de la muerte colonial al Continente.

Digan los cronistas de antaño y los de ogaño lo que quieran, allí, en el extremo austral de Chile, esculpida para siempre en el granito inmortal de la sublime cordillera, firme la planta en la roca como la raíz de los Andes araucanos lo está en las entrañas de la tierra incandescente, allí está la figura del hombre primitivo, del ser humano en toda la espontánea majestad de su naturaleza primitiva, y nadie pisará aquella tierra consagrada por el dolor, por la tristeza y por la lucha que no se olvida de los menguados que la ensangrentaron, para contemplar con devoción a los magnánimos que la defendieron.

¡Y cómo la defendieron los magnánimos! Paso tras paso, breña tras breña, cauce tras cauce, roca tras roca, monte tras monte: en campo abierto, en campo cerrado, sitiando, sitiados, perseguidos, persiguiendo asaltando, asaltados, asolando, asolados, a sangre, a fuego, a piedra, a hierro, por la mañana, al mediodía, por la tarde, por la noche, sobre todo por la noche, cuando la tiniebla y la sorpresa igualaban las fuerzas, y ante el indómito denuedo del salvaje, desaparecía el valor confiado del soldado de acero que de pies a cabeza oponía la inexpugnable fortaleza de su armadura y el rayo de su arcabuz al arma ineficaz de su contrario. Tanto y tan digno hicieron aquellos irreconciliables enemigos del invasor extranjero, que produjeron una maravilla en la historia de las letras e hicieron un milagro en la historia de la Conquista. Hicieron el milagro de inspirar admiración a uno de los conquistadores, Alonso de Ercilla, y produjeron la maravilla literaria que se llama *La Araucana*, epopeya no tan portentosa por la forma, que es imperfecta, o por el corte, que es incompleto, cuanto por el fondo positivamente grandioso y por las extraordinarias condiciones morales que la crearon.

La Araucana no es el canto del vencedor que insulta la humillación y la tristeza del vencido; es, por primera y única vez en la historia de las letras, el canto de admiración con que el vencedor rinde homenaje a la grandeza virtuosa del vencido.

Recórrase mentalmente la historia de la conquista del Continente; recuérdese cómo, con qué confianza en su fortuna, en sus recursos, en su fe, en su fanatismo, en sus vicios y virtudes acometían aquellos vestidos de hierro a los desnudos habitantes de nuestras soledades; esfuércese la voluntad para producir por un momento un desdén igual al que aquellos centauros invencibles tenían por aquellos peatones casi inermes de la selva virgen, y se rehará ficticiamente el hondo, el profundo, el insondable sentimiento de asombro, de pasmo y reverencia que experimentó Alonso de Ercilla ante aquellos admirables prototipos de la única virtud que sabían apreciar los conquistadores, y al hallar inopinadamente la revelación de su propia genialidad poética en aquellos salvajes despreciados. No razonó, no discutió, no disputó el portento, y el ingenuo poeta se completó en un hombre verdadero, y la gloria de ser autor de *La Araucana* se aumentó con la gloria mejor de haber sido un alma justiciera.

El y su poema fueron fruto directo de aquellos héroes de la selva, y hoy, cuando el aventurado pensador penetra en ella, y pasea por la tierra araucana el arisco rencor de la justicia contra la iniquidad, y evoca embebecido las figuras inmortales que tan exactamente encuadraron en aquel paisaje al lado de Colocolo, de Caupolicán, de Lautaro, de Galvarino, de Peteleguén, de Fresia, de Guacolda y de Gualda, se complace en ver aparecer como en su propio centro, como en su propia escena, a Ercilla, al más digno de sus enemigos, el único que supo medirlos, pesarlos, apreciarlos y ponerse a la altura de ellos ante el respeto y la admiración cariñosa de todas las edades.

Todas ellas encontrarán más grandeza en esa epopeya de salvajes, inspiración más alta en aquel cantor espontáneo de las virtudes primitivas de una fracción oscura de la humanidad, que en la épica mítica y simbólica que ha ensalzado la vanagloria y el orgullo de las razas victoriosas, la intemperancia despótica de una fe o un fanatismo, o la maldita prepotencia de cualquier salteador venturoso de la historia.

Pero todas ellas también, todas las edades pasarán, sin que jamás se borre de aquella tierra de Arauco la huella de sangre que en ella señalaron los invasores, sin que jamás cese de maldecirse la herencia de guerra y exterminio que dejaron. Detrás del conquistador vino el colono, detrás del colono vino el chileno, detrás de la colonia se presentó la nación independiente, y un día y otro día, y una centuria y otra, y en el renacimiento de la independencia como en la edad media del coloniaje, siempre el reguero de sangre, siempre la misma guerra, siempre el mismo sistema de exterminio para anonadar en el defensor de Arauco la salvaje virtud que lo enaltece, el heroico patriotismo que lo purifica de los vicios que por toda civilización le han transmitido.

Mas si tocó la herencia de la ceguedad y la crueldad a los hijos de Valdivia, de Villagra y de Mendoza, tocó la herencia de heroísmo a los hijos de Lautaro y Galvarino y Colocolo.

Siempre encerrado entre el Cautín y el Malleco, siglo tras

siglo han sostenido la independencia de su patria, y si han retrocedido allende el Bío-bío y el Renaico, y si han consentido en ceder las llanuras que ya no podían poblar ni defender, y si se han reducido a pactar la expoliación, y si han convenido en sustituir con largos armisticios y con luchas de ardides y de engaños la contienda de fuerza y de derecho que infatigablemente han sostenido, no por eso han depuesto las armas ni tendido el cuello al yugo ni presentado la mano a la cadena, y cada generación ha producido un implacable sostenedor de la independencia.

El último de todos ellos acaba de morir al abrigo de las augustas montañas que protegen el territorio indómito de Arauco; y si nunca pudo saludar como suya al despertarse, considerar como suya al recogerse, aquella tierra sagrada que empezaba la civilización a disputarle, despertó en la memoria de los suyos el recuerdo de los héroes del pasado, y alentó en su propio espíritu el anhelo y la esperanza de restituir sus antiguos linderos a la patria, la patria antigua a los que ya sólo poseen una fracción del patrimonio de su raza.

Quilapán es un nombre desconocido por completo. Alguna vez, durante los últimos veinte años, los periódicos de Chile se habrán visto forzado a escribirlo para hacerlo odioso, y hace poco lo han escrito para anunciar que ha dejado de ser el símbolo de un peligro. También ha muerto Quilapán, y ha muerto a tiempo. Si el generoso araucano vivía para sostener la independencia de la vida semibárbara sobre la civilización que la combate, el silbido de la locomotora pudo decir al descendiente de Lautaro que los herederos territoriales de Valdivia poseen elementos de conquista superiores, más humanos y más irresistibles que el hacha y la tea y el arcabuz y la mita y la encomienda de los conquistadores. Contra éstos, los primeros defensores de la patria araucana tenían su patriotismo, su heroísmo, su brazo invencible, su invencible menosprecio de la vida, su resignación sublime a los tormentos. Caían y se levantaban. Sucumbían los mejores y resucitaban en otros tan buenos como ellos. Cada paso hacia atrás era anuncio de una irresistible reacción hacia adelante, y durante siglos enteros de lucha casi diaria, los defensores de su tierra virgen y de su vida semibárbara pudieron oponer resistencia a la colonia, pecho al pecho, brazo al brazo, sangre a la sangre, fuego al fuego, barbarie a la barbarie que los atacaba.

Hoy son desiguales los medios de combate. Chile no es España; Chile no es colonia; Chile no es la barbarie soñolienta que sólo salía de su estupor para hacer incursiones en tierras araucanas o para rechazar despavorida las excursiones de los araucanos. Chile es una sociedad que camina a sabiendas por el camino de la civilización, y si aún se vale de la guerra para reducir al araucano, ya empieza a practicar un sistema de conquista más noble, más digno y más seguro.

Quilapán ha sido el más famoso de los araucanos de los tiempos independientes, y acaso al morir, con él haya muerto el último de los araucanos. Obra será digna de la joven sociedad el enterrar en los beneficios de la civilización los odios seculares que hasta hoy han segregado de ella aquella hermosa porción de su territorio y aquella viril población de semibárbaros, que cualquiera sociedad en formación debería acoger con respeto y con cariño, porque en cualquiera nueva sociedad pueden ser elemento de libertad y de progreso los hijos legítimos de la naturaleza.

(*Obras Completas*, Vol. VI: *Mi Viaje al Sur*. La Habana, 1939)

MANUEL GONZALEZ PRADA

1848 - 1918

> Aquí en América y en nuestro siglo, necesitamos
> una lengua condensada, jugosa y alimenticia como
> extracto de carne; una lengua fecunda, como riego
> en tierra de labor; una lengua que desenvuelva
> períodos con el estruendo y valentía de las olas
> en la playa.
>
> M. G. P.

*Hijo de familia conservadora y noble prosapia, nació en Lima
el autor de* Páginas libres. *Inicia su educación en un seminario seleccionado por sus padres, pero pronto escapa para continuar sus
estudios en el ambiente más liberal de otra institución. Al no poder,
por prohibición familiar, trasladarse a Europa y allí estudiar ingeniería, entra en la Universidad de San Marcos para seguir la carrera
de Derecho que no quiso terminar. Pero aquel joven que se resistió
a ser seminarista o letrado, no sabrá renunciar nunca su pasión por
la poesía y por la justicia humana: la vocación de su alma sensible
y generosa.*

*Después de algunos años ensayándose de poeta y traduciendo
clásicos alemanes aparecen, en 1871, publicados por el chileno Cortés
en el* Parnaso peruano, *sus primeras composiciones en verso. Comienza allí a perfilarse la gran innovación que renovará la métrica
en la poesía hispanoamericana, injerta la original temática de su
inspiración y la economía y musicalidad de sus versos. Poco tiempo
después se dedica a la agricultura, y en sus ratos de descanso se
familiariza con la obra de los mejores prosistas españoles. Y sigue
escribiendo poemas que ya dejan ver su preocupación por el indio.*

*En 1879 lucha como soldado y más tarde como oficial contra
la ambición chilena. Los tres años que dura la ocupación de su patria por el extranjero, los pasa González Prada encerrado en su casa
preparando las mejores armas para la reconstrucción del país: sus
ideas y su "lengua fecunda". Ambas se estrenan en el "Círculo Li-*

*terario" donde había reunido un grupo de jóvenes que formaban
la avanzada de un nuevo Perú. En el famoso alegato que escribió
para ser leído en el teatro Politeama de la capital, urgía la acción
de aquellos adolescentes: "Niños, sed hombres temprano, madrugad
a la vida, porque ninguna generación recibió herencia más triste,
porque ninguna tuvo deberes más sagrados que cumplir, errores
más graves que remediar, ni venganzas más justas que satisfacer."
En 1891, aquel grupo de jóvenes que comenzó atacando sin descansar las raíces del colonialismo y la tradición, se convertía en el
partido político "La Unión Nacional."*

*Deja despierta y activa a la juventud, y embarca hacia Francia
para seguir de cerca las corrientes más avanzadas del pensamiento
europeo. Publica en París, en 1894, Pájinas libres, ese estudio
sociológico y político del Perú formado por sus mejores ensayos y
discursos. Allí domina la atrevida intuición del pensador: "Nada
tan hermoso como derribar fronteras y destruir el sentimiento egoísta de las nacionalidades para hacer de la Tierra un solo pueblo y de
la Humanidad una sola familia."*

*Regresa a su patria en 1898, cuando las fuerzas conservadoras
habían asumido el gobierno del Perú. Con renovadas energías y
originales enfoques para el futuro de la sociedad peruana, inicia
sus ataques contra enemigos políticos y la temerosa complicidad de
algunos miembros de la "Unión Nacional." Escribe en periódicos,
cuando puede, y en hojas sueltas en cuanto le niegan espacio o cierran las publicaciones donde colabora. En 1908 publica sus Horas
de lucha, ya con más evidente influencia de las corrientes radicales
de Europa. "Toda religión naciente se muestra revolucionaria y
progresista, así en el orden moral como en el político y el social;
toda religión triunfante se declara eminentemente conservadora y
estacionaria: de oprimida se vuelve opresora, de popular y libre
se hace aristocrática y oficial. . . . Las religiones figuran como una
especie de roca cristalizada alrededor de la Humanidad: no se avanza sin romper la cristalización." Al año siguiente publica sus Pres-
biterianas para entrar en el marco de la mejor poesía su anticlericalismo. Luego sigue su poética, que titula Exóticas, ofreciendo nuevas posibilidades al verso castellano.*

*En 1912 es nombrado director de la Biblioteca Nacional, su-
cediendo a su antiguo rival literario Ricardo Palma, que había permanecido en ese cargo casi treinta años. Y hasta que le sorprende*

la muerte en 1918, González Prada continúa siendo la figura polémica de su patria y el verdadero mentor de la juventud. El dejaba abierto un camino para el pensamiento peruano.

Como hizo Mariátegui, pueden las palabras de Páginas libres que elogian a Vigil, resumir la vida y la obra de este valiente poeta y ensayistas: "Pocas vidas tan puras, tan llenas, tan dignas de ser imitadas. Puede atacarse la forma y el fondo de sus escritos, pueden tacharse hoy sus libros de anticuados e insuficientes, puede, en fin, derribarse todo el edificio levantado por su inteligencia; pero una cosa permanecerá invulnerable y de pie, el hombre."

BIBLIOGRAFIA

I. EDICIONES

OBRAS COMPLETAS, SELECCIONES Y ANTOLOGIAS

Obras completas. Prólogo de Luis Alberto Sánchez. 4 Vols. Lima: Editorial P.T.C.M., 1946.

González Prada. Prólogo y selección de Andrés Henestrosa. México: Ediciones de la Secretaría de Educación Pública, 1943.

Manuel González Prada. Selección y Prólogo de Luis Alberto Sánchez. México: Imprenta Universitaria, 1945.

Pensamientos. Selección y Prólogo de Campio Carpio. Buenos Aires: Edición Arco Iris, 1941.

LIBROS

Anarquía. 4a. ed. Lima: Editorial P.T.C.M., 1948.

Bajo el oprobio. París: Bellenand, 1933.

El Tonel de Diógenes. México: Fondo de Cultura Económica, 1945.

Figuras y figurones. París: Bellenand, 1938.

Horas de Lucha. 2a. ed. Callao: Tipografía "Lux," 1924.

Nuevas páginas libres. Santiago de Chile: Ediciones Ercilla, 1937.

Páginas libres. Prólogo de L. G. Leguz. México, 1944.

Pájinas libres. Lima: Ediciones Nuevo Mundo, 1964.

Propaganda y ataque. Buenos Aires: Ediciones Imán, 1939.

Prosa menuda. Buenos Aires: Ediciones Imán, 1941.

II. ESTUDIOS

Alarco, Luis Felipe. "En torno a la personalidad de Manuel González Prada," H, julio-agosto, 1954.

Belaúnde, U. A. "González Prada, escritor de combate," MP, Vol. I (1918).

Blanco-Fombona, Rufino. "Manuel González Prada," Letras, Vol. IV, No. 2 (abril, 1916).

————. (Prólogo). *Páginas libres.* Madrid: Sociedad española de librería, 1915.

Calcagno, Miguel Angel. *El pensamiento de González Prada.* Montevideo:
Universidad de la República, 1958.

Caracciolo Lévano, M. "Manuel González Prada, revolucionario ideológico, no
político," ProtBA, Vol. IX, No. 334 (1930).

Carpio, Campio. "Manuel González Prada," RBlan, julio, 1930.

————. "Mensaje de González Prada," CAP, No. 12 (1963).

Chang-Rodríguez, E. *La literatura política de González Prada, Mariátegui y
Haya de la Torre.* México: Ediciones de Andrea, 1957.

————. "Reactualización de González Prada," HumaM, Vol. V, No. 40
(1956).

Fernández Sesarrego, Carlos "Manuel González Prada," RepAm, 10, 20 de
julio, 1949.

Garro, J. Eugenio. "Manuel González Prada (Ideas para un libro sobre los
creadores de la peruanidad)," RHM, Vol. VII, No. 34 (julio-octubre, 1941).

González Prada, Adriana. *Mi manuel.* Lima: Editorial Cultura Antártica, 1947.

González Prada: *Vida y Obra. Antología. Bibliografía.* New York: Instituto
de las Españas en los EE. UU., 1938.

Haya de la Torre, U. R. "Mis recuerdos de González Prada," RepAm, Vol. IV,
No. 6. (agosto, 1927).

Homenaje al autor de "Horas de lucha," Sr. M. González Prada. Lima: Imprenta Artística, 1908.

Leguía, Jorge Guillermo. "Manuel González Prada," EstV, Vol. IV, No. 12
(1925).

Mañach, Jorge. "González Prada y su obra," RHM, Vol. IV, No. 1 (octubre,
1937).

Mariátegui, José Carlos. "González Prada," *Siete ensayos de interpretación
de la realidad peruana.* 7a. ed. Lima: Editorial Amauta, 1959.

Martinengo, Alessandro. "González Prada, prosatore," SiP, No. 1 (1962).

Mead, Robert G. "Cronología de la obra en prosa de Manuel González Prada,"
RHM, Vol. XIII, Nos. 3-4 (julio-octubre, 1947).

————. "González Prada: el prosista y el pensador," RHM, Vol. XXI,
No. 1 (enero, 1955).

————. "González Prada y la prosa española," RevIb, Vol. XVII, No. 34
(enero, 1952).

"Número dedicado a González Prada," MP, Vol. I, No. 2 (1918).

Pérez Reinoso, R. *Manuel González Prada*. Lima: Imprenta Lux, 1920.

Picón-Salas, Mariano. "Literatura y actitud americana. A propósito del 'Don Manuel' de L. A. Sánchez," A, Vol. XIV (1930).

Pina, Francisco. "Dos figuras prominentes de la literatura peruana," Nación, 8 de marzo, 1964.

Riva Agüero, J. de la. *Carácter de la literatura del Perú independiente*. Lima: Editorial Remy, 1905.

Sánchez, Luis Alberto. *Don Manuel*. 3a. ed. Santiago de Chile: Editorial Ercilla, 1937.

—————. *Elogio de don Manuel González Prada*. Lima: Imprenta Torres Aguirre, 1922.

—————. "Genio y figura de Manuel González Prada," RHM, No. 1 (octubre, 1937).

—————. "González Prada y el destino peruano," ComCR, Vol. II, No. 11 (julio-agosto, 1960).

—————. "Las ideas y la influencia de González Prada," RIB, Vol. XIII (1963).

Torres Ríoseco, Arturo. "González Prada y su obra," RHM, Vol. IV, No. 1 (octubre, 1937).

Val, Encino del. "Vida, obra y muerte de Manuel González Prada, el Proudhon peruano," GaL, noviembre, 1937-febrero, 1938.

Velazco Aragón, Luis. "González Prada, profeta y poeta," RevIb, Vol. VII (1943).

—————. *Manuel González Prada por los más notables escritores del Perú y América*. Cuzco: Imprenta Rozas, 1924.

EL TIRANICIDIO

La sangre nos horroriza; pero si ha de verterse alguna, que se vierta la del malvado. Quién sabe si para una justicia menos estrecha que la justicia humana sea mayor crimen herir un animal benéfico que suprimir a un mal hombre. Tal vez podamos afirmar con razón: antes que verter la sangre de la paloma o del cordero, derramar la del tirano. ¿Por qué vacilar en declararlo? Hay sangres que no manchan. Manos incólumes, manos dignas de ser estrechadas por los hombres honrados, las que nos libran de tiranos y tiranuelos. Herir al culpable, solamente a él, sin sacrificar inocentes, realizaría el ideal apetecido. Los Angiolillo, los Bresci, los matadores del gran duque Sergio y los ejecutores del rey Carlos nos merecen más simpatía que Ravachol, Emile Henry y Moral.

Un prejuicio inveterado nos induce a execrar la supresión del tirano por medio del revólver, el puñal o la dinamita y a no condenar el derrocamiento de ese mismo tirano merced a una revolución devastadora y sangrienta. Quiere decir: el tirano puede asesinar al pueblo, mas el pueblo no debe matar al tirano. Así no pensaban los antiguos al glorificar al tiranicida.

Cuando la organización de los pretorianos hace imposible todo levantamiento popular, cuando el solo medio de acabar con la tiranía es eliminar al tirano ¿se le debe suprimir o se ha de soportar indefinidamente la opresión ignominiosa y brutal? ¿Vale tanto la vida del que no sabe respetar las ajenas? Verdad, "el hombre debe ser sagrado para el hombre", mas que los déspotas den el ejemplo.

Cuando el tiranicidio implica el término de un régimen degradante y el ahorro de muchas vidas, su perpetración entra en el número de los actos laudables y benéficos, hasta merece llamarse una manifestación sublime de la bien entendida caridad cristiana. Si un Francia, un Rosas, un García Moreno y un Porfirio Díaz hubieran sido eliminados al iniciar sus dictaduras ¡cuántos dolores y cuántos crímenes se habrían ahorrado el Paraguay, la Argentina, el Ecuador y México! Hay países donde no basta el simple derrocamiento: en las repúblicas hispanoamericanas el mandón o tiranuelo derrocado suele recuperar el solio o pesar sobre la nación unos veinte y hasta treinta años convirtiéndose en profesional de la revolución y quién sabe si en reivindicador de las libertades públicas. Al haber tenido su justiciero cada mandón hispanoamericano, no habríamos visto desfilar en nuestra historia la repugnante serie de soldadotes o soldadillos, más o menos burdos y más o menos bárbaros. El excesivo respeto a la vida de gobernantes criminales nos puede convertir en enemigos del pueblo.

Se da muerte a un perro hidrófobo y a un felino escapado de su jaula ¿por qué no suprimir al tirano tan amenazador y temible como el felino y el perro? Ser hombre no consiste en llevar figura humana sino en abrigar sentimientos de conmiseración y justicia. Hombre con instintos de gorila no es hombre sino gorila. Al matarle no se comete homicidio. Montalvo, ajeno a toda hipocresía, dijo con la mayor franqueza: "La vida de un tiranuelo ruin sin antecedentes ni virtudes, la vida de uno que engulle carne humana por instinto, sin razón, y quizás sin conocimiento . . . no vale nada . . . se le puede matar como se mata un tigre, una culebra". Blanco-Fombona, después de constatar lo inútil de las revoluciones y guerras civiles en Venezuela, escribe con una sinceridad digna de todo encarecimiento: "¿Quiere decir que debemos cruzarnos de brazos ante los desbordamientos del despotismo o llorar como mujeres la infausta suerte? No. Quiere decir que debemos abandonar los viejos métodos, que debemos ser de nuestro tiempo, que debemos darnos cuenta de que la dinamita existe. El tiranicidio debe sustituir a la revolución . . . Que se concrete, que se personifique el castigo en los culpables. Esa es la equidad. Prender la guerra civil para derrocar a un dictador vale como pegar fuego a un palacio para matar un ratón". (*Judas Capitolino*, Prólogo).

Apruébese o repruébese el acto violento, no se dejará de reconocer generosidad y heroísmo en los vengadores que ofrendan su vida para castigar ultrajes y daños no sufridos por ellos. Hieren sin odio personal hacia la víctima, por sólo el amor a la justicia, con la seguridad de morir en el patíbulo. Acaso yerran; y ¿qué importa? El mérito del sacrificio no estriba en la verdad de la convicción. Los que de buena fe siguieron un error, sacrificándose por la mentira de la patria o por la mentira de la religión, forman hoy la pléyade gloriosa de los héroes y los santos.

Los grandes vengadores de hoy ¿no serán los Cristos de mañana?

(*Bajo el oprobio*, París, 1933)

NUESTROS INDIOS

I

Los más prominentes sociólogos consideran la Sociología como una ciencia en formación y claman por el advenimiento de su Newton, de su Lavoisier o de su Lyell; sin embargo, en ningún libro pulula tanta afirmación dogmática o arbitraria como en las obras elaboradas por los herederos o epigones de Comte. Puede llamarse a la Sociología no sólo el arte de dar nombres nuevos a las cosas viejas sino la ciencia de las afirmaciones contradictorias. Si un gran sociólogo enuncia una proposición, estemos seguros que otro sociólogo no menos grande aboga por la diametralmente opuesta. Como algunos pedagogos recuerdan a los preceptores de Scribe, así muchos sociólogos hacen pensar en los médicos de Moliére: Le Bon y Tarde no andan muy lejos de Diafoirus y Purgón.

Citemos la raza como uno de los puntos en que más divergen los autores. Mientras unos miran en ella el factor de la dinámica social y resumen la historia en una lucha de razas, otros reducen a tan poco el radio de las acciones étnicas que repiten con Durkheim:[*] "No conocemos ningún fenómeno social que se halle colocado bajo la dependencia incontestable de la raza". Novicow, sin embargo de juzgar exagerada la opinión de Durkheim, no vacila en afirmar que la raza como la especie, es, hasta cierto punto, una categoría subjetiva de nuestro espíritu, sin realidad exterior; y exclama en un generoso arranque de humanidad: "Todas esas pretendidas incapacidades de los amarillos y los negros son quimeras de espíritus enfermos. Quien se atreva a decir a una raza: aquí llegarás y de aquí no pasarás, es un ciego y un insensato".

¡Cómoda invención la Etnología en manos de algunos hombres! Admitida a división de la Humanidad en razas superiores y razas inferiores, reconocida la superioridad de los blancos y por consiguiente su derecho a monopolizar el gobierno del Planeta, nada más natural que la supresión del negro en Africa, del piel roja en Estados Unidos, del tágalo en Filipinas, del indio en el Perú. Como en la selección o eliminación de los débiles e inadaptables se realiza la suprema ley de la vida, los eliminadores o supresores

* Emile Durkheim (1858-1917), sociólogo francés fundador y director de la revista L'Année sociologique desde 1897 hasta 1912.

violentos no hacen más que acelerar la obra lenta y perezosa de la naturaleza: abandonan la marcha de la tortuga por el galope del caballo. Muchos no lo escriben, pero lo dejan leer entre líneas, como Pearson cuando se refiere a la solidaridad entre los hombres civilizados de la raza europea frente a la Naturaleza y la barbarie humana. Donde se lee barbarie humana tradúzcase hombre sin pellejo blanco.

Mas, no sólo se decreta ya la supresión de negros y amarillos: en la misma raza blanca se operan clasificaciones de pueblos destinados a engrandecer y vivir y pueblos condenados a degenerar y morir. Desde que Demolins publicó su libro *A quoi tient la supériorité des Anglo-Saxons*,[1] ha recrudecido la moda de ensalzar a los anglosajones y deprimir a los latinos. (Aunque algunos latinos pueden llamarse tales, como Atahualpa gallego y Moctezuma provenzal). En Europa y América asistimos a la florescencia de muchas Casandras que viven profetizando el incendio y desaparición de la nueva Troya. Algunos pesimistas, creyéndose los Deucaliones del próximo diluvio y hasta los superhombres de Nietzsche, juzgan la desaparición de su propia raza como si se tratara de seres prehistóricos o de la Luna. No se ha formulado pero se sigue un axioma: crímenes y vicios de ingleses o norteamericanos son cosas inherentes a la especie humana y no denuncian la decadencia de un pueblo; en cambio, crímenes y vicios de franceses o italianos son anomalías y acusan degeneración de raza. Felizmente Oscar Wilde y el general Mac Donald no nacieron en París ni la mesa redonda del Emperador Guillermo tuvo sus sesiones en Roma.

Nos parece inútil decir que no tomamos en serio a los dilettanti como Paul Bourget ni a los fumistes como Maurice Barrès,* cuando fulminan rayos sobre el cosmopolitismo y lloran la decadencia de la noble raza francesa, porque la hija de un conde sifilítico y de una marquesa pulmoníaca se deja seducir por un mocetón sano y vigoroso pero sin cuarteles de nobleza. Respecto a Monsieur Gus-

---

[1] Don Víctor Arreguine le ha contestado con el libro *En qué consiste la superioridad de los Latinos sobre los Anglosajones* (Buenos Aires, 1900). Segun Arreguine, la larga obra del señor Demolins, ampliación de un capítulo de Taine sobre la educación inglesa, en lo que tiene ella de bueno, antes que obra de imparcial serenidad, es un alegato anglómano con acentuado sabor a conferencia pedagógica, no obstante lo cual ha turbado a muchos cerebros latinos con lo que llamaremos mareo de la novedad.

* Maurice Barrès (1862-1923), politico y escritor francés cuyos prejuicios y "dandysmo intelectual" no le negaron popularidad en su época.

tave Le Bon, le debemos admirar por su vastísimo saber y su gran elevación moral, aunque representa la exageración de Spencer, como Max Nordau la de Lombroso y Haeckel la de Darwin. Merece llamarse el Bossuet de la Sociología, por no decir el Torquemada ni el Herodes. Si no se hiciera digno de consideración por sus observacaciones sobre la luz negra, diríamos que es a la Sociología como el doctor Sangredo es a la Medicina.

Le Bon nos avisa que de ningún modo toma el término de raza en el sentido antropológico, porque desde hace mucho tiempo las razas puras han desaparecido casi, salvo en los pueblos salvajes, y para que tengamos un camino seguro por donde marchar, decide: "En los pueblos civilizados, no hay más que razas históricas, es decir, creadas del todo por los acontecimientos de la historia". Según el dogmatismo leboniano, las naciones hispanoamericanas constituyen ya una de esas razas, pero una raza tan singular que ha pasado vertiginosamente de la niñez a la decrepitud, salvando en menos de un siglo la trayectoria recorrida por otros pueblos en tres, cuatro, cinco y hasta seis mil años. "Las 22 repúblicas latinas de América,[2] dice en su *Psichologie du Socialisme,* aunque situadas en las comarcas más ricas del Globo, son incapaces de aprovechar sus inmensos recursos. . . El destino final de esta mitad de América es regresar a la barbarie primitiva, a menos que los Estados Unidos le presten el inmenso servicio de conquistarla. . . Hacer bajar las más ricas comarcas del Globo al nivel de las repúblicas negras de Santo Domingo y Haití: he ahí lo que la raza latina ha realizado en menos de un siglo con la mitad de América".

A Le Bon le podrían argüir que toma la erupción cutánea de un niño por la gangrena senil de un nonagenario, la hebefrenia de un mozo por la locura homicida de un viejo. ¿Desde cuándo las revoluciones anuncian decrepitud y muerte? Ninguna de las naciones hispanoamericanas ofrece hoy la miseria política y social que reinaba en la Europa del feudalismo; pero a la época feudal se la considera como una etapa de la evolución, en tanto que a la era de las revoluciones hispanoamericanas se la mira como un estado irremediable y definitivo. También le podríamos argüir colocando a Le Bon el optimista frente a Le Bon el pesimista, como quien dice

[2] ¿De dónde saca el autor esas 22 repúblicas? No hay aquí un error tipográfico porque en una nota de la página 40 escribe: "il faut ignorer d'une façon bien compléte l'histoire de Saint-Domingue, d' Haiti, celle des vingt-deux républiques hispano-américaines et celle des Etats-Unis."

a San Agustín el Obispo contra San Agustín el pagano. "Es posible, afirma Le Bon, que tras una serie de calamidades profundas, de trastornos casi nunca vistos en la Historia, los pueblos latinos, aleccionados por la experiencia... tienten la ruda empresa de adquirir las cualidades que les falta para de ahí adelante lograr buen éxito en la vida... Los apóstoles pueden mucho porque logran transformar la opinión, y la opinión es hoy reina... La Historia se halla tan llena de imprevisto, el mundo anda en camino de sufrir modificaciones tan profundas, que es imposible prever hoy el destino de los imperios." Si no cabe prever la suerte de las naciones ¿cómo anuncia la muerte de las repúblicas hispanoamericanas? ¿Lo que pueden realizar en Europa los imperios latinos, no podrán tentarlo en el Nuevo Mundo las naciones de igual origen? O ¿habrá dos leyes sociológicas, una para los latinos de América y otra para los latinos de Europa? Quizás; pero, felizmente, las afirmaciones de Le Bon se parecen a los clavos, las unas sacan a las otras.

Se ve, pues, que si Augusto Comte, pensó hacer de la Sociología una ciencia eminentemente positiva, algunos de sus herederos la van convirtiendo en un cúmulo de divagaciones sin fundamento científico.

II

En *La lucha de razas*, Luis Gumplowicz[*] dice: "Todo elemento étnico esencial potente busca para hacer servir a sus fines todo elemento débil que se encuentra en su radio de potencia o que penetre en él". Primero los Conquistadores, en seguida sus descendientes, formaron en los países de América un elemento étnico bastante poderoso para subyugar y explotar a los indígenes. Aunque se tache de exageradas las afirmaciones de Las Casas, no puede negarse que merced a la avarienta crueldad de los explotadores, en algunos pueblos americanos el elemento débil se halla próximo a extinguirse. Las hormigas que domestican pulgones para ordeñarles, no imitan la imprevisión del blanco, no destruyen a su animal productivo.

A la fórmula de Gumplowicz conviene agregar una ley que influye mucho en nuestro modo de ser: cuando un individuo se eleva sobre el nivel de su clase social, suele convertirse en el peor enemigo de ella. Durante la esclavitud del negro, no hubo caporales más fero-

---

[*] Louis Gumplowicz (1838-1909), economista polaco. Explica en su obra la formación de grupos humanos distintos, que luchan por su existencia impulsados por su heterogeneidad radical.

ces que los mismos negros; actualmente, no hay quizá opresores tan duros del indígena como los mismos indígenas españolizados e investidos de alguna autoridad.

El verdadero tirano de la masa, el que se vale de unos indios para esquilmar y oprimir a los otros es el encastado, comprendiéndose en esta palabra tanto al cholo de la sierra o mestizo como al mulato y al zambo de la costa. En el Perú vemos una superposición étnica: excluyendo a los europeos y al cortísimo número de blancos nacionales o criollos, la población se divide en dos fracciones muy desiguales por la cantidad, los encastados o dominadores y los indígenas o dominados. Cien a doscientos mil individuos se han sobrepuesto a tres millones.

Existe una alianza ofensiva y defensiva, un cambio de servicios entre los dominadores de la capital y los de provincia: si el gamonal de la sierra sirve de agente político al señorón de Lima, el señorón de Lima defiende al gamonal de la sierra cuando abusa bárbaramente del indio. Pocos grupos sociales han cometido tantas iniquidades ni aparecen con rasgos tan negros como los españoles y encastados en el Perú. Las revoluciones, los despilfarros y las bancarrotas parecen nada ante la codicia glacial de los encastados para sacar el jugo a la carne humana. Muy poco les ha importado el dolor y la muerte de sus semejantes, cuando ese dolor y esa muerte les ha rendido unos cuantos soles de ganancia. Ellos diezmaron al indio con los repartimientos y las mitas; ellos importaron al negro para hacerle gemir bajo el látigo de los caporales; ellos devoraron al chino, dándole un puñado de arroz por diez y hasta quince horas de trabajo; ellos extrajeron de sus islas al canaca para dejarle morir de nostalgia en los galpones de las haciendas; ellos pretenden introducir hoy al japonés...[3] El negro parece que disminuye, el chino va desapareciendo, el canaca no ha dejado huella, el japonés no da señales de prestarse a la servidumbre; mas queda el indio, pues trescientos a cuatrocientos años de crueldades no han logrado exterminarle ¡el infame se encapricha en vivir!

Los Virreyes del Perú no cesaron de condenar los atropellos ni ahorraron diligencias para lograr la conservación, buen trata-

[3] Cuando en el Perú se habla de inmigración, no se trata de procurarse hombres libres que por cuenta propia labren el suelo y al cabo de algunos años se conviertan en pequeños propietarios: se quieren introducir parias que enajenen su libertad y por el mínimum de jornal proporcionen el máximum de trabajo.

miento y alivio de los indios; los Reyes de España, cediendo a la conmiseración de sus nobles y católicas almas concibieron medidas humanitarias o secundaron las iniciadas por los Virréyes. Sobraron los buenos propósitos en las Reales Cédulas. Ignoramos si las Leyes de Indias forman una pirámide tan elevada como el Chimborazo; pero sabemos que el mal continuaba lo mismo, aunque algunas veces hubo castigos ejemplares. Y no podía suceder de otro modo: oficialmente se ordenaba la explotación del vencido y se pedía humanidad y justicia a los ejecutores de la explotación; se pretendía que humanamente se cometiera iniquidades o equitativamente se consumara injusticias. Para extirpar los abusos habría sido necesario abolir los repartimientos y las mitas, en dos palabras, cambiar todo el régimen colonial. Sin las faenas del indio americano, se habrían vaciado las arcas del tesoro español. Los caudales enviados de las colonias a la Metrópoli no eran más que sangre y lágrimas convertidas en oro.

La República sigue las tradiciones del Virreinato. Los presidentes en sus mensajes abogan por la redención de los oprimidos y se llaman protectores de la raza indígena; los congresos elaboran leyes que dejan atrás a la Declaración de los derechos del hombre; los ministros de Gobierno expiden decretos, pasan notas a los prefectos y nombran delegaciones investigadoras, todo con el noble propósito de asegurar las garantías de la clase desheredada; pero mensajes, leyes, decretos, notas y delegaciones se reducen a jeremiadas hipócritas, a palabras sin eco, a expedientes manoseados. Las autoridades que desde Lima imparten órdenes conminatorias a los departamentos, saben que no serán obedecidas; los prefectos que reciben las conminaciones de la Capital saben también que ningún mal les resulta de no cumplirlas. Lo que el año 1648 decía en su Memoria el Marqués de Mancera, debe repetirse hoy leyendo gobernadores y hacendados en lugar de corredores y caciques: "Tienen por enemigos estos pobres indios la codicia de sus corregidores, de sus curas y de sus caciques, todos atentos a enriquecer de su sudor; era menester el celo y autoridad de un Virrey para cada uno; en fe de la distancia se trampea la obediencia, y ni hay fuerza ni perseverancia para proponer por segunda vez la quexa."[4] El trampear la obediencia vale mucho en boca de un virrey; pero vale más la de-

---

4 Memorias de los Virreyes del Perú, Marqués de Mancera y Conde de Salvatierra, publicadas por José Toribio Polo. Lima, 1889.

claración escapada a los defensores de los indígenas de Chucuito.[5] No faltan indiófilos que en sus iniciativas individuales o colectivas proceden como los Gobiernos en su acción oficial. Las agrupaciones formadas para libertar a la raza irredenta no han pasado de contrabandos políticos abrigados con bandera filantrópica. Defendiendo al Indio se ha explotado la conmiseración, como invocando a Tacna y Arica se negocia hoy con el patriotismo. Para que los redentores procedieran de buena fe, se necesitaría que de la noche a la mañana sufrieran una transformación moral, que se arrepintieran al medir el horror de sus iniquidades, que formaran el inviolable propósito de obedecer a la justicia, que de tigres se quisieran volver hombres. ¿Cabe en lo posible?

Entre tanto, y por regla general, los dominadores se acercan al indio para engañarle, oprimirle o corromperle. Y debemos rememorar que no sólo el encastado nacional procede con inhumanidad o mala fe: cuando los europeos se hacen rescatadores de lana, mineros o hacendados, se muestran buenos exactores y magníficos torsionarios, rivalizan con los antiguos encomenderos y los actuales hacendados. El animal de pellejo blanco, nazca donde naciere, vive aquejado por el mal del oro: al fin y al cabo cede al instinto de rapacidad.

III

Bajo la República ¿sufre menos el indio que bajo la dominación española? Si no existen corregimientos ni encomiendas, quedan los trabajos forzosos y el reclutamiento. Lo que le hacemos sufrir basta para descargar sobre nosotros la execración de las personas humanas. Le conservamos en la ignorancia y la servidumbre, le envilecemos en el cuartel, le embrutecemos con el alcohol, le lanzamos a destrozarse en las guerras civiles y de tiempo en tiempo organizamos cacerías y matanzas como las de Amantani, Ilave y Huanta.[6]

[5] *La raza indígena del Perú en los albores del siglo XX* (página VI, segundo folleto). Lima, 1903.

[6] Una persona verídica y bien informada nos proporciona los siguientes datos: "Masacre de Amantani.—Apenas inaugurada la primera dictadura de Piérola, los indios de Amantani, isla del Titicaca, lincharon a un gamonal que había cometido la imprudencia de obligarles a hacer ejercicios militares. La respuesta fue el envío de Puno de dos buques armados en guerra, que bombardearon ferozmente la isla, de las 6 de la mañana a las 6 de la tarde. La matanza fue horrible, sin que hasta ahora se sepa el número de indios que ese día perecieron, sin distinción de edad ni sexo. Sólo se ven esqueletos que aún blanquean metidos de medio cuerpo en las grietas de los peñascos, en actitud de refugiarse."

Ilave y Huanta se consumaron en la segunda administración de Piérola.

No se escribe pero se observa el axioma de que el indio no
tiene derechos sino obligaciones. Tratándose de él, la queja personal
se toma por insubordinación, el reclamo colectivo por conato de
sublevación. Los realistas españoles mataban al indio cuando pre-
tendían sacudir el yugo de los conquistadores, nosotros los republi-
canos nacionales le exterminamos cuando protesta de las contribuciones onerosas, o se cansa de soportar en silencio las iniquidades de
algún sátrapa.

Nuestra forma de gobierno se reduce a una gran mentira,
porque no merece llamarse república democrática un estado en que
dos o tres millones de individuos viven fuera de la ley. Si en la
costa se divisa un vislumbre de garantías bajo un remedo de república, en el interior se palpa la violación de todo derecho bajo un
verdadero régimen feudal. Ahí no rigen Códigos ni imperan tribunales de justicia, porque hacendados y gamonales dirimen toda cuestión arrogándose los papeles de jueces y ejecutores de las sentencias.
Las autoridades políticas, lejos de apoyar a débiles y pobres, ayudan
casi siempre a ricos y fuertes. Hay regiones donde jueces de paz
y gobernadores pertenecen a la servidumbre de la hacienda. ¿Qué
gobernador, qué subprefecto ni qué prefecto osaría colocarse frente
a frente de un hacendado?

Una hacienda se forma por la acumulación de pequeños lotes
arrebatados a sus legítimos dueños, un patrón ejerce sobre sus peo-
nes la autoridad de un barón normando. No sólo influye en el nombramiento de gobernadores, alcaldes y jueces de paz, sino hace matrimonios, designa herederos, reparte las herencias, y para que los
hijos satisfagan las deudas del padre, les somete a una servidumbre
que suele durar toda la vida. Impone castigos tremendos como la
corma, la flagelación, el cepo de campaña y la muerte; risibles,
como el rapado del cabello y las enemas de agua fría. Quien no respeta vida ni propiedades realizaría un milagro si guardara mira-
mientos a la honra de las mujeres: toda india, soltera o casada,
puede servir de blanco a los deseos brutales del señor. Un rapto,
una violación y un estupro no significan mucho cuando se piense
que a las indias se las debe poseer de viva fuerza. Y a pesar de
todo, el indio no habla con el patrón sin arrodillarse ni besarle la
mano. No se diga que por ignorancia o falta de cultura los señores
territoriales proceden así: los hijos de algunos hacendados van
niños a Europa, se educan en Francia o Inglaterra y vuelven al

Perú con todas las apariencias de gentes civilizadas; mas apenas se confinan en sus haciendas, pierden el barniz europeo y proceden con más inhumanidad y violencia que sus padres: con el sombrero, el poncho y las roncadoras, reaparece la fiera. En resumen: las haciendas constituyen reinos en el corazón de la República, los hacendados ejercen el papel de autócratas en medio de la democracia.

IV

Para cohonestar la incuria del Gobierno y la inhumanidad de los expoliadores, algunos pesimistas a lo Le Bon marcan en la frente del indio un estigma infamatorio: le acusan de refractario a la civilización.. Cualquiera se imaginaría que en todas nuestras poblaciones se levantan espléndidas escuelas, donde bullen eximios profesores muy bien rentados y que las aulas permanecen vacías porque los niños, obedeciendo las órdenes de sus padres, no acuden a recibir educación. Se imaginaría también que los indígenas no siguen los moralizadores ejemplos de las clases dirigentes o crucifican sin el menor escrúpulo a todos los predicadores de ideas levantadas y generosas. El indio recibió lo que le dieron: fanatismo y aguardiente.

Veamos ¿qué se entiende por civilización? Sobre la industria y el arte, sobre la erudición y la ciencia, brilla la moral como punto luminoso en el vértice de una gran pirámide. No la moral teológica fundada en una sanción póstuma, sino la moral humana, que no busca sanción ni buscaría lejos de la Tierra. El sumum de la moralidad, tanto para los individuos como para las sociedades, consiste en haber transformado la lucha de hombre contra hombre en el acuerdo mutuo para la vida. Donde no hay justicia, misericordia ni benevolencia, no hay civilización; donde se proclama ley social la struggle for life, reina la barbarie. ¿Qué vale adquirir el saber de un Aristóteles cuando se guarda el corazón de un tigre? ¿Qué importa poseer el don artístico de un Miguel Angel cuando se lleva el alma de un cerdo? Más que pasar por el mundo derramando la luz del arte o de la ciencia, vale ir destilando la miel de la bondad. Sociedades altamente civilizadas merecerían llamarse aquellas donde practicar el bien ha pasado de obligación a costumbre, donde el acto bondadoso se ha convertido en arranque instintivo. Los dominadores del Perú ¿han adquirido ese grado de moralización? ¿Tienen derecho de considerar al indio como un ser incapaz de civilizarse?

La organización política y social del antiguo imperio incaico admira hoy a reformadores y revolucionarios europeos. Verdad, Atahualpa no sabía el Padrenuestro ni Calcuchima pensaba en el misterio de la Trinidad; pero el culto del Sol era quizá menos absurdo que la Religión católica, y el gran Sacerdote de Pachacamac no vencía tal vez en ferocidad al padre Valverde. Si el súbdito de Huaina-Cápac admitía la civilización, no encontramos motivo para que el indio de la República la rechace, salvo que toda la raza hubiera sufrido irremediable decadencia fisiológica. Moralmente hablando, el indígena de la República se muestra inferior al indígena hallado por los conquistadores; mas depresión moral a causa de servidumbre política no equivale a imposibilidad absoluta para civilizarse por constitución orgánica. En todo caso ¿sobre quién gravitaría la culpa?

Los hechos desmienten a los pesimistas. Siempre que el indio se instruye en colegios o se educa por el simple roce con personas civilizadas, adquiere el mismo grado de moral y cultura que el descendiente del español. A cada momento nos rozamos con amarillos que visten, comen, viven y piensan como los melifluos caballeros de Lima. Indios vemos en Cámaras, municipios, magistratura, universidades y ateneos, donde se manifiestan ni más venales ni más ignorantes que los de otras razas. Imposible deslindar responsabilidades en el *totum revolutis* de la política nacional para decir qué mal ocasionaron los mestizos, los mulatos y los blancos. Hay tal promiscuidad de sangres y colores, representa cada individuo tantas mezclas lícitas o ilícitas, que en presencia de muchísimos peruanos quedaríamos perplejos para determinar la dosis de negro y amarillo que encierran en sus organismos: nadie merece el calificativo de blanco puro, aunque lleve azules los ojos y rubio el cabello. Sólo debemos recordar que el mandatario con mayor amplitud de miras perteneció a la raza indígena, se llamaba Santa Cruz. Lo fueron cien más, ya valientes hasta el heroísmo como Cahuide; ya fieles hasta el martirio como Olaya.

Tiene razón Novicow al afirmar que las pretendidas incapacidades de los amarillos y los negros son quimeras de espíritus enfermos. Efectivamente, no hay acción generosa que no pueda ser realizada por algún negro ni por algún amarillo, como no hay acto infame que no pueda ser cometido por algún blanco. Durante la invasión de China en 1900, los amarillos del Japón dieron lecciones de humanidad a los blancos de Rusia y Alemania. No recordamos si los negros de Africa las dieron alguna vez a los boers del Transvaal o a los ingleses del Cabo: sabemos sí que el anglosajón Kitchener se muestra tan feroz en el Sudán como Behanzin en el Dahomey. Si en vez de comparar una muchedumbre de piel blanca con otras muchedumbres de piel oscura, comparamos un individuo con otro individuo, veremos que en medio de la civilización blanca abundan cafres y pieles rojas por dentro. Como flores de raza u hombres representativos, nombremos al Rey de Inglaterra y al Emperador de Alemania: Eduardo VII y Guillermo II ¿merecen compararse con el indio Benito Juárez y con el negro Booker Washington? Los que antes. de ocupar un trono vivieron en la taberna, el garito y la mancebía, los que desde la cima de un imperio ordenan la matanza sin perdonar a niños, ancianos ni mujeres llevan lo blanco en la piel mas esconden lo negro en el alma.

¿De sólo la ignorancia depende el abatimiento de la raza indígena? Cierto, la ignorancia nacional parece una fábula cuando se piensa que en muchos pueblos del interior no existe un solo hombre capaz de leer ni de escribir, que durante la guerra del Pacífico los indígenas miraban la lucha de las dos naciones como una contienda civil entre el general Chile y el general Perú, que no hace mucho los emisarios de Chucuito se dirigieron a Tacna figurándose encontrar ahí al Presidente de la República.

Algunos pedagogos (rivalizando con los vendedores de panaceas) se imaginan que sabiendo un hombre los afluentes del Amazonas y la temperatura media de Berlín, ha recorrido la mitad del camino para resolver todas las cuestiones sociales. Si por un fenómeno sobrehumano, los analfabetos nacionales amanecieran mañana, no sólo sabiendo leer y escribir, sino con diplomas universitarios, el problema del indio no habría quedado resuelto: al proletariado de los ignorantes, sucedería el de los bachilleres y doctores. Médicos sin enfermos, abogados sin clientela, ingenieros sin obras, escritores sin público, artistas sin parroquianos, profesores sin discípulos, abundan en las naciones más civilizadas formando el innumerable ejército de cerebros con luz y estómagos sin pan. Donde las haciendas de las costas suman cuatro o cinco mil fanegadas, donde las estancias de la sierra miden treinta y hasta cincuenta leguas, la nación tiene que dividirse en señores y siervos.

Si la educación suele convertir al bruto impulsivo en un ser razonable y magnánimo, la instrucción le enseña y le ilumina el sendero que debe seguir para no extraviarse en las encrucijadas de la vida. Mas divisar una senda no equivale a seguirla hasta el fin; se necesita firmeza en la voluntad y vigor en los pies. Se requiere también poseer un ánimo de altivez y rebeldía, no de sumisión y respeto como el soldado y el monje. La instrucción puede mantener al hombre en la bajeza y la servidumbre: instruidos fueron los eunucos y gramáticos de Bizancio. Ocupar en la tierra el puesto que le corresponde en vez de aceptar el que le designan: pedir y tomar su bocado; reclamar su techo y su pedazo de terruño, es el derecho de todo ser racional.

Nada cambia más pronto ni más radicalmente la psicología del hombre que la propiedad: al sacudir la esclavitud del vientre, crece en cien palmos. Con sólo adquirir algo, el individuo asciende algunos peldaños en la escala social, porque las clases se reducen a grupos clasificados por el monto de la riqueza. A la inversa del globo aerostático, sube más el que más pesa. Al que diga: la escuela, respóndasele: la escuela y el pan.

La cuestión del indio, más que pedagógica, es económica, es social. ¿Cómo resolverla? No hace mucho que un alemán concibió la idea de restaurar el Imperio de los Incas: aprendió el quechua, se introdujo en las indiadas del Cuzco, empezó a granjearse partidarios, y tal vez habría intentado una sublevación, si la muerte no le hubiera sorprendido al regreso de un viaje por Europa. Pero ¿cabe hoy semejante restauración? Al intentarla, al querer realizarla, no se obtendría más que el empequeñecido remedo de una grandeza pasada.

La condición del indígena puede mejorar de dos maneras: o el corazón de los opresores se conduele al extremo de reconocer el derecho de los oprimidos, o el ánimo de los oprimidos adquiere la virilidad suficiente para escarmentar a los opresores. Si el indio aprovechara en rifles y cápsulas todo el dinero que desperdicia en alcohol y fiestas, si en un rincón de su choza o en el agujero de una peña escondiera un arma, cambiaría de condición, haría respetar su propiedad y su vida. A la violencia respondería con la violencia, escarmentando al patrón que le arrebata las lanas, al soldado que le recluta en nombre del Gobierno, al montonero que le roba ganado y bestias de carga.

Al indio no se le predique humildad y resignación, sino orgullo y rebeldía. ¿Qué ha ganado con trescientos o cuatrocientos años de conformidad y paciencia? Mientras menos autoridades sufra, de mayores daños se liberta. Hay un hecho revelador: reina mayor bienestar en las comarcas más distantes de las grandes haciendas, se disfruta de más orden y tranquilidad en los pueblos menos 'frecuentados por las autoridades.

En resumen: el indio se redimirá merced a su esfuerzo propio, no por la humanización de sus opresores. Todo blanco es, más o menos, un Pizarro, un Valverde o un Areche.

(*Horas de Lucha*, Lima, 1908)

MERCADERES POLITICOS*

I

La proclamación de la independencia en 1821, cuando los realistas subyugaban la mayor parte del territorio, no pasa de una música inefable por no decir un *bluff* continental. Nuestra emancipación no se debe a las frases de San Martín en Lima sino a las lanzas de Bolívar en Junín y a los fusiles de Sucre en Ayacucho. Después de 1821, los ejércitos reales dominaron dos veces en la capital. Sin embargo, esa proclamación romántica significa para nosotros un acontecimiento magno, como el ataque a la Bastilla para los franceses, como el 2 de mayo para los españoles.

Al conmemorar el 28 de julio, ocurre naturalmente la idea de ver lo realizado por nosotros durante los años de existencia libre. Se puede sintetizar en pocas líneas: hemos seguido una marcha diametralmente opuesta a la recorrida por la Naturaleza en la producción de los seres: la vida comenzó por los animales inferiores y

*Este artículo ha sido encontrado entre los papeles del autor en la forma de un recorte impreso, en prueba de galera; pero abrigamos la certeza de que no llegó a publicarse. Lleva al pie la indicación. "Lima, Julio de 1915". Clausuradas *La Lucha* (Junio de 1914) y *La Protesta* (Octubre de 1914) por el gobierno del Coronel Benavides (véase el libro de González Prada, *Bajo el oprobio*) sólo *La Prensa* de Lima logró escapar al amordazamiento de los periódicos libres del Perú durante ese régimen militar y mantener una campaña de moderada oposición. Los caracteres tipográficos en que está compuesto el recorte de"Mercaderes políticos" nos parecen corresponder a los linotipos de *La Prensa* de 1915. (Nota de Adriana González Prada).

vino a culminar en el hombre; nuestra evolución política empezó con los San Martín, los Bolívar, los Sucre, y vino a parar en un Benavides.

II

Como los usurpadores temen que los usurpados les obliguen a rendir cuentas, los gobiernos se afanan por mantener inermes a las naciones. Aceptan la militarización al estilo de Prusia, rechazan la *miliciación* a la manera de Suiza. La idea de muchedumbres armadas les aterra. Hombres con el rifle del soldado, pero sin haber sufrido la depresión moral de los cuarteles, constituyen una fuerza amenazadora: tienen algo de una tormenta con voluntad o de una avalancha con inteligencia. Los invasores mismos, aunque hayan desbaratado ejércitos poderosos en sangrientas batallas campales, suelen vacilar ante la resistencia de la población civil. De ahí las leyes bárbaras contra los franco-tiradores y la destrucción de las ciudades hostiles.

La liberación de un territorio por medio de la guerra puede originar la tiranía: el libertador, elevándose a la categoría de ídolo nacional, sufre el mareo de la ambición y sueña más de una vez en arroparse con el manto de César. Para las clases privilegiadas, el advenimiento del cesarismo no implica una amenaza; por el contrario, ellas miran en la implantación del régimen militar un freno a los amagos de reivindicaciones populares y una seguridad en el usufructo de los privilegios.

Pero esa misma liberación del territorio suele ocasionar el encumbramiento de las muchedumbres, quiere decir, una victoria de la democracia. Cuando un pueblo comienza por arrollar al extranjero, adquiere conciencia de su poder y fácilmente concluye por hacer justicia de sus opresores. Quien posee la fuerza realiza el derecho, "quien tiene hierro tiene pan".

Los ricos ven muchas veces menos daño en la victoria rápida del invasor que en el triunfo lento y gravoso de la causa nacional. Una batalla cuesta vidas; una resistencia de meses y años cuesta no solamente vidas, sino destrucción de las propiedades, pérdida del crédito. A la salvación de la patria, los burgueses acaudalados y los aristócratas prefieren la conservación de sus casas, de sus haciendas y de sus privilegios. Más le duele al rico perder su dinero que al pobre derramar su sangre.

La posesión de la riqueza origina el mismo estado sicológico en los poseedores, sea cual fuere su nacionalidad, resultando más analogía entre un mandarín y un *landowner* que entre el mismo *landowner* y un proletario inglés. Los ricos del mundo entero pertenecen a una sola patria: El Dorado; siguen una sola bandera: el negocio; y cuando blasonan de combatir por el bien de la Humanidad o por el triunfo de una idea, sólo defienden el tanto por ciento. Imaginarse que ellos fomenten las revoluciones radicales y patrocinen de buena fe la emancipación de los obreros es acariciar un sueño romántico y respirar el aire de otro planeta. Clases explotadoras favoreciendo a clases explotadas se igualarían con un absurdo biológico, estómagos digeriéndose a sí mismos.

Mas hay algo peor que los ricos: los hambrientos de riquezas, los políticos mercantiles o mercaderes políticos. Cuando esos hombres se adueñan del poder, hunden a las naciones: en la paz, con las finanzas; en las luchas internacionales, con los tratados. El Perú (la Cartago sin Aníbal) nos ofrece un ejemplo.

III

Nuestros mercaderes políticos dilapidaron los bienes nacionales y convirtieron al Montecristo de Sudamérica en el mendigo de las bolsas europeas. Durante muchos años toda la ciencia infusa de los hacendistas criollos se redujo a saldar el déficit con préstamos concedidos por los consignatarios, préstamos que eran el mismo dinero fiscal dado con interés subido. Nuestra historia financiera (si por finanzas se entiende el pedir dinero para malversarle y no pagarle) se halla escrita en los libros de corredores y banqueros, más o menos judíos: ahí, en el haber, consta el precio de las conciencias nacionales. Nada o muy poco se benefició el país con el huano y el salitre. Según Billinghurst, la explotación de las huaneras desde 1841 hasta 1879, produjo cerca de ochocientos millones de soles; y de esa suma, solamente diez y ocho a veinte fueron invertidos en obras públicas. La riqueza nos sirvió de elemento corruptor, no de progreso material. La venta del huano, la celebración de los empréstitos, la construcción de ferrocarriles, la emisión de los billetes y la expropiación de las salitreras dan margen a los más escandalosos gatuperios. Los contratos con Dreyfus, Meiggs y Grace equivalieron a la celebración de grandes ferias donde figuraron como artículos de venta y cambalache, los diarios, los presidentes de la República, los Tribunales de Justicia, las Cámaras, los ministros de Estado, los cónsules y demás funcionarios públicos. Al ver que en pocos meses y hasta pocos días algunos improvisaron riquezas fabulosas, cunde en todas las clases sociales el morboso deseo de enriquecerse: grasa una verdadera neurosis metálica. Ningún medio de adquirir parece ilícito. Las gentes se habrían arrojado a un albañal, si en el fondo hubieran divisado un sol de oro. Los maridos venden a sus mujeres, los padres a sus hijas, los hermanos a sus hermanas, etc. Meiggs tiene un serrallo en las clases dirigentes de Lima. No le faltan ni los eunucos.

Cegadas hoy las principales fuentes de la riqueza nacional y cerrado el ciclo de las vastas operaciones financieras, solamente quedan los negocios de menor cuantía, los mercados de poca monta, las sisas de cocinera, algo así como las sobras del festín, los desmenuzos del pastel, las raspaduras de la olla. A la dentellada de los grandes paquidermos sucede el mordisco de los pequeños roedores.

Algunos europeos se figuran que los latinoamericanos vivimos en una serie interminable de luchas heroicas por la libertad y el derecho. Otros se imaginan que sufrimos continuamente la opresión de bárbaros tan bárbaros como los emperadores de la decadencia romana. Salvo una que otra fiera guarecida en el Palacio de Gobierno, el Perú no ha contado sino mercaderes con espada o frac. Asaltar la presidencia pareció a los Benavides y congéneres medio más seguro de obtener dinero que terciarse un rifle y salir a los caminos. Verdad, tenemos un Chinchao, un Tebes, dos Santa Catalina, un Guayabo, un Pazul, un Napo etc.; pero en nuestras contiendas civiles, más que brazos repartiendo la muerte, fuimos dedos arañándonos en el fondo de un saco.

(*Propaganda y Ataque*, Buenos Aires, 1938)

ESPAÑOLES Y YANKEES

Nicomedes Pastor Días* afirmó que "el hombre no se da bien en América", y algunos plumíferos españoles nos suelen recordar con el olímpico desdén de un Apolo al medirse con una turba de mirmidones o de orangutanes. Vamos a cuentas: si llamamos hombre al bípedo implume que duerme la siesta, se regala con gazpacho, quema cirios a la Virgen del Pilar, declara duelo público la muerte de un torero y lame la bota de Martínez Campos o la ensangrentada mano de Cánovas, el hombre no se da bien en América, al menos en la América del Norte.

En cuanto a la América Española, se la abandonamos a todos los humoristas de Madrid, porque el español, al escarnecer a los hispanoamericanos, no hace más que escarnecerse a sí mismo desde que en los hijos se ve la exacta reproducción de los padres. Cierto, en la América Española hay millones de indios y miles de negros que no llevan en sus venas una sola gota de sangre castellana; pero verdad también que los negros y los indios han vivido por algunos siglos bajo la exclusiva dominación de España, de modo que intelectual y moralmente deben ser considerados como sus propios hijos. Los negros o animales del campo, lo mismo que los indios o animales de la mina, se hallan en el caso de argüir a sus antiguos amos: "Si somos malos ¿por qué no nos educaron ustedes bien? Si hemos degenerado ¿por qué no impidieron ustedes la degeneración? Cuando los animales domésticos degeneran, cúlpese al dueño, no al animal.

Con todo, supongamos que a pesar de la *sabia y paternal administración* de los conquistadores, el hombre haya sufrido en la América Española una evolución regresiva hasta el punto de haberse convertido en un gorila. Entonces preguntamos: ¿cómo se explica que los *gorilas* San Martín, Bolívar y Sucre derrotaran al *hombre español?* ¿Cómo se explica que los *gorilas* Bello, Baralt y Cuervo hayan enseñado y enseñen castellano al *hombre español?* ¿Cómo se explica, en fin, que hoy mismo veinte o veinticinco mil *gorilas* de Cuba acaben de tener en jaque a más de doscientos mil *hombres españoles?*

En España se habla de los americanos como si se tratara de

---

* Escritor y político español (1811-1863), autor de *Galería de españoles célebres contemporáneos.*

los habitantes de la Luna; por lo general, se sabe que para venir a cualquier punto de América se necesita embarcarse; más allá del embarque no hay noticias. Afírmese que Montevideo linda con San Petersburgo y que Buenos Aires dista un kilómetro de Constantinopla, y lo creen hasta los profesores del Ateneo. Respecto a los Estados Unidos ¿qué decían no hace mucho los españoles? Los yankees son un pueblo sin ejército aguerrido ni marina fogueada: con el *Pelayo* y unos cuantos buques más de la *invencible y gloriosa escuadra española*, sobra para hundir a las naves norteamericanas; con los *invencibles y gloriosos veteranos de Cuba*, hay fuerza suficiente para invadir el territorio de la Unión, para tomar Washington e imponer las condiciones de paz al Gobierno de la Casa Blanca. Weyler* sólo pedía unos setenta u ochenta mil hombres para llevar a cabo la empresa. Y todo esto no era la concepción morbosa de un general reblandecido, sino la opinión arraigada en el cerebro de hombres como Romero Robledo y Nocedal. Hoy mismo no faltan diarios españoles que hagan responsable a Sagasta por no haber apresurado la guerra y hecho trasladar *oportunamente* cien mil hombres de Cuba a Florida. España habría recorrido en triunfo los Estados Unidos.

Hay más: para el vulgo español (entendiéndose por vulgo tanto el rufián que en el puente de Toledo blande la navaja, como el marqués tronado que en la calle de Sevilla le palmea las nalgas al torero) los Estados Unidos son una aglomeración de choriceros y matadores de cerdos. Los poetas americanos, en vez de montar el Pegaso, cabalgan en un gorrino; los senadores yankees discuten con los puños arremangados hasta el codo y llenos de sangre porque vienen de matar su marrano; las damas de Nueva York van a los paseos, con su lechón bajo el brazo, a no ser que prefieran quedarse en sus hogares, consagradas a la tarea de ahumar jamones o rellenar chorizos. Todo el ingenio de los bardos y caricaturistas españoles no ha salido de llamar cerdos a los yankees ni de ponerles orinales en lugar de sombreros. Hay quien se ha desmayado de risa al ver semejantes simplezas en el *Madrid Cómico*, semanario soso y memo, dirigido por una especie de imbécil que responde al nombre de Sinesio Delgado.

La superioridad del español sobre el norteamericano no ad-

---

* Valeriano Weyler (1838-1930), general español que, en 1897, fracasó con sus crueles medidas para impedir la independencia de Cuba.

mite réplica desde Cádiz hasta Barcelona. Para el buen comedor de garbanzos, nada vale abrir canales y trazar caminos, tender redes de ferrocarriles y de telégrafos, cubrir de muelles las costas y de puentes los ríos, o improvisar en veinte años ciudades que por su magnificencia y población eclipsan a las antiquísimas ciudades europeas. Tampoco vale poseer museos, bibliotecas y universidades iguales y superiores a las del Viejo Mundo. La nación que en tan pocos años realiza tantos prodigios puede estar muy adelantada en el orden material, pero en el orden intelectual ocupa nivel muy inferior a la España de los *grandes tribunos* y de los *grandes escritores* ... "¿Quién tiene a los hombres de palabra y de pluma que poseemos nosotros?", dicen los madrileños hinchando el pecho y esforzándose por elevarse unas cuantas pulgadas sobre los desvencijados adoquines de la Puerta del Sol.

Se le podía contestar que Núñez de Arce con todos sus *Idilios* no vale tanto como Longfellow; que un Emilio Castelar con toda su elocuencia no se iguala con Emerson o *el Aguila Blanca;* que los Pérez Galdós, los Pereda y las Pardo Bazán no hacen olvidar a Washington Irving, a Fenimore Cooper ni a Edgar Poe; que ninguno de los modernos americanistas españoles compite con Prescott, Bancroft ni Winsor; que hasta en el exclusivo terreno de la historia de la literatura castellana no se cuenta español que haya logrado eclipsar a Ticknor ... Pero vale más dejarles confiarse en su ilusión y repetirles:

"Efectivamente, es muy bueno contar con Píndaros y Cicerones; pero más bueno habría sido poseer marinos que no se hubieran dejado echar a pique en Trafalgar, y soldados que hubieran sabido defender Holanda, el Rosellón, Portugal, Zelanda, el Franco Condado, Flandes, el Milanesado, el Reino de Nápoles, México, Centroamérica, la América del Sur y sobre todo Gibraltar. Tampoco habría sido malo poseer ingenieros que hubieran sabido abrir canales y trazar caminos, para que la España de hoy no fuera una especie de archipiélago donde las ciudades representan a las islas y los desiertos hacen de mares".

Con la sorpresa en Manila y los combates navales en Santiago de Cuba, con la pérdida de Filipinas y Puerto Rico, los españoles tienen razones suficientes para convencerse que en Estados Unidos hay algo más que degolladores de cerdos; pero ¿adquirirán ese convencimiento provechoso y le usarán como una lección salvadora? Seguirán tal vez en sus pueriles fanfarronadas atribuyendo los descalabros a la ineptitud de Blanco, a la traición de Sagasta o al resentimiento de la *Pilarica* por el escaso número de novenas rezadas en Zaragoza.

Ya Núñez de Arce parece aconsejar a los españoles el uso de la oración. "Impongo silencio —dice— a mi indignación y me limito a rogar a Dios que aparte de los labios de mi desgraciada patria el amargo cáliz que a cada paso le ofrece en estas horas de mortal angustia, la vieja y estéril política de nuestros ciegos partidos".

Amen . . .

(Germinal, Lima, 7 de enero de 1899)

NOTAS ACERCA DEL IDIOMA*

Lamartine lamentaba que el pueblo y los escritores no hablaran la misma lengua, y decía: "Al escritor le cumple transformarse e inclinarse a fin de poner la verdad al alcance de las muchedumbres: inclinarse así, no es rebajar el talento, es humanizarle".

Los sabios poseen su tecnicismo abstruso, y nadie les exige que en libros de pura Ciencia se hagan comprender por el individuo más intonso. La obscuridad relativa de las obras científicas no se puede evitar, y pretender que un ignorante las entienda con sólo abrirlas, vale tanto como intentar que se traduzca un idioma sin haberle estudiado. ¿Cómo exponer en el vocabulario vulgar nomenclaturas químicas y clasificaciones botánicas? ¿Cómo dar a conocer las teorías y sistemas de los modernos? No será escribiendo llegar a ser por *devenir*, otrismo por *altruísmo*, ni salto atrás por *atavismo*.

En la simple literatura no sucede lo mismo. Los lectores de novelas, dramas, poesías, etcétera, pertenecen a la clase medianamente ilustrada, y piden un lenguaje fácil, natural comprensible, sin necesidad de recurrir constantemente al diccionario. Para el conocimiento perfecto de un idioma, se requiere años enteros de contracción asidua, y no todos los hombres se hallan en condiciones

---

* Aunque estas "Notas Acerca del Idioma" se publicaron en la edición de *Páginas Libres* de 1894, conservaron la fecha de 1889 en que fueron escritas. Dos años antes apuntaron estas mismas ideas sobre el idioma en su Conferencia en el Ateneo de Lima.

de pasar la vida estudiando gramáticas y consultando léxicos. El que se suscribe al diario y compra la novela y el drama, está en el caso de exigir que le hablen comprensible y claramente. La lectura debe proporcionar el goce de entender, no el suplicio de adivinar.

Las obras maestras se distinguen por la *accesibilidad*, pues no forman el patrimonio de unos cuantos iniciados, sino la herencia de todos los hombres con sentido común. Homero y Cervantes son ingenios democráticos, un niño les entiende. Los talentos que presumen de aristocráticos, los inaccesibles a la muchedumbre, disimulan lo vacío del fondo con lo tenebroso de la forma; tienen la profundidad del pozo que no da en agua, y la elevación del monte que esconde en las nubes un pico desmochado.

Los autores franceses dominan y se imponen al mundo entero, porque hacen gala de claros y profesan que "lo claro es francés", que lo obscuro no es humano ni divino. Y no creamos que la claridad estribe en decirlo todo y explicarlo todo, cuando suele consistir en callar algo, dejando que el público pueda leer entre renglones. Nada tan fatigoso como los autores que explican hasta las explicaciones, como si el lector careciera de ojos y cerebro.

Las obras que la Humanidad lee y relee, sin cansarse nunca, no poseen la sutileza del bordado, sino la hermosura de un poliedro regular o el grandioso desorden de una cordillera; porque los buenos autores, como los buenos arquitectos, se valen de grandes líneas y desdeñan las ornamentaciones minuciosas y pueriles. En el buen estilo, como en los bellos edificios, hay amplia luz y vastas comunicaciones, no intrincados laberintos ni angostos vericuetos.

El abuso de retruécanos y paranomasias deja de ser vicio literario y entra en la condición de síntoma patológico. Media poca distancia entre el monómano que vive torturando los vocablos para sacarles una agudeza, y el loco que se agujereaba el cráneo para extraerse la paloma del Espíritu Santo. "Le calembour est la fiente de l'esprit qui vole".[1]

Las coqueterías y amaneramientos de lenguaje seducen a imaginaciones frívolas que se alucinan con victorias académicas y aplausos de corrillo; pero "no cuadran con los espíritus serios que se arrojan valerosamente a las luchas morales de su siglo".[2] Para

[1] Víctor Hugo.
[2] Saint-René Taillandier.

ejercer acción eficaz en el ánimo de sus contemporáneos, el escritor debe amalgamar la frescura juvenil del lenguaje y la sustancia medular del pensamiento. Sin naturalidad y sin claridad, todas las perfecciones se amenguan, quedan eclipsadas. Si Herodoto hubiera escrito como Gracián, si Píndaro hubiera cantado como Góngora, ¿habrían sido escuchados y aplaudidos en los juegos olímpicos? Ahí están los grandes agitadores de almas en los siglos XVI y XVIII, ahí está particularmente Voltaire con su prosa, natural como un movimiento respiratorio, clara como un alcohol rectificado.

II

Afanarse porque el hombre de hoy hable como el de ayer, vale tanto como trabajar porque el bronce de una corneta vibre como el parche de un tambor. Pureza incólume de la lengua, capricho académico. ¿Cuándo el castellano fue puro? ¿En qué época y por quién se habló de idioma ideal? ¿Dónde el escritor impecable y modelo? ¿Cuál el tipo acabado de nuestra lengua? ¿Puede un idioma cristalizarse y adoptar una forma definitiva, sin seguir las evoluciones de la sociedad ni adaptarse al medio?

En las lenguas, como en los seres orgánicos, se verifican movimientos de asimilación y movimientos de segregación; de ahí los neologismos o células nuevas y los arcaísmos o detritus. Como el hombre adulto guarda la identidad personal, aunque no conserva en su organismo las células de la niñez, así los idiomas renuevan su vocabulario sin perder su forma sintáxica. Gonzalo de Berceo y el Arcipreste de Hita requieren un glosario, lo mismo Juan de Mena, y Cervantes le pedirá muy pronto. Y los movimientos se realizan, quiérase o no se quiera: "la lengua sigue su curso, indiferente a quejas de gramáticos y lamentaciones de puristas".[3]

El francés, el italiano, el inglés y el alemán acometen y abren cuatro enormes brechas en el viejo castillo de nuestro idioma: el francés, a tambor batiente, penetra ya en el corazón del recinto. Baralt, el severo autor del *Diccionario de Galicismos,* confesó en sus últimos años lo irresistible de la invasión francesa en el idioma castellano; pero algunos escritores de España no lo ven o fingen no verlo, y continúan encareciendo la pureza en la lengua, semejantes a la madre candorosa que pregona la virtud de una hija siete veces pecadora.

[3] Arsène Darmesteter, *La Vie des mots.*

La corrupción de las lenguas ¿implica un mal? Si por infiltraciones recíprocas, el castellano, el inglés, el alemán, el francés y el italiano se corrompieran tanto que lo hablado en Madrid fuera entendido en Londres, Berlín, París y Roma, ¿no se realizaría un bien? Por cinco arroyos tendríamos un río; en vez de cinco metales, un nuevo metal de Corinto. Habría para la Humanidad inmensa economía de fuerza cerebral, la fuerza que se desperdicia hoy en aprender tres o cuatro lenguas vivas, es decir, centones de palabras y cúmulos de reglas gramaticales.

El sánscrito, el griego y el latín pasaron a lenguas muertas sin que las civilizaciones indostánicas, griegas y romanas enmudecieran completamente. Se apagó su voz, pero su eco sigue repercutiendo. Sus mejores libros reviven traducidos. Tal vez, con la melodía poética de esos idiomas, perdimos la flor de la antigüedad; pero conservamos el fruto; y ¿quién nos dice que nuestro ritmo de acento valga menos que el ritmo de cantidad?

Cuando nuestras lenguas vivas pasen a lenguas muertas o se modifiquen tan radicalmente que no sean comprendidas por los descendientes de los hombres que las hablan hoy, ¿habrá sufrido la Humanidad una pérdida irremediable? A no ser un cataclismo general que apague los focos de civilización, el verdadero tesoro, el tesoro científico, se conservará ileso. Las conquistas civilizatrices no son palabras almacenadas en diccionarios ni frases disecadas en disertaciones eruditas, sino ideas morales transmitidas de hombre a hombre y hechos consignados en los libros de Ciencia. La Química y la Física, ¿serán menos Química y menos Física en ruso que en chino? ¿Murió la Geometría de Euclides cuando murió la lengua en que está escrita? Si el inglés desaparece mañana, ¿desaparecerá con él la teoría de Darwin?

En el idioma se encastilla el mezquino espíritu de nacionalidad. Cada pueblo admira en su lengua el *nec plus ultra* de la perfección, y se imagina que los demás tartamudean una tosca jerga. Los griegos menospreciaban el latín, y los romanos se escandalizaban de que Ovidio hubiera poetizado en lengua de hiperbóreos. Si los teólogos de la Edad Media vilipendiaban a Mahoma por haber escrito el Korán en arábigo, y no en hebreo, griego ni latín; en cambio los árabes se figuran su lengua como la única gramaticalmente construida.[4] Tras del francés, que no reconoce *esprit*

---

[4] Renan, *Mahomet et les origines de l'Islamisme.*

fuera de su Rabelais, viene el inglés, que mira un inferior en el extranjero incapaz de traducir a Shakespeare, y sigue el español, que ensalza el castellano como la lengua más digna de comunicarse con Dios.

A más, en el idioma se contiene el archivo sagrado de nuestros errores y preocupaciones; tocarle nos parece una profanación. Hay hombres que si dejaran de practicar la lengua nativa, cambiarían su manera de pensar; nuestras creencias se reducen muchas veces a fetiquismos de palabras. Se concibe el apego senil del ultramontano al vocablo viejo, porque las ideas retrógradas se pegan a los giros anticuados como el sable oxidado se adhiere a la vaina.

Se concibe también el horror sacrílego al vocablo nuevo, principalmente cuando se trata de un galicismo, porque el francés significa impiedad y revolución, *Enciclopedia y Declaración de los derechos del hombre.* Hay motivos para guarecerse de la *peste negra* y establecer cordón sanitario entre la lengua de Cervantes y la lengua de Voltaire.

Nada tan risible como la rabia de algunos puristas contra el neologismo, rabia que les induce a reconocer en ciertas palabras un enemigo personal. Discutiéndose en la Academia francesa la aceptación de cierta voz, usada en toda Francia, pero no castiza, un académico exclamó ciego de ira: "Si esa palabra entra, salgo yo".

III

El castellano se recomienda por la energía, como idioma de pueblo guerrero y varonil. Puede haber lengua más armoniosa, más rica, más científica; pero no más enérgica: tiene frases que aplastan como la masa de Hércules, o parten en dos como la espada de Carlomagno. Hoy nos sorprende la ruda franqueza, el crudo naturalismo, de algunos escritores antiguos que lo dicen todo sin valerse de rodeos y disimulos. Hasta parece que pasáramos a lengua extranjera cuando, después de leer, por ejemplo, a Quevedo, al Quevedo de las buenas horas, leemos a esos autores neoclásicos que usan de estilo una fraseología correcta y castiza.

La frase pierde algo de su virilidad con la abundancia de artículos, pronombres, preposiciones y conjunciones relativas. Con tanto *él y la, los y las, él y ellas, quién y quiénes, cuyo y cuya, el cual y la cual,* etc., las oraciones parecen redes con hilos tan enmarañados como frágiles. Nada relaja más el vigor que ese abuso en el relativo *que* y en la preposición *de*. El pensamiento expresado en inglés con verbo, sustantivo, adjetivo y adverbio, necesita en el castellano de muchos españoles una retahila de pronombres, artículos y preposiciones. Si, conforme a la teoría *spenceriana*, el lenguaje se reduce a máquina de transmitir ideas, ¿qué se dirá del mecánico que malgasta fuerza en rozamientos innecesarios y conexiones inútiles?

Si nuestra lengua cede en concisión al inglés, compite en riqueza con el alemán, aunque no le iguala en la libertad de componer voces nuevas con voces simples, de aclimatar las exóticas y hasta de inventar palabras. Lo último degenera en calamidad germánica, pues cada filósofo que fabrica un nuevo sistema, se crea vocabulario especial, haciendo algo como la aplicación del libre examen al lenguaje. La asombrosa flexibilidad del idioma alemán se manifiesta en la poesía: los poetas germánicos traducen con fiel maestría larguísimas composiciones, usando el mismo número de versos que el original y hasta el mismo número de sílabas. A más, no admiten lenguaje convencional de la poesía, y cantan con admirable sencillez cosas tan llanas y domésticas, que traducirlas en nuestra lengua sería imposible o dificilísimo. Mientras en castellano la forma conduce al poeta, en alemán el poeta subyuga rima y ritmo. Los versos americanos y españoles ofrecen hoy algo duro, irreductible, como sustancia rebelde a las manipulaciones del obrero: los endecasílabos sobre todo, parecen barras de hierro simétricamente colocadas. En muy reducido número de autores, señaladamente en Campoamor, se descubre la flexibilidad germánica, el poder soberano de infundir vida y movimiento a la frase poética.

Pero, no sólo tenemos lenguaje convencional en la poesía, sino lenguaje hablado y lenguaje escrito: hombres que en la conversación discurren llanamente, como lo hace cualquiera, se expresan estrafalaria y obscuramente cuando manejan la pluma; son como botellas de prestidigitador, que chorrean vino y en seguida vinagre.

Cierto, la palabra requiere matices particulares, desde que no se perora en club revolucionario como se cuchichea en locutorio de monjas. Tal sociedad y tal hombre, tal lenguaje. En la corte gazmoña de un Carlos el Hechizado, se chichisvea en términos que recuerdan los remilgamientos de viejas devotas y las genuflexiones de cortesanos; mientras en el pueblo libre de Grecia se truena con acento en que reviven las artísticas evoluciones de los juegos píticos y la irresistible acometida de las falanges macedónicas. A Montaigne le gustaba "un hablar simple y sencillo, tal en el papel como en la boca, un hablar suculento, corto y nervudo, no tanto delicado y peinado como vehemente y brusco". Hoy le gustaría un hablar moderno. ¿Hay algo más ridículo que salir con *magüer, aina mais, cabe el arroyo y no embargante,* mientras vibra el alambre de un telégrafo, cruje la hélice de un vapor, silba el pito de una locomotora y pasa por encima de nuestras cabezas un globo aerostático?

Aquí, en América y en nuestro siglo, necesitamos una lengua condensada, jugosa y alimenticia, como extracto de carne; una lengua fecunda, como riego en tierra de labor; una lengua que desenvuelva períodos con el estruendo y valentía de las olas en la playa; una lengua democrática que no se arredre con nombres propios ni con frases crudas como juramento de soldado; una lengua, en fin, donde se perciba el golpe del martillo en el yunque, el estridor de la locomotora en el riel, la fulguración de la luz en el foco eléctrico y hasta el olor del ácido fénico, el humo de la chimenea o el chirrido de la polea en el eje.

(*Páginas Libres,* París, 1894)

JOSE MARTI

1853 - 1895

Donde no se olvida, y donde no hay muerte, lle-
vamos a Nuestra América, como luz y como hostia;
y ni el interés corruptor, ni ciertas modas nuevas
de fanatismo, podrán arrancárnosla de allí.

J. M.

De padre valenciano y madre canaria nace en La Habana el
Apóstol de la independencia de Cuba. Don Mariano Martí, un hu-
milde empleado de la burocracia española en la Isla, no podía pro-
porcionar a su hijo una buena educación. Sólo por la generosidad
del maestro cubano Rafael María de Mendive, pudo Martí recibir
instrucción primaria e ingresar en el Instituto de la capital. Antes
de que hubiera transcurrido un año en sus estudios del bachillerato,
estalla en la provincia oriental de Cuba la "Guerra de los Diez
Años," que extendería hasta 1878 su esfuerzo independentista. Se
inician con aquel episodio de la historia cubana las dos grandes
proyecciones del espíritu martiano: el amor a la patria y la voca-
ción literaria.

Para apoyar el empeño emancipador de los cubanos en armas,
el joven Martí publica en un periódico estudiantil, Abdala: un poe-
ma de encendido patriotismo. Poco tiempo después es acusado de
infidencia y condenado a seis años de trabajos forzados. La poca
salud de aquel preso de diez y siete años y las gestiones del padre,
hicieron eco en algún corazón español: a los ocho meses de cum-
plir su condena, se le disminuye el castigo y sale desterrado hacia
España. Allí escribirá su terrible acusación contra el gobierno co-
lonial: El presidio político en Cuba.

Con la abdicación del rey Amadeo y la proclamación de la
primera República española en 1873, Martí multiplica sus esfuerzos
publicando folletos y artículos periodísticos, encaminados a conseguir
el apoyo republicano para su causa. Viendo fracasados sus empeños,
decide terminar en Zaragoza los estudios de leyes que iniciara en la

Universidad de Madrid. Años más tarde, al graduarse de abogado, se dirige a México —donde ya residía su familia— para ponerse en contacto por vez primera con el cuerpo continental de América. Hasta 1876 vive en la capital mexicana todo el fervor de la Reforma, mientras escribe para la Revista Universal *artículos sobre arte y política, y se relaciona con las mejores inteligencias del país. Al iniciarse el gobierno de Porfirio Díaz, acepta el cargo de profesor en la Escuela Normal de Guatemala. Permanece un año en aquella república centroamericana, enseñando filosofía, y escribe sobre las esencias de América que ya ha sabido descubrir.*

Acabada, en 1878, la primera guerra de independencia, el gobierno español permite el regreso de los emigrados cubanos. Martí vuelve a La Habana y trabaja en el bufete de un abogado amigo. No pasará un año sin que las autoridades descubran sus actividades para iniciar una nueva guerra, y comprendan que en sus discursos latía el germen de la insurrección. Nuevamente es desterrado. Pero esta vez sólo permanecerá en España el tiempo necesario para organizar su viaje a los Estados Unidos.

Llega a New York a principios de 1880; con muy cortas ausencias, allí residirá hasta el año 1895. Su primera visita a países de Nuestra América es para la tierra de Bolívar. En Venezuela confirma su prestigio de escritor y orador, que ya se extendía por el continente, y vuelve a New York como corresponsal de La Opinión Nacional *de Caracas. Poco después, también piden sus colaboraciones* La Nación *de Buenos Aires y otros periódicos de la América hispana.*

Escribe sus Versos libres. *En 1882 publica* Ismaelillo; *tres años más tarde su novela* Amistad funesta. *Hasta 1891, en que toda su actividad la reclama la independencia de su patria, Martí recibe la admiración de todos los que conocen su pluma y su espíritu. Perfila entonces su preocupación frente al "coloso del norte" y se confiesa en sus* Versos sencillos:

> Yo te quiero verso amigo,
> Porque cuando tengo el pecho
> Ya muy cansado y deshecho
> Parto la carga contigo.

Luego inicia la gran carrera. Montado en la conciencia de América, cabalga para unir los brazos que habrán de liberar a

Cuba. Funda el "Partido Revolucionario Cubano" y su vocero oficial Patria; *visita los núcleos de emigrados en Key West, Philadelphia, Tampa, Costa Rica, Panamá, Santo Domingo; Jamaica. En cada gestión, en cada discurso, y en todos sus escritos, su misión redentora va dejando la preciosa huella del mejor ideario americanista.*

A principios de 1895, ya organizada la guerra decisiva, se traslada a Santo Domingo para esperar el momento propicio e incorporarse a la lucha en territorio cubano. Desembarca en la provincia de Oriente, junto a otros patriotas, dejando en manos amigas su testamento político y las instrucciones para organizar su obra literaria. Y el 19 de mayo, en una carga de caballería contra los soldados españoles, se lo arrebataron a América y a Cuba, la gloria y la muerte.

BIBLIOGRAFIA

I. EDICIONES

Obras completas. Reunidas por Gonzalo de Quesada. 16 Vols. 1900-1933. (Varios lugares de impresión).

Obras completas. 74 Vols. La Habana: Editorial Trópico, 1936-1953.

Obras completas. 2 Vols. La Habana: Editorial Lex, 1946.

Obras completas (8 Vols. publicados). La Habana: Editorial Nacional de Cuba, 1963-1965.

Obras completas. 5 Vols. Caracas: Litho-Tip, 1964.

II. ESTUDIOS

Arciniegas, Germán. "José Martí, símbolo de América," CCLC, Vol. II (junio-agosto, 1953).

Baeza Flores, Alberto. *¿Quién fue José Martí?* México: Editorial Novaro-México, 1958.

——————. *Vida de José Martí; el hombre íntimo y el hombre público.* La Habana: Ediciones del Centenario y del Monumento de Martí, 1954.

Balseiro, José A. "El sentido de justicia en Martí," Asom, No. 3 (julio-septiembre, 1953).

Baralt, Blanche Z. de. *El Martí que yo conocí.* La Habana: Editorial Trópico, 1945.

Bisbé, Manuel. *"El sentido del deber en la obra de José Martí,"* RBC, mayo-junio, 1936.

Blomberg, Héctor Pedro. *Martí, el último libertador.* Buenos Aires: Editorial La Universidad, 1945.

Carbonell, Néstor. *Martí, carne y espíritu.* 2 Vols. La Habana; Seoane, Fernández y Cía., 1952.

——————. *Martí: Su vida y su obra.* La Habana: Imprenta "El Siglo XX," 1923.

Cestero Burgos, Julio A. *Filosofía de la cultura en la vida intensa de Martí.* Ciudad Trujillo: Editora Montalvo, 1953.

Corbitt, Roberta Day. "This colossal theater: The United States interpreted by José Martí," Ann Arbor, Mich.: University Microfilms, 1960.

Cue Canovas, Agustín. *Martí, el escritor y su época.* México: Ediciones Centenario, 1961.

Daireaux, Max. *José Martí* (1853-1895). París: Les Editions France-Amérique, 1939.

Díaz Plaja, Guillermo. *Martí desde España.* La Habana: Editorial Librería Selecta, 1956.

Esténger, Rafael. *Vida de Martí.* México: Secretaría de Educación Pública, 1944.

Fernández Concheso, Aurelio. *José Martí, filósofo.* Berlín: Ferd Dummber, 1937.

García Serrato, Nelson. *José Martí, héroe de Cuba y de América.* La Habana: Ediciones del Anuario Bibliográfico Cubano, 1953.

González Arrili, Bernardo. *Vida de José Martí.* Buenos Aires: Editorial Kapolusz, 1948.

González, Manuel Pedro. *Antología crítica de José Martí.* México: Editorial Cultura, T. G., S. A., 1960.

—————, *Fuentes para el estudio de José Martí.* La Habana: Dirección de Cultura, 1950.

—————. *José Martí, anticlerical irreductible.* México: Ediciones Humanismo, 1954.

—————. *José Martí, epic chronicler of the United States in the eighties.* Chapel Hill: University of North Carolina Press, 1953.

—————y Max A. Schulman. *José Martí: Esquema ideológico.* México: Editorial Cultura, 1963.

Gray, Richard Butler. *José Martí, Cuban Patriot.* Gainesville: University of Florida Press, 1962.

—————. "José Martí: his life, ideas, apotheosis..." Ann Arbor: University Microfilms, 1957.

Henríquez y Carvajal, Federico. *Martí, próceres, héroes i mártires.* República Dominicana: Imprenta San Francisco, 1945.

Hernández Catá, Alfonso: *Mitología de Martí.* Madrid: Renacimiento, 1929.

Iduarte, Andrés. "Ideas religiosas, morales y filosóficas de Martí," ND, febrero, 1944.

—————. "Las ideas políticas de José Martí," CuA, marzo-abril, 1944.

—————. "Martí en México," ND, Vol. XXX, No. 2 (1950).

—————. *Martí, escritor.* 2a. ed. La Habana: Dirección de Cultura, 1951.

————. *Sarmiento, Martí y Rodó.* La Habana: "El Siglo XX," 1955.

Infiesta, Ramón. *El pensamiento político de Martí.* La Habana: Universidad de la Habana, 1953.

————. *Martí, constitucionalista.* La Habana: Academia de la Historia, 1951.

"Homenaje a José Martí," BACLH, Vol. I, No. 4. (oct.-dic., 1952).

"Homenaje a José Martí," RevCu, Vol. XXIX (1952).

"Homenaje a José Martí," ArJM, Vol. VI, Nos. 19-22 (1953).

"Homenaje a José Martí," AUCh, Vol. CXI, No. 89 (1953).

Jiménez Grullón, Juan Isidro. *La filosofía de José Martí.* Santa Clara: Universidad Central de Las Villas, 1960.

Jorrín, Miguel. *Martí y la filosofía.* La Habana. Comisión Nacional de la UNESCO, 1954.

José Martí (1853-1895); *vida y obra, bibliografía, antología.* New York: Hispanic Institute, 1953.

Lizaso, Félix. "Bajo el signo de Martí," RAv, Vol. V, No. 46 (mayo, 1930).

————. *José Martí, espíritu de América.* La Habana: Secretaría de Educación, 1937.

————. *José Martí, recuento de centenario.* 2 Vols. La Habana: Ucar, García y Cía., 1953.

————. *Martí, espíritu de la guerra justa.* La Habana: Ucar, García y Cía., 1944.

————. *Martí, místico del deber.* 3a. ed. Buenos Aires: Editorial Losada, 1952.

————. *Martí y la utopía de América.* La Habana: Colección Ensayos, 1942.

————. "Normas periodísticas de José Martí," RevIb, Vol. XXIX (1963).

————. "Nuestro Martí," PolCar, Vol. III, No. 34 (mayo, 1964).

————. *Pasión de Martí.* La Habana: Ucar, García y Cía., 1938.

————. *Posibilidades filosóficas en Martí.* La Habana: Molina & Cía., 1935.

————. *Proyección humana de Martí.* Buenos Aires: Editorial Raigal, 1953.

López Blanco, Marino. *Perennidad de Martí.* La Habana: Editorial Lex, 1956.

Llaverías y Martínez, J. *Los periódicos de Martí.* La Habana: Imprenta Pérez, Sierra & Cía., 1929.

Machado, Ofelia. *José Martí*. Montevideo: González Panizza, Hnos., 1942.

Mañach, Jorge. *El espíritu de Martí; curso de* 1951. La Habana: Cooperativa Estudiantil Enrique José Varona, 1952.

——————. "El pensador en Martí," RAv, Vol. IV, No. 31 (febrero, 1929).

——————. *El pensamiento político y social de Martí*. La Habana: Edición Oficial del Senado, 1941.

——————. *José Martí*. La Habana: Edición Nuevo Mundo, 1960.

——————. *Martí, el apóstol*. New York: Las Américas Publishing Co., 1963.

Marinello, Juan. *Ensayos martianos*. Santa Clara: Universidad Central de Las Villas, 1961.

——————. *José Martí, escritor americano. Martí y el modernismo*. La Habana: Imprenta Nacional de Cuba, 1962.

——————. "Martí desde ahora" Conferencias mimiografiadas. Universidad de la Habana, 1962.

——————. "Sobre la filiación filosófica de José Martí," RepAm, agosto, 1941.

Márquez Sterling, Carlos. *Martí, ciudadano de América*. New York: Las Américas Publishing Co., 1965.

——————. *Martí, maestro y apóstol*. La Habana: Booano, Fernández y Cía., 1942.

——————. *Nueva y humana visión de Martí*. La Habana: Editorial Lex, 1953.

Marquina, Rafael. *La mujer, alma del mundo; censo femenino en la obra de Martí*. La Habana: Editorial Librería Martí, 1959.

Martínez Bello, Antonio. *Ideas sociales y económicas de José Martí*. La Habana: La Verónica, 1940.

——————. *La adolescencia de Martí (Notas para un ensayo de interpretación psicológica)*. La Habana: Imprenta P. Fernández, 1944.

Martínez Estrada, Ezequiel. "Apostolado de José Martí," CuA, Vol. XXIII, No. 3 (1964).

Martínez Sáenz, Joaquín. *Martí, el inadaptado sublime*. 2a. ed. La Habana: Editorial Cenit, 1956.

Méndez, Manuel Isidro. *Autobiografía de José Martí*. La Habana: Editorial Lex, 1943.

——————. *José Martí, Estudio crítico-biográfico*. La Habana: P. Fernández y Cía., 1941.

Mistral, Gabriela. *La lengua de Martí*. La Habana: Secretaría de Educación, Cuadernos de Cultura, 1934.

Ojeda, Fabricio. *Presencia revolucionaria de Martí*. La Habana: Editorial Tierra Nueva, 1962.

Ortiz Fernández, Fernando. *Martí y las razas*. La Habana: Ediciones del Centenario y del Monumento de Martí, 1953.

Peraza, J. A. *Enseñanzas de Martí*. *Meditaciones sobre el pensamiento del Maestro*. San Pedro Sola: Talls. Tipográficos "El Norte," 1950.

Peraza Sarausa, Fermín. *Bibliografía martiana*. La Habana: Publicaciones de la Comisión Nacional del Centenario, 1954.

————. *Indice analítico de las obras completas de José Martí*. 2 Vols. La Habana, 1953.

Pitchón, Marco. *José Martí y la comprensión humana*. La Habana: Imprenta P. Fernández, 1957.

Pittaluga, Gustavo. "Temperamento y personalidad de Martí," Lyc, Vol. IX, Nos. 33-34 (febrero-mayo, 1953).

Quesada y Miranda, Gonzalo de. *Facetas de Martí*. La Habana: Editorial Trópico, 1939.

————. *La juventud de Martí*. La Habana: Academia de la Historia de Cuba, 1943.

————. *Martí, hombre*. La Habana: Seoane, Fernández y Cía., 1940.

————. *Martí periodista*. La Habana: Imprenta Rambla, Bouza y Cía., 1929.

Quintana, Jorge. *José Martí, Cronolia Bibliográfica*. Caracas: Impresora Delta C. A., 1965.

Remos, Juan J. *Deslindes de Martí*. La Habana: Tipografía J. Suárez, 1953.

Rexach de León, Rosario. *El carácter de Martí y otros ensayos*. La Habana: Comisión Nacional de la UNESCO, 1954.

Ríos, Fernando de los. "Reflexiones en torno al sentido de la vida en Martí," RBC, Vol. XLI (1938).

Roa, Raúl. "José Martí y el destino americano," UDLH, marzo-junio, 1938.

Rodríguez Demorizi, Emilio. *Martí en Santo Domingo*. La Habana: Imprenta Ucar, García y Cía., 1953.

Rodríguez-Embil, L. *José Martí, el santo de América*. La Habana: Imprenta P. Fernández & Cía., 1941.

Roig de Leuchsenring, Emilio. *Caminos en la vida de Martí*. La Habana: Oficina del Historiador de la Ciudad de la Habana, 1961.

————. *La España de Martí*. La Habana: Editorial Páginas, 1938.

————. *La revolución de Martí*. *24 de febrero de 1895*. La Habana: Municipio de la Habana, 1941.

————. *Martí, antimperialista*. 2a. ed. La Habana, 1961.

————. *Martí en España*. La Habana: Cultura, 1938.

—————. *Martí: síntesis de su vida.* 3a. ed. La Habana: Oficina del Historiador de la Ciudad de la Habana, 1961.

Sáenz, Vicente. *Martí, raíz y ala del libertador de Cuba.* México: Editorial América Nueva, 1955.

Sánchez, Luis Alberto. "Sobre el pensamiento americano de José Martí," BolBo, Vol. XXIII (septiembre, 1953).

Santovenia, Emeterio. S. *Bolívar y Martí.* La Habana: Imprenta "El Siglo XX," 1934.

—————. *Dos creadores, Mazzini y Martí.* La Habana: Editorial Trópico, 1936.

—————. *El discípulo a quien Martí amaba.* La Habana: Imprenta "El Siglo XX," 1948.

—————. *Genio y acción: Sarmiento y Martí.* La Habana: Editorial Trópico, 1938.

—————. *Lincoln en Martí.* Prólogo de Félix Lizaso. La Habana: Editorial Trópico, 1948.

—————. *Universalidad de dos americanos: Benjamín Franklin y José Martí.* Gainesville: University of Florida Press, 1962.

Sierra Ramos, Caleb. "José Martí, hombre de América," UnivNL, septiembre, 1947.

Sinclair, Walter Ward. *Los Estados Unidos de José Martí.* México, 1959.

Vargas Vila, J. M. *José Martí, apóstol libertador.* París: Editorial Hispano-América, 1938.

Varona, Enrique José. "Hombres de América: Martí," MEC, Vol. LXIX, No. 926 (febrero-marzo, 1959).

Vasconcelos, José. "Ira y bondad," CProf, Vol. V (enero-marzo, 1953).

Venezuela en Martí. La Habana: Publicaciones de la Embajada de Venezuela en Cuba, 1953.

Vitier, Medardo. *Martí, estudio integral.* La Habana: Publicaciones de la Comisión Nacional del Centenario, 1954.

Weber, Fryda. "Martí en 'La Nación' de Buenos Aires (1885-1890)," RevCu, octubre-diciembre, 1937.

Zéndegui, Guillermo de. *Ambito de Martí.* La Habana: Imprenta P. Fernández y Cía., 1953.

NUESTRA AMERICA

Cree el aldeano vanidoso que el mundo entero es su aldea, y con tal que él quede de alcalde, o le mortifique al rival que le quitó la novia, o le crezcan en la alcancía los ahorros, ya da por bueno el orden universal, sin saber de los gigantes que llevan siete leguas en las botas y le pueden poner la bota encima, ni de la pelea de los cometas en el cielo, que van por el aire dormido engullendo mundos. Lo que quede de aldea en América ha de despertar. Estos tiempos no son para acostarse con el pañuelo a la cabeza, sino con las armas de almohada, como los varones de Juan de Castellanos: las armas del juicio, que vencen a las otras. Trincheras de ideas valen más que trincheras de piedra.

No hay proa que taje una nube de ideas. Una idea enérgica, flameada a tiempo ante el mundo, para, como la bandera mística del juicio final, a un escuadrón de acorazados. Los pueblos que no se conocen han de darse prisa para conocerse, como quienes van a pelear juntos. Los que se enseñan los puños, como hermanos celosos, que quieren los dos la misma tierra, o el de casa chica, que le tiene envidia al de casa mejor, han de encajar, de modo que sean una, las dos manos. Los que, al amparo de una tradición criminal, cercenaron, con el sable tinto en la sangre de sus mismas venas, la tierra del hermano vencido, del hermano castigado más allá de sus culpas, si no quieren que les llame el pueblo ladrones, devuélvanle sus tierras al hermano. Las deudas del honor no las cobra el honrado en dinero, a tanto por la bofetada. Ya no podemos ser el pueblo de hojas, que vive en el aire, con la copa cargada de flor, restallando o zumbando, según la acaricie el capricho de la luz, o la tundan y talen las tempestades; ¡los árboles se han de poner en fila, para que no pase el gigante de las siete leguas! Es la hora del recuento, y de la marcha unida, y hemos de andar en cuadro apretado, como la plata en las raíces de los Andes.

A los sietemesinos sólo les faltará el valor. Los que no tienen fe en su tierra son hombres de siete meses. Porque les falta el valor a ellos, se lo niegan a los demás. No les alcanza el árbol difícil, el brazo canijo, el brazo de uñas pintadas y pulsera, el brazo de Madrid o de París, y dicen que no se puede alcanzar el árbol. Hay que cargar los barcos de esos insectos dañinos, que le roen el hueso a la patria que los nutre. Si son parisienses o madrileños, vayan al Prado, de faroles, o vayan a Tortoni, de sorbetes. ¡Estos hijos de carpintero, que se avergüenzan de que su padre sea carpintero! ¡Estos nacidos en América, que se avergüenzan, porque llevan delantal indio, de la madre que los crió, y reniegan, ¡bribones!, de la madre enferma, y la dejan sola en el hecho de las enfermedades! Pues, ¿quien es el hombre? ¿el que se queda con la madre a curarle la enfermedad, o el que la pone a trabajar donde no la vean, y vive de su sustento en las tierras podridas, con el gusano de corbata, maldiciendo del seno que lo cargó, paseando el letrero de traidor en la espalda de la casaca de papel? ¡Estos hijos de nuestra América, que ha de salvarse con sus indios, y va de menos a más; estos desertores que piden fusil en los ejércitos de la América del Norte, que ahoga en sangre a sus indios, y va de más a menos! ¡Estos delicados, que son hombres y no quieren hacer el trabajo de hombres! Pues el Washington que les hizo esta tierra ¿se fue a vivir con los ingleses, a vivir con los ingleses en los años en que los veía venir contra su tierra propia? ¡Estos "increíbles" del honor, que lo arrastran por el suelo extranjero, como los increíbles de la Revolución francesa, danzando y relamiéndose, arrastraban las erres!

Ni ¿en qué patria puede tener un hombre más orgullo que en nuestras repúblicas dolorosas de América, levantadas entre las masas mudas de indios, al ruido de pelea del libro con el cirial, sobre los brazos sangrientos de un centenar de apóstoles? De factores tan descompuestos, jamás, en menos tiempo histórico, se han creado naciones tan adelantadas y compactas. Cree el soberbio que la tierra fue hecha para servirle de pedestal, porque tiene la pluma fácil o la palabra de colores, y acusa de incapaz e irremediable a su república nativa, porque no le dan sus selvas nuevas modo continuo de ir por el mundo de gamonal famoso, guiando jacas de Persia y derramando champaña. La incapacidad no está en el país naciente, que pide formas que se le acomoden y grandeza útil, sino en los que quieren regir pueblos originales, de composición singular y violenta, con leyes heredadas de cuatro siglos de práctica libre en los Estados Unidos, de diecinueve siglos de monarquía en Francia. Con un decreto de Hamilton no se le para la pechada al potro del llanero. Con una frase de Sieyés no se desestanca la sangre cuajada de la raza india. A lo que es, allí donde se gobierna, hay que atender

para gobernar bien; y el buen gobernante en América no es el que
sabe cómo se gobierna el alemán o el francés, sino el que sabe con
qué elementos está hecho su país, y cómo puede ir guiándolos en
junto, para llegar, por métodos e instituciones nacidas del país
mismo, a aquel estado apetecible donde cada hombre se conoce y
ejerce, y disfrutan todos de la abundancia que la Naturaleza puso
para todos en el pueblo que fecundan con su trabajo y defienden
con sus vidas. El gobierno ha de nacer del país. El espíritu del gobierno ha de ser del país. La forma del gobierno ha de avenirse
a la constitución propia del país. El gobierno no es más que el equilibrio de los elementos naturales del país.

Por eso el libro importado ha sido vencido en América por
el hombre natural. Los hombres naturales han vencido a los letrados
artificiales. El mestizo autóctono ha vencido al criollo exótico. No
hay batalla entre la civilización y la barbarie, sino entre la falsa
erudición y la naturaleza. El hombre natural es bueno, y acata y
premia la inteligencia superior, mientras ésta no se vale de su sumisión para dañarle, o le ofende prescindiendo de él, que es cosa
que no perdona el hombre natural, dispuesto a recobrar por la fuerza
el respeto de quien le hiere la susceptibilidad o le perjudica el interés. Por esta conformidad con los elementos naturales desdeñados
han subido los tiranos de América al poder; y han caído en cuanto
les hicieron traición. Las Repúblicas han purgado en las tiranías
su incapacidad para conocer los elementos verdaderos del país, derivar de ellos la forma de gobierno y gobernar con ellos. Gobernante, en un pueblo nuevo, quiere decir creador.

En pueblos compuestos de elementos cultos e incultos, los
incultos gobernarán, por su hábito de agredir y resolver las dudas
con la mano, allí donde los cultos no aprendan el arte del gobierno.
La masa inculta es perezosa, y tímida en las cosas de la inteligencia,
y quiere que la gobiernen bien; pero si el gobierno le lastima, se
lo sacude y gobierna ella. ¿Cómo han de salir de las Universidades
los gobernantes, si no hay Universidad en América donde se enseñe
lo rudimentario del arte del gobierno, que es el análisis de los elementos peculiares de los pueblos de América? A adivinar salen los
jóvenes al mundo, con antiparras yankees o francesas, y aspiran a
dirigir un pueblo que no conocen. En la carrera de la política habría
de negarse la entrada a los que desconocen los rudimentos de la
política. El premio de los certámenes no ha de ser para la mejor

oda, sino para el mejor estudio de los factores del país en que se
vive. En el periódico, en la cátedra, en la academia, debe llevarse
adelante el estudio de los factores reales del país. Conocerlos basta,
sin vendas ni ambajes; porque el que pone de lado, por voluntad
u olvido, una parte de la verdad, cae a la larga por la verdad que
le faltó, que crece en la negligencia, y derriba lo que se levanta sin
ella. Resolver el problema después de conocer sus elementos, es más
fácil que resolver el problema sin conocerlos. Viene el hombre natural, indignado y fuerte, y derriba la justicia acumulada de los
libros, porque no se la administra en acuerdo con las necesidades
patentes del país. Conocer es resolver. Conocer el país, y gobernarlo
conforme al conocimiento, es el único modo de librarlo de tiranías.
La Universidad europea ha de ceder a la Universidad Americana.
La historia de América, de los incas a acá, ha de enseñarse al de-
dillo, aunque no se enseñe la de los arcontes de Grecia. Nuestra
Grecia es preferible a la Grecia que no es nuestra. No es más necesaria. Los políticos nacionales han de reemplazar a los políticos
exóticos. Injértese en nuestras Repúblicas el mundo; pero el tronco
ha de ser el de nuestras Repúblicas. Y calle el pedante vencido; que
no hay patria en que pueda tener el hombre más orgullo que en
nuestras dolorosas repúblicas americanas.

Con los pies en el rosario, la cabeza blanca y el cuerpo pinto
de indio y criollo, vinimos, denodados, al mundo de las naciones.
Con el estandarte de la Virgen salimos a la conquista de la libertad.
Un cura, unos cuantos tenientes y una mujer alzan en México la
República en hombros de los indios. Un canónigo español, a la sombra de su capa, instruye en la libertad francesa a unos cuantos bachilleres magníficos, que ponen de jefe de Centro América contra
España al general de España. Con los hábitos monárquicos, y el Sol
por pecho, se echaron a levantar pueblos los venezolanos por el
Norte y los argentinos por el Sur. Cuando los dos héroes chocaron,
y el continente iba a temblar, uno, que no fue el menos grande,
volvió riendas. Y como el heroísmo en la paz es más escaso, porque
es menos glorioso que el de la guerra; como el hombre le es más
fácil morir con honra que pensar con orden; como gobernar con los
sentimientos exaltados y unánimes es más hacedero que dirigir, después de la pelea, los pensamientos diversos, arrogantes, exóticos o
ambiciosos; como los poderes arrollados en la arremetida épica za-

paban, con la cautela felina de la especie y el peso de lo real, el edificio que había izado, en las comarcas burdas y singulares de nuestra América mestiza, en los pueblos de pierna desnuda y casaca de París, la bandera de los pueblos nutridos de savia gobernante en la práctica continua de la razón y de la libertad; como la constitución jerárquica de las colonias resistía la organización democrática de la República, o las capitales de corbatín dejaban en el zaguán al campo de bota-de-potro, o los redentores bibliógenos no entendieron que la revolución que triunfó con el alma de la tierra, desatada a la voz del salvador, con el alma de la tierra había de gobernar, y no contra ella ni sin ella, entró a padecer América, y padece, de la fatiga de acomodación entre los elementos discordantes y hostiles que heredó de un colonizador despótico y avieso, y las ideas y formas importadas que han venido retardando, por su falta de realidad local, el gobierno lógico. El continente descoyuntado durante tres siglos por un mando que negaba el derecho del hombre al ejercicio de su razón, entró, desatendiendo o desoyendo a los ignorantes que lo habían ayudado a redimirse, en un gobierno que tenía por base la razón; la razón de todos en las cosas de todos, y no la razón universitaria de uno sobre la razón campestre de otros. El problema de la independencia no era el cambio de formas, sino el cambio de espíritu.

Con los oprimidos había que hacer causa común, para afianzar el sistema opuesto a los intereses y hábitos de mando de los opresores. El tigre, espantado del fogonazo, vuelve de noche al lugar de la presa. Muere echando llamas por los ojos y con las zarpas al aire. No se le oye venir, sino que viene con zarpas de terciopelo. Cuando la presa despierta, tiene al tigre encima. La colonia continuó viviendo en la república; y nuestra América se está salvando de sus grandes yerros—de la soberbia de las ciudades capitales, del triunfo ciego de los campesinos desdeñados, de la importación excesiva de las ideas y fórmulas ajenas, del desdén inicuo e impolítico de la raza aborigen,—por la virtud superior, abonada con sangre necesaria, de la república que lucha contra la colonia. El tigre espera, detrás de cada árbol, acurrucado en cada esquina. Morirá, con las zarpas al aire, echando llamas por los ojos.

Pero "estos países se salvarán", como anunció Rivadavia el argentino, el que pecó de finura en tiempos crudos; al machete no le va vaina de seda, ni en el país que se ganó con lanzón se puede echar el lanzón atrás, porque se enoja, y se pone en la puerta del Congreso de Iturbide "a que le hagan emperador al rubio". Estos países se salvarán, porque, con el genio de la moderación que parece imperar, por la armonía serena de la Naturaleza, en el continente de la luz, y por el influjo de la lectura crítica que ha sucedido en Europa a la lectura de tanteo y falansterio en que se empapó la generación anterior, le está naciendo a América, en estos tiempos reales, el hombre real.

Eramos una visión, con el pecho de atleta, las manos de petimetre y la frente de niño. Eramos una máscara, con los calzones de Inglaterra, el chaleco parisiense, el chaquetón de Norte América y la montera de España. El indio, mudo, nos daba vueltas alrededor, y se iba al monte, a la cumbre del monte, a bautizar sus hijos. El negro, oteado, cantaba en la noche la música de su corazón, solo y desconocido, entre las olas y las fieras. El campesino, el creador, se revolvía, ciego de indignación, contra la ciudad desdeñosa, contra su criatura. Eramos charreteras y togas, en países que venían al mundo con la alpargata en los pies y la vincha en la cabeza. El genio hubiera estado en hermanar, con la caridad del corazón y con el atrevimiento de los fundadores, la vincha y la toga; en desestancar al indio; en ir haciendo lado al negro suficiente; en ajustar la libertad al cuerpo de los que se alzaron y vencieron por ella. Nos quedó el oidor, y el general, y el letrado, y el prebendado. La juventud angélica, como de los brazos de un pulpo, echaba al Cielo, para caer con gloria estéril, la cabeza coronada de nubes. El pueblo natural, con el empuje del instinto, arrollaba, ciego del triunfo, los bastones de oro. Ni el libro europeo, ni el libro yankee, daban la clave del enigma hispanoamericano. Se probó el odio, y los países venían cada año a menos. Cansados del odio inútil, de la resistencia del libro contra la lanza, de la razón contra el cirial, de la ciudad contra el campo, del imperio imposible de las castas urbanas divididas sobre la nación natural, tempestuosas o inerte, se empieza, como sin saberlo, a probar el amor. Se ponen en pie los pueblos, y se saludan. "¿Cómo somos?" se preguntan; y unos a otros se van diciendo cómo son. Cuando aparece en Cojímar un problema, no va a buscar la solución a Danzig. Las levitas son todavía de Francia, pero el pensamiento empieza a ser de América. Los jóvenes de América se ponen la camisa al codo, hunden las manos en la masa y la levantan con la levadura de su sudor. Entienden que se imita demasiado, y que la salvación está en crear. Crear es la palabra de pase de esta generación. El vino, de plátano; y si sale agrio, ¡es nuestro vino! Se entiende que las formas de gobierno de un país han de acomodarse a sus elementos naturales; que las ideas absolutas, para no caer por un yerro de forma, han de ponerse en formas relativas; que la libertad, para ser viable, tiene que ser sincera y plena; que si la república no abre los brazos a todos y adelanta con todos, muere la república. El tigre de adentro se entra por la hendija, y el tigre de afuera. El general sujeta en la marcha la caballería al paso de los infantes. O si deja a la zaga a los infantes, le envuelve el enemigo la caballería. Estrategia es política. Los pueblos han de vivir criticándose, porque la crítica es la salud; pero con un solo pecho y una sola mente. ¡Bajarse hasta los infelices y alzarlos en los brazos! ¡Con el fuego del corazón deshelar la América coagulada! ¡Echar, bullendo y rebotando por las venas, la sangre natural del país! En pie, con los ojos alegres de los trabajadores, se saludan, de un pueblo a otro, los hombres nuevos americanos. Surgen los estadistas naturales del estudio directo de la Naturaleza. Leen para aplicar, pero no para copiar. Los economistas estudian la dificultad en sus orígenes. Los oradores empiezan a ser sobrios. Los dramaturgos traen los caracteres nativos a la escena. Las academias discuten temas viables. La poesía se corta la melena zorrillesca y cuelga del árbol glorioso el chaleco colorado. La prosa, centelleante y cernida, va cargada de idea. Los gobernadores, en las repúblicas de indios, aprenden indio.

De todos sus peligros se va salvando América. Sobre algunas repúblicas está durmiendo el pulpo. Otras, por la ley del equilibrio, se echan a pie a la mar, a recobrar, con prisa loca y sublime, los siglos perdidos. Otras, olvidando que Juárez paseaba en un coche de mulas, ponen coche de viento y de cochero a una bomba de jabón; el lujo venenoso, enemigo de la libertad, pudre al hombre liviano y abre la puerta al extranjero. Otras acendran, con el espíritu épico de la independencia amenazada, el carácter viril. Otras crían, en la guerra rapaz contra el vecino, la soldadesca que puede devorarlas. Pero otro peligro corre, acaso, nuestra América, que no le viene de sí, sino de la diferencia de orígenes, métodos e intereses entre los dos factores continentales, y es la hora próxima en que se le acerque, demandando relaciones íntimas, un pueblo emprendedor y pujante que la·desconoce y la desdeña. Y como los pueblos viriles, que se han hecho de sí propios, con la escopeta y la ley, aman, y sólo aman, a los pueblos viriles; como la hora del desenfreno y la ambición, de que acaso se libre, por el predominio de lo más puro de su sangre, la América del Norte, o en que pudieran lanzarla sus masas vengativas y sórdidas, la tradición de conquista y el interés de un caudillo hábil, no está tan cercana aún a los ojos del más espantadizo, que no dé tiempo a la prueba de altivez, continua y discreta, con que se la pudiera encarar y desviarla; como su decoro de república pone a la América del Norte, ante los pueblos atentos del Universo, un freno que no le ha de quitar la provocación pueril o la arrogancia ostentosa, o la discordia parricida de nuestra América, el deber urgente de nuestra América es enseñarse como es, una en alma e intento, vencedora veloz de un pasado sofocante, manchada sólo con la sangre de abono que arranca a las manos la pelea con las ruinas, y la de las venas que nos dejaron picadas nuestros dueños. El desdén del vecino formidable, que no la conoce, es el peligro mayor de nuestra América; y urge, porque el día de la visita está próximo, que el vecino la conozca, la conozca pronto, para que no la desdeñe. Por ignorancia llegaría, tal vez, a poner en ella la codicia. Por el respeto, luego que la conociese, sacaría de ella las manos. Se ha de tener fe en lo mejor del hombre y desconfiar de lo peor de él. Hay que dar ocasión a lo mejor para que se revele y prevalezca sobre lo peor. Si no, lo peor prevalece. Los pueblos han de tener una picota para quien les azuza a odios inútiles; y otra para quien no les dice a tiempo la verdad.

No hay odio de razas, porque no hay razas. Los pensadores canijos, los pensadores de lámpara, enhebran y recalientan las razas de librería, que el viajero justo y el observador cordial buscan en vano en la justicia de la Naturaleza, donde resalta, en el amor victorioso y el apetito turbulento, la identidad universal del hombre. El alma emana, igual y eterna, de los cuerpos diversos en forma y en color. Peca contra la Humanidad el que fomente y propague la oposición y el odio de las razas. Pero en el amasijo de los pueblos se condensan, en la cercanía de otros pueblos diversos, caracteres peculiares y activos, de ideas y de hábitos, de ensanche y adquisición, de vanidad y de avaricia, que del estado latente de preocupaciones nacionales pudieran, en un período de desorden interno o de precipitación del carácter acumulado del país, trocarse en amenaza grave para las tierras vecinas, aisladas y débiles, que el país fuerte declara perecederas e inferiores. Pensar es servir. Ni ha de suponerse, por antipatía de aldea, una maldad ingénita y fatal al pueblo rubio del continente, porque no habla nuestro idioma, ni ve la casa como nosotros la vemos, ni se nos parece en sus lacras políticas, que son diferentes de las nuestras; ni tiene en mucho a los hombres biliosos y trigueños, ni mira caritativo, desde su eminencia aún mal segura, a los que, con menos favor de la Historia, suben a tramos heroicos la vía de las repúblicas; ni se han de esconder los datos patentes del problema que puede resolverse, para la paz de los siglos, con el estudio oportuno y la unión tácita y urgente del alma continental. ¡Porque ya suena el himno unánime; la generación actual lleva a cuestas, por el camino abonado por los padres sublimes, la América trabajadora; del Bravo a Magallanes, sentado en el lomo del cóndor, regó el Gran Semí, por las naciones románticas del continente y por las islas dolorosas del mar, la semilla de la América nueva!

(*El Partido Liberal*, México,
enero de 1891)

AGRUPAMIENTO DE LOS PUEBLOS DE AMERICA

¡Tan enamorados que andamos de pueblos que tienen poca liga y ningún parentesco con los nuestros, y tan desatendidos que dejamos otros países que viven de nuestra misma alma, y no serán jamás —aunque acá o allá asome un Judas la cabeza— más que una gran nación espiritual! Como niñas en estación de amor echan los ojos ansiosos por el aire azul en busca de gallardo novio, así vivimos suspensos de toda idea y grandeza ajena, que trae cuño de Francia o Norte América; y en plantar bellacamente en suelo de cierto estado y de cierta historia, ideas nacidas de otro estado y de otra historia, perdemos las fuerzas que nos hacen falta para presentarnos al mundo —que nos ve desamorados y como entre nubes— compactos en espíritu y unos en la marcha, ofreciendo a la tierra el espectáculo no visto de una familia de pueblos que adelanta alegremente a iguales pasos en un continente libre. A Homero leemos:

pues ¿fue más pintoresca, más ingenua, más heroica la formación
de los pueblos griegos que la de nuestros pueblos americanos?
Todo nuestro anhelo está en poner alma a alma y mano a
mano los pueblos de nuestra América Latina. Vemos colosales peligros; vemos manera fácil y brillante de evitarlos; adivinamos, en
la nueva acomodación de las fuerzas nacionales del mundo, siempre
en movimiento, y ahora aceleradas, el agrupamiento necesario y
majestuoso de todos los miembros de la familia nacional americana.
Pensar es prever. Es necesario ir acercando lo que ha de acabar
por estar junto. Si no, crecerán odios; se estará sin defensa apropiada para los colosales peligros, y se vivirá en perpetua e infame batalla entre hermanos por apetito de tierras. No hay en la América
del Sur y del Centro como en Europa y Asia, razones de combate inevitable de razas rivales, que excusen y expliquen las guerras, y las
hagan sistemáticas, inevitables, y en determinados momentos pre-
cisas. ¿Por qué batallarían, pues, sino por vanidades pueriles o por
hambres ignominiosas, los pueblos de América? ¡Guerras horribles,
las guerras de avaros! [...]

(*La América*, New York, octubre de 1883)

TRES HEROES

Cuentan que un viajero llegó un día a Caracas al anochecer, y
sin sacudirse el polvo del camino no preguntó dónde se comía ni
se dormía, sino cómo se iba a dónde estaba la estatua de Bolívar.
Y cuentan que el viajero, solo con los árboles altos y olorosos de la
plaza, lloraba frente a la estatua, que parecía que se movía, como un
padre cuando se le acerca un hijo. El viajero hizo bien, porque todos
los americanos deben querer a Bolívar como a un padre. A Bolívar,
y a todos los que pelearon como él por que la América fuese del
hombre americano. A todos: al héroe famoso, y al último soldado,
que es un héroe desconocido. Hasta hermosos de cuerpo se vuelven
los hombres que pelean por ver libre a su patria.
Libertad es el derecho que todo hombre tiene a ser honrado,
y a pensar y a hablar sin hipocresía. En América no se podía ser
honrado, ni pensar ni hablar. Un hombre que oculta lo que piensa,
o no se atreve a decir lo que piensa, no es un hombre honrado. Un

hombre que obedece a un mal gobierno, sin trabajar para que el gobierno sea bueno, no es un hombre honrado. Un hombre que se conforma con obedecer a leyes injustas, y permite que pisen el país en que nació, los hombres que se lo maltratan, no es un hombre honrado. El niño, desde que puede pensar, debe pensar en todo lo que ve, debe padecer por todos los que no pueden vivir con honradez, debe trabajar porque puedan ser honrados todos los hombres, y debe ser un hombre honrado. El niño que no piensa en lo que sucede a su alrededor, y se contenta con vivir, sin saber si vive honradamente, es como un hombre que vive del trabajo de un bribón, y está en camino de ser bribón. Hay hombres que son peores que las bestias, porque las bestias necesitan ser libres para vivir dichosas: el elefante no quiere tener hijos cuando vive preso; la llama del Perú se echa en la tierra y se muere, cuando el indio le habla con rudeza, o le pone más carga de la que puede soportar. El hombre debe ser, por lo menos, tan decoroso como el elefante y como la llama. En América se vivía antes de la libertad como la llama que tiene mucha carga encima. Era necesario quitarse la carga, o morir.

Hay hombres que viven contentos aunque vivan sin decoro. Hay otros que padecen como en agonía cuando ven que los hombres viven sin decoro a su alrededor. En el mundo ha de haber cierta cantidad de decoro, como ha de haber cierta cantidad de luz. Cuando hay muchos hombres sin decoro, hay siempre otros que tienen en sí el decoro de muchos hombres. Esos son los que se rebelan con fuerza terrible contra los que les roban a los pueblos su libertad, que es robarles a los hombres su decoro. En esos hombres van miles de hombres, va un pueblo entero, va la dignidad humana. Esos hombres son sagrados. Estos tres hombres son sagrados: Bolívar, de Venezuela; San Martín, del Río de la Plata; Hidalgo, de México. Se les deben perdonar sus errores, porque el bien que hicieron fue más que sus faltas. Los hombres no pueden ser más perfectos que el sol. El sol quema con la misma luz con que calienta. El sol tiene manchas. Los desagradecidos no hablan más que de las manchas. Los agradecidos hablan de la luz.

Bolívar era pequeño de cuerpo. Los ojos le relampagueaban, y las palabras se le salían de los labios. Parecía como si estuviera esperando siempre la hora de montar a caballo. Era su país, su país oprimido que le pesaba en el corazón, y no le dejaba vivir en paz. La América entera estaba como despertando. Un hombre solo no vale nunca más que un pueblo entero; pero hay hombres que no se cansan, cuando su pueblo se cansa, y que se deciden a la guerra antes que los pueblos, porque no tienen que consultar a nadie más que a sí mismos, y los pueblos tienen muchos hombres y no pueden consultarse tan pronto. Ese fue el mérito de Bolívar, que no se cansó de pelear por la libertad de Venezuela, cuando parecía que Venezuela se cansaba. Lo habían derrotado los españoles: lo habían echado del país. El se fue a una isla, a ver su tierra de cerca, a pensar en su tierra.

Un negro generoso lo ayudó cuando ya no lo quería ayudar nadie. Volvió un día a pelear, con trescientos héroes, con los trescientos libertadores. Libertó a Venezuela. Libertó a la Nueva Granada. Libertó al Ecuador. Libertó al Perú. Fundó una nación nueva, la nación de Bolivia. Ganó batallas sublimes con soldados descalzos y medio desnudos. Todo se estremecía y se llenaba de luz a su alrededor. Los generales peleaban a su lado con valor sobrenatural. Era un ejército de jóvenes. Jamás se peleó tanto, ni se peleó mejor, en el mundo por la libertad. Bolívar no defendió con tanto fuego el derecho de los hombres a gobernarse por sí mismos, como el derecho de América a ser libre. Los envidiosos exageraron sus defectos. Bolívar murió de pesar del corazón, más que de mal del cuerpo, en la casa de un español en Santa Marta. Murió pobre, y dejó una familia de pueblos.

México tenía mujeres y hombres valerosos, que no eran muchos, pero valían por muchos: media docena de hombres y una mujer preparaban el modo de hacer libre a su país. Eran unos cuantos jóvenes valientes, el esposo de una mujer liberal, y un cura de pueblo que quería mucho a los indios, un cura de sesenta años. Desde niño fue el cura Hidalgo de la raza buena, de los que quieren saber. Los que no quieren saber son de la raza mala. Hidalgo sabía francés, que entonces era cosa de mérito, porque lo sabían pocos. Leyó los libros de los filósofos del siglo XVIII, que explicaron el derecho del hombre a ser honrado, y a pensar y a hablar sin hipocresía. Vio a los negros esclavos, y se llenó de horror. Vio maltratar a los indios, que son tan mansos y generosos, y se sentó entre ellos como un hermano viejo, a enseñarles las artes finas que el indio aprende bien: la música, que consuela; la cría del gusano, que da la seda; la cría de la abeja, que da miel. Tenía fuego en sí, y le gustaba fabricar: creó hornos para cocer los ladrillos. Le veían lucir mucho de cuando en cuando los ojos verdes. Todos decían que hablaba muy bien, que sabía mucho nuevo, que daba muchas limosnas el señor cura del pueblo de Dolores. Decían que iba a la ciudad de Querétaro una que otra vez, a hablar con unos cuantos valientes y con el marido de una buena señora. Un traidor le dijo a un comandante español que los amigos de Querétaro trataban de hacer a México libre. El cura montó a caballo, con todo su pueblo, que lo quería como a su corazón; se le fueron juntando los caporales y los sirvientes de las haciendas, que eran la caballería; los indios iban a pie, con palos y flechas, o con hondas y lanzas. Se le unió un regimiento y tomó un convoy de pólvora que iba para los españoles. Entró triunfante en Celaya, con música y vivas. Al otro día juntó el Ayuntamiento, lo hicieron general, y empezó un pueblo a nacer. El fabricó lanzas y granadas de mano. El dijo discursos que dan calor y echan chispas, como decía un caporal de las haciendas. El declaró libres a los negros. El les devolvió sus tierras a los indios. El publicó un periódico que llamó *El Despertador Americano*. Ganó y perdió batallas. Un día se le juntaban siete mil indios con flechas, y al otro día lo dejaban solo. La mala gente quería ir con él para robar en los pueblos y para vengarse de los españoles. El les avisaba a los jefes españoles que si los vencía en la batalla que iba a darles, los recibiría en su casa como amigos. ¡Eso es ser grande! Se atrevió a ser magnánimo, sin miedo a que lo abandonase la soldadesca, que quería que fuese cruel. Su compañero Allende tuvo celos de él; y él le cedió el mando a Allende. Iban juntos buscando amparo en su derrota cuando los españoles les cayeron encima. A Hidalgo le quitaron uno a uno, como para ofenderlo, los vestidos de sacerdote. Lo sacaron detrás de una tapia, y le dispararon los tiros de muerte a la cabeza. Cayó vivo, revuelto en la sangre, y en el suelo lo acabaron de matar. Le cortaron la cabeza y la colgaron en una jaula, en la Alhóndiga misma de Granaditas, donde tuvo su gobierno. Enterraron los cadáveres descabezados. Pero México es libre.

San Martín fue el libertador del sur, el padre de la República Argentina, el padre de Chile. Sus padres eran españoles, y a él lo mandaron a España para que fuese militar del rey. Cuando Napoleón entró en España con su ejército, para quitarles a los españoles la libertad, los españoles todos pelearon contra Napoleón: pelearon los viejos, las mujeres, los niños; un niño valiente, un catalancito, hizo huir una noche a una compañía, disparándole tiros y más tiros

desde un rincón del monte: al niño lo encontraron muerto, muerto
de hambre y de frío; pero tenía en la cara como una luz, y sonreía,
como si estuviese contento. San Martín peleó muy bien en la batalla
de Bailén, y lo hicieron teniente coronel. Hablaba poco: parecía
de acero: miraba como un águila: nadie lo desobedecía: su caballo
iba y venía por el campo de pelea, como el rayo por el aire. En
cuanto supo que América peleaba para hacerse libre, vino a América: ¿qué le importaba perder su carrera, si iba a cumplir con su
deber?: llegó a Buenos Aires; no dijo discursos: levantó un escuadrón de caballería: en San Lorenzo fue su primera batalla: sable
en mano se fue San Martín detrás de los españoles, que venían muy
seguros, tocando el tambor, y se quedaron sin tambor, sin cañones
y sin bandera. En los otros pueblos de América los españoles iban
venciendo: a Bolívar lo había echado Morillo el cruel de Venezuela:
Hidalgo estaba muerto: O'Higgins salió huyendo de Chile; pero
donde estaba San Martín siguió siendo libre la América. Hay hombres así, que no pueden ver esclavitud. San Martín no podía; y se
fue a libertar a Chile y al Perú. En diez y ocho días cruzó con su
ejército los Andes altísimos y fríos: iban los hombres como por el
cielo, hambrientos, sedientos; abajo, muy abajo, los árboles parecían
yerba, los torrentes rugían como leones. San Martín se encuentra al
ejército español y lo deshace en la batalla de Maipú, lo derrota para
siempre' en la batalla de Chacabuco. Liberta a Chile. Se embarca
con su tropa, y va a libertar el Perú. Pero en el Perú estaba Bolívar,
y San Martín le cede la gloria. Se fue a Europa triste, y murió en
brazos de su hija Mercedes. Escribió su testamento en una cuartilla
de papel, como si fuera el parte de una batalla. Le habían regalado
el estandarte que el conquistador Pizarro trajo hace cuatro siglos,
y él le regaló el estandarte en el testamento al Perú. Un escultor
es admirable, porque saca una figura de la piedra bruta: pero esos
hombres que hacen pueblos son como más que hombres. Quisieron
algunas veces lo que no debían querer; pero ¿qué no le perdonará
un hijo a su padre? El corazón se llena de ternura al pensar en esos
gigantescos fundadores. Esos son héroes; los que pelean para hacer
a los pueblos libres, o los que padecen en pobreza y desgracia por
defender una gran verdad. Los que pelean por la ambición, por hacer esclavos a otros pueblos, por tener más mando, por quitarle
a otro pueblo sus tierras, no son héroes, sino criminales.

(*La Edad de Oro*, New York, julio de 1889)

LA SOCIEDAD HISPANOAMERICANA BAJO LA DOMINACION ESPAÑOLA

Tienen unos por ciencia en América, y por literatura científica y principal, el estudio minucioso de los pueblos de que les apartan origen y costumbres, y el desconocimiento punible y sistemático del país en que han de vivir. Y es cierto que sin el examen profundo de los diversos ensayos políticos, más valederos mientras más se asemejan los pueblos estudiados al de nuestra naturaleza, ni se logra la pericia útil al adelanto de la tierra propia, ni la robustez moral que viene de la certidumbre de la obra ordenada y triunfante de los hombres; pero este desdén de lo criollo, singular en quienes en lo suyo intentan influir, aunque suele ser signo por donde anuncia su aspiración descontentadiza un espíritu potente es más a menudo prueba cierta de entendimiento segundón, que al gozo de cavar por sí en lo nuevo prefiere llevar a cuestas lo que cavó otro; o prurito rural del hijastro que en la brava honra solariega suspira avinagrado por su fantástica progenie de galanes y damas palatinas, y en su inútil corazón niega a su padre. Por la verdad filial, patente en la llaneza misma del estilo; por el análisis primerizo y franco de los orígenes y cruzamientos de nuestra América; por el revés con que despide a los americanos que desconocen en su pueblo propio la capacidad que conceden de prisa y oídas al ajeno, es notable el libro cuyo bosquejo ha publicado en Madrid el argentino Vicente G. de Quesada, sobre *La Sociedad Hispanoamericana bajo la dominación española.**

Durante los años de prueba y tanteo en que nuestra América buscó acomodo entre sus vicios heredados y su libertad súbita, entre la hostil pereza e inepto señorío, y la dificultad de la república inculta y briosa, fueron las letras tribuna desecha de las ideas combatientes, o exánime remedo de las novedades literarias. Pero ya América, saneada en lo real de sus guerras y lo vano de sus imitaciones, conoce por fin sus elementos vivos, más nuevos por la mezcla forzosa de la condición diversa de sus moradores que por peculiaridades inamovibles de hábito o de razas; y con acuerdo profético

---

* Vicente G. Quesada (1830-1913), que fue ministro plenipotenciario en los Estados Unidos, Brasil, México y España, había publicado la obra mencionada, ese año 1893. Resumió sus estudios sobre la época colonial en *La Vida intelectual en la América española durante los siglos XVI, XVII y XVIII* (1910).

brota de todas partes a la vez, en prosa y en poesía, en el teatro y el periódico, en la tribuna y el libro, una literatura altivamente americana, de observación fiel y directa, cuya beldad y nervio vienen de la honradez con que la expresión sobria contiene la idea nativa y lúcida. Del peso de la idea se quiebran las frases; antes quebradas al peso de flores traperas y llanto de cristalería. De traidores está América cansada, que sólo le hablan de su muerte fatal y de su ineptitud; y está dando creadores. Los incapaces merodean aún, que en su nulidad florida creen ver la de su tierra, y visten la idea desalentada de pompa resonante. Pero América produce obras de análisis y conjunto donde, como quien tala antes de sembrar, se desenredan y sacan a limpio las capacidades y rémoras de nuestros pueblos, a fin de poner a aquéllas leyes viables criollas, por donde el país se rija según la realidad y estado de sus componentes, y de mudar en agencias las fuerzas toscas o estancadas.

El libro de Quesada es de esos estudios sinceros y totales sobre América. Él, prohombre encanecido en las fatigas de la creación de la República, que le vio a Urquiza el castillo feudal allí donde en la estancia modelo ordena ahora el político pecador su plétora de ideas y métodos extraños; él, hombre agudo y positivo, que ve al mundo sin cáscara, por donde corre a ojos la sangre y el pus, y en Cortes y en Repúblicas estudió largamente la desnudez humana; él, cuya pluma de hechos castiga desdeñosa, como vicio oculto que es, la complacencia enervante en todo lo propio, por ser del estiércol de nuestro jardín, y el desvío risible de cuanto no nació plátano o palma; él, ministro hoy en la Corte de sus amos de ayer, que ve ya fuerte y bella la patria que conoció, como los vasos que la pacearon, de boina por la cabeza y a horcajadas en la mula; él "cree fácil demostrar con hechos históricos la viril energía y capacidad de nuestra raza para el gobierno libre". "Los hispano americanos tienen la capacidad y el vigor necesarios para vencer las dificultades de los pueblos nuevos, y para gobernarse y prosperar". "Se pretende, y el vulgo lo acepta como verdad indiscutible, que el asombroso progreso de los Estados Unidos de Norte América y el comparativamente lento y trabajoso de las naciones hispanas tienen por origen y causa eficiente la superioridad de la raza y de las instituciones coloniales que estableció la Gran Bretaña". "El objeto de mis estudios es investigar y referir los antecedentes de las instituciones y los de las razas indígenas del grupo de las naciones hispanoamericanas, para deducir por este estudio las condiciones que autorizan, a mi juicio, a tener completa y profunda fe en sus destinos desenvolviendo con prudencia las cualidades heredadas y mejorándolas por el medio ambiente". "He vivido muchos años en los Estados Unidos; he desempeñado allí una prolongada misión diplomática; he tenido oportunidad de estudiar atentamente y de cerca sus instituciones políticas y su sociedad; he admirado su poder y su riqueza; pero esa admiración no me lleva hasta el servilismo de pensar que el éxito, debido a circunstancias naturales e inevitables, sea originado por superioridad de raza, ni por antecedentes de las instituciones de la época de la colonia".

Y en esto parece que el tema viril saca un tanto de lo seguro al historiador, que sin ver en la desviación radical de España la causa suficiente y única de la capacidad de nuestra América, mayor en los pueblos que se le han desviado más, la busca en instituciones que no pudieron ser antaño, cuando el inquisidor y los dos indios del estribo, más eficaces y emancipadoras que lo son hoy a nuestros ojos, en pleno mundo nuevo, cuando reducen y sofocan al criollo aborrecido, en vez de disponerlo a la libertad, sostienen y encubren, con fraude insolente, la más venosa y mercenaria tiranía. Por el descaro con que se burlaban fueron siempre más célebres sus leyes de España en Indias, que por lo que del derecho mantuviesen o levantaran el carácter. La raza española que, por quijotes y rodelas, pudo su poco más que flechas y algodones, parécele a Quesada superior a los artífices y arquitectos indios; a quienes Draper tuvo por primeros. Donde necesitó de sus rencillas para mandar el número invencible del odio de la llaneza al señorío, del rencor de los cacicazgos al imperio, dejó España con vida al indio que, más que el inglés, exterminó en Cuba, en Jamaica, en Haití, en el cerro uruguayo, rojo aún de la sangre épica de los charrúas.

Por la justicia no se asimiló el español las razas conquistadas, sino por el sexo ineludible, la conveniencia de casar con india señora, y el sutil influjo de la raza natural, sorprendida por una milicia superior cuando aún no estaba en su proceso de amalgama tan adelante que pudiera olvidar sus rencillas en la función nacional de la defensa contra el enemigo común. A Carlos III tuvo que esperar España, al buen tiempo de un virrey criollo, para ver que la media América del Perú era muy vasta para un solo virreinato.

Mucho de despechos y poco de derechos se hablaba en los ayuntamientos, que eran más para disputas que para libertades, y por donde se alzó el criollo imbuído de ideas francesas, por cuanto estaba América ahita, —que por la primer boca— había de echarse; pero las distancias grandes y las muchas cabezas repartidas por el país pudieron más para el federalismo, por ser el equilibrio de ellas, que los ayuntamientos, fiscales antes que políticos. Ni la ley, por pura que fuese, podía contra la explotación e iniquidad de las costumbres.

Desmaya tal vez el lenguaje de Quesada, por su sinceridad misma, en la enumeración de aquellas formas de gobierno, que han de estudiarse menos que la condición real y la sustancia del pueblo descrito; pero donde le salta al estilo la sangre y adquiere viveza, es en la pintura, ya al cerrar el bosquejo, de las causas finales de la revolución; cuando cuenta la quimera "del centralismo mercantil"; y trae lo de Vergara el colombiano, cuando habla de las linazas prohibidas, de los telares prohibidos, prohibidos los viñedos, y las fábricas y las empresas útiles. Se ve en los buenos paisajes hervir el rencor. A los tres siglos vino España a permitir el habla a las colonias entre sí. "Intolerables eran los diques del comercio", que "originaron un contrabando escandaloso". Lucha abierta era la vida, imposible la vida común de "los peninsulares, partidarios del monopolio, y los criollos, partidarios del libre comercio". "La lucha entre los partidarios del comercio libre y todos aquellos comerciantes que lucraban a favor del privilegio aparece promoviendo la agitación que engendraba la transformación radical para proveer por sí mismo a sus verdaderos intereses mercantiles". "Los intereses del comercio eran los precursores necesarios de una evolución política social". "De la fermentación de estos intereses encontrados debía, lógica y necesariamente, surgir la idea de la independencia, a fin de proveer sin tratos al bienestar común".

Y surgió, tal cual lo narra el escritor argentino en páginas concisas; y Fernando se abre a Francia. El inglés lo castiga en Buenos Aires. Béresford,* que quiso después con fuego la independencia, se alzó con la ciudad. Los criollos les pelearon, mejor que los españoles, los picaron, los echaron. El pueblo se alza, pidiendo

* William Carr Beresford (1768-1854), el general inglés que sitió la ciudad de Buenos Aires y fue apresado en 1806.

asamblea. "Medrosos los peninsulares, quieren contemporizar". Liniers* es jefe, por aclamación. Arrollados Cabildo y Audiencia, deponen al virrey, al trémulo Sobremonte; atacan al pueblo; complacen al pueblo. Los ingleses vuelven, con doce mil hombres; los vecinos los tunden y rechazan, los vecinos "que se tornaron en salvarlos". "Era el comienzo de la revolución, el comienzo victorioso e irresistible". Y así funda su juicio sobre la capacidad bastante de nuestra América, el argentino de pluma sincera que está hoy de ministro de su patria libre en la Corte de sus antiguos amos.

(*Patria*, New York, febrero de 1893)

EL PADRE LAS CASAS

Cuatro siglos es mucho, son cuatrocientos años. Cuatrocientos años hace que vivió el Padre Las Casas, y parece que está vivo todavía, porque fue bueno. No se puede ver un lirio sin pensar en el Padre Las Casas, porque con la bondad se le fue poniendo de lirio el color, y dicen que era hermoso verlo escribir, con su túnica blanca, sentado en su sillón de tachuelas, peleando con la pluma de ave porque no escribía de prisa. Y otras veces se levantaba del sillón, como si le quemase; se apretaba las sienes con las dos manos, andaba a pasos grandes por la celda, y parecía como si tuviera un gran dolor. Era que estaba escribiendo, en su libro famoso de la *Destrucción de las Indias*, los horrores que vio en las Américas cuando vino de España la gente a la conquista. Se le encendían los ojos, y se volvía a sentar, de codos en la mesa, con la cara llena de lágrimas. Así pasó la vida, defendiendo a los indios.

Aprendió en España a licenciado, que era algo en aquellos tiempos, y vino con Colón a la isla Española en un barco de aquellos de velas infladas y como cáscara de nuez. Hablaba mucho a bordo, y con muchos latines. Decían los marineros que era grande su saber para un mozo de veinticuatro años. El sol, lo veía él siempre salir sobre cubierta. Iba alegre en el barco, como aquel

---

* Santiago Liniers y de Brémond (1753-1810) militar y marino francés que, sirviendo a España, defendió la ciudad de Buenos Aires contra la invasión británica.

que va a ver maravillas. Pero desde que llegó, empezó a hablar poco. La tierra, si, era muy hermosa, y se vivía como en una flor; ¡pero aquellos conquistadores asesinos debían de venir del infierno, no de España! Español era él también, y su padre, y su madre; pero él no salía por las islas Lucayas a robarse a los indios libres; ¡porque en diez años ya no quedaba indio vivo de los tres millones, o más, que hubo en la Española!: él no los iba cazando con perros hambrientos, para matarlos a trabajo en las minas: él no les quemaba las manos y los pies cuando se sentaban porque no podían andar, o se les caía el pico porque ya no tenían fuerzas; él no los azotaba, hasta verlos desmayar, porque no sabían decirle a su amo dónde había más oro; él no se gozaba con sus amigos, a la hora de comer, porque el indio de la mesa no pudo con la carga que traía de la mina, y le mandó cortar en castigo las orejas; él no se ponía el jubón de lujo, y aquella capa que llamaban ferreruelo, para ir muy galán a la plaza, a las doce, a ver la quema que mandaba hacer la justicia del gobernador, la quema de los cinco indios. El los vio quemar, los vio mirar con desprecio desde la hoguera a sus verdugos; y ya nunca se puso más que el jubón negro, ni cargó caña de oro, como los otros licenciados ricos y regordetes, sino que se fue a consolar a los indios por el monte, sin más ayuda que su bastón de rama de árbol.

Al monte se habían ido, a defenderse, cuantos indios de honor quedaban en la Española. Como amigos habían recibido ellos a los hombres blancos de las barbas; ellos les habían regalado con su miel y su maíz, y el mismo rey Behechio le dio de mujer a un español hermoso su hija Higuemota, que era como la torcaza y como la palma real; ellos les habían enseñado sus montañas de oro, y sus ríos de agua de oro, y sus adornos, todos de oro fino, y les habían puesto sobre la coraza y guanteletes de la armadura pulseras de las suyas, y collares de oro; ¡y aquellos hombres crueles los cargaban de cadenas; les quitaban sus indias, y sus hijos; los metían en lo hondo de la mina, a halar la carga de piedra con la frente; se los repartían, y los marcaban con el hierro, como esclavos!: en la carne viva los marcaban con el hierro. En aquel país de pájaros y de frutas los hombres eran bellos y amables; pero no eran fuertes. Tenían el pensamiento azul como el cielo, y claro como el arroyo; pero no sabían matar, forrados de hierro, con el arcabuz cargado de pólvora. Con huesos de fruta y con gajos de mamey no se puede atravesar una coraza. Caían, como las plumas y las hojas. Morían de pena, de furia, de fatiga, de hambre, de mordidas de perros. ¡Lo mejor era irse al monte, con el valiente Guaroa, y con el niño Guarocuya, a defenderse con las piedras, a defenderse con el agua, a salvar al reyecito bravo, a Guarocuya! El saltaba el arroyo, de orilla a orilla; él clavaba la lanza lejos, como un guerrero; a la hora de andar, a la cabeza iba él; se le oía la risa de noche, como un canto; lo que él no quería era que lo llevase nadie en hombros. Así iban por el monte, cuando se les apareció entre los españoles armados el Padre Las Casas, con sus ojos tristísimos, con su jubón y su ferreruelo. El no les disparaba el arcabuz; él les abría los brazos. Y le dio un beso a Guarocuya.

Ya en la isla lo conocían todos, y en España hablaban de él. Era flaco, y de nariz muy larga, y la ropa se le caía del cuerpo, y no tenía más poder que el de su corazón; pero de casa en casa andaba echando en cara a los encomenderos la muerte de los indios de las encomiendas; iba a palacio, a pedir al gobernador que mandase cumplir las ordenanzas reales; esperaba en el portal de la audiencia a los oidores, caminando de prisa, con las manos a la espalda para decirles que venía lleno de espanto, que había visto morir a seis mil niños indios en tres meses. Y los oidores le decían: "Cálmese, licenciado, que ya se hará justicia"; se echaban el ferreruelo al hombro, y se iban a merendar con los encomenderos, que eran los ricos del país, y tenían buen vino y buena miel de Alcarria. Ni merienda ni sueño había para Las Casas; sentía en sus carnes mismas los dientes de los molosos que los encomenderos tenían sin comer, para que con el apetito les buscasen mejor a los indios cimarrones; le parecía que era su mano la que chorreaba sangre, cuando sabía que, porque no pudo con la pala, le habían cortado a un indio la mano; creía que él era el culpable de toda la crueldad, porque no la remediaba; sintió como que se iluminaba y crecía, y como que eran sus hijos todos los indios americanos. De abogado no tenía autoridad, y lo dejaban solo; de sacerdote tendría la fuerza de la iglesia, y volvería a España, y daría los recados del cielo, y si la corte no acababa con el asesinato, con el tormento, con la esclavitud, con las minas, haría temblar a la corte. Y el día en que entró de sacerdote, toda la isla fue a verlo, con el asombro de que tomara aquella carrera un licenciado de fortuna; y las indias le echaron al pasar a sus hijitos, a que le besasen los hábitos.

Entonces empezó su medio siglo de pelea, para que los indios no fuesen esclavos; de pelea en las Américas; de pelea en Madrid; de pelea con el rey mismo; contra España toda, él solo, de pelea. Colón fue el primero que mandó a España a los indios en esclavitud, para pagar con ellos las ropas y comidas que traían a América los barcos españoles. Y en América había habido repartimiento de indios, y cada cual de los que vino de conquista, tomó en servidumbre su parte de la indiada, y la puso a trabajar para él, a morir para él, a sacar el oro de que estaban llenos los montes y los ríos. La reina, allá en España, dicen que era buena, y mandó a un gobernador que sacase a los indios de la esclavitud; pero los encomenderos le dieron al gobernador buen vino, y muchos regalos, y su porción en las ganancias, y fueron más que nunca los muertos, las manos cortadas, los siervos de las encomiendas, los que se echaban de cabeza al fondo de las minas. "Yo he visto traer a centenares maniatadas a estas amables criaturas, y darles muerte a todas juntas, como a las ovejas". Fue a Cuba de cura con Diego Velázquez, y volvió de puro horror, porque antes que para hacer casas, derribaban los árboles para ponerlos de leña a las quemazones de los taínos. En una isla donde había quinientos mil "vio con sus ojos" los indios que quedaban: once. Eran aquellos conquistadores soldados bárbaros, que no sabían los mandamientos de la ley, ¡y tomaban a los indios de esclavos, para enseñarles la doctrina cristiana, a latigazos y a mordidas! De noche, desvelado de la angustia, hablaba con su amigo Rentería, otro español de oro. ¡Al rey había que ir a pedir justicia, al rey Fernando de Aragón! Se embarcó en la galera de tres palos, y se fue a ver al rey.

Seis veces fue a España, con la fuerza de su virtud, aquel padre que "no probaba carne". Ni al rey le tenía miedo, ni a la tempestad. Se iba a cubierta cuando el tiempo era malo; y en la bonanza se estaba el día en el puente, apuntando sus razones en papel de hilo, y dando a que le llenaran de tinta el tintero de cuerno "porque la maldad no se cura sino con decirla, y hay mucha maldad que decir, y la estoy poniendo donde no me la pueda negar nadie, en latín y en castellano". Si en Madrid estaba el rey, antes que a la posada a descansar del viaje, iba al palacio. Si estaba en Viena cuando el rey Carlos de los españoles era emperador de Alemania, se ponía un hábito nuevo, y se iba a Viena. Si era su enemigo Fonseca el que mandaba en la junta de abogados y clérigos que tenía el rey para las cosas de América, a su enemigo se iba a ver, y a ponerle pleito al Consejo de Indias. Si el cronista Oviedo, el de la *Natural Historia de las Indias,* había escrito de los americanos las falsedades que los que tenían las encomiendas le mandaban poner, le decía a Oviedo mentiroso, aunque le estuviera el rey pagando por escribir las mentiras. Si Sepúlveda, que era el maestro del rey Felipe, defendía en sus "conclusiones" el derecho de la corcna a repartir como siervos y a dar muerte a los indios, porque no eran cristianos, a Sepúlveda le decía que no tenían culpa de estar sin la cristiandad los que no sabían que hubiera Cristo, ni conocían las lenguas en que de Cristo se hablaba, ni tenían más noticias de Cristo que la que les habían llevado los arcabuces. Y si el rey en persona le arrugaba las cejas, como para cortarle el discurso, crecía unas cuantas pulgadas a la vista del rey, se le ponía ronca y fuerte la voz, le temblaba en el puño el sombrero, y al rey le decía, cara a cara, que el que manda a los hombres ha de cuidar de ellos, y si no los sabe cuidar, no los puede mandar, y que lo había de oír en paz, porque él no venía con manchas de oro en el vestido blanco, ni traía más defensa que la cruz.

O hablaba, o escribía, sin descanso. Los frailes dominicanos lo ayudaban, y en el convento de los frailes se estuvo ocho años, escribiendo. Sabía religión y leyes, y autores latinos que era cuanto en su tiempo se aprendía; pero todo lo usaba hábilmente para defender el derecho del hombre a la libertad, y el deber de los gobernantes a respetárselo. Eso era mucho decir, porque por eso quemaban entonces a los hombres. Llorente, que ha escrito la *Vida de Las Casas,* escribió también la *Historia de la Inquisición,* que era quien quemaba; el rey iba de gala a ver la quemazón, con la reina y los caballeros de la corte; delante de los condenados venían cantando los obispos, con un estandarte verde; de la hoguera salía un humo negro. Y Fonseca y Sepúlveda querían que "el clérigo" Las Casas dijese en sus disputas algún pecado contra la autoridad de la Iglesia, para que los inquisidores lo condenaran por hereje. Pero "el clérigo" le decía a Fonseca: "¡Lo que yo digo es lo que dijo en su testamento la buena reina Isabel; y tú me quieres mal y me calumnias, porque te quito el pan de sangre que comes, y acuso la encomienda de indios que tienes en América!" Y a Sepúlveda, que ya era confesor de Felipe II, le decía: "Tú eres disputador famoso y te llaman el Livio de España por tus historias; pero yo no tengo miedo al elocuente que habla contra su corazón, y que defiende la maldad, y te desafío a que me pruebes en plática abierta que los indios son malhechores y demonios, cuando son claros y buenos como la luz del día, e inofensivos y sencillos como las mariposas". Y duró cinco días la plática con Sepúlveda. Sepúlveda empezó con desdén, y acabó turbado. El clérigo lo oía con la cabeza baja y los labios temblorosos, y se le veía hincharse la frente. En cuanto Sepúlveda se sentaba satisfecho, como el que hincó el alfiler donde quiso, se ponía el clérigo en pie, magnífico, regañón, confuso, apresurado. "¡No es verdad que los indios de México mataran cincuenta mil en sacrificios al año, sino veinte apenas, que es menos de lo que mata España en la horca!" "¡No es verdad que sean gente bárbara y de pecados horribles, porque no hay pecado suyo que no lo tengamos más los europeos; ni somos nosotros quien, con todos nuestros cañones y nuestra avaricia, para compararnos con ellos en tiernos y amigables; ni es para tratarlo como a fiera un pueblo que tiene virtudes, y poetas, y oficios, y gobierno, y artes!" "¡No es verdad, sino iniquidad, que el modo mejor que tenga el rey para hacerse de súbditos sea exterminarlos, ni el modo mejor de enseñar la religión a un indio sea echarlo en nombre de la religión a los trabajos de las bestias; y quitarle los hijos y lo que tiene de comer; y ponerlo a halar de la carga con la frente como los bueyes!" Y citaba versículos de la biblia, artículos de la ley, ejemplos de la historia, párrafos de los autores latinos, todo revuelto y de gran hermosura, como caen las aguas de un torrente, arrastrando en la espuma las piedras y las alimañas del monte.

Solo estuvo en la pelea, solo cuando Fernando, que a nada se supo atrever, ni quería descontentar a los de la conquista, que le mandaban a la Corte tan buen oro; solo cuando Carlos V, que de niño lo oyó con veneración, pero lo engañaba después, cuando entró en ambiciones que requerían mucho gastar, y no estaba para ponerse por las "cosas del clérigo" en contra de los de América, que le enviaban de tributo los galeones de oro y joyas; solo cuando Felipe II, que se gastó un reino en procurarse otro, y lo dejó todo a su muerte envenenado y frío, como el agujero en que ha dormido la víbora. Si iba a ver al rey, se encontraba la antesala llena de amigos de los encomenderos, todos de seda y sombreros de plumas, con collares de oro de los indios americanos; al ministro no le podía hablar, porque tenía encomiendas él, y tenía minas, o gozaba los frutos de las que poseía en cabeza de otros. De miedo de perder el favor de la Corte, no le ayudaban los mismos que no tenían en América interés. Los que más lo respetaban, por bravo, por justo, por astuto, por elocuente, no lo querían decir, o lo decían donde no los oyeran; porque los hombres suelen admirar al virtuoso mientras no los avergüenza con su virtud o les estorba las ganancias; pero en cuanto se les pone en su camino, bajan los ojos al verlo pasar, o dicen maldades de él, o dejan que otros las digan, o lo saludan a medio sombrero, y le van clavando la puñalada en la sombra. El hombre virtuoso debe ser fuerte de ánimo, y no tenerle miedo a la soledad, ni esperar a que los demás le ayuden, porque estará siempre solo; ¡pero con la alegría de obrar bien, que se parece al cielo de la mañana en la claridad!

Y como él era tan sagaz que no decía cosa que pudiera ofender al rey ni a la Inquisición, sino que pedía la bondad con los indios para bien del rey, y para que se hiciesen más de veras cristianos, no tenían los de la Corte modo de negársele a las claras, sino que fingían estimarle mucho el celo, y una vez le daban el título de "Protector Universal de los Indios", con la firma de Fernando, pero sin modo de que le acatasen la autoridad de proteger; y otra, al cabo de cuarenta años de razonar, le dijeron que pusiera en papel las razones por qué opinaba que no debían ser esclavos los indios; y otra le dieron poder para que llevase trabajadores de España a una colonia de Cumaná donde se había de ver a los indios con amor, y no halló en toda España sino cincuenta que quisieran ir a trabajar, los cuales fueron, con un vestido que tenía una cruz al pecho, pero no pudieron poner la colonia, porque "el adelantado" había ido antes que ellos con las armas, y los indios enfurecidos disparaban sus flechas de punta envenenada contra todo el que llevaba cruz. Y por fin le encargaron, como para entretenerlo, que pidiese las leyes que le parecían a él bien para los indios, "¡cuántas leyes quisiera, pues, que por ley más o menos no hemos de pelear!" y él las escribía, y las mandaba el rey cumplir, pero en el barco iba la ley, y el modo de desobedecerla. El rey le daba audiencia, y hacía como que le tomaba consejo; pero luego entraba Sepúlveda, con sus pies blandos y sus ojos de zorra, a traer los recados de los que mandaban los galeones, y lo que se hacía de verdad era lo que decía

Sepúlveda. Las Casas lo sabía, lo sabía bien; pero ni bajó el tono, ni se cansó de acusar, ni de llamar crimen a lo que era, ni de contar en su "Descripción" las "crueldades", para que el rey mandara al menos que no fuesen tantas, por la vergüenza de que las supiera el mundo. El nombre de los malos no lo decía; porque era noble y les tuvo compasión. Y escribía como hablaba, con la letra fuerte y desigual, llena de chispazos de tinta, como caballo que lleva de jinete a quien quiere llegar pronto, y va levantando el polvo y sacando luces de la piedra.

Fue obispo por fin; pero no de Cuzco, que era obispado rico, sino de Chiapas, donde por lo lejos que estaba el virrey, vivían los indios en mayor esclavitud. Fue a Chiapas, a llorar con los indios; pero no sólo a llorar, porque con lágrimas y quejas no se vence a los pícaros, sino a acusarlos sin miedo, a negarles la iglesia a los españoles que no cumplían con la ley nueva que mandaba poner libres a los indios, a hablar en los consejos del ayuntamiento, con discursos que eran a la vez tiernos y terribles, y dejaban a los encomenderos atrevidos como los árboles cuando ha pasado el vendaval. Pero los encomenderos podían más que él, porque tenían el gobierno de su lado; y le componían cantares en que le decían traidor y español malo; y le daban de noche músicas de cencerro, y le disparaban arcabuces a la puerta para ponerlo en temor, y le rodeaban el convento armados—todos armados, contra un viejo flaco y solo. Y hasta le salieron al camino de Ciudad Real para que no volviera a entrar en la población. El venía a pie, con su bastón, y con dos españoles buenos, y un negro que lo quería como a padre suyo; porque es verdad que Las Casas, por el amor de los indios, aconsejó al principio de la conquista que se siguiese trayendo esclavos negros, que resistían mejor el calor; pero luego que los vio padecer, se golpeaba el pecho, y decía: "¡con mi sangre quisiera pagar el pecado de aquel consejo que di por mi amor a los indios!" Con su negro cariñoso venía, y los dos españoles buenos. Venía tal vez de ver cómo salvaba a la pobre india que se le abrazó a las rodillas a la puerta de su templo mexicano, loca de dolor porque los españoles le habían matado al marido de su corazón, que fue de noche a rezarle a los dioses; ¡y vio de pronto Las Casas que eran indios los centinelas que los españoles le habían echado para que no entrase! ¡El les daba a los indios su vida, y los indios venían a atacar a su salvador, porque se lo mandaban los que los azotaban!

Y no se quejó, sino que dijo así: "Pues por eso, hijos míos, os tengo que defender más, porque os tienen tan martirizados que no tenéis ya valor ni para agradecer". Y los indios llorando, se echaron a sus pies, y les pidieron perdón. Y entró en Ciudad Real, donde los encomenderos lo esperaban, armados de arcabuz y cañón, como para ir a la guerra. Casi a escondidas tuvo que embarcarlo para España el virrey, porque los encomenderos lo querían matar. El se fue a su convento, a pelear, a defender, a llorar, a escribir. Y murió, sin cansarse, a los noventa y dos años.

(*La Edad de Oro*, New York, septiembre de 1889)

MI RAZA

Esa de racista está siendo una palabra confusa y hay que ponerla en claro. El hombre no tiene ningún derecho especial porque pertenezca a una raza o a otra: dígase hombre, y ya se dicen todos los derechos. El negro, por negro, no es inferior ni superior a ningún otro hombre; peca por redundante el blanco que dice: "Mi raza"; peca por redundante el negro que dice: "Mi raza". Todo lo que divide a los hombres, todo lo que especifica, aparta o acorrala es un pecado contra la humanidad. ¿A qué blanco sensato le ocurre envanecerse de ser blanco, y qué piensan los negros del blanco que se envanece de serlo y cree que tiene derechos especiales por serlo? ¿Qué han de pensar los blancos del negro que se envanece de su color? Insistir en las divisiones de raza, en las diferencias de raza, de un pueblo naturalmente dividido, es dificultar la ventura pública y la individual, que están en el mayor acercamiento de los factores que han de vivir en común. Si se dice que en el negro no hay culpa aborigen ni virus que lo inhabilite para desenvolver toda su alma de hombre, se dice la verdad, y ha de decirse y demostrarse, porque la injusticia de este mundo es mucha, y es mucha la ignorancia que pasa por sabiduría, y aún hay quien crea de buena fe al negro incapaz de la inteligencia y corazón del blanco; y si a esa defensa de la naturaleza se la llama racismo, no importa que se la llame así, porque no es más que decoro natural y voz que clama del pecho del hombre por la paz y la vida del país.

Si se aleja de la condición de esclavitud, no acusa inferioridad la raza esclava, puesto que los galos blancos, de ojos azules y cabellos de oro, se vendieron como siervos, con la argolla al cuello, en los mercados de Roma; eso es racismo bueno, porque es pura justicia y ayuda a quitar prejuicios al blanco ignorante. Pero ahí acaba el racismo justo, que es el derecho del negro a mantener y a probar que su color no le priva de ninguna de las capacidades y derechos de la especie humana.

El racista blanco, que le cree a su raza derechos superiores, ¿qué derechos tiene para quejarse del racista negro que también le vea especialidad a su raza? El racista negro, que ve en la raza un carácter especial, ¿qué derecho tiene para quejarse del racista blanco? El hombre blanco que, por razón de su raza, se cree superior al hombre negro, admite la idea de la raza y autoriza y provoca al racista negro. El hombre negro que proclama su raza, cuando lo que acaso proclama únicamente en esta forma errónea es la identidad espiritual de todas las razas, autoriza y provoca al racista blanco. La paz pide los derechos comunes de la naturaleza; los derechos diferenciales, contrarios a la naturaleza, son enemigos de la paz. El blanco que se aísla, aísla al negro. El negro que se aísla, provoca a aislarse al blanco.

En Cuba no hay temor a la guerra de razas. Hombre es más que blanco, más que mulato, más que negro. En los campos de batalla murieron por Cuba, han subido juntas por los aires, las almas de los blancos y de los negros. En la vida diaria de defensa, de lealtad, de hermandad, de astucia, al lado de cada blanco hubo siempre un negro. Los negros, como los blancos, se dividen por sus caracteres, tímidos o valerosos, abnegados o egoístas, en los partidos diversos en que se agrupan los hombres. Los partidos políticos son agregados de preocupaciones, de aspiraciones, de intereses y de caracteres. Lo semejante esencial se busca y halla por sobre las diferencias de detalle; y lo fundamental de los caracteres análogos se funde en los partidos, aunque en lo incidental o en lo postergable al móvil común difieran. Pero en suma, la semejanza de los caracteres, superior como factor de unión a las relaciones internas de un color de hombres graduado y en su grado a veces opuesto, decide e impera en la formación de los partidos. La afinidad de los caracteres es más poderosa entre los hombres que la afinidad del color. Los negros, distribuidos en las especialidades diversas u hotiles del espíritu humano, jamás se podrán ligar, ni desearán ligarse, contra el blanco, distribuido en las mismas especialidades. Los negros están demasiado cansados de la esclavitud para entrar voluntariamente en la esclavitud del color. Los hombres de pompa e interés se irán de un lado, blancos o negros; y los hombres generosos y desinteresados se irán de otro. Los hombres verdaderos, negros o blancos, se tratarán con lealtad y ternura, por el gusto del mérito y el orgullo de todo lo que honre la tierra en que nacimos, negro o blanco. La palabra racista caerá de los labios de los negros que la usan hoy de buena fe, cuando entiendan que ella es el único argumento de apariencia válida y de validez en hombres sinceros y asustadizos, para negar al negro la plenitud de sus derechos de hombre. Dos racistas serían igualmente culpables: el racista blanco y el racista negro. Muchos blancos se han olvidado ya de su color, y muchos negros. Juntos trabajan, blancos y negros, por el cultivo de la mente, por la propagación de la virtud, por el triunfo del trabajo creador y de la caridad sublime.

En Cuba no hay nunca guerra de razas. La República no se puede volver atrás; y la República, desde el día único de redención del negro en Cuba, desde la primera constitución de la independencia el 10 de abril en Guáimaro, no habló nunca de blancos ni de negros. Los derechos públicos, concedidos ya de pura astucia por el Gobierno español e iniciados en las costumbres antes de la independencia de la Isla, no podrán ya ser negados, ni por el español que los mantendrá mientras aliente en Cuba para seguir dividiendo al cubano negro del cubano blanco, ni por la independencia, que no podría negar en la libertad los derechos que el español reconoció en la servidumbre.

Y en lo demás, cada cual será libre en lo sagrado de la casa. El mérito, la prueba patente y continua de cultura y el comercio inexorable acabarán de unir a los hombres. En Cuba hay mucha grandeza en negros y blancos.

(*Patria*, New York,
16 de abril de 1893)

BUENOS Y MALOS AMERICANOS

De un lado se están poniendo en América los que, sin fuerzas para cumplir con los deberes que les imponen, prefieren renegar de las glorias americanas, como si con esto se librasen del mote de menguados y egoístas; y de otro lado, los que, sin rencillas imbéciles por una parte, pero sin excesos lamentables de lo que demanda el espíritu de raza por la otra, se estrechan, ponen en alto la bandera nueva y van rehaciendo la cuja en que se yerguen, que aquellos otros muerden a escondidas, gateando al favor de su sombra. De un lado los que cantan la forma de nuestras glorias, pero abjuran y maldicen de su esencia, y de otro los que tienen tamaños de fundadores de pueblos, y, por sobre el miedo de los timoratos y las preocupaciones de la gente vana, no quieren hacer de la América alfombra para naciones que les son inferiores en grandeza y espíritu, sino el pueblo original y victorioso anticipado por sus héroes, impuesto por su naturaleza y hoy sobradamente mantenido en estima por sus hijos; no por los que con el mismo plectro —porque esos usan plectro— endiosan a Bolívar y a sus tenientes, y al espíritu ¡oh verguenza! contra el que aquellos hombres magnánimos combatieron; sino por aquellos otros americanos que cuidan más de cumplir dolorosamente su deber de hijos de América en tiempos difíciles, que de pavonear serventesios y liras humildes, en cambio de interesados aplausos, a los ojos de regocijadas tierras extranjeras. Los conocemos, los conocemos. Y los más sinceros son en política como esos raquíticos naturalistas de ojos cortos, que de puro mirar a los detalles pierden la capacidad de entender, a posar de sus grietas y de sus cataclismos, la armonía de la Naturaleza; son siervos naturales, que no pueden levantar la frente de la tierra; son como flacas hembras que no saben resistir una caricia. Un título los compra. Con lisonjas y celebracioncillas se les tiene. Decimos que los conocemos.

Se nos han ido esas líneas de la mano, como vanguardia de mayor ejército que no quisiera verse obligado a librar batalla al leer en cartas privadas noticia de la entusiasta fiesta con que los hispanoamericanos de París, en que los de la vieja Colombia están en mayor parte, celebraron, en prosa y verso, el 25 de febrero, el aniversario de San Martín virtuoso. De ese espíritu necesitamos en América y no de otro; del que apriete, como quien aprieta espigas

de un mismo haz, todos los pueblos de América, desde el que levanta
en bronce al cura Hidalgo, que a Washington se parecía en la serenidad y terco empuje, con cierto mayor entusiasmo, hasta el que
a Belgrano y a Rivadavia reverencia. Y del lado del Pacífico, ¡ben-
ditos sean los que emplean sus manos en vaciar bálsamo sobre aquellas heridas!

En desemejanza de aquellos malos americanos de quienes ha-
blábamos, que se desciñen de la frente los lauros de Chacabuco y de
Maipú, para ir a ceñirse los lauros de Bailén, San Martín —como
decía el venezolano Carrillo y Navas la noche de la fiesta,— "acababa de segar gloriosos laureles en los campos sangrientos de Bailén, pero no vaciló en arrancarlos de su frente para reemplazarlos
con otros más hermosos conquistados en San Lorenzo, en Maipú
en Chacabuco".

Y ¿qué otra cosa dijo de San Martín? Dijo, con llano y altivo
lenguaje, "que en vez de enriquecerse con el ejercicio del gobierno,
sacrificó lo suyo por la patria".

Y dijo más, y muy justamente, el caballero Carrillo, el organizador de la "Biblioteca Bolívar" en París, quien a la caliente lengua
venezolana une cierta autoridad de pensamiento, seguridad honrada
y nervio, que avaloran lo que escribe: dijo que "si Bolívar brilla
sin rival en la epopeya de la independencia, por la energía y constancia de su carácter, por la extensión de su genio y por la poesía
misma de su gloria, San Martín presenta, por su parte, durante
su carrera política, el dechado más perfecto de todas las virtudes
civiles y militares, realzadas por una extrema modestia, y al reti-
rarse a la vida privada legó a las generaciones por venir el más alto
quizás y más útil ejemplo de abnegación patriótica que han pre-
senciado los siglos".

Al señor Pedro Lamas tocó, y le venía de derecho, contar a los
concurrentes a la noble fiesta la magnífica vida del héroe probo,
que en la entrevista de Guayaquil dejó, con nunca vista grandeza,
en manos de Bolívar, las coronas que en su propia tierra, y en Chile
y en Perú, tenía ganadas. Tres pueblos puso, que salieron de sus
manos, en las de aquel que, con modestia maravillosa y conmovedo-
ra, juzgó más útil a América y más afortunado. ¡Quién debió ser
Bolívar para causar en San Martín impresión semejante! De la reseña sobria y elocuente de Lamas surgía, como un espejo de acero,
la imagen inmaculada del prohombre argentino.

Y dijo luego un soneto en honor de ambos héroes, y otro
brioso y resonante a nuestra América, ese poeta que se saca los versos de lo hondo del alma, como una paloma sus hijuelos, alados y
blancos; dijo versos el venezolano Jacinto Gutiérrez Coll, de esos
que vibran con el tañido grato y prolongado de la buena porcelana.
Noble ha sido la fiesta que ha juntado en París a los hijos
de Bolívar resplandeciente, San Martín virtuoso; noble toda fiesta
que ponga en alto el espíritu original y ardiente, el espíritu americano de América, en que se está deslizando ahora, como una serpiente envuelta en la bandera patria, otro diverso espíritu.

Quien hubiera visto poblado de águilas el aire cuando de la
casa pobre de Guayaquil salieron de determinar los dos gloriosos
caballeros que la Libertad no podía tener más que un esposo, no
hubiese visto mal: que aquel aire estaba hecho de águilas.

Esta fiesta de París, por la sociedad "Biblioteca Bolívar" organizada, nos hace ver, como si la tuviéramos delante, la casa aquella, de sagradas paredes, donde lloraron sin duda, con lágrimas que
pocas veces ruedan por las mejillas de los hombres San Martín y
Bolívar.

("Fiestas en honor del General San Martín"
La América, New York, abril de 1884)

INMIGRACION EN AMERICA

En nuestra América hay mucho más sentido de lo que se piensa,
y los pueblos que pasan por menores —y lo son en territorio o habitantes más que en propósito y juicio— van salvándose a timón
seguro de la mala sangre de la colonia de ayer y de la dependencia
y servidumbre a que los empezaba a llevar, por equivocado amor
a formas ajenas y superficiales de república, un concepto falso y
criminal de americanismo. Lo que el americanismo sano pide es
que cada pueblo de América se desenvuelva con el albedrío y propio
ejercicio necesarios a la salud, aunque al cruzar el río se moje la
ropa y al subir tropiece, sin dañarle la libertad a ningún otro pueblo —que es puerta por donde los demás entrarán a dañarle la
suya—, ni permitir que con la cubierta del negocio o cualquiera

otra lo apague y cope un pueblo voraz e irreverente. En América hay dos pueblos, y no más que dos, de alma muy diversa por los orígenes, antecedentes y costumbres, y sólo semejantes en la identidad fundamental humana. De un lado está nuestra América, y todos sus pueblos son de una naturaleza y de cuna parecida o igual, e igual mezcla imperante; de la otra parte está la América que no es nuestra, cuya enemistad no es cuerdo ni viable fomentar, y de la que, con el decoro firme y la sagaz independencia, no es imposible y es útil ser amigo. Pero de nuestra alma hemos de vivir, limpia de la mala iglesia y de los hábitos de amo y de inmerecido lujo. Andemos nuestro camino, de menos a más, y sudemos nuestras enfermedades. La grandeza de los pueblos no está en su tamaño, ni en las formas múltiples de la comodidad material, que en todos los pueblos aparecen según la necesidad de ellas y se acumulan en las naciones prósperas, más que por genio especial de raza alguna, por el cebo de la ganancia que hay en satisfacerlas. El pueblo más grande no es aquel en que una riqueza desigual y desenfrenada produce hombres crudos y sórdidos, y mujeres venales y egoístas; pueblo grande, cualquiera que sea su tamaño, es aquel que da hombres generosos y mujeres puras. La prueba de cada civilización humana está en la especie de hombre y de mujer que en ella se produce.

De tiempo atrás venía apenando a los observadores americanos la imprudente facilidad con que Honduras, por sinrazón visible más confiada en los extraños que en los propios, se abrió a la gente rubia que con la fama de progreso le iba del Norte a obtener allí, a todo por nada, las empresas pingües que en su tierra les escasean o se les cierran. Todo trabajador es santo y cada productor es una raíz; y al que traiga trabajo útil y cariño, venga de tierra fría o caliente, se le ha de abrir hueco ancho, como a un árbol nuevo; pero con el pretexto del trabajo y la simpatía del americanismo, no han de venir a sentársenos sobre la tierra, sin dinero en la bolsa ni amistad en el corazón, los buscavidas y los ladrones.

(*Patria*, New York, diciembre de 1894)

EL HOMBRE ANTIGUO DE AMERICA Y SUS ARTES PRIMITIVAS

Cazando y pescando; desentendiéndose a golpes de pedernal del tigrillo y el puma y de los colosales paquidermos; soterrando de una embestida de colmillo el tronco monstruoso en que se guarecía, vivió errante por las selvas de América el hombre primitivo en las edades cuaternarias. En amar y en defenderse ocupaba acaso su vida vagabunda y azarosa, hasta que los animales cuaternarios desaparecieron y el hombre nómada se hizo sedentario. No bien se sentó, con los pedernales mismos que le servían para matar al ciervo, tallaba sus cuernos duros; hizo hachas, harpones y cuchillos, e instrumentos de asta, hueso y piedra. El deseo de ornamento, y el de perpetuación, ocurren al hombre apenas se da cuenta de que piensa: el arte es la forma del uno: la historia, la del otro. El deseo de crear le asalta tan luego como se desembaraza de las fieras; y de tal modo, que el hombre sólo ama verdaderamente, o ama preferentemente, lo que crea. El arte, que en épocas posteriores y más complicadas puede ya ser producto de un ardoroso amor a la belleza, en los tiempos primeros no es más que la expresión del deseo humano de crear y de vencer. Siente celos el hombre del hacedor de las criaturas; y gozo en dar semejanza de vida, y forma de ser animado, a la piedra. Una piedra trabajada por sus manos, le parece un Dios vencido a sus pies. Contempla la obra de su arte satisfecho, como si hubiera puesto un pie en las nubes.—Dar prueba de su poder y dejar memoria de sí, son ansias vivas en el hombre.

En colmillos de elefantes y en dientes de oro, en omóplatos de renos y tibias de venado esculpían con sílices agudos los troglo- ditas de las cuevas francesas de Vezère las imágenes del mammoth tremendo, la foca astuta, el cocodrilo venerado y el caballo amigo. Corren, muerden, amenazan, aquellos brutales perfiles. Cuando querían sacar un relieve, ahondaban y anchaban el corte. La pasión por la verdad fue siempre ardiente en el hombre. La verdad en las obras de arte es la dignidad del talento.

Por los tiempos en que el troglodita de Vezère cubría de dibu- jos de pescados los espacios vacíos de sus escenas de animales, y el hombre de Laugerie Basse representaba en un cuerno de ciervo una palpitante escena de caza, en que un joven gozoso de cabello hirsu- to, expresivo el rostro, el cuerpo desnudo, dispara, seguido de mujeres de senos llenos y caderas altas, su flecha sobre un venado pavorido y colérico, el hombre sedentario americano imprimía ya sobre el barro blando de sus vasijas hojas de vid o tallos de caña, o con la punta de una concha marcaba imperfectas líneas en sus obras de barro, embutidas a menudo con conchas de colores, y a la luz del sol secadas.

En lechos de guano cubiertos por profunda capa de tierra y arboleda tupida se han hallado, aunque nunca entre huesos de animales cuaternarios ni objetos de metal, aquellas primeras reliquias del hombre americano. Y como a esas pobres muestras de arte ingenuo cubren suelos tan profundos y maleza tan enmarañada como la que ahora mismo sólo a trechos deja ver los palacios de muros pintados y paredes labradas de los bravíos y suntuosos Mayapanes, no es dable deducir que fue escaso de instinto artístico el americano de aquel tiempo, sino que, como a nuestros ojos acontece, vivían en la misma época pueblos refinados, históricos y ricos, y pueblos elementales y salvajes. Pues hoy mismo, en que andan las locomotoras por el aire, y como las gotas de una copa de tequila lanzada a lo alto, se quiebra en átomos invisibles una roca que estorba a los hombres, —hoy mismo, ¿no se trabajan sílices, se cavan pedruscos, se adoran ídolos, se escriben pictógrafos, se hacen estatuas de los sacerdotes del sol entre las tribus bárbaras?— No por fajas o zonas implacables, no como mera emanación andante de un estado de la tierra, no como flor de geología, pese a cuanto pese, se ha ido desenvolviendo el espíritu humano. Los hombres que están naciendo ahora en las selvas en medio de esta avanzada condición geológica, luchan con los animales, viven de la caza y de la pesca, se cuelgan al cuello rosarios de guijas, trabajan la piedra, el asta y el hueso, andan desnudos y con el cabello hirsuto, como el cazador de Laugerie Basse, como los elegantes guerreros de los monumentos iberos, como el salvaje inglorioso de los cabos africanos, como los hombres todos en su época primitiva. En el espíritu del hombre están, en el espíritu de cada hombre, todas las edades de la Naturaleza.

Las rocas fueron antes que los cordones de nudos de los peruanos, y los collares de porcelana del Arauco, y los pergaminos pintados de México, y las piedras inscritas de la gente maya; las rocas altas en los bosques solemnes fueron los primeros registros de los sucesos, espantos, glorias y creencias de los pueblos indios.

Para pintar o tallar sus signos elegían siempre los lugares más imponentes y bellos, los lugares sacerdotales de la Naturaleza. Todo lo reducían a acción y a símbolo. Expresivos de suyo, no bien sufría la tierra un sacudimiento, los lagos un desborde, la raza un viaje, una invasión el pueblo, buscaban el limpio tajo de una roca, y esculpían, pintaban o escribían el suceso en el granito y en la siena. Desdeñaban las piedras deleznables, —de entre las artes de pueblos primitivos que presentan grado de incorrección semejante al arte americano, ninguno hay que se le compare en lo numeroso, elocuente, resuelto, original y ornamentado. Estaban en el albor de la escultura, pero de la arquitectura, en pleno medio día. En los tiempos primeros, mientras tienen que tallar la piedra, se limitan a la línea; pero apenas puede correr libre la mano en el dibujo y los colores, todo lo recaman, superponen, encajean, bordan y adornan. Y cuando ya levantan casas, sienten daño en los ojos si un punto solo del pavimento o la techumbre no ostenta, recortada en la faz de la piedra, o en la cabeza de la viga, un plumaje rizado, un penacho de guerrero, un anciano barbudo, una luna, un sol, una serpiente, un cocodrilo, un guacamayo, un tigre, una flor de hojas sencillas y colosales, una antorcha. Y las monumentales paredes de piedra son de labor más ensalzada y rica que el más sutil tejido de estercría fina. Era raza noble e impaciente, como esa de hombres que comienzan a leer los libros por el fin. Lo pequeño no conocían y ya se iban a lo grande. Siempre fue el amor al adorno dote de los hijos de América, y por ella lucen, y por ella pecan el carácter movible, la política prematura y la literatura hojosa de los países americanos.

No con la hermosura de Tetzcontzingo, Copán y Quiriguá, no con la profusa riqueza de Uxmal y de Mitla, están labrados los dólmenes informes de la Galia; ni los ásperos dibujos en que cuentan sus viajes los noruegos; ni aquellas líneas vagas, indecisas, tímidas con que pintaban al hombre de las edades elementales los mismos iluminados pueblos del mediodía de Italia. ¿Qué es, sino cáliz abierto al sol por especial privilegio de la Naturaleza, la inteligencia de los americanos? Unos pueblos buscan, como el germánico; otros construyen, como el sajón; otros entienden, como el francés; colorean otros, como el italiano; sólo al hombre de América es dable en tanto grado vestir como de ropa natural la idea segura de fácil, brillante y maravillosa pompa. No más que pueblos en ciernes,—que ni todos los pueblos se cuajan de un mismo modo, ni bastan unos cuantos siglos para cuajar un pueblo,—no más que pueblos en bulbo eran aquellos en que con maña sutil de viejos vividores se entró el conquistador valiente, y descargó su ponderosa herrajería, lo cual fue una desdicha histórica y un crimen natural. El tallo esbelto debió dejarse erguido, para que pudiera verse luego en toda su hermosura la obra entera y florecida de la Naturaleza.—¡Robaron los conquistadores una página al Universo! Aquellos eran los pueblos que llamaban a la Vía Láctea "el camino de las almas"; para quienes el Universo estaba lleno del Grande Espíritu, en cuyo seno se encerraba toda luz, del arco iris coronado como de un penacho, rodeado, como de colosales faisanes, de los cometas orgullosos, que paseaban por entre el sol dormido y la montaña inmóvil el espíritu de las estrellas; los pueblos eran que no imaginaron como los hebreos a la mujer hecha de un hueso y al hombre hecho de lodo; sino a ambos nacidos a un tiempo de la semilla de la palma.

(*La América*, New York, abril de 1884)

POESIA DRAMATICA AMERICANA*

Salvador Falla, el joven pensador, ha dicho muy bien: sobre todo lo humano flota como esencia, augurio y perfume, lo que el hombre tiene de artista y de poeta, que es lo que tiene de divino. Muerta es Cartago, y nadie va a llorar sobre las plazas antipáticas de aquel difunto pueblo mercader. Muerta es la vieja Grecia, y todavía colora nuestros sueños juveniles, calienta nuestra literatura y nos cría a sus pechos, madre inmensa, la hermosa Grecia artística. Con la miel de aquella vida nos ungimos los labios aún todos los hombres. Por eso aflige tanto ver en Union Square la estatua mezquinísima de Lincoln. Una estatua vive mucho más que una batalla: más que las *Decretales* de Augusto, vivirán las humillantes, pero sublimes quejas del perseguido Ovidio. Ovidio fue débil, y aduló a Tiberio; fue débil como Mickiewickz, el gran apóstata polaco; pero sobre su tumba desconocida se pasearon ansiosos los dedos de una reina: una mano de mujer apartó el musgo impío que cubría el

* Escrito en Guatemala, febrero de 1878.

nombre grandioso, y la emperatriz Catalina lloró sobre el poeta; ¡gran fortuna ·ésta de ser llorado por mujeres! ¿Quién llorará sobre la tumba del pensativo de Fontainebleau, del azotador de los flamencos, del cruel enemigo de Vercingetorix? Salvador Falla ha tenido razón. La imaginación salva y pierde a los pueblos; pero así como los pierde así los salva. Lleva al exceso de las artes, a la corrupción, a la molicie; pero también lleva a la inmortalidad, a la universal admiración, al perpetuo imperio. Un pueblo no debe ser excesivamente literario, sobre todo en los tiempos febriles y mercantiles que corremos; pero debe ser un poco literario. Mi maestro Rafael Mendive ha dicho que por el dolor se entra a la vida: por la poesía se sale de ella. Se olvidan las culebras, y se piensa en las águilas y los leones. ¡Qué suaves lágrimas se asoman a los ojos después de haber leído buenos versos! Y ¡cómo piensa en Dios el que leyó, con hondo ánimo, la *Aurora* de Kracinski!

Aquí, en mi madre América, la Hermosura besa en la mejilla a cada mujer que nace; la Poesía besa en el corazón a cada hombre. El indómito gaucho canta su rencoroso cielito; el tapatío mexicano, su pintoresco jarabe; su punto enamorado, el guajiro de Cuba. Y más que las sombrías arboledas europeas, que abre a la caza el clásico día de San Huberto, hablan al alma las selvas bravas, junto al río; los palmares tupidos, junto al monte. La fantasía, virgen desnuda, tiene en América el casto seno henchido.

Todo se escribe en verso en nuestras tierras: todos los héroes tienen cantores; todas las campañas, Tyrteo; todos los amores, expresiones rítmicas. En castizo como Bello y Mera; en español francés como Lozano, laméntanse en inmortales versos las rebeldes agitaciones del espíritu, las heroicas grandezas de la patria, los consuelos y agravios del amor. Y ¿cómo no, por donde el Cauca corre, donde las limeñas miran, donde el café hierve, donde el Tequendama aterra, donde —león de agua en cauce estrecho— se desata potente el Amazonas? ¿Cómo no, donde en Orizaba asfixia el vivo aroma de azahares, en Tehuantepec cubren la margen de los ríos los frutos de naranjos encendidos? ¿Cómo no, en estos lugares de imponderables maravillas, donde en el hondo valle el labrador siega la caña, sobre el valle hondo extiéndense las nubes, revueltísimos senos de colores, y sobre el cielo de iris y violeta, cruza, como yo he cruzado, vibrante, triunfador, altivo, audaz ferrocarril? ¿Cómo no, donde no se conocen más rivales que aquellos graves bosques, imponentes y misteriosos como ancianos, en que viven los místicos sacerdotes del Himalaya, que rodean los claustros budistas del Tibet?

Pero yo no quiero hablar de esta fácil poesía de la Naturaleza, cristal matizado que refleja los inagotables cambiantes de nuestras soberanas perspectivas; ni de la tierra poesía íntima; ni del período de imitación, que en literatura, como en todo, todos los hombres y los pueblos sufren; ni de la alta poesía épica por Julio Arboleda en *Gonzalo de Oyón* tan bien hallada. Hojeando cronicones, desempolvando manuscritos, reanimando cuentos, admirando héroes incógnitos, recogiendo muy tristes leyendas, la poesía dramática —con todos sus contrastes, con el fragor de su combate interno, con su potencia resucitadora, con su inolvidable manera de inculcar, con sus versos ardientes, con sus héroes vivos, con sus mujeres enamoradas, con sus lecciones suaves, con su arreo brillantísimo—, abraza tiernamente al dormido escritor americano, le sonríe como al gallardo monarca de Atitlán debió sonreir Ixcunsocil, y, como desdeñada amante que ama, le pregunta:

"¿Por qué, mi amante estéril, vives puerilmente de las hojas de las rosas y de las aguas de los ríos? ¿Por qué perezosamente cantas los devaneos comunes de tu espíritu? Veme aquí con mi cortejo histórico y fantástico. Ni la sierra de Puebla guarda más esmeraldas que yo glorias, ni el cielo del Pacífico más horizonte te podría ofrecer que yo. ¡Yo traigo conmigo conquistadores legendarios, tenaces conquistados, indias de oro, indios de hierro, rencores de raza, infortunios inmensos, fuertes cuerpos quemados en los valles, tiernas almas burladas y vendidas, plumas de Cuanhtemoczín, cascos de Hernán Cortés, lágrimas de Marina, crueldades de Alvarado! Yo traigo aquí conmigo no contados cuentos, no descritas guerras, no pintados caracteres, no revelados lánguidos amores. Yo también tengo, como los moros de la Aljafería, como los jardineros de la Alhambra, mis lindas cautivas, mis rudos herejes, mis doncellas heridas de amores, mis historias de maravillas increíbles, de misteriosas fugas, de mágicos rescates. Tengo bajo el cielo vasto un mundo nuevo. Tengo en cuatro siglos dos epopeyas no trovadas, más héroes que hojas verdes la costa del Atlántico, más lágrimas que corales tiene Honduras, minas México y perlas el rumoroso río Guayabo. ¡Amante perezoso, ven a mí!"

También la poesía dramática tiene razón. Si los galanes de apretado embozo, y las dueñas de obscuro manto, menos que el alma obscura, y las ingeniosas y cultas damas dieron a Lope y a sus émulos tipos eternos para el teatro original, simpático y caballeresco, que dura en· España todavía; si aún visten los actores la túnica de Coriolano, ciñen el casco de Germánico y pasean las águilas de Roma; si los gastados tipos sacros alimentan aún los místicos teatros alemanes, ¡qué vigorosa escena, asombro y alimento de los siglos, no podría surgir de los riquísimos veneros de inspiración que casi intactos guarda la historia de la larga infancia y trabajosa juventud de América! ¡Qué terribles tragedias, con nuevos e históricos resortes! ¡Qué exposición de caracteres sencillamente heroicos, por lo que son más heroicos! ¡Qué animados idilios, ardientes cuentos trigueños, a manera de los europeos color de rosa! ¡Cuánto amor contrariado, y crimen cometido, y patria y familia puestas en lucha, y amores de mujer vencidos por el amor riesgoso de la patria, no darían savia permanente al teatro nuevo, que calentaría, puesto que América está destinada a vivificarlo y calentarlo todo, la fatigada fantasía europea!

Y aquí, en el reino de Utatlán, donde Socoleo luchó, donde Uspantán asombró, donde los audaces Mames pusieron espanto tantas veces en las osadas filas de Castilla, ¡cuán fácil fuera al ánimo patriótico volver al mundo de la vida los ignorados bravos que bajo el casco del corcel o el látigo implacable del rubio Gonzalo, murieron tristemente! ¿Qué hacen en sus tumbas Ricab el animoso, Acxopil el prudente, Jiutemal el tenaz, Acxicuat avariento? ¿Dónde son idas la voz de los Ahaos, la respetada voz de los Calpules, aquellos cánticos de Xelahub, aquellas arengas de Tecú Umán? ¡Chignaviucelut no tiene poeta, ni Sinacam, ni Sequechul tienen honradores!

Hubo adivinos y sacerdotes, herejes y cristianos, mansos y rebeldes, valientes y cobardes, jinetes de corcel y cazadores de venados, grandes pasiones primitivas y grandes pasiones corrompidas: ¡todo un pasmoso teatro!

No está inculto este campo fertilísimo, ni desierta la escena americana. En confusa reunión, como en lo justo en todo pueblo espiritualmente formado por tantas contradictorias reminiscencias, impaciencias, grandezas, pequeñeces y lecturas, han brotado de los laúdes colombianos altos dramas antiguos, líricas leyendas dialogadas, políticas y satíricas comedias, retrato y castigo de los defectos salientes de la época. Famoso nombre alcanzan las comedias vivaces de Segura, los dramas apasionados de Salaverry, las románticas figuras de Corpancho, los líricos entusiasmos de José Mármol, ¡aquel que se murió pidiendo vida! Visible es en las modernas tablas castellanas la ática savia que Ventura de la Vega —si allá educado, aquí nacido, a nuestro sol que enciende, crea e imprime—, infundió al renaciente teatro español, por Lope dado a vida, por Calderón levantadísimo, por el americano Alarcón, más idealista y elegante por americano, Vega mismo. Madrid sancionó, con fraternal aplauso, las calientes concepciones de García de Quevedo, el elevado; Santo Domingo ostenta con orgullo a *Anacaona*, drama vengador; a *Tilema*, el drama de la restauración dominicana. El autor de *Celiar* dio su color vivísimo a un drama hermoso; y con éstos, ¡cuánta obra brillante aquí no citada, porque pudiera parecer muestra de dramografía empalagosa! ¡Qué poéticas creaciones de Calderón el mexicano, de Gorostiza, el enmudecido; de Milanés, el poeta puro; de Heredia, el poeta Píndaro; de Urzáis, el cubano humilde; de Acha, el dramático político; de Peón Contreras, mi amigo muy querido, que todo lo hace bueno, y tanto hace; el que vierte dramas como Zorrilla, y Grilo, perlas; el que habla al fin de la Noche Triste y del Teocalli; el que escribe como Bretón y Echegaray, con menos sales que aquél y más ternura que éste; el yucateco infatigable: ¡nuestro Lope de Vega americano!

Cruzada de unión y de resurrección: trátense y familiarícense todos los poetas de nuestras tierras. Surjan y revivan en la América entera, en esta misma hermosa Guatemala, teatro en otro tiempo de tal hidalga rebeldía y dura conquista; la matrona tranquila de ceñidor azul y azul corona; la de manto de mares poderosos. Surjan v revivan los olvidados elementos de que por la riqueza y nuevo color de los lugares, por los inagotables asuntos históricos, por la frescura y originalidad de las pasiones, por la épica sencillez de caracteres, por el continentalismo inevitable de que todo esto ha de revestir a nuestros dramas, está llamado a ser, en rítmica poesía o cadencioso verso, un imponente teatro nacional.

(*La América*, New York, mayo de 1884)

JULIAN DEL CASAL

Aquel nombre tan bello, que al pie de los versos tristes y joyantes parecía invención romántica más que realidad, no es ya el nombre de un vivo. Aquel fino espíritu, aquel cariño medroso y tierno, aquella ideal peregrinación, aquel melancólico amor a la hermosura ausente de su tierra nativa, porque las letras sólo pueden ser enlutadas o hetairas en un país sin libertad, ya no son hoy más que un puñado de versos, impresos en papel infeliz, como dicen que fue la vida del poeta.

De la beldad vivía prendida su alma: del cristal tallado y de la levedad japonesa; del color del ajenjo y de las rosas del jardín; de mujeres de perla, con ornamentos de plata labrada; y él, como Cellini, ponía en un salero a Júpiter. Aborrecía lo falso y pomposo. Murió, de su cuerpo endeble, o del pesar de vivir, con la fantasía elegante y enamorada, en un pueblo servil y deforme. De él se puede decir que, pagado del arte, por gustar del de Francia tan de cerca, le tomó la poesía nula, y de desgano falso e innecesario, con que los orífices del verso parisiense estretuvieron estos años últimos el vacío ideal de su época transitoria. En el mundo, si se le lleva con dignidad, hay aún poesía para mucho; todo es el valor moral con que se encare y dome la injusticia aparente de la vida; mientras haya un bien que hacer, un derecho que defender, un libro sano y fuerte que leer, un rincón de monte, una mujer buena, un verdadero amigo, tendrá vigor el corazón sensible para amar y loar lo bello y ordenado de la vida, odiosa a veces por la brutal maldad con que suelen afearla la venganza y la codicia. El sello de la grandeza es ese triunfo. De Antonio Pérez es esta verdad: "Sólo los grandes estómagos digieren veneno".

Por toda nuestra América era Julián del Casal muy conocido y amado, y ya se oirán los elogios y las tristezas. Y es que en América está ya en flor la gente nueva, que pide peso a la prosa y condición al verso y quiere trabajo y realidad en la política y en la literatura. Lo hinchado cansó, y la política hueca y rudimentaria, y aquella falsa lozanía de las letras que recuerda los perros aventados del loco de Cervantes. Es como una familia en América esta generación literaria, que principió por el rebusco imitado, y está ya en la elegancia suelta y concisa, y en la expresión artística y sincera, breve y tallada, del sentimiento personal y del juicio criollo y directo. El verso, para estos trabajadores, ha de ir sonando y volando. El verso, hijo de la emoción, ha de ser fino y profundo, como una nota de arpa. No se ha de decir lo raro, sino el instante raro de la emoción noble y graciosa. Y ese verso, con aplauso y cariño de los americanos, era el que trabajaba Julián del Casal. Y luego, había otra razón para que lo amasen, y fue que la poesía doliente y caprichosa, que le vino de Francia con la rima excelsa, paró por ser en él la expresión natural del poco apego que artista tan delicado había de sentir por aquel país de sus entrañas, donde la conciencia oculta o confesa de la general humillación trae a todo el mundo como acorralado, o como con antifaz, sin gusto ni poder para la franqueza y las gracias del alma. La poesía vive de honra.

Murió el pobre poeta y no lo llegamos a conocer. ¡Así vamos todos, en esta pobre tierra nuestra, partidos en dos, con nuestras energías regadas por el mundo, viviendo sin persona en los pueblos ajenos, y con la persona extraña sentada en los sillones de nuestro pueblo propio! Nos agriamos en vez de amarnos. Nos encelamos en vez de abrir vía juntos. Nos queremos como por entre las rejas de una prisión. ¡En verdad que es tiempo de acabar! Ya Julián del Casal acabó, joven y triste. Quedan sus versos. La Amércia lo quiere, por fino y por sincero. Las mujeres lo lloran.

(*Patria*, New York, octubre de 1893)

JOSE ENRIQUE RODO

1871 - 1917

> Todo el que se consagra a propagar y defender,
> en la América contemporánea, un ideal desinteresa-
> do del espíritu, debe educar su voluntad en el
> culto perseverante del porvenir.
>
> J. E. R.

*Cuando Rodó murió en la villa italiana de Palermo, pobre y
solo, dejaba el rico tesoro de su prosa y un puñado de ideas que,
iluminaron su "América nacida de España". El pensador y ensayista uruguayo había sembrado en el corazón americano, con el
mismo empeño, la semilla de su idealismo humanista y una nueva
visión del continente*

*Hijo de una familia acomodada de Montevideo, no podía su-
ponerse que sus años de adolescente —y luego, muchos de su vida—
estarían marcados con estrecheces económicas. La buena biblioteca
del padre puso en sus manos las primeras obras de clásicos
europeos y americanos, y quizás le abrió el camino para su capacidad autodidacta, a través de inacabables lecturas. A la edad de
diez años jugaba al periodismo preparando una hoja suelta toda
escrita por él, y a los doce publica, desde el Liceo donde estudiaba,
un periódico con el significativo nombre de "Los primeros Albores":
los fueron, sin duda, luego aquel amanecer esplendería en el cielo
de América.*

*La muerte de su padre viene acompañada de un grave des-
ajuste en el presupuesto familiar y, en 1895, Rodó se ve obligado a
suspender sus estudios y a emplearse para sufragar los gastos de su
casa. Luego, ingresa en el Liceo del Estado, pero no logra aprobar
los exámenes dejando sin terminar su bachillerato. En 1895 funda
con unos amigos la* Revista Nacional *donde aparecen algunos de
sus mejores ensayos, apuntando ya su visión esteticista y americana: "Menéndez Pelayo y nuestros poetas," "Americanismo literario," etc. Y en el año 1900 publica la más conocida de sus obras,*

*la que le daría mayor prestigio en el mundo de habla española:
Ariel. Rodó opone allí al utilitarismo anglosajón un afortunado
idealismo latino, que supone una constante de Hispanoamérica. Con
esta obra responde al ciego positivismo de su época. Sólo entrega
el mundo objetivo a la interpretación causal, mientras esgrime el
pensamiento renacentista para explicar el fundamento y el destino
del hombre. "Ariel es el entusiasmo generoso, el móvil alto y desinteresado en la acción, la espiritualidad de la cultura, la vivacidad
y la gracia de la inteligencia ... Calibán, símbolo de sensualidad
y de torpeza, con el cincel perseverante de la vida."*

*Cuando ya ha advertido al continente de sus peligros por las
presiones internacionales, Rodó analiza el acontecimiento poético de
América y publica al siguiente año su magnífico ensayo "Rubén
Darío"; el poeta nicaragüense lo incluye como prólogo en la segunda edición de sus Prosas Profanas. Siguen años en que su intensa vida cultural se ve mezclada, y a veces entorpecida, por actividades políticas y por la inestabilidad interna de su país. De ca-
tedrático de Literatura en la Universidad de Montevideo pasa a
diputado en 1902, renunciando este último cargo tres años más
tarde para ser nuevamente elegido en 1908 y en 1911. Mientras tanto. escribe artículos para La Nación de Buenos Aires y se le elige
presidente del Círculo de la Prensa. En 1909 publica sus Motivos de
Proteo. Con esta obra, cuyas páginas señalan las cumbres más altas
del escritor, Rodó descubre "las legiones enemigas que luchan la
una por nuestra libertad, la otra por nuestra esclavitud." Y recomienda la voluntad y el mundo de la vida subjetiva como los instrumentos mejores para la salvación del hombre: "¿Alzas los ojos?
¿Consultas, en derredor, el horizonte? ... ¡No allí, no fuera, sino
en lo hondo de ti mismo, en el seguro de tu alma, en el secreto de
tu pensamiento, en lo recóndito de tu corazón: en ti, en ti solo, has
de buscar arranque a la senda redentora!" La libertad, la vocación,
el asentamiento de los valores en la vida interior y la voluntad humana, señalan esa "senda redentora" donde "reformarse es vivir."*

*Al estallar en 1914 la guerra europea, Rodó escribe en favor
de la causa de los aliados y tiene que renunciar a alguna posición
que pugnaba con sus simpatías políticas. Ya está al final de la vida,
pero es entonces cuando puede satisfacer su deseo de viajar a Europa. Como corresponsal de una revista argentina, visita Lisboa, Ma-*

drid, Barcelona; y en extenso recorrido muchas ciudades de Italia. La muerte le sorprende en Palermo el primero de mayo de 1917, a los cuarenta y cinco años. Podía esperarse mucho más del "Próspero" uruguayo, pero ya había dejado su mensaje: el culto y admiración por la belleza y la fe en el porvenir de América.

BIBLIOGRAFIA

I. EDICIONES

Obras completas de José Enrique Rodó. Compilación y Prólogo de Alberto José Vaccaro. Buenos Aires: A. Zamora, 1948.

Obras completas de José Enrique Rodó. Estudio preliminar de Emir Rodríguez Monegal. Madrid: Edición Aguilar, 1957.

Ideario. Selección de Luis Alberto Sánchez. Santiago de Chile: Ediciones Ercilla, 1941.

Ideario de Rodó; preludios de una filosofía del heroísmo. Ordenación de Luis Gil Salguero. Montevideo: Impresora L. I. G. U., 1943.

Rodó. Prólogo y Selección de Samuel Ramos. México: Ediciones de la Secretaría de Educación Pública, 1943.

II. ESTUDIOS

Alas, Leopoldo ("Clarín".) (Prólogo) a *Ariel.* Montevideo: Claudio García y Cía., s.f.

Albarrán Puente, Glicerio. "El pensamiento de Rodó," CuH, Vol. XV (1953).

Amador Sánchez, Luis. "El pensamiento vivo de Rodó," UA, Vol. XXV, No. 99 (mayo-julio, 1950).

Antuña, José Gervasio. "Ariel y la democracia," ND, Vol. XXX, No. 4 (octubre, 1950).

—————. "El americanismo de Ariel," RBC, Vol. LXV, Nos. 1-3 (enero-junio, 1950).

—————. "Ultimos días de Rodó en la barca de Ulises," Nac, 17 de mayo, 1964.

Bacheller, C. C. "An Introduction for Studies on Rodó," HispK, Vol. XLVI (1963).

—————. "Rodó's Ideas on the Relationship of Beauty and Morality," CMLR, Vol. XIX (1962-63).

—————. "Rodó's Philosophy of the Personality," XUS, Vol. II (1963).

Barbagelata, Hugo D. *Rodó y sus críticos.* París, 1920.

Donoso, Armando. "Rodó. Evocación del espíritu de Ariel," Nos, Vol. XXVI (mayo, 1917).

Etcheverry, José E. "El americanismo de Rodó," RLAIM, Vol. II, No. 2 (1960).

García Calderón, Ventura. "Rodó o el optimista desesperado," MdS, Vol. IX, No. 25 (enero-febrero, 1953).

Gil Salguero, Luis Eduardo. "Rodó; su ideario americanista," RNac, No. 81 (septiembre, 1944).

Gómez Restrepo, Antonio. "José Enrique Rodó," Nos, Vol. III (octubre, 1908).

González, Ariosto Domingo. "Rodó - Su bibliografía y sus críticos," CVe, enero, 1931.

Guevara, Darío C. Magisterio de dos colosos: Montalvo, Rodó. Quito: Talleres Gráficos "Minerva," 1963.

Henríquez Ureña, Max. "José Enrique Rodó," BAAL, Vol. XV (1946).

—————. Rodó y Rubén Darío. La Habana, 1918.

Henríquez Ureña, Pedro. "Ariel," Ensayos Críticos. La Habana: Imprenta Esteban Fernández, 1905.

—————. "La obra de Rodó," Nos, Vol. IX (enero, 1913).

—————. "Marginalia. José Enrique Rodó," RevMod, diciembre, 1907.

"Homenaje a Rodó," Nos, Vol. XXVI (mayo, 1917).

Iduarte, Andrés. Sarmiento, Martí y Rodó. La Habana: "El Siglo XX," 1955.

Maeztu, Ramiro de. "Dos artículos sobre José Enrique Rodó," Hiper, No. 97 (1945).

Oribe, Emilio. El pensamiento vivo de Rodó. Buenos Aires: Editorial Losada, S. A. 1944.

Pereda, Clemente. Rodó's música americana. San Juan, P. R.: Imprenta Venezuela, 1948.

Pérez Petit, Víctor. Rodó, su vida su obra. Montevideo: Claudio García y Cía., 1937.

Remos y Rubio, Juan José. Rodó, apóstol de la esperanza. La Habana: Cárdenas, 1941.

Rodríguez Monegal, Emir. "Imagen documental de José Enrique Rodó," CuA, septiembre-octubre, 1948.

Rojas, Ricardo. "Rodó," Nota(La), No. 92 (mayo, 1917).

Salterain y Herrera, Eduardo de. "El espiritualismo de los pueblos de América, según Rodó y Zorrilla de San Martín," RIESM, Vol. I, No. 1 (diciembre, 1956).

Scarone, Arturo. *Bibliografía de Rodó: el escritor, las obras, la crítica.* Montevideo: Imprenta Nacional, 1930.

Torres Ríoseco, Arturo. "José Enrique Rodó," RGuat, Vol. II, No. 2 (octubre-diciembre, 1946).

Velasco Ibarra, José María. "Rodó, filósofo," RNac, Vol. II, No. 192 (abril-junio, 1957).

Zaldumbide, Gonzalo. *Cuatro clásicos americanos: Rodó-Montalvo-Fray Gaspar de Villarroel-P. J. B. Aguirre.* Madrid: Ediciones Cultura Hispánica, 1951.

——————. "José Enrique Rodó," Nos, Vol. XXXII (agosto 1919).

——————. *José Enrique Rodó; su personalidad y su obra.* Montevideo: Claudio García y Cía., 1944.

——————. *José Enrique Rodó; única reimpresión autorizada.* New York: Revue hispanique, 1921.

——————. *Montalvo y Rodó.* New York: Instituto de las Españas en los EE. UU., 1938.

Zulueta Alvarez, Enrique. "*Rodó y la cultura americana,*" UnivSF, Vol. 45 (julio-septiembre, 1960).

ARIEL

A LA JUVENTUD DE AMERICA

Aquella tarde, el viejo y venerado maestro, a quien solían llamar Próspero, por alusión al sabio maestro de *La Tempestad* shakespeariana, se despedía de sus jóvenes discípulos, pasado un año de tareas congregándolos una vez más a su alrededor. Ya habían llegado ellos a la amplia sala de estudio, en la que un gusto delicado y severo esmerábase por todas partes en honrar la noble presencia de los libros, fieles compañeros de Próspero. Dominaba en la sala—como numen de su ambiente sereno—un bronce primoroso, que figuraba al *Ariel* de *La Tempestad.* Junto a este bronce se sentaba habitualmente el maestro, y por ello le llamaban con el nombre del magno a quien sirve y favorece en el drama el fantástico personaje que había interpretado el escultor. Quizás en su enseñanza y su carácter había, para el nombre, una razón y un sentido más profundos.

Ariel, genio del aire, representa, en el simbolismo de la obra de Shakespeare, la parte noble y alada del espíritu. Ariel es el imperio de la razón y el sentimiento sobre los bajos estímulos de la irracionalidad; es el entusiasmo generoso, el móvil alto y desinteresado en la acción, la espiritualidad de la cultura, la vivacidad y la gracia de la inteligencia—el término ideal a que asciende la selección humana, rectificando en el hombre superior los tenaces vestigios de Calibán, símbolo de sensualidad y de torpeza, con el cincel perseverante de la vida.

La estatua, de real arte, reproducía al genio aéreo en el instante en que, libertado por la magia de Próspero, va a lanzarse a los aires para desvanecerse en un lampo. Desplegadas las alas; suelta y flotante la leve vestidura, que la caricia de la luz en el bronce damasquinaba de oro; erguida la amplia frente; entreabiertos los labios por serena sonrisa, todo en la actitud de Ariel acusaba admirablemente el gracioso arranque del vuelo; y con inspiración dichosa, el arte que había dado firmeza escultural a su imagen, había acertado a conservar en ella, al mismo tiempo, la apariencia seráfica y la levedad ideal.

Próspero acarició, meditando, la frente de la estatua; dispuso luego al grupo juvenil en torno suyo; y con su firme voz—voz *magistral,* que tenía para fijar la idea e insinuarse en las profundidades del espíritu, bien la esclarecedora penetración del rayo de luz, bien el golpe incisivo del cincel en el mármol, bien el toque impregnante del pincel en el lienzo o de la onda en la arena—, comenzó a decir, frente a una atención afectuosa:

I

Necesidad de que cada generación entre a la vida activa con un programa propio.—Belleza moral de la juventud; su papel en la vida de las sociedades.—Los pueblos más fuertes y gloriosos son los que reúnen las condiciones propias de la juventud.—Ejemplo de Grecia.—Necesidad de la "fe en la vida".—No debe confundirse esta fe con un optimismo cándido.—América necesita de su juventud.

Junto a la estatua que habéis visto presidir, cada tarde, nuestros coloquios de amigos, en los que he procurado despojar a la enseñanza de toda ingrata austeridad, voy a hablaros de nuevo, para que sea nuestra despedida como el sello estampado en un convenio de sentimientos y de ideas.

Invoco a *Ariel* como mi numen. Quisiera ahora para mi palabra la más suave y persuasiva unción que ella haya tenido jamás. Pienso que hablar a la juventud sobre nobles y elevados motivos, cualesquiera que sean, es un género de oratoria sagrada. Pienso también que el espíritu de la juventud es un terreno generoso donde la simiente de una palabra oportuna suele rendir, en corto tiempo, los frutos de una inmortal vegetación.

Anhelo colaborar en una página del programa que, al prepararos a respirar el aire libre de la acción, formularéis, sin duda, en la intimidad de vuestro espíritu, para ceñir a él vuestra personalidad moral y vuestro esfuerzo. Este programa propio—que algunas veces se formula y escribe; que se reserva otras para ser revelado en el mismo transcurso de la acción—no falta nunca en el espíritu de las agrupaciones y los pueblos que son algo más que muchedumbres. Si con relación a la escuela de la voluntad individual, pudo Goethe decir profundamente que sólo es digno de la libertad y la vida quien es capaz de conquistarlas día a día para sí, con tanta más razón podría decirse que el honor de cada generación humana exige que ella se conquiste, por la perseverante actividad de su pensamiento, por el esfuerzo propio, su fe en determinada manifestación del ideal y su puesto en la evolución de las ideas. [...]

Mis impresiones del presente de América, en cuanto ellas pueden tener un carácter general, a pesar del doloroso aislamiento en que viven los pueblos que la componen, justificarían acaso una observación parecida. —Y, sin embargo, yo creo ver expresada en todas partes la necesidad de una activa revelación de fuerzas nuevas; yo creo que América necesita grandemente de su juventud. —He ahí por qué os hablo. He ahí por qué me interesa extraordinariamente la orientación moral de vuestro espíritu. La energía de vuestra palabra y vuestro ejemplo puede llegar hasta incorporar las fuerzas vivas del pasado a la obra del futuro. Pienso con Michelet que el verdadero concepto de la educación no abarca sólo la cultura del espíritu de los hijos por la experiencia de los padres, sino también, y con frecuencia mucho más, la del espíritu de los padres por la inspiración innovadora de los hijos.

Hablemos, pues, de cómo consideraréis la vida que os espera.

II

El hombre no debe desarrollar una sola faz de su espíritu sino su naturaleza entera.— Peligro de las civilizaciones avanzadas, indicado por Comte.—La hermosura de la vida de Atenas depende de que supo producir el concierto de todas las facultades humanas.— Necesidad de reservar una parte del alma para las preocupaciones puramente ideales.—Cuento simbólico.—Ni la vida de los individuos, ni la vida de las sociedades, deben tener un objetivo único y exclusivo

[...] El principio fundamental de vuestro desenvolvimiento, vuestro lema de vida, debe ser mantener la integridad de vuestra condición humana. Ninguna función particular debe prevalecer jamás sobre esa finalidad suprema. Ninguna fuerza aislada puede satisfacer los fines racionales de la existencia individual, como puede producir el ordenado concierto de la existencia colectiva. Así como la deformidad y el empequeñecimiento son, en el alma de los individuos, el resultado de un exclusivo objeto impuesto a la acción y un solo modo de cultura, la falsedad de lo artificial vuelve efímera la gloria de las sociedades que han sacrificado el libre desarrollo de su sensibilidad y su pensamiento, ya a la actividad mercantil, como en Fenicia; ya a la guerra, como en Esparta; ya al misticismo, como en el terror del milenario; ya a la vida de sociedad y de salón, como en la Francia del siglo XVIII.—Y preservándoos contra toda mutilación de vuestra naturaleza moral, aspirando a la armoniosa expansión de vuestro ser en todo noble sentido, pensad al mismo tiempo en que la más fácil y frecuente de las mutilaciones es, en el carácter actual de las sociedades humanas, la que obliga al alma a privarse de ese género de *vida interior*, donde tienen su ambiente propio todas las cosas delicadas y nobles que, a la intemperie de la realidad, quema el aliento de la pasión impura y el interés utilitario proscribe: ¡la vida de que son parte la meditación desinteresada, la contemplación ideal, el *ocio* antiguo, la impenetrable estancia de mi cuento!

III

Importancia del sentimiento de lo bello· para la educación del espíritu.—Su relación con la moralidad.—Ejemplos históricos.— Importancia de la cultura estética en el carácter de los pueblos y como medio de propagar las ideas.

Así como el primer impulso de la profanación será dirigirse a lo más sagrado del santuario, la regresión vulgarizadora contra la que os prevengo comenzará por sacrificar lo más delicado del espíritu.—De todos los elementos superiores de la existencia racional, es el sentimiento de lo bello, la visión clara de la hermosura de las cosas, el que más fácilmente marchita la aridez de la vida limitada a la invariable descripción del círculo vulgar, convirtiéndole en el· atributo de· una minoría que lo custodia, dentro de cada sociedad humana, como el depósito de un precioso abandono. La emoción de belleza es al sentimiento de las idealidades como el esmalte del anillo. El efecto del contacto brutal por ella empieza fatalmente, y es sobre ella como obra de modo más seguro. Una absoluta indiferencia llega a ser, así, el carácter normal, con relación a lo que debiera ser universal amor de las almas. No es más intensa la estupefacción del hombre salvaje, en presencia de los instrumentos y las formas materiales de la civilización, que la que experimenta un · número relativamente grande de hombres cultos frente a los actos en que se revele el propósito y el hábito de conceder una seria realidad a la relación hermosa de la vida. [...]

Cultivar el buen gusto no significa sólo perfeccionar una forma exterior de la cultura, desenvolver una actitud artística, cuidar, con exquisitez superflua, una elegancia de la civilización. El buen gusto es "una rienda firme del criterio". Martha* ha podido atribuirle exactamente la significación de una   segunda conciencia que nos orienta y nos devuelve a la luz cuando la primera se oscurece y vacila. El sentido delicado de la belleza es, para Bagehot,** un aliado del tacto seguro de la vida y de la dignidad de las costumbres. "La educación del buen gusto—agrega el sabio pensador—se dirige a favorecer el ejercicio del buen sentido, que es nuestro principal punto de apoyo en la complejidad de la vida civilizada." Si algunas veces veis unida esa educación, en el espíritu de los individuos y las sociedades, al extravío del sentimiento o la moralidad, es porque en tales casos ha sido cultivada como fuerza aislada y exclusiva, imposibilitándose de ese modo el efecto de perfeccionamiento moral que ella puede ejercer dentro de un orden de cultura en el que ninguna facultad del espíritu sea desenvuelta prescindiendo de su relación con las otras.—En el alma que haya sido objeto de una estimulación armónica y perfecta, la gracia íntima y la delicadeza del sentimiento de lo bello serán una misma cosa con la fuerza y la rectitud de la razón. [. . .]

Para un espíritu en que exista el amor instintivo de lo bello, hay, sin duda, cierto género de mortificación en resignarse a defenderle por medio de una serie de argumentos que se funden en otra razón, en otro principio, que el mismo irresponsable y desinteresado amor de la belleza, en la que halla su satisfacción uno de los impulsos fundamentales de la existencia racional. Infortunadamente, este motivo superior pierde su imperio sobre un inmenso número de hombres, a quienes es necesario enseñar el respeto debido a ese amor del cual no participan, revelándose cuáles son las relaciones que los vinculan a otros géneros de intereses humanos.—Para ello, deberá lucharse muy bien y a menudo con el concepto vulgar de estas relaciones. En efecto, todo lo que tienda a suavizar los contornos del carácter social y las costumbres; a aguzar el sentido de la belleza; a hacer del gusto una delicada impresionabilidad del espíritu y de la gracia una forma universal de la actividad, equivale, para el cri-

* Benjamín C. Martha (1820-1895), escritor y filósofo francés.

** Walter Bagehot (1826-1895), economista inglés autor de *The English Constitution* (1867) y de *Physics and Politics*.

terio de muchos devotos de lo severo o de lo útil, a menoscabar el temple varonil y heroico de las sociedades, por una parte, su capacidad utilitaria y positiva, por la otra.—He leído en *Los Trabajadores del mar* que, cuando un buque de vapor surcó por primera vez las ondas del canal de la Mancha, los campesinos de Jersey lo anatematizaban en nombre de una tradición popular que consideraba elementos irreconciliables, y destinados fatídicamente a la discordia, el agua y el fuego.—El criterio común abunda en la creencia de enemistades parecidas.—Si os proponéis vulgarizar el respeto por lo hermoso, empezad por hacer comprender la posibilidad de un armónico concierto de todas las legítimas actividades humanas, y ésa será más fácil tarea que la de convertir directamente el amor de la hermosura, por ella misma, en atributo de la multitud.

Para que la mayoría de los hombres no se sientan inclinados a *expulsar a las golondrinas de la casa*, siguiendo el consejo de Pitágoras, es necesario argumentarles, no con la gracia monástica del ave ni su leyenda de virtud, sino con que la permanencia de sus nidos no es en manera alguna inconciliable con la seguridad de los tejados.

IV

Causas del utilitarismo del siglo.—Este utilitarismo ha preparado el terreno para idealismos futuros.—¿Debe creerse que la democracia conduce al utilitarismo?—Opinión de Renan.—Examen de esta opinión.—Peligros de la democracia.—Importancia de esta cuestión en las sociedades de América.—Necesidad de que predomine en las sociedades la calidad sobre el número.—El gobierno de las mediocridades; su odio contra toda noble superioridad.—Verdadero concepto de la igualdad democrática.—Siendo absurdo pensar en destruir esta igualdad, sólo cabe pensar en educar el espíritu de la democracia para que dominen los mejores.—La democracia bien entendida es el ambiente más propio para la cultura intelectual.

A la concepción de la vida racional que se funda en el libre y armonioso desarrollo de nuestra naturaleza, e incluye, por lo tanto, entre sus fines esenciales, el que se satisface con la contemplación sentida de lo hermoso, se opone —como norma de la conducta humana— la concepción *utilitaria*, por la cual nuestra actividad, toda entera, se orienta en relación a la inmediata finalidad del interés.

La inculpación de utilitarismo estrecho que suele dirigirse al espíritu de nuestro siglo, en nombre del ideal, y con rigores de anatema, se funda, en parte, sobre el desconocimiento de que sus titánicos esfuerzos por la subordinación de las fuerzas de la naturaleza a la voluntad humana y por la extensión del bienestar material, son un trabajo necesario que preparará, como el laborioso enriquecimiento de una tierra agotada, la florescencia de idealismos futuros. La transitoria predominancia de esa función de utilidad, que ha absorbido a la vida agitada y febril de estos cien años sus más potentes energías, explica, sin embargo —ya que no las justifique—, muchas nostalgias dolorosas, muchos descontentos y agravios de la inteligencia, que se traducen bien por una melancólica y exaltada idealización de lo pasado, bien por una desesperanza cruel del porvenir. Hay, por ello, un fecundísimo, un bienaventurado pensamiento, en el propósito de cierto grupo de pensadores de las últimas generaciones —entre los cuales sólo quiero citar una vez más la noble figura de Guyau— que han intentado sellar la reconciliación definitiva de las conquistas del siglo con la renovación de muchas viejas devociones humanas, y que han invertido en esa obra bendita tantos tesoros de amor como de genio.

Con frecuencia habréis oído atribuir a dos causas fundamentales el desborde del espíritu de utilidad que da su nota a la fisonomía moral del siglo presente, con menoscabo de la consideración estética y desinteresada de la vida. Las revelaciones de la ciencia de la naturaleza que, según intérpretes, ya adversos, ya favorables a ellas, convergen a destruir toda idealidad por su base— son la una; la universal difusión y el triunfo de las ideas democráticas, la otra. Yo me propongo hablaros exclusivamente de esta última causa; porque confío en que vuestra primera iniciación en las revelaciones de la ciencia ha sido dirigida como para preservaros del peligro de una interpretación vulgar.—Sobre la democracia pesa la acusación de guiar a la humanidad, mediocrizándola, a un Sacro Imperio del utilitarismo. La acusación se refleja con vibrante intensidad en las páginas —para mí siempre llenas de un sugestivo encanto— del más amable entre los maestros del espíritu moderno: en las seductoras páginas de Renan, a cuya autoridad ya me habéis oído varias veces referirme y de quien pienso volver a hablaros a menudo. —Leed a Renan, aquellos de vosotros que lo ignoréis todavía, y habréis de amarle como yo.—Nadie como él me parece, entre los modernos, dueño de ese arte de "enseñar con gracia", que Anatole France considera divino. Nadie ha acertado como él a hermanar, con la ironía, la piedad. Aun en el rigor del análisis, sabe poner la unción del sacerdote. Aun cuando enseña a dudar, su suavidad exquisita tiende una onda balsámica sobre la duda. Sus pensamientos suelen dilatarse, dentro de nuestra alma, con ecos tan inefables y tan vagos, que hacen pensar en una religiosa música de ideas. Por su infinita comprensibilidad ideal, acostumbran las clasificaciones de la crítica personificar en él el alegre escepticismo de los *dilettanti* que convierten en traje de máscara la capa del filósofo; pero si alguna vez intimáis dentro de su espíritu, veréis que la tolerancia vulgar de los escépticos se distingue de su tolerancia como la hospitalidad galante de un salón del verdadero sentimiento de la caridad.

Piensa, pues, el maestro, que una alta preocupación por los *intereses ideales* de la especie es opuesta del todo al espíritu de la democracia. Piensa que la concepción de la vida, en una sociedad donde ese espíritu domine, se ajustará progresivamente a la exclusiva persecución del bienestar material como beneficio propagable al mayor número de personas. Según él, siendo la democracia la entronización de Calibán, Ariel no puede menos que ser el vencido de ese triunfo.—Abundan afirmaciones semejantes a éstas de Renan, en la palabra de muchos de los más caracterizados representantes que los intereses de la cultura estética y la selección del espíritu tienen en el pensamiento contemporáneo. Así, Bourget* se inclina a creer que el triunfo universal de las instituciones democráticas hará perder a la civilización en profundidad lo que le hace ganar en extensión. Ve su forzoso término en el imperio de un individualismo mediocre. "Quien dice democracia—agrega el sagaz autor de *Andrés Cornelis*—dice desenvolvimiento progresivo de las tendencias individuales y disminución de la cultura".—Hay, en la cuestión que plantean estos juicios severos, un interés vivísimo, para los que amamos —al mismo tiempo—, por convencimiento, la obra de la Revolución, que en nuestra América se enlaza además con las

---

* Charles Joseph Paul Bourget (1852-1935), novelista francés cuya extensa obra incluye *André Cornélis*, que se publica en 1887, y *Outre-mer: Notes sur l' Amérique, de* 1895.

glorias de su Génesis; y por instinto, la posibilidad de una noble y selecta vida espiritual que en ningún caso haya de ver sacrificada su serenidad augusta a los caprichos de la multitud.—Para afrontar el problema, es necesario empezar por reconocer que cuando la democracia no enaltece su espíritu por la influencia de una fuerte preocupación ideal que comparta su imperio con la preocupación de los intereses materiales, ella conduce fatalmente a la privanza de la mediocridad, y carece, más que ningún otro régimen, de eficaces barreras con las cuales asegurar dentro de un ambiente adecuado la inviolabilidad de la alta cultura. Abandonada a sí misma—sin la constante rectificación de una activa autoridad moral que la depure y encauce sus tendencias en el sentido de la dignificación de la vida—, la democracia extinguirá gradualmente toda idea de superioridad que no se traduzca en una mayor y más osada aptitud para las luchas del interés, que son entonces la forma más innoble de las brutalidades de la fuerza.—La selección espiritual, el enaltecimiento de la vida por la presencia de estímulos desinteresados, el gusto, el arte, la suavidad de las costumbres, el sentimiento de admiración por todo perseverante propósito ideal y de acatamiento a toda noble supremacía, serán como debilidades indefensas allí donde la igualdad social que ha destruido las jerarquías imperativas e infundadas no las sustituya con otras, que tengan en la influencia moral su único modo de dominio y su principio en una clasificación racional.

Toda igualdad de condiciones es en el orden de las sociedades, como toda homogeneidad en el de la Naturaleza, un equilibrio inestable. Desde el momento en que haya realizado la democracia su obra de negación, con el allanamiento de las superioridades injustas, la igualdad conquistada no puede significar para ella sino un punto de partida. Resta la afirmación. Y lo afirmativo de la democracia y su gloria consistirán en suscitar, por eficaces estímulos, en su seno, la revelación y el dominio de las *verdaderas* superioridades humanas.

Con relación a las condiciones de la vida de América, adquiere esta necesidad de precisar el verdadero concepto de nuestro régimen social, un doble imperio. El presuroso crecimiento de nuestras democracias por la incesante agregación de una enorme multitud cosmopolita; por la afluencia inmigratoria, que se incorpora a un núcleo aún débil para verificar un activo trabajo de asimilación y encauzar el torrente humano con los medios que ofrecen la solidez secular de la estructura social—el orden político seguro y los elementos de una cultura que haya arraigado íntimamente—nos expone en el porvenir a los peligros de la degeneración democrática, que ahoga bajo la fuerza ciega del número toda noción de calidad; que desvanece en la conciencia de las sociedades todo justo sentimiento del orden; y que, librando su ordenación jerárquica a la torpeza del acaso, conduce forzosamente a hacer triunfar las más injustificadas e innobles de las supremacías.

Es indudable que nuestro interés egoísta debería llevarnos—a falta de virtud—a ser hospitalarios. Ha tiempo que la suprema necesidad de colmar el vacío moral del desierto hizo decir a un publicista ilustre que, en América, *gobernar es poblar.*—Pero esta fórmula famosa encierra una verdad contra cuya estrecha interpretación es necesario prevenirse, porque conduciría a atribuir una incondicional eficacia civilizadora al valor cuantitativo de la muchedumbre.—Gobernar es poblar, asimilando, en primer término; educando y seleccionando, después.—Si la aparición y el florecimiento, en la sociedad, de las más elevadas actividades humanas, de las que determinan la alta cultura, requieren como condición indispensable la existencia de una población cuantiosa y densa, es precisamente porque esa importancia cuantitativa de la población, dando lugar a la más compleja división del trabajo, posibilita la formación de fuertes elementos dirigentes que hagan efectivo el dominio de la *calidad* sobre el *número.*—La multitud, la masa anónima, no es nada por sí misma. La multitud será un instrumento de barbarie o de civilización según carezca o no del coeficiente de una alta dirección moral. Hay una verdad profunda en el fondo de la paradoja de Emerson que exige que cada país del globo sea juzgado según la minoría y no según la mayoría de sus habitantes. La civilización de un pueblo adquiere su carácter, no de las manifestaciones de su prosperidad o de su grandeza material, sino de las superiores maneras de pensar y de sentir que dentro de ella son posibles; y ya observaba Comte, para mostrar cómo en cuestiones de intelectualidad, de moralidad, de sentimiento, sería insensato pretender que la calidad pueda ser sustituída en ningún caso por el número, que ni de la acumulación de muchos espíritus vulgares se obtendrá jamás el equivalente de un cerebro de genio, ni de la acumulación de muchas virtudes mediocres el equivalente de un rasgo de abnegación o de heroísmo.—Al instituir nuestra democracia la universalidad y la igualdad de derechos, sancionaría, pues, el predominio innoble del número, si no cuidase de mantener muy en alto la noción de las legítimas superioridades humanas, y de hacer, de la autoridad vinculada al voto popular, no la expresión del sofisma de la igualdad absoluta, sino, según las palabras que recuerdo de un joven publicista francés, "la consagración de la jerarquía, emanando de la libertad". [...]

Racionalmente concebida, la democracia admite siempre un imprescriptible elemento aristocrático, que consiste en establecer la superioridad de los mejores, asegurándola sobre el consentimiento libre de los asociados. Ella consagra, como las aristocracias, la distinción de calidad; pero la resuelve a favor de las calidades realmente superiores—las de la virtud, el carácter, el espíritu—, y sin pretender inmovilizarlas en clases constituídas aparte de las otras, que mantengan a su favor el privilegio execrable de la casta, renueva sin cesar su aristocracia dirigente en las fuentes vivas del pueblo y la hace aceptar por la justicia y el amor. Reconociendo, de tal manera, en la selección y la predominancia de los mejores dotados una necesidad de todo progreso, excluye de esa ley universal de la vida, al sancionarla en el orden de la sociedad, el efecto, de humillación y de dolor que es, en las concurrencias de la naturaleza y en las de las otras organizaciones sociales el duro lote del vencido. "La gran ley de la selección   natural—ha dicho   luminosamente Fouillée*—continuará realizándose en el seno de las sociedades humanas, sólo que ella se realizará de más en más por vía de libertad."

El carácter odioso de las aristocracias tradicionales se originaba de que eran injustas, por su fundamento, y opresoras, por cuanto su autoridad era una imposición. Hoy sabemos que no existe otro límite legítimo para la igualdad humana que el que consiste en el dominio de la inteligencia y la virtud, consentido por la libertad de todos. Pero sabemos también que es necesario que este límite exista en realidad.—Por otra parte, nuestra concepción cristiana de la vida nos enseña que las superioridades morales, que son un motivo de derechos, son principalmente un motivo de deberes, y que todo espíritu superior se debe a los demás en igual proporción que los excede en capacidad de realizar el bien. El anti-igualitarismo

* Alfred Fouillée (1838-1912), profesor de la Escuela Normal Superior de París cuya teoría de las "ideas-fuerza" trató de superar el positivismo sin abandonar la ciencia.

de Nietzsche—que tan profundo surco señala en la que podríamos llamar nuestra moderna *literatura de ideas*—ha llevado a su poderosa reivindicación de los derechos que él considera implícitos en las superioridades humanas un abominable, un reaccionario espíritu; puesto que, negando toda fraternidad, toda piedad, pone en el corazón del *superhombre* a quien endiosa un menosprecio satánico para los desheredados y los débiles; legítima en los privilegiados de la voluntad y de la fuerza el ministerio del verdugo; y con lógica resolución llega, en último término, a afirmar que "la sociedad no existe para sí sino para sus elegidos".—No es, ciertamente, esta concepción monstruosa la que puede oponerse, como lábaro, al falso igualitarismo que aspira a la nivelación de todos por la común vulgaridad. Por fortuna, mientras exista en el mundo la posibilidad de disponer dos trozos de madera en forma de cruz—es decir: siempre—, ¡la humanidad seguirá creyendo que es el amor el fundamento de todo orden estable y que la superioridad jerárquica en el orden no debe ser sino una superior capacidad de amar! [...]

V

Los Estados Unidos como representantes del espíritu utilitario y de la democracia mal entendida.—La imitación de su ejemplo; peligros e inconvenientes de esa imitación.—Los pueblos no deben renunciar en ningún caso a la originalidad de su carácter para convertirse en imitadores serviles.—Crítica de la civilización norteamericana.— Sus méritos, su grandeza.—Cita de Spencer.—El defecto radical de esa civilización consiste en que no persigue otro ideal que el engrandecimiento de los intereses materiales.—Exagera todos los defectos del carácter inglés.—Carece de verdadero sentimiento artístico. No cultiva la ciencia sino como un medio de llegar a las aplicaciones útiles.—Su intelectualidad está en completa decadencia.—La moralidad de Franklin; consecuencias del utilitarismo en moral.—La vida política de los norteamericanos.—Predominio de los Estados del Oeste.—Aspiraciones de los Estados Unidos a la hegemonía de la civilización contemporánea.—Vanidad de esa aspiración.—Relación entre los bienes materiales o positivos y los bienes intelectuales y morales.—Resumen: la civilización norteamericana no puede servir de tipo o modelo único.

La concepción utilitaria, como idea del destino humano, y la igualdad en lo mediocre, como norma de la proporción social, componen, íntimamente relacionadas, la fórmula de lo que ha solido llamarse, en Europa, el espíritu de *americanismo*.—Es imposible meditar sobre ambas inspiraciones de la conducta y la sociabilidad, y compararlas con las que les son opuestas, sin que la asociación traiga con insistencia, a la mente, la imagen de esa democracia formidable y fecunda que, allá en el Norte, ostenta las manifestaciones de su prosperidad y su poder, como una deslumbradora prueba que abona en favor de la eficacia de sus instituciones y de la dirección de sus ideas.—Si ha podido decirse del utilitarismo que es el verbo del espíritu inglés, los Estados Unidos pueden ser considerados la encarnación del verbo utilitario. Y el Evangelio de este verbo se difunde por todas partes a favor de los milagros materiales del triunfo. Hispano-América ya no es enteramente calificable, con relación a él, de tierra de gentiles. La poderosa federación va realizando entre nosotros una suerte de conquista moral. La admiración por su grandeza y por su fuerza es un sentimiento que avanza a grandes pasos en el espíritu de nuestros hombres dirigentes, y aún más quizá, en el de las muchedumbres, fascinables por la impresión de la victoria.—Y de admirarla se pasa por una transición facilísima a imitarla. La admiración y la creencia son ya modos pasivos de imitación para el psicólogo. "La tendencia imitativa de nuestra naturaleza moral—decía Bagehot—tiene su asiento en aquella parte del alma en que reside la credibilidad."—El sentido y la experiencia vulgares serían suficientes para establecer por sí solos esa sencilla relación. Se imita a aquel en cuya superioridad o cuyo prestigio se cree. Es así como la visión de una América *deslatinizada* por propia voluntad, sin la extorsión de la conquista, y regenerada luego a imagen y semejanza del arquetipo del Norte, flota ya sobre los sueños de muchos sinceros interesados por nuestro porvenir, inspira la fruición con que ellos formulan a cada paso los más sugestivos paralelos, y se manifiesta por constantes propósitos de innovación y de reforma. Tenemos nuestra *nordomanía*. Es necesario oponerle los límites que la razón y el sentimiento señalan de consuno. [. . .]

Todo juicio severo que se formule de los americanos del Norte debe empezar por rendirles, como se haría con altos adversarios, la formalidad caballeresca de un saludo.—Siento fácil mi espíritu para cumplirla.—Desconocer sus defectos no me parecería tan insensato como negar sus cualidades. Nacidos—para emplear la parado-

ja usada por Baudelarie a otro respecto—con la *experiencia innata*
de la libertad, ellos se han mantenido fieles a la ley de su origen, y
han desenvuelto, con la precisión y la seguridad de una progresión
matemática, los principios fundamentales de su organización, dando a su historia una consecuente unidad que, si bien ha excluído
las adquisiciones de aptitudes y méritos distintos, tiene la belleza intelectual de la lógica.—La huella de sus pasos no se borrará jamás
en los anales del derecho humano; porque ellos han sido los primeros en hacer surgir nuestro moderno concepto de la libertad, de las
inseguridades del ensayo y de las imaginaciones de la utopía, para
convertirla en bronce imperecedero y realidad viviente; porque
han demostrado con su ejemplo la posibilidad de extender a un inmenso organismo nacional la inconmovible autoridad de una república; porque, con su organización federativa, han revelado—
según la feliz expresión de Tocqueville—la manera como se pueden conciliar, con el brillo y el poder de los estados grandes, la felicidad y la paz de los pequeños.—Suyos son algunos de los rasgos
más audaces con que ha de destacarse en la perspectiva del tiempo
la obra de este siglo. Suya es la gloria de haber revelado plenamente—acentuando la más firme nota de belleza moral de nuestra
civilización—la grandeza y el poder del trabajo; esa fuerza bendita que la antigüedad abandonaba a la abyección de la esclavitud,
y que hoy identificamos con la más alta expresión de la dignidad
humana, fundada en la conciencia y la actividad del propio mérito.
Fuertes, tenaces, teniendo la inacción por oprobio, ellos han puesto
en manos del *mechanic* de sus talleres y el *farmer* de sus campos la
clava hercúlea del mito, y han dado al genio humano una nueva e
inesperada belleza ciñéndole el mandil de cuero del forjador. [...]
     Herbert Spencer, formulando con noble sinceridad su saludo
a la democracia de América en un banquete de Nueva York, señalaba el rasgo fundamental de la vida de los norteamericanos, en esa
misma desbordada inquietud que se manifiesta por la pasión infinita del trabajo y la porfía de la expansión material en todas sus
formas. Y observaba después que, en tan exclusivo predominio de
la actividad subordinada a los propósitos inmediatos de la utilidad,
se revelaba una concepción de la existencia, tolerable sin duda como
carácter provisional de una civilización, como tarea preliminar de
una cultura, pero que urgía ya rectificar, puesto que tendía a convertir el trabajo utilitario en fin y objeto supremo de la vida, cuan-

do él en ningún caso puede significar racionalmente sino la acumulación de los elementos propios para hacer posible el total y armonioso desenvolvimiento de nuestro ser.—Spencer agregaba que era necesario predicar a los norteamericanos el Evangelio del descanso o el recreo; e identificando nosotros la más noble significación de estas palabras con la del *ocio* tal cual lo dignificaban los antiguos moralistas, clasificaremos dentro del Evangelio en que debe iniciarse a aquellos trabajadores sin reposo, toda preocupación ideal, todo desinteresado empleo de las horas, todo objeto de meditación levantado sobre la finalidad inmediata de la utilidad.

La vida norteamericana describe efectivamente ese círculo vicioso que Pascal señalaba en la anhelante persecución del bienestar, cuando él no tiene su fin fuera de sí mismo. Su prosperidad es tan grande como su imposibilidad de satisfacer a una mediana concepción del destino humano. Obra titánica, por la enorme tensión de voluntad que representa, y por sus triunfos inauditos en todas las esferas del engrandecimiento material, es indudable que aquella civilización produce en su conjunto una singular impresión de insuficiencia y de vacío. Y es que si, con el derecho que da la historia de treinta siglos de evolución presididos por la dignidad del espíritu cristiano, se pregunta cuál es en ella el principio dirigente, cuál su *substratum* ideal, cuál el propósito ulterior a la inmediata preocupación de los intereses positivos que estremecen aquella masa formidable, sólo se encontrará, como fórmula del ideal definitivo, la misma absoluta preocupación del triunfo material.—Huérfano de tradiciones muy hondas que le orienten, ese pueblo no ha sabido sustituir la idealidad inspiradora del pasado con una alta y desinteresada concepción del porvenir. Vive para la realidad inmediata, del presente, y por ello subordina toda su actividad al egoísmo del bienestar personal y colectivo.—De la suma de los elementos de su riqueza y su poder podría decirse lo que el autor de *Mensonges** de la inteligencia del marqués de Norbert que figura en uno de sus libros: es un monte de leña al cual no se ha hallado modo de dar fuego. Falta la chispa eficaz que haga levantarse la llama de un ideal vivificante e inquieto, sobre el copioso combustible.—Ni siquiera el egoísmo nacional, a falta de más altos impulsos; ni siquiera el exclusivismo y el orgullo de raza, que son los que transfiguran y en-

* Paul Bourget.

grandecen, en la antigüedad, la prosaica dureza de la vida de Roma, pueden tener vislumbres de idealidad y de hermosura en un pueblo donde la confusión cosmopolita y el *atomismo* de una mal entendida democracia impiden la formación de una verdadera conciencia nacional.

Diríase que el positivismo genial de la Metrópoli ha sufrido, al transmitirse a sus emancipados hijos de América, una destilación que le priva de todos los elementos de idealidad que le templaban, reduciéndole, en realidad, a la crudeza que, en las exageraciones de la pasión o de la sátira, ha podido atribuirse al positivismo de Inglaterra.—El espíritu inglés, bajo indiferencia mercantil, bajo la severidad puritana, esconde, a no dudarlo, una virtualidad poética escogida, y un profundo venero de sensibilidad, el cual revela, en sentir de Taine, que el fondo primitivo, el fondo germánico de aquella raza, modificado luego por la presión de la conquista y por el hábito de la actividad comercial, fue una extraordinaria exaltación del sentimiento. El espíritu americano no ha recibido en herencia ese instinto poético ancestral, que brota, como surgente límpida, del seno de la roca británica, cuando es el Moisés de un arte delicado quien la toca. El pueblo inglés tiene, en la institución de su aristocracia—por anacrónica e injusta que ella sea bajo el aspecto del derecho político—un alto e inexpugnable baluarte que oponer al mercantilismo ambiente y a la prosa invasora; tan alto e inexpugnable baluarte que es el mismo Taine quien asegura que desde los tiempos de las ciudades griegas, no presentaba la historia ejemplo de una condición de vida más propia para formar y enaltecer el sentimiento de la nobleza humana. En el ambiente de la democracia de América, el espíritu de vulgaridad no halla ante sí relieves inaccesibles para su fuerza de ascensión, y se extiende y propaga como sobre la llaneza de una pampa infinita.

Sensibilidad, inteligencia, costumbres, todo está caracterizado, en el enorme pueblo, por una radical ineptitud de selección, que mantiene, junto al orden mecánico de su actividad material y de su vida política, un profundo desorden en todo lo que pertenece al dominio de las facultades ideales.—Fáciles son de seguir las manifestaciones de esta ineptitud, partiendo de las más exteriores y aparentes, para llegar después a otras más esenciales y más íntimas.

—Pródigo de sus riquezas—porque en su codicia no entra, según acertadamente se ha dicho, ninguna parte de Harpagón—, el norte-

americano ha logrado adquirir con ellas, plenamente, la satisfacción
y la vanidad de la magnificencia suntuaria; pero no ha logrado adquirir la nota escogida del buen gusto. El arte verdadero sólo ha
podido existir, en tal ambiente, a título de rebelión individual.
Emerson, Poe, son allí como los ejemplares de una fauna expulsada
de su verdadero medio por el rigor de una catástrofe geológica.—
Habla Bourget, en *Outre-mer*, del acento concentrado y solemne con
que la palabra *arte* vibra en los labios de los norteamericanos que
ha halagado el favor de la fortuna; de esos recios y acrisolados
héroes del *self-help*, que aspiran a coronar, con la asimilación de
todos los refinamientos humanos, la obra de su encumbramiento re-
ñido. Pero nunca les ha sido dado concebir esa divina actividad que
nombran con énfasis sino como un nuevo motivo de satisfacerse su
inquietud invasora o como un trofeo de su vanidad. La ignoran, en
lo que ella tiene de desinteresado y de escogido; la ignoran, a despecho de la munificencia con que la fortuna individual suele emplearse en estimular la formación de un delicado sentido de belleza;
a despecho de la esplendidez de los museos y las exposiciones con
que se ufanan sus ciudades; a despecho de las montañas de mármol
y de bronce que han esculpido para las estatuas de sus plazas públicas. Y si con su nombre hubiera de caracterizarse alguna vez
un gusto de arte, él no podría ser otro que el que envuelve la negación del arte mismo: la brutalidad del efecto rebuscado, el desconocimiento de todo tono suave y de toda manera exquisita, el culto
de una falsa grandeza, el *sensacionismo* que excluye la noble serenidad inconciliable con el apresuramiento de una vida febril.

La idealidad de lo hermoso no apasiona al descendiente de
los austeros puritanos. Tampoco le apasiona la idealidad de lo verdadero. Menosprecia todo ejercicio del pensamiento que prescinda
de una inmediata finalidad, por vano e infecundo. No le lleva a la
ciencia un desinteresado anhelo de verdad, ni se ha manifestado
ningún caso capaz de amarla por sí misma. La investigación no es
para él sino el antecedente de la aplicación utilitaria. Sus gloriosos
empeños por difundir los beneficios de la educación popular están
inspirados en el noble propósito de comunicar los elementos fundamentales del saber al mayor número pero no nos revelan que, al
mismo tiempo que de ese acrecentamiento extensivo de la educación
se preocupe de seleccionarla y elevarla, para auxiliar el esfuerzo
de las superioridades que ambicionen erguirse sobre la general me-

diocridad. Así, el resultado de porfiada guerra a la ignorancia ha sido la semicultura universal y una profunda languidez de la alta cultura.—En igual proporción que la ignorancia radical, disminuyen en el ambiente de esa gigantesca democracia la superior sabiduría y el genio. He aquí por qué la historia de su actividad pensadora es una progresión decreciente de brillo y de originalidad. [...]

A medida que el utilitarismo genial de aquella civilización asume así caracteres más definidos, más francos, más estrechos, aumentan, con la embriaguez de la prosperidad material, las impaciencias de sus hijos por propagarla y atribuirle la predestinación de un magisterio romano.—Hoy, ellos aspiran manifiestamente al primado de la cultura universal, a la dirección de las ideas, y se consideran a sí mismos los forjadores de un tipo de civilización que prevalecerá. Aquel discurso semiirónico que Laboulaye* pone en boca de un escolar de su París americanizado para significar la preponderancia que concedieron siempre en el propósito educativo a cuanto favorezca el orgullo del sentimiento nacional, tendría toda la seriedad de la creencia más sincera en labios de cualquier americano viril de nuestros días. En el fondo de su declarado espíritu de rivalidad hacia Europa, hay un menosprecio que es ingenuo, y hay la profunda convicción de que ellos están destinados a oscurecer, en breve plazo, su superioridad espiritual y su gloria, cumpliéndose, una vez más, en las evoluciones de la civilización humana, la dura ley de los misterios antiguos en que el iniciado daba muerte al iniciador. Inútil sería tender a convencerles de que, aunque la contribución que han llevado a los progresos de la libertad y de la utilidad haya sido, indudablemente, cuantiosa, y aunque debiera atribuírsele en justicia la significación de una obra universal, de una obra *humana*, ella es insuficiente para hacer transmudarse, en dirección al nuevo Capitolio, el eje del mundo. Inútil sería tender a convencerles de que la obra realizada por la perseverante genialidad del aria europeo, desde que, hace tres mil años, las orillas del Mediterráneo, civilizador y glorioso, se ciñeron jubilosamente la guirnalda de las ciudades helénicas; la obra que aún continúa realizándose y de cuyas tradiciones y enseñanzas vivimos, es una suma con la cual no puede formar ecuación la fórmula *Washington más Edison*. Ellos aspirarían a revisar el Génesis para ocupar esa primera página.—Pero además

---

* E. R. Lefebvre de Laboulaye (1811-1883), abogado francés autor de *París en América* y de la *Historia política de los Estados Unidos de América*.

de la relativa insuficiencia de la parte que les es dado reivindicar en la educación de la humanidad, su carácter mismo les niega la posibilidad de la hegemonía.—Naturaleza no les ha concedido el genio de la propaganda ni la vocación apostólica. Carecen de ese don superior de *amabilidad* —en alto sentido— de ese extraordinario poder de simpatía, con que las razas que han sido dotadas de un cometido providencial de educación saben hacer de su cultura algo parecido a la belleza de la Helena clásica, en la que todos creían reconocer un rasgo propio.—Aquella civilización puede abundar, o abunda indudablemente, en sugestiones y en ejemplos fecundos; ella puede inspirar admiración, asombro, respeto; pero es difícil que cuando el extranjero divisa de alta mar su gigantesco símbolo: la Libertad de Bartholdi, que yergue triunfalmente su antorcha sobre el Puerto de Nueva York, se despierte en su ánimo la emoción profunda y religiosa con que el viajero antiguo debía ver surgir, en las noches diáfanas 'del Africa, el toque luminoso que la lanza de oro de la Atenea del Acrópolis dejaba notar a la distancia en la pureza del ambiente sereno.

Y advertid que cuando, en nombre de los derechos del espíritu, niego al utilitarismo norteamericano ese carácter típico con que quiere imponérsenos como suma y modelo de civilización, no es mi propósito afirmar que la obra realizada por él haya de ser enteramente perdida con relación a los que podríamos llamar *los intereses del alma.*—Sin el brazo que nivela y construye, no tendría paz el que sirve de apoyo a la noble frente que piensa. Sin la conquista de cierto bienestar material es imposible, en las sociedades humanas, el reino del espíritu. Así lo reconoce el mismo aristocrático idealismo de Renan, cuando realza, del punto de vista de los intereses morales de la especie y de su selección espiritual en lo futuro, la significación de la obra utilitaria de este siglo. "Elevarse sobre la necesidad —agrega el maestro— es redimirse". [. . .]

VI

"*No existe pueblo verdaderamente grande para la historia, sin un ideal desinteresado.—No basta la grandeza material para la gloria de los pueblos.—Ejemplos históricos.—El pensamiento y la grandeza material de las ciudades.—Aplicación de lo anterior a las condiciones de la vida de América.—Confianza en el porvenir.—Nos toca trabajar en beneficio del porvenir.—La dignidad humana exige que se piense en lo futuro y se trabaje para él.—Simbolismo de "Ariel".*

El pensamiento se conquistará, palmo a palmo, por su propia espontaneidad, todo el espacio de que necesite para afirmar y consolidar su reino, entre las demás manifestaciones de la vida. —El, en la organización individual, levanta y engrandece, con su actividad continuada, la bóveda del cráneo que le contiene. Las razas pensadoras revelan, en la capacidad creciente de sus cráneos, ese empuje del obrero interior.—El, en la organización social, sabrá también engrandecer la capacidad de su escenario, sin necesidad de que para ello intervenga ninguna fuerza ajena a él mismo.—Pero tal persuación, que debe defenderos de un desaliento cuya única utilidad consistiría en eliminar a los mediocres y los pequeños de la lucha, debe preservaros también de las impaciencias que exigen vanamente del tiempo la alteración de su ritmo imperioso.

Todo el que se consagra a propagar y defender, en la América contemporánea, un ideal desinteresado del espíritu —arte, ciencia, moral, sinceridad religiosa, política de ideas—, debe educar su voluntad en el culto perseverante del porvenir. El pasado perteneció todo entero al brazo que combate; el presente pertenece, casi por completo también, al tosco brazo que nivela y construye; el porvenir —un porvenir tanto más cercano cuanto más enérgicos sean la voluntad y el pensamiento de los que le ansían— ofrecerá, para el desenvolvimiento de superiores facultades del alma, la estabilidad, el escenario y el ambiente.

¿No la veréis vosotros, la América que nosotros soñamos; hospitalaria para las cosas del espíritu, y no tan sólo para las muchedumbres que se amparen a ella; pensadora, sin menoscabo de su aptitud para la acción; serena y firme a pesar de sus entusiasmos generosos; resplandeciente con el encanto de una seriedad temprana y suave, como la que realza la expresión de un rostro infantil cuando en él se revela, al través de la gracia intacta que fulgura, el pensamiento inquieto que despierta? ...—Pensad en ella a lo menos; el honor de vuestra historia futura depende de que tengáis constantemente ante los ojos del alma la visión de esa América regenerada, cerniéndose de lo alto sobre las realidades del presente, como en la nave gótica el vasto rosetón que arde en luz sobre lo austero de los muros sombríos.—No seréis sus fundadores, quizá; seréis los precursores que inmediatamente la precedan. En las sanciones glorificadoras del futuro hay también palmas para el recuerdo de los precursores. [...]

El porvenir es en la vida de las sociedades humanas el pensamiento idealizado por excelencia. De la veneración piadosa del pasado, del culto de la tradición por una parte, y por la otra del atrevido impulso hacia lo venidero, se compone la noble fuerza que, levantando el espíritu colectivo sobre las limitaciones del presente, comunica a las agitaciones y los sentimientos sociales un sentido ideal. Los hombres y los pueblos trabajan, en sentir de Fouillée, bajo la inspiración de las ideas, como los irracionales bajo la inspiración de los instintos; y la sociedad que lucha y se esfuerza, a veces sin saberlo, por imponer una idea a la realidad, imita, según el mismo pensador, la obra instintiva del pájaro que, al construir el nido bajo el imperio de una imagen interna que le obsede, obedece a la vez a un recuerdo inconsciente del pasado y a un presentimiento misterioso del porvenir.

Eliminando la sugestión del interés egoísta, de las almas, el pensamiento inspirado en la preocupación por destinos ulteriores a nuestra vida, todo lo purifica y serena, todo lo ennoblece; y es un alto honor de nuestro siglo el que la fuerza obligatoria de esa preocupación por lo futuro, el sentimiento de esa elevada imposición de la dignidad del ser racional, se hayan manifestado tan claramente en él, que aun en el seno del más absoluto pesimismo, aun en el seno de la amarga filosofía que ha traído a la civilización occidental, dentro del loto de Oriente, el amor de la disolución y la nada, la voz de Hartmann* ha predicado, con la apariencia de la lógica, el austero deber de continuar la obra del perfeccionamiento, de trabajar en beneficio del porvenir, para que, acelerada la evolución por el esfuerzo de los hombres, llegue ella con más rápido impulso a su término final, que será el término de todo dolor y toda vida.

Pero no como Hartmann en nombre de la muerte, sino en el de la vida misma y la esperanza, yo os pido una parte de vuestra alma para la obra del futuro.—Para pedíroslo, he querido inspirarme en la imagen dulce y serena de mi Ariel.—El bondadoso genio

---

* Eduard von Hartmann (1842-1906), filósofo alemán que provocó grandes polémicas sobre las "consecuencias éticas de la metafísica del pesimismo," desde la publicación de su *Filosofía de lo inconsciente* en 1867.

en quien Shakespeare acertó a infundir, quizá con la divina incons-
ciencia frecuente en las adivinaciones geniales, tan alto simbolismo,
manifiesta claramente en la estatua su situación ideal, admirablemente traducida por el arte en líneas y contornos. Ariel es la razón
y el sentimiento superior. Ariel es este sublime instinto de perfec-
tibilidad, por cuya virtud se magnifica y convierte en centro de las
cosas la arcilla humana a la que vive vinculada su luz, la *miserable
arcilla* de que los genios de Arimanes hablaban a Manfredo. Ariel
es, para la naturaleza, el excelso coronamiento de su obra, que hace
terminarse el proceso de ascensión de las formas organizadas, con
la llamarada del espíritu. Ariel triunfante, significa idealidad y orden
en la vida, noble inspiración en el pensamiento, desinterés en moral,
buen gusto en arte, heroísmo en la acción, delicadeza en las costumbres.—El es el héroe epónimo en la epopeya de la especie; él es
el inmortal protagonista; desde que con su presencia inspiró los
débiles esfuerzos de racionalidad del hombre prehistórico, cuando por
primera vez dobló la frente oscura para labrar el pedernal o dibujar
una grosera imagen en los huesos de reno; desde que con sus alas
avivó la hoguera sagrada que el aria primitivo, progenitor de los
pueblos civilizadores, amigo de la luz, encendía en el misterio de las
selvas del. Ganges, para forjar con su fuego divino el cetro de la
majestad humana—hasta que, dentro ya de las razas superiores, se
cierne, deslumbrante, sobre las almas que han extralimitado las
cimas naturales de la humanidad; lo mismo sobre los héroes del
pensamiento y el ensueño que sobre los de la acción y el sacrificio;
lo mismo sobre Platón en el promontorio de Sunium, que sobre San
Francisco de Asís en la soledad de Monte Albernia.—Su fuerza
incontrastable tiene por impulso todo el movimiento ascendente de
la vida. Vencido una y mil veces por la indomable rebelión de Calibán, proscrito por la barbarie vencedora, asfixiado en el humo de
las batallas, manchadas las alas transparentes al rozar el "eterno es-
tercolero de Job", Ariel resurge inmortalmente, Ariel recobra su
juventud y su hermosura, y acude ágil, como al mandato de Próspero, al llamado de cuantos le aman e invocan en la realidad. Su
benéfico imperio alcanza, a veces, aun a los que le niegan y le desconocen. El dirige a menudo las fuerzas ciegas del mal y la barbarie para que concurran, como las otras, a la obra del bien. El cru-
zará la historia humana, enterando, como en el drama de Shakespeare, su canción melodiosa, para animar a los que trabajan y a los

que luchan, hasta que el cumplimiento del plan ignorado a que obedece le permita —cual se liberta, en el drama, del servicio de Próspero— romper sus lazos materiales y volver para siempre al centro de su lumbre divina.

Aún más que para mi palabra, yo exijo de vosotros un dulce e indeleble recuerdo para mi estatua de Ariel. Yo quiero que la imagen leve y graciosa de este bronce se imprima desde ahora en la más segura intimidad de vuestro espíritu.—Recuerdo que una vez que observaba el monetario de un museo provocó mi atención en la leyenda de una vieja moneda la palabra *Esperanza*, medio borrada sobre la palidez decrépita del oro. Considerando la apagada inscripción, ya meditaba en la posible realidad de su influencia. ¿Quién sabe qué activa y noble parte sería justo atribuir, en la formación del carácter y en la vida de algunas generaciones humanas, a ese lema sencillo actuando sobre los ánimos como una insistente sugestión? ¿Quién sabe cuántas vacilantes alegrías persistieron, cuántas generosas empresas maduraron, cuántos fatales propósitos se desvanecieron, al chocar las miradas con la palabra alentadora, impresa, como un gráfico grito, sobre el disco metálico que circuló de mano en mano? . . . Pueda la imagen de este bronce —troquelados vuestros corazones con ella— desempeñar en vuestra vida el mismo inaparente pero decisivo papel. Pueda ella, en las horas sin luz del desaliento, reanimar en vuestra conciencia el entusiasmo por el ideal vacilante, devolver a vuestro corazón el calor de la esperanza perdida. Afirmando primero en el baluarte de vuestra vida interior, Ariel se lanzará desde allí a la conquista de las almas. Yo le veo, en el porvenir, sonriéndoos con gratitud, desde lo alto, al sumergirse en la sombra vuestro espíritu. Yo creo en vuestra voluntad, en vuestro esfuerzo; y más aún, en los de aquellos a quienes daréis la vida y transmitiréis vuestra obra. Yo suelo embriagarme con el sueño de día en que las cosas reales harán pensar que la Cordillera que se yergue sobre el suelo de América ha sido tallada para ser el pedestal de esta estatua, para ser el ara inmutable de su veneración.

Así habló Próspero.—Los jóvenes discípulos se separaron del maestro después de haber estrechado su mano con afecto filial. De su suave palabra, iba con ellos la persistente vibración en que se prolonga el lamento del cristal herido, en un ambiente sereno. Era la última hora de la tarde. Un rayo del moribundo sol atravesaba la estancia, en medio de discreta penumbra, y tocando la frente de bronce de la estatua, parecía animar en los altivos ojos de Ariel la chispa inquieta de la vida. Prolongándose luego, el rayo hacía pensar en una larga mirada que el genio, prisionero en el bronce, enviase sobre el grupo juvenil que se alejaba.— Por mucho espacio marchó el grupo en silencio. Al amparo de un recogimiento unánime se verificaba en el espíritu de todos ese fino desfilar de la meditación, absorta en cosas graves, que un alma santa ha comparado exquisitamente a la caída lenta y tranquila del rocío sobre el vellón de un cordero.—Cuando el áspero contacto de la muchedumbre les devolvió a la realidad que les rodeaba, era la noche ya. Una cálida y serena noche de estío. La gracia y la quietud que ella derramaba de su urna de ébano sobre la tierra triunfaban de la prosa flotante sobre las cosas dispuestas por manos de los hombres. Sólo estorbaba para el éxtasis la presencia de la multitud. Un soplo tibio hacía estremecerse el ambiente con lánguido y delicioso abandono, como la copa trémula en la mano de una bacante. Las sombras, sin ennegrecer el cielo purísimo, se limitaban a dar a su azul el tono oscuro en que parece expresarse una serenidad pensadora. Esmaltándolas, los grandes astros centelleaban en medio de un cortejo infinito; Aldebarán, que ciñe una purpura de luz; Sirio, como la cavidad de un nielado cáliz de plata volcado sobre el mundo: el Crucero, cuyos brazos abiertos se tienden sobre el suelo de América como para defender una última esperanza . . .

Y fue entonces, tras el prolongado silencio, cuando el más joven del grupo, a quien llamaban *Enjolrás* por su ensimismamiento reflexivo, dijo, señalando sucesivamente la perezosa ondulación del rebaño humano y la radiante hermosura de la noche:

—Mientras la muchedumbre pasa, yo observo que, aunque ella no mira al cielo, el cielo la mira. Sobre su masa indiferente y oscura, como tierra del surco, algo desciende de lo alto. La vibración de las estrellas se parece al movimiento de unas manos de sembrador.

(*Ariel*, Montevideo, 1900)

EL AMERICANISMO LITERARIO

I

La aspiración de comunicar al boceto apenas delineado de la literatura americana un aire peculiar y distinto, que fuese como la sanción y el alarde de la Independencia material y complementara la libertad del pensamiento con la libertad de la expresión y la forma, es una de las energías que actuaron con insistentes entusiasmos, a partir del definitivo triunfo de aquella independencia y en medio de las primeras luchas por la organización, en el espíritu de los hombres que presidieron esa época inicial de nuestra cultura.

La misma aspiración de originalidad se ha manifestado al través de las generaciones sucesivas, determinando ensayos y esfuerzos que, en gran parte, la han trocado en una hermosa realidad.— Ella vivifica, al presente, en todas las naciones de América, un movimiento de opinión literaria que comparte, con las más exóticas sugestiones de la imitación, la actividad productiva; y es lícito afirmar que la idea de esa originalidad del pensamiento americano apenas dejaría lugar a discusión en cuanto a su conveniencia y legitimidad, si ella se mantuviera en una indeterminada penumbra y no adquiriese de la definición que la convierte en lema de guerra de ciertos apasionamientos literarios un significado preciso.

El más generalizado concepto del americanismo literario se funda, efectivamente, en cierta limitada acepción que la reduce a las inspiraciones derivadas del aspecto del suelo, las formas originales de la vida en los campos donde aún lucha la persistencia del retoño salvaje con la savia nueva de la civilización, y las leyendas del pasado que envuelven las nacientes históricas de cada pueblo.

Atribuir la magnitud de una reivindicación del espíritu de nacionalidad a la preferencia otorgada a esas inspiraciones tiene mucho de exclusivo y quimérico.—Es indudable que el carácter nacional de una literatura no ha de buscarse sólo en el reflejo de las peculiaridades de la naturaleza exterior, ni en la expresión dramática o descriptiva de las costumbres, ni en la idealización de las tradiciones con que teje su tela impalpable la leyenda para decorar los altares del culto nacional.—En la expresión de las ideas y los sentimientos que flotan en el ambiente de una época y determinan la orientación de la marcha de una sociedad humana; en el vestigio dejado por una tendencia, un culto, una afección, una preocupación cualquiera del espíritu colectivo, en las páginas de una obra literaria, y aun en las inspiraciones del género más íntimo e individual, cuando sobre la manifestación de la genialidad del poeta se impone la de la índole afectiva de su pueblo o su raza, el reflejo del alma de los suyos, puede buscarse no menos que en las formas anteriores la impresión de ese sello característico.—Por otra parte, no es tanto la forzada limitación a ciertos temas y géneros como la presencia de un espíritu autónomo, de una cultura definida, y el poder de asimilación que convierte en propia sustancia lo que la mente adquiere, la base que puede reputarse más firme de la verdadera originalidad literaria.

La exageración del espíritu de nacionalidad, entendido de la manera insuficiente a que hemos aludido, puede llevar en América a los extremos del regionalismo infecundo y receloso que sólo da de sí una originalidad obtenida al precio de incomunicaciones e intolerancias: el de la literatura que se adhiere a la tierra como una vegetación y parece describir en torno suyo el límite insalvable que fijaba la huraña personalidad de la ciudad antigua al suelo consagrado por sus dioses.

Una cultura naciente sólo puede vigorizarse a condición de franquear la atmósfera que la circunda a los "cuatro vientos del espíritu". La manifestación de independencia que puede reclamársele es el criterio propio que discierna, de lo que conviene adquirir en el modelo, lo que hay de falso e inoportuno en la imitación.

Debe reconocerse, sin embargo, en el movimiento que se esfuerza por mantener la inspiración de las tradiciones y los usos nativos en la literatura de los pueblos de América, un fondo de oportunidades que le hace fuerte y prestigioso.—El no ha de darnos la fórmula de una cultura literaria que abrace todas las exigencias naturales de nuestra civilización, todas las aspiraciones legítimas de nuestra mente, pero puede ser un elemento necesario y fecundo dentro de la unidad de una literatura modelada en un concepto más amplio, y puede significar, en cierto límite, una inspiración regeneradora que fortalezca con el culto de la tradición y el sentimiento de la nacionalidad, la conciencia de pueblos enervados por el cosmopolitismo y negligentes en la devoción de la historia. [. . .]

El romanticismo, ni entendido como reacción literaria que buscaba sus inspiraciones en el espíritu de una edad cuya evocación no hubiera tenido en América un sentido explicable; ni como escuela de idealismo que llegó a desdeñar, no menos que el sistema de imitación que había derribado, las fuentes de la realidad; ni como expresión artística de aquellos estados de conciencia que tendieron sobre la frente de las generaciones románticas su sombra y se tradujeron en sus poetas en clamores de rebelión individual y de conflicto íntimo, hubiera dado una fórmula satisfactoria y oportuna con relación al carácter y la expresión natural de pueblos que vivían su niñez, que no podían participar de las nostalgias y congojas nacidas de la experiencia de las sociedades, y que necesitaban, ante todo, del "conocimiento de sí mismos" que debía ser, como fue la inscripción del templo clásico, el epígrafe y el lema de su literatura; pero era posible que ellos aprovecharan del principio de libertad racional que la revolución literaria traía inscrito en sus gallardas banderas, como punto de arranque en la obra de emancipación del pensamiento propio, y era posible que recogieran del ejemplo de esa enérgica reivindicación de la nacionalidad literaria que el romanticismo suscitó, en todas partes, inspiraciones beneficiosas y fecundas.

La variedad de formas, de sentimientos, de modelos, abría, por otra parte, un campo de elección mucho más vasto, dentro de la imitación misma, y el impulso que, reaccionando contra la reserva aristocrática del espíritu literario, lo difundía, como una evangelización de la belleza, entre todos los hombres, no podía menos que facilitar la expresión de la índole propia de nuestras sociedades.

La literatura descendía de la Academia y el Liceo para poner la mano sobre el corazón de la muchedumbre, para empapar su espíritu en el hálito de la vida popular.

El poeta americano contó en su obra de crear una expresión nueva y enérgica para la naturaleza y las costumbres con otra gran conquista del romanticismo: la democratización del lenguaje literario, el *bill* retórico que concedió los fueros de la ciudadanía a esa "negra muchedumbre de las palabras" que Hugo, en *Las contemplaciones*, se jactaba de haber confundido, anonadando la distinción de vocablos plebeyos y vocablos patricios, con "el blanco enjambre de las ideas".—Dentro de los límites del lenguaje poético del siglo XVIII, con su veneración de la perífrasis y su desprecio del habla popular, la escuela de lenguaje que hacía del Homero de Mme. Dacier un poeta de la corte y llevaba a Shakespeare al destilatorio de Ducis, no hubiera sido posible el sabor de naturalidad de *La Cautiva* ni la palpitante crudeza del *Celiar*.

La narración rompía los moldes estrechos y convencionales de la épica de escuela, y se dilataba por la franca extensión de la poesía legendaria, del cuento popular, de la novela histórica o de costumbres, formas mucho más adaptadas a la expresión de las peculiaridades de la vida nacional o local y mucho menos difíciles de modelarse bajo inspiraciones originales y creadoras.

Manifestábase en la lírica del sentimiento de la naturaleza, parte necesariamente principal en toda literatura genuinamente americana, y la descripción animada por la presencia del espíritu, por la poesía de la contemplación, reemplazaba al artificioso procedimiento de la escuela que había inspirado a los didácticos del siglo XVIII pálidos cuadros de una naturaleza inexpresiva.

Merced a todas esas manifestaciones de libertad, a todos esos ejemplos e influencias que directa o indirectamente invitaban a la franca expresión de las cosas propias y sugerían la ambición de una originalidad que no necesitaba buscarse sino en las mismas, romanticismo y emancipación literaria nacional fueron términos que se identificaron en el propósito del gran innovador que encendió, en el pensamiento y la cultura de esta parte de América, el fuego de aquella inmortal revolución de los espíritus.

A las notas primeras del subjetivismo romántico en que se inspiraba la suave poesía de los *Consuelos,* señalando una innovación del gusto literario que se adueñó casi sin lucha del espíritu de la juventud salida de los claustros universitarios en momentos en que los principios y formas de literatura, venerados por la anterior generación, habían perdido el impulso que les comunicara actividad prestigiosa con la dispersión o el silencio de sus hombres representativos, sucedió la inspiración generadora de la leyenda nacional, que abrió, sobre la soledad inmensa de la Pampa, el pórtico por donde debía pasar el poeta culto a recibir las confidencias de la naturaleza salvaje y de la trova plebeya.

Desde entonces, la fundación de una literatura emancipada de todo influjo extraño, vivificada por el aliento de la tierra, por el sentimiento de la nacionalidad, aparece como una de las aspiraciones constantes y ardorosas de la generación que hizo del poema de Echeverría el lábaro de sus entusiasmos literarios y le amó como una poética representación de la patria ausente que evocaba, en las horas amargas del destierro, imágenes queridas y deleitosas memorias.

Es esta empresa de nacionalización la que comparte con la milicia del pensamiento, obligado a hacer aun de las manifestaciones más esencialmente desinteresadas del espíritu un medio de combate y propaganda, la actividad mental de la época que sucedió a la de la emancipación.

Juan María Gutiérrez, Mármol, Balcarce, el poeta del *Celiar* continúan y complementan la obra iniciada por Echeverría en la pintura del suelo, la evocación del pasado legendario y la reproducción de las costumbres; la prosa descriptiva se manifiesta llena de color y sentimiento en las páginas de Alberdi y Marcos Sastre; el *Facundo* de la expresión de la vida del desierto, y los *Recuerdos de Provincia*, la de la interioridad local y doméstica en los centros urbanos; Vicente Fidel López encierra en la forma narrativa con que el imaginador de *Ivanhoe* y el de *Los novios* había logrado, por las adivinaciones misteriosas del arte, lo que la historia no alcanzara jamás: su intuición poderosa del pasado de América; la poesía popular renace personificada en Ascasubi, que esconde en la vieja forma de Hidalgo la flecha de Giusti y Béranger; y el mismo Alberdi, que había consagrado sus páginas primeras a la descripción de la naturaleza física, reproduce en animados cuadros de costumbres la fisonomía de la vida de ciudad y lleva a la propaganda de la emancipación del espíritu americano, en las diversas actividades del pensamiento, todas las fuerzas de su crítica penetrante y nerviosa.

La consideración de este desenvolvimiento efectivo de la idea que puede en cierto modo calificarse de "afirmación de la nacionalidad literaria" en la obra de la época en que se inició, y el examen de la oportunidad que quepa a la prosecución de tales iniciativas dentro de la labor actual de la literatura de América, serán objeto de la continuación de nuestro estudio.

II
EL SENTIMIENTO DE LA NATURALEZA

A principios del siglo, rasgando inesperadamente la atmósfera de afectación y frialdad de la literatura de su tiempo con el soplo de la naturaleza y la pasión, un libro se publicaba en Francia que los corazones estremecidos todavía por el horror de la tempestad que había pasado acogieron con íntima y ansiosa gratitud.— Tenía la oportunidad de la palabra que lleva al oído del enfermo acentos de piedad y ternura; hablaba, en medio de una sociedad sacudida en sus cimientos por el desborde de las pasiones humanas, del encanto de la soledad, del misterio reparador de los desiertos infinitos, y era como un soplo balsámico venido de Occidente para dulcificar el ardor de las frentes abatidas y sudorosas.

Aquel libro: la *Atala*—precediendo al que por impulso del mismo espíritu asoció a la palabra del hastío y la desesperación la poesía también de la soledad—verificaba en el mundo literario la revelación de la naturaleza de América.

Esta virgen naturaleza, estudiada como escenario de pasiones insólitas y hondas melancolías por el escritor de Bretaña, se manifestaba, poco después, como objeto de distinta contemplación y distinto sentimiento, en las obras del gran viajero cuya figura domina la historia científica de nuestro siglo desde cumbres que tienen la altura del Chimborazo, que fue una vez su pedestal. [. . .]

Poco antes de que la silva de Bello viese la luz en las páginas de aquel *Repertorio Americano* que fue como gallarda ostentación de la inteligencia y la cultura de la América libre en el seno de la vida europea, habíanse publicado en Nueva York los versos de un desterrado de Cuba, cuyo nombre debía tener para la posteridad la resonancia del Niágara a que aquellos versos daban ritmo.

El sentimiento de la naturaleza en poesía americana era una realidad consagrada por dos obras de genio, y se manifestaba por dos modos de contemplación esencialmente distintos. En la una, de serena objetividad; de pasión intensa, en la otra.

La naturaleza es para Bello la madre próvida y fecunda que inspiró, por la idealización de la abundancia y la labor, el utilitarismo delicado de las *Geórgicas*. Para Heredia es el fondo del cuadro que dominan la desesperación de René o la soberbia de Harold, la soledad bienhechora del que sufre, una armonía cuya nota fundamental está en el sentimiento reflejado en los ojos que contemplan.

Bello nos da la perfección en la poesía estrictamente descriptiva, en la representación de las formas sensibles de la naturaleza por la imagen que reproduce todas las variaciones de la línea y todos los tonos del color; pero Heredia, poeta de la intimidad, poeta del alma, sabe traducir al lenguaje de la pasión las voces de la naturaleza y muestra condensadas en las exterioridades de la imagen las emanaciones del espíritu.

A esta superioridad de sentimiento e inspiración debe aun agregarse la superioridad pictórica que resulta de haber Heredia reproducido un cuadro determinado y concreto, y haberse limitado el autor de la *Silva a la Agricultura* a decorar una composición de índole especialmente didáctica, con ciertos toques descriptivos que no se ordenan en un conjunto armónico y viviente, ni adquieren la unidad de un paisaje real.

Por otra parte, una inspiración derivada del eco blando de las *Geórgicas* no era la más apropiada para trasuntar la poesía de los desiertos en su magnificencia salvaje, en su majestad primitiva.

Bello entona su canto a los dones generosos de Ceres, a la labor futura que hiciera esclava del esfuerzo humano la naturaleza indómita y bravía, no a la espontaneidad selvática de esta naturaleza, en que estaba precisamente su poesía peculiar. [. . .]

III
TRADICIONES Y COSTUMBRES

Investigando los orígenes del sentimiento poético de la naturaleza americana, que constituye sin duda el rasgo más espontáneo y característico entre los que imprimen carácter a las letras del Continente, puede afirmarse, en beneficio de esa espontaneidad, la ausencia completa de inspiraciones y modos dentro de la época literaria anterior a la libre manifestación del genio de la colonia transfigurada en nacionalidades dueñas y señoras del suelo que engalanan los dones de aquella naturaleza; pero cuando se trata de pasar en revista los antecedentes del elemento de originalidad aportado, por la poesía de la tradición y las costumbres, a la obra generadora de una literatura esencialmente americana, adquiere aquella época literaria, de su simple condición de testimonio histórico de la primera edad de nuestros pueblos, un interés suficiente para mantenerla viva en la memoria de la posteridad y que la impone a nuestra consideración al llegar a esta parte de nuestro estudio.

Hay en ella, además, un poema al que es debido por todo concepto otro homenaje que el de la mención puramente histórica y fundada en interés relativo, y un alto nombre de poeta, en quien se personifica, en cierto modo, la iniciación homérica de la literatura propia y original del Nuevo Mundo.

No es ciertamente *La Araucana*, pues aludimos a ella, la plena realización del poema narrativo modelado en las condiciones peculiares de nuestra historia y nuestra naturaleza, que hoy anhelamos como elemento destinado a constituir un día la grande epopeya americana; pero bajo los pliegues de la túnica clásica que envuelve en el poema de Ercilla las formas de la narración, es fácil percibir el latido del corazón salvaje de la América.—Puede afirmarse, en efecto, que mucha parte de la esencia poética de la vida de los pueblos indígenas pasó, por intuición admirable, a las páginas del inmortal narrador, y que, en sus descripciones, en sus relatos, en sus figuras, es posible señalar con frecuencia el esbozo de nuestras tentativas más eficaces de americanismo y la anticipada satisfacción de los anhelos de fidelidad histórica y local con que hoy procuramos llamar a nueva vida nuestras cosas pasadas.

Jamás la resistencia bárbara ha adquirido en manos de poeta americano personificaciones más épicas que las de la inquebrantable constancia de Caupolicán, el brillo heroico de Lautaro y la estoicidad de Galvarino.—En el episodio lastimero de Glaura ha de reconocerse el más remoto abolengo del romance y la leyenda inspirados por el sentimiento del salvaje candor, de la ingenuidad primitiva, que destacan sobre el fondo de las vírgenes soledades de América la sombra melancólica de Atala y el destello de infinito amor de Cumandá.—El desenlace en que la soberbia araucana arroja al rostro del esposo cautivo el fruto de su seno en arrebato de ira y de dolor, tiene la verdad intensa y ruda de una escena de Shakespeare, y merecería ser consagrada reproduciéndose indefinidamente, ya en el relato del historiador y en el acento del poeta, ya en el lienzo y el bronce, como el símbolo perdurable de la indómita naturaleza de la raza vencida, que concentra en altivo corazón de mujer, después que el brazo varonil ha flaqueado, el odio supremo que convierte la humillación en causa de locura, y la sublime desesperación de la derrota.

Por el espíritu, además, por el sentimiento que anima aquel airoso relato, dotado casi todo él de la limpidez y la firmeza de la equidad histórica, y adquiere resonancia en el acento generoso del poeta o percíbese en él, íntimamente, como el epodo que acompaña de lo hondo de su corazón las alternativas dramáticas de lo narrado, hay en Ercilla una cualidad que contribuye a destacarle con relieve genial de precursor, vinculándole a afecciones futuras y definitivas, en la tradición de la poesía inspirada por el sentimiento de la historia y las peculiaridades de América, en igual proporción que levanta su nobilísima figura, como hombre de acción y colaborador de la conquista, ante el juicio severo de la posteridad.

La póesía de Ercilla no es el eco del espíritu de los conquistadores, no es la traducción de sus pasiones en ley, ni guarda la repercusión de la rudeza despiadada con que se asentaba la planta del vencedor sobre el pecho exánime del vencido. La glorificación, la idealización de la conquista española le deben poco, y tanto por lo menos como el significado secundario de la empresa que canta, dentro de ella, contribuye esa subordinación del sentimiento nacional y de las arrogancias del triunfo al imperio de sentimientos más altos, para que *La Araucana* no pueda llamarse en rigor la epopeya de la conquista, ni sea, con relación a la titánica aventura, lo que el poema de Camoens, símbolo y diadema del genio heroico de una raza, a aquella que representa su gran tributo de civilización. "El héroe es Caupolicán; el tema, el heroísmo araucano", afirma Bello. Y bien puede agregarse que, antes de la explosión de los himnos de la libertad en la poesía de la época revolucionaria, la voz acusadora mantenida ante los opresores en tres siglos de cautividad y el verbo poético de la tradición de autonomía salvaje de la América, estaban sólo en aquellas hermosísimas arengas de los indios de Ercilla donde el sentimiento de resistencia al invasor resuena y llega a la posteridad en acentos inmortales, con el vibrante entusiasmo de la alocución del paje de Valdivia o la entonación viril de Colocolo. [. . .]

(*Revista Nacional de Literatura y Ciencias Sociales*, Montevideo, 1895)

IBEROAMERICA

Por las virtualidades de su situación geográfica y de sus fundamentos históricos, el Uruguay parece destinado a sellar la unidad ideal y la armonía política de esta América del Sur, escenario reservado, en el espacio y en el tiempo, para la plenitud del genio de una grande y única raza.

No necesitamos los sudamericanos, cuando se trata de abonar esta unidad de raza, hablar de una América latina; no necesitamos llamarnos latinoamericanos para levantarnos a un nombre general que nos comprenda a todos, porque podemos llamarnos algo que signifique una unidad mucho más íntima y concreta: podemos lla-

marnos "iberoamericanos", nietos de la heroica y civilizadora
raza que sólo políticamente se ha fragmentado en dos naciones europeas, y aún podríamos ir más allá y decir que el mismo nombre
de hispanoamericanos conviene también a los nativos del Brasil, y
yo lo confirmo con la autoridad de Almeida Garret*: porque, siendo
el nombre de España, en su sentido original y propio, un nombre
geográfico, un nombre de región, y no un nombre político o de nacionalidad, el Portugal de hoy tiene, en rigor, tan cumplido derecho
a participar de ese nombre geográfico de España como las partes
de la Península que constituyen la actual nacionalidad española;
por lo cual Almeida Garret, el poeta por excelencia del sentimiento
nacional lusitano, afirmaba que los portugueses podían, sin menoscabo de su ser independiente, llamarse también, y con entera propiedad, españoles.

Más de una vez, pasando la mirada por el mapa de nuestra
América, me he detenido a considerar las líneas majestuosas de esos
dos grandes ríos del Continente: el Amazonas y el Plata, el rey de
la cuenca hidrográfica del Norte y el rey de la cuenca hidrográfica
del Sur, ambos rivales en las magnificencias de la Naturaleza y en
los prestigios de la leyenda y de la historia, y tan extraordinariamente grandes que, por explicable coincidencia, sus descubridores,
maravillados y heridos de la misma duda de si era un mar o un río
lo que tenían delante, pusieron a ambos ríos el mismo nombre hi-
perbólico: "Mar Dulce" llamó Yáñez Pinzón al Amazonas, y el
"Mar Dulce" también llamó al Plata Díaz de Solís.

Venido uno, el Amazonas, donde se sueltan sus niñeces de Ma-
rañón, de las fundidas nieves de los Andes, rompe, desgobernado y
tortuoso, entre el misterio de las selvas; recoge a su paso el enorme caudal de centenares de ríos y de lagos, y, ya fuerte y soberbio,
corre, buscando la cuna del sol, hacia el Oriente, se empina hasta
tocar la misma línea equinoccial, y, repeliendo la resistencia orgullosa del Océano con la convulsión suprema del Pororoca, se precipita sobre él como un titánico jinete, y cabalga leguas y leguas dentro del mar. El otro, el nuestro, el Plata, amamantado en su primer avatar del Paraná con las aguas de la meseta central americana, no lejos de donde toman su vertiente tributarios del Amazonas,
crece al arrullo de la floresta guaranítica; subyuga, a uno y otro

---

* João Baptista Da Silva Leitão de Almeida Garret (1799-1854), dramaturgo
y poeta que fue el jefe de la escuela romántica de Portugal.

lado la ingente multitud de sus vasallos, y descendiendo con su séquito en dirección a las latitudes templadas del Sur, donde el Polo y el Trópico sellan sus paces, cruza, al sentirse grande, sus dos brazos ciclópeos del Paraná y el Uruguay, y se echa en el mar, de un empuje de su pecho gigante, en el más ancho estuario del mundo.

Yo veo simbolizado en el curso de los dos ríos colosales, nacidos del corazón de nuestra América y que se reparten, en la extensión del continente, el tributo de las aguas, el destino histórico de esas dos mitades de la raza ibérica, que comparten también entre sí la historia y el porvenir del Nuevo Mundo: los lusoamericanos y los hispanoamericanos, los portugueses de América y los españoles de América; venidos de inmediatos orígenes étnicos, como aquellos dos grandes ríos se acercan en las nacientes de sus tributarios; confundiéndose y entrecruzándose a menudo en sus exploraciones y conquistas, como a menudo se confunden para el geógrafo los declives de ambas cuencas hidrográficas; convulsos e impetuosos en la edad heroica de sus aventuras y proezas, como aquellos ríos en su crecer; y serenando luego majestuosamente el ritmo de su historia, como ellos serenan, al ensancharse, el ritmo de sus aguas, para verter, en el Océano inmenso del espíritu humano, amargo y salobre con el dolor y el esfuerzo de los siglos, su eterno tributo de aguas dulces: ¡las aguas dulces de un porvenir transfigurado por la justicia, por la paz, por la grande amistad de los hombres!

(*Revista de la Real Academia Hispanoamericana de Ciencias y Artes*, Madrid, 1910)

LA ILUSION AMERICANA

El estudiante de provincia que sueña con ir a doctorarse en la metrópoli, el mozo de pueblo que nunca se apartó de la sombra de su campanario y anhela conocer el mundo, suelen forjarse de la ciudad, objeto de sus sueños, una idea alambicada, sublime y muy superior a toda realidad. Con el fácil optimismo de la inocencia, ellos se figuran la ciudad como la realización de un orden perfecto, donde todo está nivelado por lo alto: donde todas las casas son limpias, cómodas y hermosas; todas las mujeres espirituales y elegantes; discretas y delicadas todas las conversaciones; todos los objetos, de gusto; donde el mérito corre siempre parejo con la fama, y la misma maldad y el mismo vicio se presentan constantemente en formas interesantes y novelescas.

Obra en estos mirajes la natural exorbitancia de la imaginación candorosa y aguijoneada por los prestigios de lo desconocido; pero obra además la tendencia, no menos terca y congenital a la naturaleza del hombre, de no conformarse con las imperfecciones de la realidad que lo rodea y de mantener, mientras la experiencia no le fuerza definitivamente al desengaño, la esperanza en una esfera de realidad donde lo ideal y soñado sea posible. Cuanto de feo, de ruin y de mezquino, ya material, ya moralmente, halla el lugareño o provinciano de nuestro ejemplo en su lugar o provincia, lo atribuye a la inferioridad de este menguado marco dentro del cual vive, lo considera propio exclusivo de él, y no duda, ni por un momento, de que los escenarios grandes y encumbrados del mundo se hallen inmunes de tales sombras e imperfecciones.

Claro está que no se equivoca en muchas de esas diferencias que anticipa entre la aldea que conoce y la ciudad que ignora; pero no es menos seguro que se engaña en otras muchas y que la presencia de la soñada realidad le obliga luego a rectificar gran parte de sus cándidas imaginaciones y a reconciliarse quizá con el recuerdo de su terruño, convenciéndose de que las ciudades son aldeas en grande, de que los cortesanos son lugareños bien vestidos, y de que no pocas de las ruindades, de apariencia y esencia, que le causaban enojo en el lugar donde nació, no eran, como suponía, desventajas de la vida del lugar, sino defectos y limitaciones inherentes a la naturaleza humana y a la condición de las cosas terrenas, aunque en la aldea se manifiesten en forma frecuentemente más grosera, desapacible o incómoda, que en los centros de la civilización.

En el juicio que los americanos formamos de nosotros mismos, de nuestra inferioridad y nuestro atraso, y de las excelencias de las sociedades lejanas que nos sirven de modelo, ¿no intervendrá con harta frecuencia el género de la ilusión a que me he referido? ... ¿No intervendrá un poco del engaño del mozo de pueblo que imagina la ciudad como la realización de un orden perfecto y atribuye a miserias de su lugar muchas de las pequeñeces y fealdades que son la esencia de las cosas y de los hombres?

(*Apolo*, Montevideo, enero de 1910)

LA ESPAÑA NIÑA

En su reciente y admirable libro *Camino de Perfección* —digno, en verdad, del glorioso recuerdo que su nombre evoca, por la indeficiente gracia del estilo y la serenidad, de sombra y frescura, de la meditación—, apunta Díaz Rodríguez, el gran novelador venezolano, una idea tan henchida de persuasión como de esperanza; una idea honda y preciosa, que me ha quedado en el alma, prendida como una estrella, ungiéndomela de luz y diciéndome por lo bajo cosas de consuelo y de fe.

Yo no he dudado nunca del porvenir de esta América nacida de España. Yo he creído siempre que, mediante América, el genio de España, y la más sutil esencia de su genio, que es su idioma, tienen puente seguro con que pasar sobre la corriente de los siglos y alcanzar hasta donde alcance en el tiempo la huella del hombre. Pero yo no he llegado a conformarme jamás con que éste sea el único género de inmortalidad, o, si se prefiere, de porvenir, a que pueda aspirar España. Yo la quiero embebecida, o transfigurada, en nuestra América: sí; pero la quiero también aparte, y en su propio solar, y en su personalidad propia y continua. Mi orgullo americano —que es el orgullo de la tierra, y es, además, el orgullo de la raza— no se satisface con menos que con la seguridad de que la casa lejana, de donde viene el blasón esculpido al frente de la mía, ha de permanecer siempre en pie, y muy firme, muy pulcra y muy reverenciada. Por eso me deja melancólico lo que a otros conforta y alegra: el esforzarse en vencer la tristeza de que *España se va* con el pensamiento de que no importa que se vaya, puesto que queda en América; y por eso no he concedido nunca, ni concedo, ni espero conceder, que *España se va* ... Y cuando me parece que vislumbro algún signo sensible de que *vuelve*: de que torna a ser original, activa y grande, me alborozo, y empeño en el crédito de ese augurio todos mis ahorrillos de fe. Me he habituado así a borrar de mi fantasía la vulgar imagen de una España vieja y caduca, y a asociar la idea de España a ideas de niñez, de porvenir, de esperanza. Creo en la *España niña*. Esta es la razón por qué me interesó y halagó tanto la referida página del autor de *Idolos rotos*. Piensa Díaz Rodríguez que "en vez de pueblo degenerado, como tontamente proclaman algunos, del pueblo español puede afirmarse más bien que es un pueblo primitivo". "Así nos lo dice —agrega— aquella sensación que el hombre del pueblo español nos produce, de una reserva intacta de fuerzas". Y después de señalar dos caracteres notorios de esa condición primitiva, uno exterior, otro interno, en la rudeza española de las maneras y en la españolísima virtud de la generosidad, infiere, de aquel defecto como de esta virtud, la existencia de frescos rincones del alma popular "donde la savia originaria duerme, soñando quién sabe en qué magníficos renacimientos futuros".

Abramos el corazón a este vaticinio, que viene de poeta. Acaso la defensa de una grande originalidad latente, que aguarda su hora propicia, imprima hondo sentido a esa resistencia, aparentemente paradójica, contra el *europeísmo* invasor, predicada hoy por el alto y fuerte Unamuno.—*Soñemos, alma, soñemos* un porvenir en que a la plenitud de la grandeza de América corresponda un milagroso *avatar* de la grandeza española, y en que el genio de la raza se despliegue así, en simultáneas magnificencias, a este y a aquel lado del mar, como dos enredaderas, florecidas de una misma especie de flor, que entonasen su triunfal acorde de púrpuras del uno al otro de dos balcones fronteros.

(*Hispania*, Buenos Aires, 6 de octubre de 1911)

MAGNA PATRIA

Cuando, universalmente, la noción y el sentimiento de la patria se engrandecen y depuran, abandonando entre las heces del tiempo cuanto encerraban de negativo y de estrecho, aquí, en los pueblos hispanoamericanos, bien puede afirmarse que la identificación del concepto de la patria con el de la nación o el estado, de modo que la tierra que haya de considerarse extraña empiece donde los dominios nacionales acaban, importaría algo aún más pequeño que un fetichismo patriótico: importaría un fetichismo regional o un fetichismo de provincia. Porque si la comunidad del origen, del idioma, de la tradición, de las costumbres, de las instituciones, de los intereses, de los destinos históricos, y la contigüidad geográfica y cuanto puede dar fundamento real a la idea de una patria, no bastan para que el lenguaje del corazón borre entre nuestros pueblos las convencionales fronteras y dé nombre de "patria" a lo que no lo es en el lenguaje de la política. ¿dónde hallar la fuerza de la naturaleza o la voz de la razón que sean capaces de prevalecer sobre las artificiosas divisiones humanas?

Patria es para los hispanoamericanos la América española. Dentro del sentimiento de la patria, cabe el sentimiento de adhesión no menos natural, indestructible, a la provincia, a la región, a la comarca; y provincias, regiones o comarcas de aquella gran patria nuestra son las naciones en que ella políticamente se divide. Por mi parte, siempre lo he entendido así, o mejor, siempre lo he sentido así. La unidad política que consagre y encarne esa unidad moral—el sueño de Bolívar—es aún un sueño, cuya realidad no verán quizá las generaciones hoy vivas. ¡Qué importa! Italia no era sólo "la expresión geográfica" de Metternich, antes de que la constituyeran en expresión política la espada de Garibaldi y el apostolado de Mazzini. Era la idea, el numen de la patria, era la patria misma consagrada por todos los óleos de la tradición, del derecho y de la gloria. La Italia una y personal existía: menos corpórea, pero no menos real; menos tangible, pero no menos vibrante e intensa que cuando tomó color y contornos en el mapa de las naciones.

(*El Nuevo Diario*, Caracas,
28 de octubre de 1916)

EL CENTENARIO DE CERVANTES

España se dispone a celebrar, dentro de pocos meses, el centenario de la muerte de Miguel de Cervantes. Un centenario más, como el de Calderón y el de Velázquez—ocasiones, no muy lejanas, de fiestas semejantes—, no importaría gran cosa. Las solemnidades de la pompa oficial, las declamaciones de la vanidad oratoria, los rebuscos de la erudición pedantesca, bastarían para mantener el consecuente ritual de conmemoraciones de esa especie. Pero debe fiarse en que la sugestión y el estímulo de la oportunidad enciendan en el alma de la juventud española—donde hay prometedoras potencias de meditación y poesía—, la inspiración que concrete en estudio, poema u obra de arte, la grande ofrenda que aún debe España a su más alto representante espiritual, que fue a la vez el mayor prosista del Renacimiento, y el más maravilloso creador de caracteres humanos que pueda oponer el genio latino al excelso nombre de Shakespeare. La ocasión obliga, con igual imperio, a esta América nuestra. El sentimiento del pasado original, el sentimiento de la raza y de la filiación histórica, nunca se representarían mejor para la América de habla castellana que en la figura de Cervantes.

Cualesquiera que sean las modificaciones profundas que al núcleo de civilización heredado ha impuesto nuestra fuerza de asimilación y de progreso; cualesquiera que hayan de ser en el porvenir los desenvolvimientos originales de nuestra cultura, es indudable que nunca podríamos dejar de reconocer y confesar nuestra vinculación con aquel núcleo primero sin perder la conciencia de una continuidad histórica y de un abolengo que nos da solar y linaje conocido en las tradiciones de la humanidad civilizada. Y esa persistente herencia no tiene manifestación más representativa y cabal que la del idioma, donde ella se resume toda entera y aparece adaptando a sus medios connaturales de expresión las adquisiciones y evoluciones sucesivas. Confirmar la fidelidad a esa forma espiritual que es el idioma y glorificarla en el recuerdo de su escritor-arquetipo, es, pues, el modo más adecuado y más sincero con que América puede mostrar el género de solidaridad que reconoce con la obra de sus descubridores y civilizadores.

No hay otra estatua que la de Cervantes para simbolizar en América la España del pasado común, la España del sol sin poniente. Los reyes que la abarcaron con su cetro, aun cuando mereciesen alguna vez mármol o bronce, no podrían encarnar jamás en mármol ni bronce americano, porque representan la autoridad de que nos emancipamos y las instituciones que sustituímos. Sólo la augusta imagen de Isabel la Católica dominaría sin incongruencia en suelo de América, rescatando en gloria perenne las joyas que costearon la aventura sublime, y figurando como numen maternal de nuestra civilización. Pero el símbolo requiere en este caso formas más recias y viriles que esa suave fisonomía de mujer. Los portentosos capitanes de la Conquista, los legendarios sojuzgadores de mares y de tierras, tienen un carácter que excluye la plena apoteosis americana, como personificaciones de la ejecución brutal, consumada con sacrificio del indio, que también es carne y alma de América. Los colonizadores, gobernantes o misioneros, en quienes se apacigua y endulza la empresa civilizadora, proporcionan más de una figura capaz de ser glorificada en la parte del Continente a que se contrajo su influencia; pero ninguna de magnitud continental. En cuanto al Descubridor, a España pertenece su gloria, sin duda, pero no su persona; y las estatuas que reproducirán infinitamente su imagen del uno al otro extremo del mundo concedido a su fe no son las aptas para significar el genio original y propio de la civilización trasplantada.

Sólo queda buscar el símbolo personal en el mundo del espíritu, donde esa civilización forja sus normas ideales y sus medios de expresión, y escogerlo en quien tiene dentro de ella personalidad más característica y más alta. Hay, además, entre el genio de Cervantes y la aparición de América en el orbe, profunda correlación histórica. El descubrimiento, la conquista de América, son la obra magna del Renacimiento español, y el verbo de este Renacimiento es la novela de Cervantes. La ironía de esta maravillosa creación, abatiendo un ideal caduco, afirma y exalta de rechazo un ideal nuevo y potente, que es el que determina el sentido de la vida en aquel triunfal despertar de todas las energías humanas con que se abre en Europa el pórtico de la edad moderna. A un objetivo de alucinaciones y quimeras, como el que perseguía el agotado ideal caballeresco, sucede el firme objetivo de la realidad, abierta a los fines racionales y a la perseverante energía de los hombres. El mundo imaginario que había dado teatro a las hazañas de los Amadises y Esplandianes se desvanece como las nieblas heridas por el sol, y lo sustituye el mundo de la naturaleza, redondeado y conquistado por el esfuerzo humano; la América vasta y hermosa sobre todas las ficciones, que con su descubrimiento completa la noción del mundo físico, y con el incentivo de su posesión ofrece el escenario de proezas más inauditas y asombrosas que las aventuras baldías de los caballeros andantes.

La filosofía del *Quijote* es, pues, la filosofía de la conquista de América. La radical transformación de sentimientos, de ideas, de costumbres, para la que el hallazgo del hemisferio ignorado fue causa concurrente, es la que adquiere forma poética imperecedera en esa epopeya de la burla, donde el jovial espíritu del Renacimiento dirige sobre los últimos vestigios de un ideal moribundo las mortales saetas de la ironía. América nació para que muriese Don Quijote; o mejor, para hacerle renacer entero de razón y de fuerzas, incorporando a su valor magnánimo y a su imaginación heroica el objetivo real, la aptitud de la acción conjunta y solitaria y el dominio de los medios proporcionados a sus fines.

Mientras muere vencido el Ingenioso Hidalgo y perece con él el tipo de héroes de las fábulas de caballerías, melancólicos como Tristán, vagos e inconsistentes como Lanzarote, inmaculados como Amadís, se consagra en las tremendas lides de América el nuevo tipo heroico, rudo y sanguíneo, de los Cortés, Pizarros y Balboas, perseguidores de realidades positivas; apasionados, tanto como de la gloria, del oro y del poder. Mientras la armadura herrumbrosa y la adarga antigua y el simulacro de celada del iluso caballero, se deshacen en rincón oscuro, resplandecen al sol de América las vibrantes espadas, las firmes corazas de Toledo. Mientras Rocinante, escuálido e inútil, fallece de vejez y de hambre, se desparraman por las pampas, los montes y los valles del Nuevo Mundo los briosos potros andaluces, los heroicos caballos del conquistador, progenitores de aquellos que un día habrán de formar, con el gaucho y el llanero, el organismo del centauro americano. Mientras se disipan en el aire los mentidos tesoros de la cueva de Montesinos, fulguran con deslumbradora realidad la plata de Potosí, el oro de Méjico, los diamantes y esmeraldas del Brasil. Mientras fracasa entre risas burladoras el mezquino gobierno de la Insula Barataria, se ganan de este lado del mar imperios colosales y se fundan virreinatos y gobernaciones con que conceden más pingües recompensas que las que rey alguno de los tiempos de caballería pudo soñar para sus vasallos.

Así, el sentido crítico del *Quijote* tiene por complemento afirmativo la grande empresa de España, que es la conquista de América. Así, al figurar una viva oposición de ideales, dejó escrita ese libro la epopeya de la civilización española, deteniendo, como hechizada, en el vuelo del tiempo, la hora culminante en que aquella civilización llega a su plenitud y da de sí nuevas tierras y nuevos pueblos. Y así el nombre de Miguel de Cervantes, no sólo por la suprema representación de la lengua, sino también por el carácter de su obra y el significado ideal que hay en ella, puede servir de vínculo imperecedero que recuerde a América y España la unidad de su historia y la fraternidad de sus destinos.

(*La Nota*, Buenos Aires, 21 de agosto de 1915)

JOSE VASCONCELOS

1881 - 1959

Los pueblos llamados latinos, por haber sido
más fieles a su misión divina de América, son los llamados a consumarla. Y tal fidelidad al oculto designio es la garantía de nuestro triunfo.

J. V.

En Oaxaca, el mismo pueblo donde vieran la luz Benito Juárez
y Porfirio Díaz, nació este pensador mexicano que Romain Rolland
y Keyserling consideraron como lo más grande y representativo de
la América española. Su formación intelectual la inicia en la capital mexicana donde, al graduarse de leyes en 1907, amplía el panorama de sus estudios universitarios con nuevos horizontes y lecturas. Ya había proclamado Antonio Caso su rebelión sonora la filo
sofía oficial, al declarar: "No hay que dejarse seducir por los que
piensan edificar la moral sobre bases científicas, por más venera-
bles y conscientes que sean los propósitos. La ciencia no puede ofrecernos sino resultados relativos, nunca normas necesarias de acción."
Y en 1910, con la vehemencia que caracteriza todos los actos de su
vida, Vasconcelos ataca la filosofía corta del positivismo y sigue
el nuevo camino del pensamiento mexicano.

En los días del Centenario, publica su primera obra de importancia: Gabino Barreda y las ideas contemporáneas. Casi al mismo
tiempo, otro hombre levantaba en guerra todo un pueblo con su
"Plan de San Luis." Allí, junto a Madero, México y Vasconcelos
iniciaron una etapa fecunda. Pero el nuevo gobernante que legara
la revolución sería pronto sacrificado. Vasconcelos recoge un pedazo de su tierra rebelde y huye de la traición insoportable, para regresar cuando amanece la noche asesina del huertismo.

En 1914, el presidente Eulalio Gutiérrez lo nombra Secretario
de Educación, y Vasconcelos es el puente que lleva la revolución
desde lo político al campo de la enseñanza. Dos años más tarde,
también por discrepancias con el gobierno, se aleja del país. Va al

Perú, mas su corta ausencia del escenario nacional acaba cuando es designado Rector de la Universidad de México. "No vine," dijo al tomar posesión de su cargo, " a trabajar por la Universidad, sino a pedir a la Universidad que trabajara por el pueblo"; y logró su objetivo. Vuelve a ser nombrado Secretario de Educación Pública en 1921. Un solo brazo —el general Alvaro Obregón— comienza a gobernar el país, mientras los mil de Vasconcelos se movieron incansables con fecundidad prodigiosa: ordenó misioneros que robaban campesinos a la ignorancia; puso los autores clásicos (Homero, Platón, Dante, Cervantes, Goethe, etc.) en manos del pueblo; y los que se estaban haciendo (José Santos Chocano, Gabriela Mistral, Manuel Ugarte, etc.) en las tribunas y las cátedras. Fundó escuelas bibliotecas e institutos dio lienzos de piedra a los nuevos pintores. Fue entonces cuando Gabriela Mistral vio a todo un pueblo hacerse "bueno y fuerte en su meseta"; quedaba iniciada allí la preocupación mexicana por la cultura y la educación.

Durante el gobierno de su enemigo político Plutarco Elías Calles —que toma posesión en 1924—, Vasconcelos viaja por Europa y por los Estados Unidos. Regresa a fines de 1927 y se presenta en 1929 como candidato a la presidencia de la República. Ya ha publicado en Europa sus dos obras capitales: La raza cósmica *(1925) e* Indología *(1929); con ellas vio la América mestiza renacer sus mejores esperanzas. Pero derrotado en las elecciones presidenciales, inicia los años tristes que forman su más productiva década. Nace entonces su obra filosófica que se ha tachado de deficiente e imperfecta. Tanto su* Metafísica *(1929) como su* Etica *(1931) y su* Estética *(1935), dejan ver la solución improvisada, que quiere aplacar el hambre americana de filosofía propia. Siguen los tiempos en que escribirá su transparente autobiografía:* Ulises criollo *(1936),* La tormenta *(1936),* El desastre *(1938), y* El proconsulado *(1939). En las mejores de estas páginas vivas, la dimensión del hombre resta perspectiva al acontecimiento histórico que le sirve de escenario. Y mientras va tejiendo en libros su historia larga, hace la breve de México* (Breve Historia de México)*, para renunciar la esencia de sus mejores juicios del pasado.*

Había vibrado tres lustros La raza cósmica *ante los ojos admirados de América, cuando su autor visionario decide regresar a la patria. Ya no podía llamarse "maestro de la juventud," el fantasma callista había oscurecido la visión de aquel gigante de fuego.*

Más filosofía, historias y denuncias, llenarán los diez y nueve años que le separan de la muerte. Entre otras obras, publica en 1940 su Manual de Filosofía, luego Hernán Cortés (1941), Apuntes para la Historia de México (1945), Todología (1952), Temas contemporáneos (1955), En el ocaso de mi vida (1957); y deja escrito para una publicación póstuma, La flama: los de arriba en la revolución. Queda de esta última etapa un rastro de contradicción y de amargura.

Pero más que resentido o reaccionario —como le llamaron por diversas razones algunos de sus compatriotas— Vasconcelos es una gloria indiscutible y preciosa de América. El verbo ilustre de Alfonso Reyes bendijo la memoria del Ulises muerto. Se hizo eco de aquella palabra la patria mexicana: se la oyó hablar orgullosa del hijo "varonil y arrebatado," y como ella misma, "lleno de cumbres y abismos." Madre agradecida, dijo también con el amigo triste: "Deja en mi ánimo el sentimiento de una presencia imperiosa, ardiente, que ni la muerte puede borrar. Lo tengo aquí, a mi lado. Nuestro diálogo no se interrumpe."

BIBLIOGRAFIA

I. EDICIONES

Obras completas. 4 Vols. México: Libreros Unidos Mexicanos, 1957-1959.

Páginas escogidas. Selección y Prólogo de A. Castro Leal. México: Ediciones Botas, 1940.

Vasconcelos. Prólogo y Selección de Genaro Fernández Mac Gregor. México: Ediciones de la Secretaría de Educación Pública, 1942.

II. ESTUDIOS

Ahumada, Herminio. *José Vasconcelos; una vida que iguala con la acción el pensamiento.* México: Ediciones Botas, 1937.

Alessio Robles, Vito. *Mis andanzas con nuestro Ulises.* México: Ediciones Botas, 1938.

Ayala, Juan Antonio. "Presencia de Vasconcelos en la cultura mexicana," VUM, Vol. IX, No. 433 (1959).

Basave Fernández del Valle, Agustín. "El destino de José Vasconcelos," VUM, Vol. IX, No. 433 (1959).

——————."José Vasconcelos, el hombre y su obra," VUM, marzo, 1963.

——————. "La estética de José Vasconcelos," Triv, Vol. III, No. 6-7 (abril-mayo, 1951).

——————. *La filosofía de José Vasconcelos (el hombre y su sistema).* Madrid: Ediciones Cultura Hispánica, 1958.

——————. "La metafísica de José Vasconcelos," Triv, Vol. II, No. 9 (julio-agosto, 1950).

——————. "La todología de José Vasconcelos," RUBA, Vol. XXVI (abril-junio, 1953).

Bonifaz Nuño, R. "Imagen de Vasconcelos," Abs, Vol. XXVIII (1964).

Carballo, E. "José Vasconcelos, voz clamante en el desierto," Nove, 4 de enero, 1959.

Castro Leal, Antonio. "José Vasconcelos," RevInd, Vol. IV (noviembre, 1939).

Echaverría, Salvador. "Invitación al estudio de José Vasconcelos, 1882-1959," Etct, Vol. VI, No. 27-28 (noviembre 1960).

Ferrazzano, Eugenio A. "José Vasconcelos," HuT, Vol. I, No. 3 (1954).

——————. "José Vasconcelos y el pensamiento mexicano actual," HuT, Vol. II, No. 5 (1954).

Garrido, Luis. "José Vasconcelos," UNAM, 1963.

Gómez Robledo, Antonio. "Filosofía Vasconcelina," VUM, Vol. IX, No. 435 (1959).

Henríquez Ureña, Max. "Perfil de José Vasconcelos," Carteles, Vol. XL, No. 28 (julio, 1959).

Henríquez Ureña, Pedro. "Discurso en homenaje a Vasconcelos," Nos, octubre, 1922.

Hernández Luna, Juan. "La imagen de América en José Vasconcelos," FyL, Vol. XVI (julio-septiembre, 1948).

Homenaje del Colegio Nacional a Samuel Ramos y José Vasconcelos. México: Colegio Nacional, 1960.

Iriarte, Joaquín. "Vasconcelos o el filósofo del trópico," UA, Vol. XXXV (1959).

Mantero, Manuel. "Vasconcelos o la filosofía como vida," EstA, Vol. XVIII (1959).

Martínez, José Luis. "La obra literaria de José Vasconcelos," FyL, Vol. XIII (1947).

Mistral, Gabriela. "La indología de Vasconcelos," RFil, XIII, No. 5 (1927).

Mori, Arturo. "El 'personismo' de Vasconcelos y los pueblos," HumaM, Vol. I, No. 4 (octubre, 1952).

Navarro B., Bernabé. "Vasconcelos, profeta de América," FyL, Vol. XIX, No. 38 (abril junio, 1950).

Nicotra di Leopoldo, G. "José Vasconcelos el místico," Todo, No. 1269 (julio, 1959).

Paz R., Ildefonso. "José Vasconcelos, maestro de América," IN, Vol. IX, No. 143 (agosto 1959).

Pérez Marchand, Monelisa. "José Vasconcelos: filósofo sistemático de Iberoamérica," Asom, Vol. II, No. 3 (1946).

Ponce Torres, Margarita. La metafísica de José Vasconcelos. México, 1962.

Prieto, José María. "Balance del pensamiento de Vasconcelos," EstA, Vol. XVIII (1959).

Pugh, William H. José Vasconcelos y el despertar del México moderno. (Trad. de Pedro Vázquez Cisneros). México: Editorial Jus, 1958.

Ramírez de Castilla. "El pensamiento vivo de José Vasconcelos sobre América," HX, 4 de octubre, 1944.

Reinhardt, Conrado F. "José Vasconcelos," MP, Vol. XXVI (1945).

Reyes, Alfonso. "Despedida de Alfonso Reyes," Nac, 9 de julio, 1959.

Robles, Oswaldo. "El pensamiento ético de José Vasconcelos," FyL, Vol. XIV (1947).

——————. "José Vasconcelos," FyL, Vol. XIII (1947).

Sánchez, Luis Alberto. "El Vasconcelos que conozco," NacionC, 13 de agosto, 1959.

Sánchez Villaseñor, J. *El sistema filosófico de José Vasconcelos.* México: Editorial Polis, 1939.

7 *Oraciones fúnebres, En la muerte de José Vasconcelos.* México: Instituto Nacional de Bellas Artes, 1959.

Silva Herzog, Jesús. "Vasconcelos," Nivel, No. 8 (25 de agosto, 1959).

Taracena Eckermann, A. *Viajando con Vasconcelos.* México: Editorial Botas, 1938.

Villegas, Abelardo. "Caso y Vasconcelos," GaMe, Vol. VI, No. 67 (1960).

LA RAZA COSMICA
MISION DE LA RAZA IBEROAMERICANA

Es tesis central del presente libro que las distintas razas del mundo tienden a mezclarse cada vez más, hasta formar un nuevo tipo humano, compuesto con la selección de cada uno de los pueblos existentes. Se publicó por primera vez tal presagio en la época en que prevalecía en el mundo científico la doctrina darwinista de la selección natural que salva a los aptos, condena a los débiles; doctrina que, llevada al terreno social por Gobineau, dio origen a la teoría del ario puro, defendida por los ingleses, llevada a imposición aberrante por el nazismo.

Contra esta teoría surgieron en Francia biólogos como Leclerc du Sablon y Noüy, que interpretan la evolución en forma diversa del darwinismo, acaso opuesta al darwinismo. Por su parte, los hechos sociales de los últimos años, muy particularmente el fracaso de la última gran guerra, que a todos dejó disgustados, cuando no arruinados, han determinado una corriente de doctrinas más humanas. Y se da el caso de que aun darwinistas distinguidos, viejos sostenedores del openoorianiomo, quo doodoñaban a la rasa do oolor y las mestizas, militan hoy en organizaciones internacionales que, como la UNESCO, proclaman la necesidad de abolir toda descriminación racial y de educar a todos los hombres en la igualdad, lo que no es otra cosa que la vieja doctrina católica que afirmó la aptitud del indio para los sacramentos y por lo mismo su derecho de casarse con blanca o con amarilla.

Vuelve, pues, la doctrina política reinante a reconocer la legitimidad de los mestizajes y con ello sienta las bases de una fusión interracial reconocida por el Derecho. Si a esto se añade que las comunicaciones modernas tienden a suprimir las barreras geográficas y que la educación generalizada contribuirá a elevar el nivel económico de todos los hombres, se comprenderá que lentamente irán desapareciendo los obstáculos para la fusión acelerada de las estirpes.

Las circunstancias actuales favorecen, en consecuencia, el desarrollo de las relaciones sexuales interraciales, lo que presta apoyo inesperado a la tesis que, a falta de nombre mejor, titulé: de la Raza Cósmica futura.

Queda, sin embargo, por averiguar si la mezcla ilimitada e

inevitable es un hecho ventajoso para el incremento de la cultura o si, al contrario, ha de producir decadencias, que ahora ya no sólo serían nacionales, sino mundiales. Problema que revive la pregunta que se ha hecho a menudo el mestizo: "¿Puede compararse mi aportación a la cultura con la obra de las razas relativamente puras que han hecho la historia hasta nuestros días, los griegos, los romanos, los europeos?" Y dentro de cada pueblo, ¿cómo se comparan los períodos de mestizaje con los períodos de homogeneidad racial creadora? A fin de no extendernos demasiado, nos limitaremos a observar algunos ejemplos.

Comenzando por la raza más antigua de la historia, la de los egipcios, observaciones recientes han demostrado que fue la egipcia una civilización que avanzó de sur a norte, desde el Alto Nilo al Mediterráneo. Una raza bastante blanca y relativamente homogénea creó en torno de Luxor un primer gran imperio floreciente. Guerras y conquistas debilitaron aquel imperio y lo pusieron a merced de la penetración negra, pero el avance hacia el norte no se interrumpió. Sin embargo, durante una etapa de varios siglos, la decadencia de la cultura fue evidente. Se presume, entonces, que ya para la época del segundo imperio se había formado una raza nueva, mestiza, con caracteres mezclados de blanco y de negro, que es la que produce el segundo imperio, más avanzado y floreciente que el primero. La etapa en que se construyeron las pirámides, y en que la civilización egipcia alcanza su cumbre, es una etapa mestiza.

Los historiadores griegos están hoy de acuerdo en que la edad de oro de la cultura helénica aparece como el resultado de una mezcla de razas, en la cual, sin embargo, no se presenta el contraste del negro y el blanco, sino que más bien se trata de una mezcla de razas de color claro. Sin embargo, hubo mezcla de linajes y de corrientes.

La civilización griega decae al extenderse el imperio con Alejandro y esto facilita la conquista romana. En las tropas de Julio César ya se advierte el nuevo mestizaje romano de galos, españoles, británicos y aun germanos, que colaboran en las hazañas del imperio y convierten a Roma en centro cosmopolita. Sabido es que hubo emperadores de sangre hispano-romana. De todas maneras, los contrastes no eran violentos, ya que la mezcla en lo esencial era de razas europeas.

Las invasiones de los bárbaros, al mezclarse con los aborígenes, galos, hispanos, celtas, toscanos, producen las nacionalidades europeas, que han sido la fuente de la cultura moderna.

Pasando al Nuevo Mundo, vemos que la poderosa nación estadounidense no ha sido otra cosa que crisol de razas europeas. Los negros, en realidad, se han mantenido aparte en lo que hace a la creación del poderío, sin que deje de tener importancia la penetración espiritual que han consumado a través de la música, el baile y no pocos aspectos de la sensibilidad artística.

Después de los Estados Unidos, la nación de más vigoroso empuje es la República Argentina, en donde se repite el caso de una mezcla de razas afines, todas de origen europeo, con predominio del tipo mediterráneo; el revés de los Estados Unidos, en donde predomina el nórdico.

Resulta entonces fácil afirmar que es fecunda la mezcla de los linajes similares y que es dudosa la mezcla de tipos muy distantes, según ocurrió en el trato de españoles y de indígenas americanos. El atraso de los pueblos hispanoamericanos, donde predomina el elemento indígena, es difícil de explicar, como no sea remontándonos al primer ejemplo citado de la civilización egipcia. Sucede que el mestizaje de factores muy disímiles tarda mucho tiempo en plasmar. Entre nosotros, el mestizaje se suspendió antes de que acabase de estar formado el tipo racial, con motivo de la exclusión de los españoles, decretada con posterioridad a la independencia. En pueblos como Ecuador o el Perú, la pobreza del terreno, además de los motivos políticos, contuvo la inmigración española.

En todo caso, la conclusión más optimista que se puede derivar de los hechos observados es que aun los mestizajes más contradictorios pueden resolverse benéficamente siempre que el factor espiritual contribuya a levantarlos. En efecto, la decadencia de los pueblos asiáticos es atribuible a su aislamiento, pero también, y sin duda, en primer término, al hecho de que no han sido cristianizados. Una religión como la cristiana hizo avanzar a los indios americanos, en pocas centurias, desde el canibalismo hasta la relativa civilización.

CONCIENCIA INTELECTUAL DE AMERICA

I

EL MESTIZAJE

Opinan geólogos autorizados que el continente americano contiene algunas de las más antiguas zonas del mundo. La masa de los Andes es, sin duda, tan vieja como la que más del planeta. Y si la tierra es antigua, también las trazas de vida y de cultura humana se remontan adonde no alcanzan los cálculos. Las ruinas arquitectónicas de mayas, quechuas y toltecas legendarios son testimonio de vida civilizada anterior a las más viejas fundaciones de los pueblos del Oriente y de Europa. A medida que las investigaciones progresan, se afirma la hipótesis de la Atlántida, como cuna de una civilización que hace millares de años floreció en el continente desaparecido y en parte de lo que es hoy América. El pensamiento de la Atlántida evoca el recuerdo de sus antecedentes misteriosos. El continente hiperbóreo desaparecido, sin dejar otras huellas que los rastros de vida y de cultura que a veces se descubren bajo las nieves de Groenlandia; los lemurianos o raza negra del sur; la civilización atlántida de los hombres rojos; en seguida, la aparición de los amarillos, y por último la civilización de los blancos. Explica mejor el proceso de los pueblos esta profunda hipótesis legendaria que las elucubraciones de geólogos como Ameghino,* que ponen el origen del hombre en la Patagonia, una tierra que desde luego se sabe es de formación geológica reciente. En cambio, la versión de los imperios étnicos de la prehistoria se afirma extraordinariamente con la teoría de Wegener** de la traslación de los continentes. Según esta tesis, todas las tierras estaban unidas, formando un solo continente, que se ha ido disgregando. Es entonces fácil suponer que en determinada región de una masa continua se desarrollaba una raza que después de progresar y decaer era sustituída por otra, en vez de recurrir a la hipótesis de las emigraciones de un continente a otro por medio de puentes desaparecidos. También es curioso advertir otra coincidencia de la antigua tradición con los datos más modernos

---

* Florentino Ameghino (1854-1911), naturalista argentino cuyas *Obras completas* (24 vols.) fueron publicadas entre 1913 y 1936. Es el autor de *Antigüedades del hombre en el Río de la Plata.*
** Alfredo L. Wegener (1880-1930), geólogo y explorador alemán. Sus obras *Origen de los continentes* (1915) y, la posterior, *Los continentes a la deriva* prueban el alejamiento progresivo de América respecto a Europa y Africa.

de la geología, pues, según el mismo Wegener, la comunicación entre Australia, la India y Madagascar se interrumpió antes que la comunicación entre la América del Sur y el Africa. Lo cual equivale a confirmar que el sitio de la civilización lemuriana desapareció antes de que floreciera la Atlántida, y también que el último continente desaparecido es la Atlántida, puesto que las exploraciones científicas han venido a demostrar que es el Atlántico el mar de formación más reciente.

Confundidos más o menos los antecedentes de esta teoría en una tradición tan obscura como rica de sentido, queda, sin embargo, viva la leyenda de una civilización nacida de nuestros bosques o derramada hasta ellos después de un poderoso crecimiento, y cuyas huellas están aún visibles en Chichén Itzá y en Palenque y en todos los sitios donde perdura el misterio atlante. El misterio de los hombres rojos que, después de dominar el mundo, hicieron grabar los preceptos de su sabiduría en la tabla de Esmeralda, alguna maravillosa esmeralda colombiana, que a la hora de las conmociones telúricas fue llevada a Egipto, donde Hermes y sus adeptos conocieron y transmitieron sus secretos.

Si, pues, somos antiguos geológicamente y también en lo que respecta a la tradición, ¿como podremos seguir aceptando esta ficción, inventada por nuestros padres europeos, de la novedad de un continente que existía desde antes de que apareciese la tierra de donde procedían descubridores y reconquistadores?

La cuestión tiene una importancia enorme para quienes se empeñan en buscar un plan en la Historia. La comprobación de la gran antigüedad de nuestro continente parecerá ociosa a los que no ven en los sucesos sino una cadena fatal de repeticiones sin objeto. Con pereza contemplaríamos la obra de la civilización contemporánea si los palacios toltecas no nos dijesen otra cosa que el quo las civilizaciones pasan sin dejar más fruto que unas cuantas piedras labradas puestas unas sobre otras, formando techumbre de bóveda arqueada, o de dos superficies que se encuentran en ángulo. ¿A qué volver a comenzar, si dentro de cuatro o cinco mil años otros nuevos emigrantes divertirán sus ocios cavilando sobre los restos de nuestra trivial arquitectura contemporánea? La historia científica se confunde y deja sin respuesta todas estas cavilaciones. La historia empírica, enferma de miopía, se pierde en el detalle, pero no acierta a determinar un solo antecedente de los tiempos históricos. Huye de las conclusiones generales, de las hipótesis trascendentales, pero cae en la puerilïdad de la descripción de los utensilios y de los índices cefálicos y tantos otros pormenores, meramente externos, que carecen de importancia si se les desliga de una teoría vasta y comprensiva.

Sólo un salto del espíritu, nutrido de datos, podrá darnos una visión que nos levante por encima de la micro-ideología del especialista. Sondeamos entonces en el conjunto de los sucesos para descubrir en ellos una dirección, un ritmo y un propósito. Y justamente allí donde nada descubre el analista, el sintetizador y el creador se iluminan.

Ensayemos, pues, explicaciones no con fantasía de novelista, pero sí con una intuición que se apoya en los datos de la historia y la ciencia.

La raza que hemos convenido en llamar atlántida prosperó y decayó en América. Después de un extraordinario florecimiento, tras de cumplir su ciclo, terminada su misión particular, entró en silencio y fue decayendo hasta quedar reducida a los menguados imperios azteca e inca, indignos totalmente de la antigua y superior cultura. Al decaer los atlantes, la civilización intensa se trasladó a otros sitios y cambió de estirpes; deslumbró en Egipto; se ensanchó en la India y en Grecia injertando en razas nuevas. El ario, mezclándose con los dravidios, produjo el indostán, y a la vez, mediante otras mezclas creó la cultura helénica. En Grecia se funda el desarrollo de la civilización occidental o europea, la civilización blanca que al expandirse llegó hasta las playas olvidadas del continente americano para consumar una obra de recivilización y repoblación. Tenemos entonces las cuatro etapas y los cuatro troncos: el negro, el indio, el mogol y el blanco. Este último, después de organizarse en Europa, se ha convertido en invasor del mundo, y se ha creído llamado a predominar, lo mismo que lo creyeron las razas anteriores, cada una en la época de su poderío. Es claro que el predominio del blanco será también temporal, pero su misión es diferente de la de sus predecesores; su misión es servir de puente. El blanco ha puesto al mundo en situación de que todos los tipos y todas las culturas puedan fundirse. La civilización conquistada por los blancos, organizada por nuestra época, ha puesto las bases materiales y morales para la unión de todos los hombres en una quinta raza universal, fruto de las anteriores y superación de todo lo pasado.

La cultura del blanco es emigradora pero no fue Europa en conjunto la encargada de iniciar la reincorporación del mundo rojo a las modalidades de la cultura preuniversal, representada desde hace siglos por el blanco. La misión trascendental correspondió a las dos más audaces ramas de la familia europea, a los dos tipos humanos más fuertes y más disímiles: el español y el inglés. [...]

II

Después de examinar las potencialidades remotas y próximas de la raza mixta que habita el continente iberoamericano y el destino que la lleva a convertirse en la primera raza síntesis del globo, se hace necesario investigar si el medio físico en que se desarrolla dicha estirpe corresponde a los fines que le marca su biótica. La extensión de que ya dispone es enorme; no hay, desde luego, problema de superficie. La circunstancia de que sus costas no tienen muchos puertos de primera clase casi no tiene importancia, dados los adelantos crecientes de la ingeniería. En cambio, lo que es fundamental abunda en cantidad superior, sin duda, a cualquiera otra región de la tierra: recursos naturales, superficie cultivable y fértil, agua y clima. Sobre este último factor se adelantará, desde luego, una objeción: el clima, se dirá, es adverso a la nueva raza, porque la mayor parte de las tierras disponibles está situada en la región más cálida del globo. Sin embargo, tal es, precisamente, la ventaja y el secreto de su futuro. Las grandes civilizaciones se iniciaron entre trópicos y la civilización final volverá al trópico. La nueva raza comenzará a cumplir su destino a medida que se inventen los nuevos medios de combatir el calor en lo que tiene de hostil para el hombre, pero dejándole todo su poderío benéfico para la producción de la vida. El triunfo del blanco se inició con la conquista de la nieve y del frío. La base de la civilización blanca es el combustible. Sirvió primeramente de protección en los largos inviernos; después se advirtió que tenía una fuerza capaz de ser utilizada no sólo en el abrigo, sino también en el trabajo; entonces nació el motor, y, de esta suerte, del fogón y de la estufa procede todo el maquinismo que está transformando al mundo. Una invención semejante hubiera sido imposible en el cálido Egipto, y, en efecto, no ocurrió allá, a pesar de que aquella raza superaba infinitamente en capacidad intelectual a la raza inglesa. Para comprobar esta última afirmación basta comparar la metafísica sublime del Libro de los Muertos de los sacerdotes egipcios, con las chabacanerías del darwinismo spenceriano. El abismo que separa a Spencer de Hermes Trimegisto no lo franquea el dolicocéfalo rubio ni en otros mil años de adiestramiento y selección. En cambio, el barco inglés, esa máquina maravillosa que procede 'de los vikingos del Norte, no la soñaron siquiera los egipcios. La lucha ruda contra el medio obligó al blanco a dedicar sus aptitudes a la conquista de la naturaleza temporal, y esto precisamente constituye el aporte del blanco a la civilización del futuro. El blanco enseñó el dominio de lo material. La ciencia de los blancos invertirá alguna vez los métodos que empleó para alcanzar el dominio del fuego y aprovechará nieves condensadas, o corrientes de electroquimia, o gases de magia sutil, para destruir moscas y alimañas, para disipar el bochorno y la fiebre. Entonces la humanidad entera se derramará sobre el trópico, y en la inmensidad solemne de sus paisajes las almas conquistarán la plenitud.

Los blancos intentarán, al principio, aprovechar sus inventos en beneficio propio, pero como la ciencia ya no es esotérica no será fácil que lo logren; los absorberá la avalancha de todos los demás pueblos, y finalmente, deponiendo su orgullo, entrarán con los demás a componer la nueva raza síntesis, la quinta raza futura.

La conquista del trópico transformará todos los aspectos de la vida; la arquitectura abandonará la ojiva, la bóveda y, en general, la techumbre, que responde a la necesidad de buscar abrigo; se desarrollará otra vez la pirámide; se levantarán columnatas en inútiles alardes de belleza y, quizá, construcciones en caracol, porque la nueva estética tratará de amoldarse a la curva sin fin de la espiral, que representa el anhelo libre, el triunfo del ser en la conquista del infinito. El paisaje pleno de colores y ritmos comunicará su riqueza en la emoción; la realidad será como la fantasía. La estética de los nublados y de los grises se verá como un arte enfermizo del pasado. Una civilización refinada e intensa responderá a los esplendores de una Naturaleza henchida de potencias, generosa de hábito, luciente de claridades. El panorama del Río de Janeiro actual o de Santos con la ciudad y su bahía nos pueden dar una idea de lo que será ese emporio futuro de la raza cabal que está por venir.

Supuesta, pues, la conquista del trópico por medio de los recursos científicos, resulta que vendrá un período en el cual la humanidad entera se establecerá en las regiones cálidas del planeta. La tierra de promisión estará entonces en la zona que hoy comprende el Brasil entero, más Colombia, Venezuela, Ecuador, parte de Perú, parte de Bolivia y la región superior de la Argentina.

Existe el peligro de que la ciencia se adelante al proceso étnico, de suerte que la invasión del trópico ocurra antes que la quinta raza acabe de formarse. Si así sucede, por la posesión del Amazonas se librarán batallas que decidirán el destino del mundo y la suerte de la raza definitiva. Si el Amazonas lo dominan los ingleses de las Islas o del continente, que son ambos campeones del blanco puro, la aparición de la quinta raza quedará vencida. Pero tal desenlace resultaría absurdo; la Historia no tuerce sus caminos; los mismos ingleses, en el nuevo clima, se tornarían maleables, se volverían mestizos, pero con ellos el proceso de integración y de superación sería más lento. Conviene, pues, que el Amazonas sea brasileño, sea ibérico, junto con el Orinoco y el Magdalena. Con los recursos de semejante zona, la más rica del globo en tesoros de todo género, la raza síntesis podrá consolidar su cultura. El mundo futuro será de quien conquiste la región amazónica. Cerca del gran río se levantará Universópolis y de allí saldrán las predicaciones, las escuadras y los aviones de propaganda de buenas nuevas. Si el Amazonas se hiciese inglés, la metrópoli del mundo ya no se llamaría Universópolis, sino Anglotown, y las armadas guerreras saldrían de allí para imponer en los otros continentes la ley severa del predominio del blanco de cabellos rubios y el exterminio de sus rivales obscuros. En cambio, si la quinta raza se adueña del eje del mundo futuro, entonces aviones y ejércitos irán por todo el planeta educando a las gentes para su ingreso a la sabiduría. La vida fundada en el amor llegará a expresarse en formas de belleza.

Naturalmente, la quinta raza no pretenderá excluir a los blancos, como no se propone excluir a ninguno de los demás pueblos; precisamente la norma de su formación es el aprovechamiento de todas las capacidades para mayor integración del poder. No es la guerra contra el blanco nuestra mira, pero sí una guerra contra toda clase de predominio violento, lo mismo el del blanco que, en su caso, el del amarillo, si el Japón llegare a convertirse en amenaza continental. Por lo que hace al blanco y a su cultura, la quinta raza cuenta ya con ellos y todavía espera beneficios de su genio. La América latina debe lo que es al europeo blanco y no va a renegar de él; al mismo norteamericano le debe gran parte de sus ferrocarriles y puentes y empresas, y de igual suerte necesita de todas las otras razas. Sin embargo, aceptamos los ideales superiores del blanco, pero no su arrogancia; queremos brindarle, lo mismo que a todas las gentes, una patria libre en la que encuentre hogar y refugio, pero no una prolongación de sus conquistas. Los mismos blancos, descontentos del materialismo y de la injusticia social en que ha caído su raza, la cuarta raza, vendrán a nosotros para ayudar en la conquista de la libertad.

Quizás entre todos los caracteres de la quinta raza predominen los caracteres del blanco, pero tal supremacía debe ser fruto de elección libre del gusto y no resultado de la violencia o de la presión económica. Los caracteres superiores de la cultura y de la naturaleza tendrán que triunfar, pero ese triunfo sólo será firme si se funda en la aceptación voluntaria de la conciencia y en la elección libre de la fantasía. Hasta la fecha, la vida ha recibido su carácter de las potencias bajas del hombre; la quinta rama será el fruto de las potencias superiores. La quinta raza no excluye; acapara vida; por eso la exclusión del yanqui, como la exclusión de cualquier otro tipo humano, equivaldría a una mutilación anticipada, más funesta aún que un corte posterior. Si no queremos excluir ni a las razas que pudieran ser consideradas como inferiores, mucho menos cuerdo sería apartar de nuestra empresa a una raza llena de empuje y de firmes virtudes sociales.

Expuesta ya la teoría de la formación de la raza futura iberoamericana y la manera como podrá aprovechar el medio en que vive, resta sólo considerar el tercer factor de la transformación que se verifica en el nuevo continente; el factor espiritual que ha de dirigir y consumar la extraordinaria empresa. Se pensará, tal vez, que la fusión de las distintas razas contemporáneas en una nueva que complete y supere a todas, va a ser un proceso repugnante de anárquico hibridismo, delante del cual la práctica inglesa de celebrar matrimonios sólo dentro de la propia estirpe se verá como un ideal de refinamiento y de pureza. Los arios primitivos del Indostán ensayaron precisamente este sistema inglés para defenderse de la mezcla con las razas de color, pero como esas razas obscuras poseían una sabiduría necesaria para completar la de los invasores rubios, la verdadera cultura indostánica no se produjo sino después de que los siglos consumaron la mezcla, a pesar de todas las prohibiciones escritas. Y la mezcla fatal fue útil no sólo por razones de cultura, sino porque el mismo individuo físico necesita renovarse en sus semejantes. Los norteamericanos se sostienen muy firmes en su resolución de mantener pura su estirpe; pero eso depende de que tienen delante al negro, que es como el otro polo, como el contrario de los elementos que pueden mezclarse. En el mundo iberoamericano el problema no se presenta con caracteres tan crudos; tenemos poquísimos negros y la mayor parte de ellos se han ido transformando ya en poblaciones mulatas. El indio es buen puente de mestizaje. Además, el clima cálido es propicio al trato y reunión de todas las gentes. Por otra parte, y esto es fundamental, el cruce de las distintas razas no va a obedecer a razones de simple proximidad, como sucedía al principio, cuando el colono blanco tomaba mujer indígena o negra porque no había otra a mano. En lo sucesivo, a medida que las condiciones sociales mejoren, el cruce de sangre será cada vez más espontáneo, a tal punto que no estará ya sujeto a la necesidad, sino al gusto; en último caso, a la curiosidad. El motivo espiritual se irá sobreponiendo de esta suerte a las contingencias de lo físico. Por motivo espiritual ha de entenderse, más bien que la reflexión, el gusto que dirige el misterio de la elección de una persona entre una multitud.

III

[. . .] Tenemos el deber de formular las bases de una nueva civilización, y por eso mismo es menester que tengamos presente que las civilizaciones no se repiten ni en la forma ni en el fondo. La teoría de la superioridad étnica ha sido simplemente un recurso de combate común a todos los pueblos batalladores; pero la batalla que nosotros debemos de librar es tan importante que no admite ningún ardid falso. Nosotros no sostenemos que somos ni que llegaremos a ser la primera raza del mundo, la más ilustrada, la más fuerte y la más hermosa. Nuestro propósito es todavía más alto y más difícil que lograr una selección temporal. Nuestros valores están en potencia, a tal punto que nada somos aún. Sin embargo, la raza hebrea no era para los egipcios arrogantes otra cosa que una ruin casta de esclavos, y de ella nació Jesucristo, el autor del mayor movimiento de la Historia, el que anunció el amor de todos los hombres. Este amor será uno de los dogmas fundamentales de la quinta raza que ha de producirse en América. El cristianismo liberta y engendra vïda, porque contiene revelación universal, no nacional, por eso tuvieron que rechazarlo los propios judíos, que no se decidieron a comulgar con gentiles. Pero la América es la patria de la gentilidad, la verdadera tierra de promisión cristiana. Si nuestra raza se muestra indigna de este suelo consagrado, si llega a faltarle el amor, se verá suplantada por pueblos más capaces de realizar la misión fatal de aquellas tierras; la misión de servir de asiento a una humanidad hecha de todas las naciones y todas las estirpes. La biótica que el progreso del mundo impone a la América de origen hispánico no es un credo rival que frente al adversario dice: "te supero, o me basto", sino una ansia infinita de integración y de totalidad que por lo mismo invoca al universo. La infinitud de su anhelo le asegura fuerza para combatir el credo exclusivista del bando enemigo y confianza en la victoria que siempre corresponde a los gentiles. El peligro más bien está en que nos ocurra a nosotros lo que a la mayoría de los hebreos, que por no hacerse gentiles perdieron la gracia originada en su seno. Así ocurriría si no sabemos ofrecer hogar y fraternidad a todos los hombres; entonces otro pueblo servirá de eje, alguna otra lengua será el vehículo; pero ya nadie puede contener la fusión de las gentes, la aparición de la quinta era del mundo, la era de la universalidad y el sentimiento cósmico.

La doctrina de formación sociológica, de formación biológica, que en estas páginas enunciamos, no es un simple esfuerzo ideológico para levantar el ánimo de una raza deprimida ofreciéndole una tesis que contradice la doctrina con que habían querido condenarla sus rivales. Lo que sucede es que, a medida que se descubre la falsedad de la premisa científica en que descansa la dominación de las potencias contemporáneas, se vislumbran también, en la ciencia experimental misma, orientaciones que señalan un camino ya no para el triunfo de una raza sola, sino para la redención de todos los hombres. Sucede como si la palingenesia anunciada por el cristianismo, con una anticipación de millares de años, se viera confirmada actualmente en las distintas ramas del conocimiento científico. El cristianismo predicó el amor como base de las relaciones humanas, y ahora comienza a verse que sólo el amor es capaz de producir una Humanidad excelsa. La política de los estados y la ciencia de los positivistas, influenciada de una manera directa por esa política, dijeron que no era el amor la ley, sino el antagonismo, la lucha y el triunfo del apto, sin otro criterio para juzgar la aptitud que la curiosa petición de principio contenida en la misma tesis, puesto que el· apto es el que triunfa y sólo triunfa el apto. Y así, a fórmulas verbales y viciosas de esta índole se va reduciendo todo el saber pequeño que quiso desentenderse de las revelaciones geniales para substituirlas con generalizaciones fundadas en la mera suma de los detalles.

El descrédito de semejantes doctrinas se agrava con los descubrimientos y observaciones que hoy revolucionan las ciencias. No era posible combatir la teoría de la Historia como un proceso de frivolidades, cuando se creía que la vida individual estaba también desprovista de fin metafísico y de plan providencial. Pero si la matemática vacila y reforma sus conclusiones para darnos el concepto de un mundo movible cuyo misterio cambia de acuerdo con nuestra posición relativa y la naturaleza de nuestros conceptos; si la física y la química no se atreven ya a declarar que en los procesos del átomo no hay otra cosa que acción de masas y fuerzas; si la biología también en sus nuevas hipótesis afirma, por ejemplo, con Uexküll* que en el curso de la vida "las células se mueven como si obrasen dentro de un organismo acabado cuyos órganos armonizan conforme a plan y trabajan en común, esto es, posee un plan de función", "habiendo un engranaje de factores vitales en la rueda motriz fisicoquímica" —lo que contraría el darwinismo, por lo menos en la interpretación de los darwinistas que niegan que la Naturaleza obedezca a un plan—; si también el mendelismo demuestra, conforme a las palabras de Uexküll, que el protoplasma es una mezcla de substancias de las cuales puede ser hecho todo, sobre poco más o menos; delante de todos estos cambios de conceptos de la ciencia, es preciso reconocer que se ha derrumbado también el edificio teórico de la dominación de una sola raza. Esto, a la vez, es presagio de que no tardará en caer también el poderío material de quienes han constituido toda esa falsa ciencia de ocasión y de conquista.

La ley de Mendel, particularmente cuando confirma "la intervención de factores vitales en la rueda motriz fisicoquímica", debe formar parte de nuestro nuevo patriotismo. Pues de su texto puede derivarse la conclusión de que las distintas facultades del espíritu toman parte en los procesos del destino.

* Jacobo Juan de Uexküll, biólogo alemán nacido en 1864, autor de *Biología teórica* e *Ideas para una concepción biológica del mundo*.

¿Qué importa que el materialismo spenceriano nos tuviese condenados, si hoy resulta que podemos juzgarnos como una especie de reserva de la humanidad, como una promesa de un futuro que sobrepujará a todo tiempo anterior? Nos hallamos entonces en una de esas épocas de palingenesia y en el centro de *malström* universal, y urge llamar a conciencia todas nuestras facultades, para que, alertas y activas, intervengan desde ya, como dicen los argentinos, en los procesos de la redención colectiva. Esplende la aurora de una época sin par. Se diría que es el cristianismo el que va a consumarse, pero ya no sólo en las almas, sino en la raíz de los seres. Como instrumento de la trascendental transformación, se ha ido formando en el continente ibérico una raza llena de vicios y defectos, pero dotada de maleabilidad, comprensión rápida y emoción fácil, fecundos elementos para el plasma germinal de la especie futura. Reunidos están ya en abundancia los materiales biológicos, las predisposiciones, los caracteres, las *genes* de que hablan los mendelistas, y sólo ha estado faltando el impulso organizador, el plan de formación de la especie nueva. ¿Cuáles deberán ser los rasgos de ese impulso creador?

Si procediésemos conforme a la ley de pura energía confusa del primer período, conforme al primitivo darwinismo biológico, entonces la fuerza ciega, por imposición casi mecánica de los elementos más vigorosos, decidiría de una manera sencilla y brutal, exterminando a los débiles, más bien dicho, a los que no se acomodan al plan de la raza nueva. Pero en el nuevo orden, por su misma ley, los elementos perdurables no se apoyarán en la violencia, sino en el gusto, y, por lo mismo, la selección se hará espontánea, como lo hace el pintor cuando de todos los colores toma sólo los que convienen a su obra.

Si para constituir la quinta raza se procediese conforme a la ley del segundo período, entonces vendría una pugna de astucias, en la cual los listos y los faltos de escrúpulos ganarían la partida a los soñadores y a los bondadosos. Probablemente entonces la nueva humanidad sería predominantemente malaya, pues se asegura que nadie les gana en cautela y habilidad y aun, si es necesario, en perfidia. Por el camino de la inteligencia se podría llegar aún, si se quiere, a una humanidad de estoicos que adoptara como norma suprema el deber. El mundo se volvería como un vasto pueblo de cuáqueros, en donde el plan del espíritu acabaría por sentirse estrangulado y contrahecho por la regla. Pues la razón, la pura razón, puede reconocer las ventajas de la ley moral, pero no es capaz de imprimir a la acción el ardor combativo que la vuelve fecunda. En cambio, la verdadera potencia creadora de júbilo está contenida en la ley del tercer período, que es emoción de belleza y un amor tan acendrado que se confunde con la revelación divina. Propiedad de antiguo señalada a la belleza, por ejemplo en el *Fedro*,* es la de ser patética; su dinamismo contagia y mueve los ánimos, transforma las cosas y el mismo destino. La raza más apta para adivinar y para imponer semejante ley en la vida y en las cosas, esa será la raza matriz de la nueva era de civilización. Por fortuna, tal don, necesario a la quinta raza, lo posee en grado subido la gente mestiza del continente iberoamericano; gente para quien la belleza es la razón mayor de toda cosa. Una fina sensibilidad estética y un amor de belleza profunda ajenos a todo interés bastardo y libre de trabas formales, todo eso es necesario al tercer período impregnado de esteticismo cristiano que sobre la misma fealdad pone el toque redentor de la piedad que enciende un halo alrededor de todo lo creado.

Tenemos, pues, en el continente todos los elementos de la nueva humanidad; una ley que irá seleccionando factores para la creación de tipos predominantes, ley que operará no conforme a criterio nacional, como tendría que hacerlo una sola raza conquistadora, sino con criterio de universalidad y belleza; y tenemos también el territorio y los recursos naturales. Ningún pueblo de Europa podría reemplazar al iberoamericano en esta misión, por bien dotado que esté, pues todos tienen su cultura ya hecha y una tradición que para obras semejantes constituye un peso. No podría substituirnos una raza conquistadora, porque fatalmente impondría sus propios rasgos, aunque sólo sea por la necesidad de ejercer la violencia para mantener su conquista. No pueden llenar esta misión universal tampoco los pueblos del Asia, que están exhaustos o, por lo menos, faltos del arrojo necesario a las empresas nuevas.

La gente que está formando la América hispánica, un poco desbaratada, pero libre de espíritu y con el anhelo en tensión a causa de las grandes regiones inexploradas, puede todavía repetir las proezas de los conquistadores castellanos y portugueses. La raza

---

* Del diálogo platónico que lleva como subtítulo *De la belleza*.

hispánica en general tiene todavía por delante esta misión de descubrir nuevas zonas en el espíritu, ahora que todas las tierras están exploradas.

Solamente la parte ibérica del continente dispone de los factores espirituales, la raza y el territorio que son necesarios para la gran empresa de iniciar la era universal de la humanidad. Están allí todas las razas que han de ir dando su aporte; el hombre nórdico, que hoy es maestro de acción, pero que tuvo comienzos humildes y parecía inferior en una época en que ya habían aparecido y decaído varias grandes culturas; el negro, como una reserva de potencialidades que arrancan de los días remotos de la Lemuria; el indio, que vio perecer la Atlántida, pero guarda un quieto misterio en la conciencia; tenemos todos los pueblos y todas las aptitudes, y sólo hace falta que el amor verdadero organice y ponga en marcha la ley de la Historia.

Muchos obstáculos se oponen al plan del espíritu, pero son obstáculos comunes a todo progreso. Desde luego ocurre objetar que cómo se van a unir en concordia las distintas razas si ni siquiera los hijos de una misma estirpe pueden vivir en paz y alegría dentro del régimen económico y social que hoy oprime a los hombres. Pero tal estado de los ánimos tendrá que cambiar rápidamente. Las tendencias todas del futuro se entrelazan en la actualidad: mendelismo en biología, socialismo en el gobierno, simpatía creciente en las almas, progreso generalizado y aparición de la quinta raza que llenará el planeta, con los triunfos de la primera cultura verdaderamente universal, verdaderamente cósmica.

Si contemplamos el proceso en panorama, nos encontraremos con las tres etapas de la ley de los tres estados de la sociedad, vivificadas cada una con el aporte de las cuatro razas fundamentales que consuman su misión y en seguida desaparecen para crear un quinto tipo étnico superior. Lo que da cinco razas y tres estados, o sea el número ocho, que en la gnosis pitagórica representa el ideal de la igualdad de todos los hombres. Semejantes coincidencias o aciertos sorprenden cuando se les descubre, aunque después parezcan triviales.

Para expresar todas estas ideas que hoy procuro exponer en rápida síntesis, hace algunos años, cuando todavía no se hallaban bien definidas, procuré darles signos en el nuevo Palacio de la Educación Pública de México. Sin elementos bastantes para hacer exactamente lo que deseaba, tuve que conformarme con una construcción renacentista española, de dos patios, con arquerías y pasarelas, que tienen algo de la impresión de un ala. En los tableros de los cuatro ángulos del patio anterior hice labrar alegorías de España, de México, Grecia y la India, las cuatro civilizaciones particulares que más tienen que contribuir a la formación de la América latina. En seguida, debajo de estas cuatro alegorías debieron levantarse cuatro grandes estatuas de piedra de las cuatro grandes razas contemporáneas: la blanca, la roja, la negra y la amarilla, para indicar que la América es hogar de todas y de todas necesita. Finalmente, en el centro debía erigirse un monumento que en alguna forma simbolizara la ley de los tres estados: el material, el intelectual y el estético. Todo para indicar que mediante el ejercicio de la triple ley llegaremos en América, antes que en parte alguna del globo, a la creación de una raza hecha con el tesoro de todas las anteriores, la raza final, la raza cósmica.

(*La raza cósmica*, Barcelona, 1925)

EL PENSAMIENTO IBEROAMERICANO

Se ha dicho con frecuencia que no existe una filosofía iberoamericana. Confieso ser uno de los que han extremado la nota hasta el punto de afirmar que no sólo no es posible, sino que no es deseable que aparezca una filosofía iberoamericana, dado que la filosofía, por definición propia, debe abarcar no una cultura, sino la universalidad de la cultura. Una filosofía nacional, en consecuencia, y aun una filosofía continental, tendría que parecer tan limitada que casi se haría indigna del nombre venerable. La vieja, la ilustre filosofía, amor de sabiduría, gusta de discurrir sobre los problemas humanos sin preocuparse de las trabas y convenciones que todo organismo político impone al espíritu. Propiamente, pues, una filosofía no puede ser otra cosa que conocimiento y pasión de las cosas en general, con profundidad, ciertamente, y con eternidad, pero con cierto necesario despego de lo temporal y arbitrario. Sin embargo, es evidente que toda filosofía implica, por lo menos en parte, una manera de pensamiento que procede de la vida colectiva y en ella se arraiga. No importa que a veces se eleve por encima de la vida colectiva, no importa que una revelación súbita nos transporte a mil leguas de la conciencia social, nos levante por encima de toda medida; el pensamiento, fatalmente, mantendrá relación con su mundo, aun cuando sólo sea para separarlo y salvarlo. Todo pueblo que aspira a dejar huella en la historia, toda nación que inicia una era propia, se ve obligada por eso mismo, por exigencias de su desarrollo, a practicar una revaluación de todos los valores y a levantar una edificación provisional o perenne de conceptos. Ninguna de las razas importantes escapa al deber de juzgar por sí misma todos los preceptos heredados o importados para adaptarlos a su propio plan de cultura, o para formularlos de nuevo si así lo dicta esa soberanía que palpita en la entraña de la vida que se levanta.

No podemos entonces eximirnos de ir definiendo una filosofía, es decir, una manera renovada y sincera de contemplar el universo. De tal inevitable contemplación habrá de ir surgiendo, primero, el razonamiento que formula su metafísica; después, la práctica inspirada que consagra las leyes de la moral, y, en seguida, la mística, en cuyo seno profundo germina el arte y se orienta la voluntad. Conviene precavernos, es claro, del peligro de formular un nacionalismo filosófico en vez de filosofar con los tesoros de la experiencia nacional. No es legítimo torcer los principios para que sirvan las exigencias más o menos pasajeras del nacionalismo; pero también es menester que sacudamos buena parte de esa ideología de destacados que hace un siglo padecemos. Filosofía de simios atentos al gesto, preocupados de la moda y del estilo, pero incapaces de advertir el sentido profundo del momento que atravesamos, generaciones que en arte y en pensamiento y aun en cuestiones de sensibilidad no nos atrevemos a soltar al viento la vibración del alma, no más atentos a la norma y temerosos de incurrir en censura o de caer en ridículo. ¡Pueril temor al ridículo que es en sí más ridículo que tal o cual desentono; cómo tenemos atados los modales y el pensamiento! ¡Y cómo todo esto nos ha hecho caer en el convencionalismo y en el adjetivo, patrimonios menguados de los que no osan manejar la idea y el suceso! El afán del corte elegante, aun con descuido de la esencia creadora; el ropaje antes que el ritmo de la emoción: he ahí la causa de toda esa literatura prestada que, con raras excepciones, ha llenado nuestras revistas y no pocos de los libros que cristalizan nuestra literatura continental. Estilo elegante, es decir, estilo de cortesano. En efecto, el señor crea, con el ademán, la regla, en tanto que el criado apenas se atreve a copiar. Uno de los más favorables síntomas que es fácil advertir en el momento cultural de la América Latina es esa patente rebelión contra el convencionalismo y la copia y el afán, cada día más notorio, de prestar oído a lo que se dice más bien que a la manera como se dice. Escritores hay en el día que gozan de cierta fama, varios habemos que escribimos mal, y, sin embargo, se nos lee y aun se nos atiende. No es aventurado decir que hace veinte años nadie se hubiera ocupado de otra cosa que de señalarnos los yerros de sintaxis o los descuidos de la expresión. Quizás hoy contamos con menos estilistas, pero no hay duda de que nos preocupa más el valor metafísico y el fondo humano del concepto. Cierto vocabulario, cierta sintaxis, pueden no bastar en un momento dado al pensamiento; de ahí que el pensamiento siempre se haya sentido autorizado a crear la ley, las formas y la substancia de su expresión. El pensamiento iberoamericano parece entrar hoy francamente en esa vía libre de la fuerza que se manifiesta. Nuestra espiritualidad deja de ser atavío para convertirse en ritmo directo de nuestro desarrollo. Y no obstante que hoy sea más acentuada, no sería posible afirmar que la liberación se inicia en estos instantes, porque en seguida nos vendrían a la memoria páginas robustas como las de Sarmiento y las del padre Mier, como las de Andrés Bello y las de Montalvo. Pero es indudable que ahora se manifiesta con caracteres colectivos una manera de emancipación que es complemento indispensable de la autonomía política: la emancipación de nuestro pensamiento en la forma y en el fondo. En gran parte, la pobreza de la producción intelectual del primer siglo de nuestra vida independiente se debe a la timidez que nos tenía atentos al modelo y a la ingenuidad de ir a buscar emociones y estilos allí donde el espíritu ha producido cosas admirables, sin duda, pero ya gastadas de contenido, pobres de ambiente o, de todas maneras, ajenas a nuestro momento espiritual, de ahí que nuestra literatura no corresponda todavía al ambiente agrandado y espléndido de la América. Imaginad lo que hubiese sido Darío, el más grande de los nuestros, si al fin de sus años no se sale de su pisito parisiense para volver al sol y al viento de las montañas nativas. Poco quedaría de él, a mi juicio, si su poesía versallesca no hubiese sido superada por los *Cantos de Vida y Esperanza,* por el hálito de infinitud que palpita en sus creaciones mayores.

Se diría que en todos los órdenes, y a pesar de las recaídas en la barbarie que todavía suelen ser frecuentes en algunos de nuestros países, corren por la América hispánica vigorosas corrientes de creación. Creación he dicho, y no renovación, porque renacen los pueblos antiguos capaces de remozar una tradición perdida, pero nosotros apenas nacemos. En efecto, bien visto y hablando con toda verdad, casi no nos reconoce el europeo, ni nosotros nos reconocemos en él. Tampoco sería legítimo hablar de un retorno a lo indígena, retorno que, aun suponiéndolo atinado, no sería posible porque no nos reconocemos en el indio, ni el indio nos reconoce a nosotros. La América española es, de esta suerte, lo nuevo por excelencia, novedad no sólo de territorio, también de alma. Conciencia sin antepasados hasta donde es posible imaginar así una conciencia; que, por lo mismo, debe ser creadora, creadora y organizadora del aporte pasado, creadora y constructora del presente, iniciadora y preparadora del porvenir. ¡Que la enormidad de la tarea sea el mejor aliciente de las robustas voluntades! ¿A quién puede asombrar que en sólo un siglo apenas comience tal raza a plantear su propio problema, a darse cuenta de su propia misión? [...]

A partir de la Conquista actúan en el continente hispánico dos corrientes de pensamiento: la mística del catolicismo español, intolerante, pero sincero y fervoroso, y el idealismo pragmático de los conquistadores. En efecto, los descubridores y fundadores de los países que hoy constituyen el mundo brasileroespañol de la América poseían temperamentos de esos que reforman la realidad misma, de tanto exagerarla y superarla en la fantasía y en la acción. Hombres movidos por el miraje de la realidad, hombres que no ven lo que tienen delante, porque un ensueño los lleva a buscar los eternos Eldorados que el planeta no puede dar, pero que el alma hace y deshace. No me explico de otra manera el prodigio de aquellas hazañas. Pues si fuese exacto, como lo han pregonado gentes que no pueden concebir el ideal ajeno sin contagiarlo de la propia mezquindad, si fuese exacto que los capitanes, movidos de codicia y de afanes temporales, no buscaban otra cosa que el oro de las minas y el bienestar de los mediocres, no se explica que ya que todo esto tenía, pongo por caso, un Alvarado, señor de Guatemala y de otros reinos y que de todo gozaba en paz, sin embargo, un día se le ocurriese, lleno de zozobra, convocar a sus soldados, abandonar cuanto posee y marchar por esos durísimos caminos a lomo de mal caballo, atravesando sitios que aún hoy nadie atraviesa, y recorre Centroamérica y pasa sobre las crestas del istmo de Panamá y asciende las gigantescas serranías colombianas y cruza el altiplano magnífico y llega hasta cerca de Quito. ¿En busca de qué? En busca de oro, han repetido los pobres de espíritu, los que nunca acertarán a comprender el heroísmo. ¡Como si el oro fuese capaz de mover de esa manera el afán; como si el oro no obligase a estarse quieto y escondido cuidando las monedas que llenan los sacos! Si a ellos mismos se les hubiese preguntado qué era lo que buscaban, habrían respondido: "Tierras que conquistar, o minas inagotables y esclavos". Pero todo eso era el pretexto pueril que es necesario dar a nuestras actividades para que puedan presentarse sin embarazo a la faz del mundo. El mundo quiere ruines motivos y se le dan los motivos pequeños; pero el fondo, el oculto resorte de aquellas ansiedades y de aquellos atisbos de gloria no era probablemente ni el afán de proselitismo, sincero en los misioneros, pero vagamente concebido por los soldados, sino que el apetito que los empujaba era el apetito de la contemplación, el encanto y el esplendor de los paisajes más hermosos de la Tierra. Quien ha recorrido aquellas mesetas soberanas, limitadas siempre muy lejos y cada vez por la masa sinuosa de las cordilleras que se levantan en picos, para luego descender en vertientes o para ensancharse de nuevo en el plano habitable y risueño de los valles; el que ha sentido el atractivo siempre cambiante de estas perspectivas sin término, comprenderá fácilmente cual era la fuerza que movía a aquellos poetas de la acción, fantasías ávidas que, sin saberlo, iban cumpliendo los principios espirituales de un nuevo rito de esa suerte de religión que es necesario formular en nuestro continente: el culto del paisaje, como la manera más pura de manifestación de lo divino.

El misticismo religioso y el afán, místico también, de la belleza natural son para mí los factores principales que el alma castellana aportó a la espiritualidad, a la nueva conciencia del continente, y aun me imagino que, de haber sido aquellas tierras unas tierras feas, los soldados de la Conquista, hambrientos y rudos como se les ha querido pintar, no habrían llegado al interior, no habrían vencido ni a los mosquitos de la costa, porque todos, enfurecidos y alharaquientos, habrían retornado a su Castilla de limpio cielo, a su Andalucía voluptuosa recién conquistada y llena de deleites. No eran, pues, mendigos a caza de oro los que de aquella suerte dominaron un mundo. El tipo del gambusino ambicioso que sueña con sacos de monedas y cuentas corrientes de banco llega después con las bonanzas, ya que la tierra vencida descubre las vetas del metal que corrompe, cuando los cielos ya no hablan. Para el áspero, para el ruin trabajo de hurgar en las sombras un tesoro que daña no hubieran servido los conquistadores; para eso hacían falta una especie de topos del alma. Escarban la tierra sin atender al prodigio de la comunión de la conciencia con la naturaleza. [. . .]

Y así, cambiando cada veinte años y sin haber hallado sosiego llegamos al presente. ¿Qué es lo que hoy piensa la América latina? Relativamente fácil resulta definir el pensamiento de una época pasada, sin duda porque la miramos a distancia y nos pasa lo que con las grandes serranías: que vistas desde el valle se dibujan con precisión en el horizonte, ricas de eminencias altísimas, suaves de contornos ondulantes y extensos, hondas apenas en las quebradas y en las cuencas borrosas de color violeta; pero en cuanto estamos dentro de la serranía, ¡qué profusión de masas informes, qué desconciertos de alturas que aparecen apenas distintas de otras más bajas y que son, sin embargo, cúspides y señales que darán nombre al paisaje entero!

Sin hablar, pues, de alturas y proporciones que nos toca a nosotros medir, digamos que se salió del positivismo; pero que, por desgracia, se ha caído en dos extremos igualmente funestos: en la reacción ciega hacia el pasado por una parte, y por la otra, por la parte de las izquierdas, en un materialismo social, que es reflejo del materialismo económico y filosófico de la mayor parte de las escuelas socialistas europeas y norteamericanas. Como en el fondo de este materialismo hay, más que irreligiosidad fundamental, desencanto por la ineficacia práctica de las anteriores creencias, no es de extrañar que con él conviva un idealismo que los ingenios más bien informados tratan de encauzar en forma que no contradiga, sino que refuerce, el movimiento de liberación de los oprimidos. Por otra parte, es natural que el movimiento social cobre fuerza en América, en donde el más obtuso palpa el contrasentido de la gran riqueza virgen y la gran miseria de las gentes, contraste debido en gran parte a los errores de la organización política y social. De ahí que nuestra preocupación primera sea resolver el problema del mejoramiento colectivo. Aquí donde parece tan fácil la mejoría, tiene que ser más tentadora la resolución de ejecutar ensayos y de imponer cambios. En toda esa intelectualidad que no llega a expresarse en el libro, pero que forma ambiente y triunfa en la política primitiva de nuestros países incultos donde la cultura suele ser un estorbo para el éxito, predomina, pues, en la actualidad, una suerte de filosofía materialista, sin metafísica de ningún género. No obstante que esta clase de pensamiento sea frecuente en las gentes semiilustradas de todas las épocas, no creo que deba dejar de señalarse esta lamentable situación que es aguda en nuestra época.

El pensamiento cultivado, el pensamiento universitario, al separarse del positivismo, al desentenderse del spencerianismo, cayó en la boga muy pasajera de Bergson. Pero en la actualidad, en los centros más importantes, como en Lima y en Buenos Aires, La Plata, etc., parece operarse una revolución de conceptos que fatalmente nos ha llevado al estudio de Kant, punto de partida todavía indispensable de toda especulación profunda.

Podrían señalarse trabajos como los de Ibérico Rodríguez en el Perú, y publicaciones como las de las universidades de La Plata y de Córdoba, para demostrar este renacimiento de los estudios kantianos.

Sin embargo, todavía no acabamos de atravesar el negro período agnóstico, la época en que una gran mayoría de personas cultas llegó a imaginar que la metafísica y la religión eran problemas del pasado. Una verdadera enfermedad del espíritu es la que hemos ido pasando. La enfermedad del ateísmo fundamental, es decir, ese estado de alma en que no se cree en ninguna finalidad sobrehumana, en nada que supere al goce de los sentidos y al límite de la vida corporal. Ateísmo que desconoce toda finalidad suprasensible, incredulidad del ideal en cualquiera de sus formas. Substitución de la práctica, que es medio, por el fin, que no sólo se desconoce, sino que se niega. Nuestro grosero pragmatismo se ha quedado más abajo que el de Norteamérica, porque ni siquiera se ha ensayado en ese ejercicio de definirse a sí mismo lo que en los Estados Unidos ha producido toda una escuela filosófica. Pragmatismo inconsciente ha sido el nuestro, ausencia absoluta de fe en los valores altos de la vida.

Los movimientos de reivindicación popular que en unos países han provocado verdaderas revoluciones, como en México, y en otros muy serias corrientes de opinión renovadora, como por ejemplo, en la Argentina, todo este vago reformismo que suele cobijarse bajo el nombre de socialismo, he ahí la única manifestación superior de nuestro continente en los últimos veinticinco años. Un ideal social, ¿será esto lo primero que entre nosotros forme escuela y produzca frutos? Tal vez sí, y se explica el caso por la falta que nos hace salir del régimen económico feudal en que nos encontramos desde el Bravo hasta el Plata.

Por otra parte, la actividad meramente especulativa no está del todo inerte. Se revela en estudios como los de Korn, en Buenos Aires, la decisión de volver a estudiar la metafísica como ciencia de las verdades fundamentales. Un caso muy significativo y que casi marca un período en la historia de nuestro pensamiento lo hallo en los libros del profesor Nicolai, que nos ha traído nuevos conceptos biológicos y sociales, y a la vez se ha dejado absorber del ambiente iberoamericano, puesto que sus obras recientes ya se publican en castellano. Sus teorías, sólidamente científicas y contrarias a la tesis del exterminio de los débiles por la lucha y la competencia vitales, etc., serán algún día como la base de toda sociología iberoamericana. Enfrente del darwinismo, que como una ponzoña destructora nos dieron los filósofos de las naciones imperialistas, las doctrinas de cooperación y auxilio mutuo que, antes que nadie, Nicolai ha propagado en nuestros medios, responden exactamente a la condición social de la América latina y a la misión histórica que nos está encomendada.

Simplemente para señalar una corriente todavía obscura, pero susceptible de grandes desarrollos, quiero señalar también algunos libros míos, como el *Pitágoras* y *El Monismo Estético*, donde se intenta iniciar un movimiento filosófico fundado en la emoción. Se han hecho filosofías a centenares con los datos de los sentidos y con las reglas de la inteligencia. Y yo creo que corresponde a una raza emotiva como la nuestra sentar los principios de una interpretación del mundo de acuerdo con nuestras emociones. Ahora bien, las emociones se manifiestan no en el imperativo categórico ni en la razón, sino en el juicio estético, en la lógica particular de las emociones y la belleza. No es éste lugar para insistir en esta doctrina, pero era necesario recordarla, porque creo que ella corresponde a un estado de ánimo continental y no es, por lo mismo, una simple elucubración de la fantasía.

Con la necesaria franqueza hemos condenado las corrientes de materialismo inconsciente que obscurecen el horizonte mental de nuestra América. ¡Ojalá que de esta preocupación material pudieran surgir las reformas económicas que son de urgente imposición! Por desgracia, nada sale de un mero sensualismo. Todo progreso es hijo del soplo invisible. Lo que no se funda en alguna noción del más allá sólo da ocasión a los malos para vestirse con un nuevo disfraz. El caudillaje y la tiranía, desprestigiados bajo el antifaz republicano, se exhiben hoy con el colorete socialista en las mejillas, pero en las manos sólo traen la mancha de sangre. Pavorosa es la corrupción moral de nuestros pueblos. Donsa su confusión. El cinismo como medio y el éxito como fin; he ahí el el lema que a tantos trae venturosos. ¡Despreciable ventura; es mejor la derrota! La tenacidad con que en determinados sitios el esfuerzo se mantiene inflexible nos da derecho a concebir esperanzas. Así como hay tantos que todo lo fían al azar y al cinismo, hay también otros que logran poner en acción las fuerzas superiores de la vida. Hay no sé qué vago idealismo, no sé qué misticismo confuso, pero profundo, como un cristianismo que se renueva libre y fervoroso. Tarde o temprano triunfa el bien. Lo que a mí todavía no me descubre la Historia es la manera del triunfo. No sé si el triunfo y la liberación son casos individuales, como lo afirma el saber tradicional, o si no estamos totalmente errados los que creímos, con todo el idealismo social del siglo XIX, que el progreso podía adoptar formas universales y colectivas para que la salvación ya no se hiciese por individuos, sino por pueblos. El enigma sigue insoluble. Prestemos nuestro aliento al soplo de la esperanza, ya que así lo manda la ley de emoción de esa filosofía que yo quiero ver brotar en el continente. El continente donde manda el corazón encendido. ¡La zarza ardiente de la sabiduría divina!

(Indología, Barcelona, 1927)

LA TRISTEZA AMERICANA

Más insistente que el cargo exagerado de la incurable monotonía de la pampa es el tema de la soledad que se supone endemia de estas regiones australes. Monotonía y soledad, en todo caso, resultan estados de ánimo propios del visitante y del viajero, nunca del nativo. Por lo mismo, caemos en sugestión ingenua cada vez que repetimos que es triste el panorama local y que le falta cordialidad. ¡No nos conformamos con pensar o repensar las ocurrencias del europeo, sino que hemos de imitarle incluso lo inimitable: la sensibilidad! Y porque algún esteta de los bulevares desembarca fatigado y bosteza, sin haberse dado cuenta de que vio en Río de Janeiro la mejor estampa del universo, ya también nosotros estiramos el gesto y nos sentimos anegados de *spleen*. William James* se hubiera regocijado de vernos así, confirmando su endeble tesis sobre el origen de las emociones. Pero ya es tiempo de advertir que semejantes posiciones literario-simiescas no son otra cosa que contagio de las pequeñas infecciones espirituales que también suelen acarrear los barcos y no sólo las ratas de la bubónica. Ya es tiempo de que alguien se ocupe del exterminio de los microbios que vienen de fuera, dado que ya tenemos bastante con las propias dolencias. Procuremos tratar al yodoformo la tesis de la soledad de Buenos Aires, Santiago, Lima o México.

Por regla general es el hombre un ser vigoroso que lleva en torno suyo el ambiente y lo impone por donde va, pero no faltan anémicos que se sienten inquietos y solitarios con el menor cambio de la atmósfera usual. Es natural, por lo mismo, que algunos europeos de poca enjundia se sientan solos y tristes, inútiles para la pasión de lo nuevo, a la media hora de desembarco en Buenos Aires o en Río. El prejuicio de que vienen a enseñar, y no a aprender, les impide darse cuenta de que aquella soledad que adivinan tras el caserío europeizante cuenta, por lo menos, con la ventaja de limpieza inmensa. Leguas de espacio para cada pulmón. Y más árboles que gentes. Con qué regocijo mirarían sus ojos, respirarían sus pulmones si no trajesen ya en la mente ese estado pretuberculoso de sus grandes aglomeraciones y colmenas de la urbe que se derra-

---

* William James (1842-1910), sistematizó el pragmatismo americano. Además de otras obras sobre filosofía y sicología, publicó en 1897 *The will to believe*.

ma devorando campiñas, ensuciando el planeta de humanidad. En cambio, nosotros, con qué íntimo orgullo pisamos la tierra del desembarco, sintiéndole el ritmo impelente, de signo contrario al ritmo sedante de Europa. Clima de sanatorio aquél, y éste casi un campo de batalla. Región de la conquista que aún no concluye. ¿De dónde pues, nos ha de resultar a nosotros la tristeza por el retorno?

Al contrario, es en la propia nación donde cada quien se siente dichoso y acompañado, porque sólo en ella desarrollamos con plenitud el acervo de nuestras capacidades. Y no puede haber soledad donde una empresa cualquiera nos liga con algún semejante. El mismo amor sexual vale más por la compañía en la tarea de la familia que por el placer fugitivo del encuentro. La tarea común es lo que ata a los hombres y les enciende la simpatía. Los que se juntan para divertirse a la larga se aburren. En cambio, una faena cualquiera, un trabajo productivo o creador, nos junta a todos en la alegría. La soledad y la tristeza, por eso mismo son propios de los sitios en que nos quedamos al margen de la tarea colectiva. El ser nada más que espectador es lo que aburre y fatiga de la permanencia en territorio extranjero. Soledad es estarse de inútil aunque nos acompañen familiares y amigos. Por eso Europa nos cansa y nos amarga el carácter; no hay en ella sitio para nuestra acción. Y por eso acabamos por sentirnos más tristes en París que en el Putumayo o en La Quiaca.

Muy interesante es un país mientras dura el curso del estudiante o la excursión turística, pero apenas la estancia se prolonga nos cae encima la convicción, que se convierte en remordimiento, de que estamos allí de más. Y, por lo mismo que admiramos la vida plena del artesano, del profesor o del artista, quisiéramos liquidar la espera para llegar cuanto antes al sitio amado de la patria, amado porque en él podremos ser cabales artesanos, cultivadores o artistas. Nostalgia de América nos acongoja, imaginando las tareas gloriosas que en estas tierras aguardan el fervor de los genios creadores. Ansia de traducir lo que vemos, pero en lo que tiene de esencial, que es su crear. Lo que podrá conducirnos aun a contradecir, pero rara vez, casi nunca, a imitar. Y prisa de un retorno sin nostalgias de viaje, porque estuvimos fuera lo bastante para darnos cuenta de la tragedia del meteco. El meteco ha olvidado su lengua y gesticula en el idioma adquirido. Toda la tristeza de París encarna en esas multitudes de rentistas pequeños o grandes que acuden de cada rincón de la Tierra con su vida liquidada y la bolsa repleta. Y se apresuran droguistas, modistos, médicos y hoteleros a prolongar la agonía de los parásitos dorados que lentamente se despojan de los restos de su salud en las *boîtes* nocturnas —rostros pintarrajeados para el alquiler y champaña obligatoria— y se desprenden de sus monedas en la necia aventura de las ruletas internacionales. Y no les queda sano ni el oído, que para siempre les destroza el jazz. Tristeza infinita del placer anónimo y mercantilizado. Por lo menos, en el jolgorio de los amigos de la ciudad conocida no se borra del todo la responsabilidad y, por lo mismo, nunca se va tan bajo.

De donde se sigue que apenas se ha hecho el recorrido de los museos de Atenas a Londres, y si no vamos a dedicar una porción de la vida a un trabajo de crítica o de estética, lo más prudente es tomar el barco que nos devuelva al cielo y al aura de nuestra nacionalidad, único sitio donde podrá germinar nuestro grano. Y, por lo mismo, la única ocasión de nuestro regocijo.

Se habla también de nuestra tristeza. Cuando cede la tiranía, no hay nada más alegre que un domingo mexicano, con desfile y músicas y sol. Como no sea un domingo de Madrid. Todavía si lo añorado fuese España, puédese comprender la añoranza. Pues, ¿dónde podría superarse la fiesta que es cada mañana en el Retiro, la música de las conversaciones femeninas en la Castellana, el lujo de los trenes bajo el sol, la cercanía de las telas claras de Goya, la horchata bebida en las mesillas al borde de la acera convertida en salón, la inquietud de la próxima lidia de toros, el ruido melodioso del alma latina? Bien se puede echar de menos todo esto, pero los que hablan de soledad y de añoranzas piensan más bien en panoramas lluviosos y en ambiente donde el alma misma tiene que ceñirse el corsé de la lengua extranjera, ¡qué ay de nosotros si llegamos a dominarla, porque es a costa del daño que deforma la sensibilidad!

Se habla mucho de nuestra tristeza americana, pero ¿hay desolación comparable a la de un domingo londinense? ¿Y hay algo más doloroso que la multitud dominical del *boulevard* a la altura de los Italianos y hacia abajo? Rostros pálidos, cortas las mangas y el pantalón por ahorro de tela, lento el andar que no tiene adonde ir. Ni panorama ni alegría. Y son menos pobres que los pobres de Madrid. Y son menos pobres que la plebe de México, pero han perdido, o nunca han tenido, esa creación del sol, la risa despreocupada y estrepitosa.

¿Qué sabe de tristeza el argentino que no ha pasado un domingo en el Bowery? ¿Y dónde hay soledad como la soledad de los emigrantes sueltos que agobian la cabeza en las bancas del Battery Place? Muy distintos se les ve por aquí, en los picnics —¿por qué han tomado este nombre texano en vez del clásico: romería o merienda o tardeada? Mucho más felices las multitudes que se derraman por la margen del estuario desde el puerto hasta el Tigre, acompañados de su garrafa de vino y su acordeón. Juegan y bailan; no se embriagan.

Es cierto que existe la profunda tristeza del interior. La patética zona narcotizada de alcohol. Precisamente, esa tristeza inmensa viene de ser paria en el propio territorio. Depende de que no tienen alto ideal en que emplearse, o tarea absorbente y útil, las energías que rebosan del más humilde de los hombres.

Examinar estos casos nos llevaría a la consideración de situaciones sociales, ajenas al propósito de estas reflexiones: la falsedad de la tesis de la tristeza americana. ¿Tristes hemos de ser porque el señor de Keyserling* aquí se aburría? También se aburre en Darmstadt; si no, no saldría a recorrer naciones.

Triste es el momento actual del mundo, pero no porque le falte panorama, ni porque de pronto nos hayamos hecho solitarios. En una buena, limpia, perfecta soledad, suele haber más alegría que en el abigarramiento de las distracciones sociales. No disputamos a nadie el derecho distinguido de la tristeza del alma. Lo que no se puede aceptar es que esa tristeza incurable y fecunda se achaque a que nos ha tocado vivir en una o en otra playa del Atlántico.

No es soledad la de la pampa, donde cada rumbo es un camino y donde cada encuentro se resuelve en trato humano. Soledad es la del que pasa entre la multitud por la avenida trazada y ni un solo rostro responde a un saludo. Ya es tiempo de que se sepa la desolación que es cada Babel, para que los hombres retornen dichosos a la sociedad de aquellos a quienes une la faena común, el ideal compartido. Tienen razón los pueblos llenos que execran al meteco. Cuando se queda sin dinero, estorba; cuando llega con dinero, corrompe. Ahora bien, meteco es el que no se suma a la tarea. En

---

* El Conde Hermann Keyserling (1880-1946), escritor y filósofo alemán que escribió sobre la "traurigkeit" (tristeza) como característica de las razas en sus *Meditaciones suramericanas* (1933).

América no es meteco el extranjero, porque viene a trabajar y a crear.

Sólo disfrutan del juego los que han bregado reunidos. Sólo está solo el que no tiene parte en la tarea. De allí la agobiadora soledad del americano en Europa, así que concluyó su curso, así que terminó la gira, así que probó la monotonía irreparable de la voluptuosidad.

Si por aquí nos sentimos solos, más solos nos sentiremos lejos; yo escribo estas líneas para los que nunca podrán ir a Europa y les digo que eso no es causa de tristeza. Lo que es dolor, más que tristeza, es no llenar nuestro ambiente con la alegría de corazones fuertes. Si no sabemos jinetear en la pampa, no sabremos danzar en los palacios. El que no miró la tierra desde su cumbre andina, y se alegró, bien puede ahorrarse los viajes dilatados; su mal está en el ánimo. Cúrelo con una ambición generosa y modesta. Es bueno, si se puede, recorrer el mundo, pero no es varonil dolerse de que no es bastante hermoso el panorama nativo. Ni varonil, ni estético, porque el esteta descubre donde no hay, crea de la nada. El arte es la caricatura que complace a nuestro instinto de la divinidad. Y ésta, ya se sabe, está en todas partes.

Jóvenes de América: no hay que añorar el viaje que ya se hizo ni preocuparse por el que no se hará. Lo que importa es el empleo dichoso de cada uno de los instantes de nuestra perduración. Unas cuantas gotas del océano de la eternidad. Alegría en el dolor es la divisa de los fuertes. Y el don de los buenos.

Y siempre está acompañada el alma si despierta al milagro de su convivencia con la divinidad.

(*Bolivarismo y Monroísmo*, Chile, 1935)

EL MAPA ESTETICO DE AMERICA

Estamos colocados en la región virgen de humano esfuerzo. Dichoso el gran artista que nace en el Canadá y no tiene que atender a precedentes para organizar su mensaje. ¿No es este el mérito esencial de Jack London*: haber poblado primero la región de Alas-

---

* Seudónimo de John Griffith (1876-1916), novelista americano autor de *The Call of the Wild*, publicada en 1903.

ka con figuras humanas transmutadas a la expresión del literato? Pues casos como este no son sino el comienzo, como si dijéramos, de una nueva etapa estética dentro de la historia de la cultura general. Y ya comencemos por el Canadá o por la Patagonia, imaginaremos que la serie de paisajes nevados, fiórdicos y de poesía balzaciana de la Serafita engendrará poetas, bardos nibelungos de nueva estirpe o Ibsenes futuros, comunicando a las gentes la emoción de la llanura nevada, de los pinos solitarios y de los vientos que traen en su soplo el roce de los extremos del eje terrestre. Un continente doble, ensanchado en el ecuador y tendido —columpio inverso— entre dos polos; dos bailarinas quiebran la cadera descocada; la ensancha por el Brasil una de ellas; la otra, más recatada, se refugia del mar abrazándose a las cordilleras mexicanas. Dos regiones polares y dos Europeas templadas: una, en el estero del Plata; otra, los Estados Unidos y las mesetas mexicanas, y en medio un Africa, menos misteriosa por deshabitada, pero más rica de promesas y de frutos y de hermosura y excelsitud. La estética del continente se inicia con la gesta heroica de las exploraciones y la conquista. De su hálito ignoto surgen remembranzas de Copán y de la Atlántida. Y entre sus selvas impenetrables corren los ríos del futuro: el Grijalva y el Amazonas. Ningún otro continente posee tan vastos recursos para una estética en grande. Marquemos, pues, las regiones teniendo en cuenta lo que pueden dar, más bien que lo que hasta hoy hayan dado.

Emprendamos nuestra anotación de posibilidades futuras recordando que si a menudo acaece que determinadas maneras de pensamiento se presentan ligadas a ciertas constantes de territorio y raza, en cambio también se observa que el hombre es apto para expresión estética en todas las latitudes, y a menudo se muestra capaz de superar las determinaciones del medio y aun de envolverlo en sus transportes de fantasía. Esto dará a nuestra carta un agravado carácter de provisionalidad.

¿Y qué mapa no lo es, si la misma configuración terrestre muda constantemente bajo la influencia de los trastornos telúricos, el aluvión de las grandes corrientes, que, como el Misisipí, avanzan llenándolo de arenas, condenando a desaparición el Golfo de México? ¿Cómo no va a cambiar entonces con mayor rapidez toda esta suerte de atmósfera sensitiva en que palpitan las ideas, las emociones humanas?

Ensayemos, sin embargo, la topografía espiritual del continente americano. ¿Cómo se distribuye la emoción estética en nuestra
zona del mundo? Comenzaremos apartando como vacíos temporales o perennes las regiones deshabitadas. Campos nevados de las zonas polares, desiertos de Arizona y de Mapimí, trópico aún impenetrable de Colombia y del Brazil o el Chaco; anotemos también
los desiertos habitados. Vastas regiones en las cuales el pensamiento y la emoción todavía no se expresan, o no lo han hecho en lenguaje propio. Ejemplos: *Middle West* americano y la línea fronte-
riza de las dos naciones: Sonora y Arizona, Chihuahua y Tejas. Y
en el sur el estero del Plata, civilizadísimo, pero sin carácter, con
sus Buenos Aires y sus Montevideos, que vacilan entre Italia y
Francia, sin acertar aún a encarnar lo nativo. Es de esperarse que
el día en que se produzca la cristalización nos vendrá por allá un
deslumbramiento; pero, por lo pronto, yo comenzaría mis títulos
poniendo en el *Middle West* y la frontera méxico-americana: "Páramo", páramo de alma, y en la zona del Plata la leyenda de: "Al-
mácigos".

Volviendo en seguida hacia el norte tornamos a encontrarnos
con el problema del Canadá. ¿Cómo se explica que habiendo allí
ingleses no haya surgido ya toda una lírica de las tierras vírgenes
y la epopeya de los elementos? ¿Les habrá hecho falta por allá la
levadura irlandesa que fecunda las islas? ¿Y esos millones de ca-
nadienses-franceses, por qué se han quedado mudos desde hace más
de un siglo o desde siempre? Sin embargo, el panorama del Canadá es hermoso. La región de las Mil Islas del río San Lorenzo no
tiene par en ningún. rumbo del planeta. Los ríos caudalosos y cris-
talinos que resbalan entre praderas y bosques, arrastrando cargas
de troncos labrados, son ya una canción de ritmo perenne, litúrgico.
He aquí un elemento de música. En pintura podrían darnos la nota
única de los campos, los picos nevados sobre fondos encendidos de
aurora boreal. Donde hay panorama, el arte no puede dejar de hacer su aparición. Y quizás no es sólo tiempo lo que ha estado haciendo falta para que estas nieves produzcan una literatura, como la
han producido en Rusia. Les ha faltado el dolor. Los ánimos ocu-
pados en la lotería de una producción material abundante se gas-
tan en la comodidad y en el atesoramiento. Tampoco es fácil que de
allí salgan danzas como en Rusia. Para eso le hace falta al inglés
flexibilidad y un contacto más directo con las fuerzas profundas

de la naturaleza. Lo que se llama temperamento oriental, tropical. Los Estados Unidos poseen, desde luego, su zona literaria en la Nueva Inglaterra; su poesía atlántica de los Emerson y los Poe, y el hálito continental que llega hasta el *Far West* en las voces polifónicas de Whitman. En el sur, en la región de los negros, y gracias a ellos, se puede anotar el folklore de que proceden músicas como el *jazz*, de rápido y efímero efecto. En California, tierra privilegiada por el clima, la limpidez atmosférica y el litoral marino, encontramos varias manifestaciones originales. Por ejemplo, ¿cómo no han de salir alguna vez dos o tres artes de esas olas majestuosas que el viajero contempla desde Monterrey hasta San Diego? Olas gigantescas y mortíferas de Ocean Beach. En la fotografía ya se han logrado colecciones que no sé tengan rival en el arte. En dirección paralela a la costa se levantan las Rocallosas. Tierra de montañas, es necesariamente tierra de arquitectura. Y si no ha cuajado aún en construcciones monumentales, todo ese estilo ligero y pintoresco, tipo Hollywood, en cambio el arquitecto de jardines ha logrado ya triunfos singulares. No se trata, por supuesto, de esas copias de Lenôtre,* cuyo remedo afea tantos sitios, sino de un arte especial, muy inglés, que consiste en levantar la construcción enmarcada en su panorama más afortunado; combinación de jardinería y de estructura: el *landscape architect*, ya la especialidad tiene su nombre y su técnica. Pongamos, pues, sobre California: "Arquitectura panorámica", y a lo largo de la costa un letrero que diga: "Olas hermosas".

Por abajo, la California mexicana conserva la belleza de lo inmensurable y lo devastado; pero no nos ocupa la descripción del paisaje, sino de la obra estética humana.

Y para encontrar ambiente estético trabajado, antiguo, fecundo, maravilloso, precisa trasladarse a la serie de las mesetas mexicanas. En los valles circundados de cordilleras se ha hecho arquitectura desde la época prehistórica de toltecas y mayas. Arquitectura noble y original hizo después el coloniaje español, y arquitectura tendrá que seguir saliendo de aquellas entrañas, resumidero de historia, de esperanzas y de heroísmos. Tierra castigada y trágica, en su ambiente el arte adopta los caracteres solemnes, profundos, de la intención que conoce el esplendor del día y las sombras de la no-

---

* André Le Nôtre (1613-1700) arquitecto francés que diseñó los jardines del Palacio de Versalles.

che y de la muerte. Tan original es por allí el estilo, a pesar de sus caracteres importados, que bien merece el título de "Arquitectura mexicana". Y aunque nuestro mapa no es de arqueología, no es posible dejar de escribir la leyenda "Ruinas Mayas" sobre la zona del Yucatán y Guatemala.

Dentro de una zona arquitectónica nunca faltan, ya se sabe, las aficiones y la aptitud para el dibujo y el colorido. La fugitiva eclosión pictórica del México contemporáneo debiera convertirse en proceso continuo.

Por el lado del Pacífico, en las mesetas de Jalisco, mucho menos elevadas que el altiplano arquitectónico, debemos señalar la existencia de una tradición popular de danzas y canciones. A semejanza de la zona andaluza española, tenemos también por allá guitarras que han estado engendrando ritmos emparentados con la Península, pero bellos y curiosos en su remota singularidad. El jarabe —deribación de la seguidilla—, los fandangos, las bulerías se han transformado, cambiando no sólo el nombre, sino también el contenido estético, menos brioso y más delicado. Allí está de todas maneras el foco de los ritmos que después se esparcen por el mundo con el nombre de música mexicana. Anotaremos, pues, la zona jalisciense, con Guadalajara como centro, con el nombre de "Danzas".

En la región costeña, lo mismo por Sinaloa que en Veracruz, encontramos otra especie de producción musical. Señalemos en Sinaloa la índole castiza española de casi todo lo que se compone y, en cambio, observemos el fondo africano de toda esta música que baja desde Luisiana y el Kentucky, se enriquece en las Antillas y penetra en nuestra costa del Golfo. Sin la profundidad del indio, pero ululante de sensualidad reprimida que estalla. De aquí proceden los danzones y rumbas, los *shimmies* y tangos que recorren periódicamente las salas alegres del mundo.

¿Por qué el ambiente cálido produce aquí música, en tanto que en Europa se refugia en las brumas y el frío? ¿O es que esto no es música, sino ritmo sonoro, simple afán de expresarse con la plenitud de la selva, con la libertad de la luz? ¿Expresionismo exterior sin contenido de espíritu, en tanto que la música, como arte sabia, es indagación en la naturaleza de lo invisible? Dejemos planteado el problema a fin de continuar nuestra tarea de cartógrafos.

No sería justo saltar hacia el sur sin detenernos un instante en la región genuinamente indígena, pero cruzada de todas las influencias internacionales: la China y España, los franceses y los sajones, una multitud de pueblos, han pasado por la superficie de aquella vieja casta, colocada en una de las encrucijadas del tráfico internacional: el istmo de Tehuantepec. Una suerte de Panamá, pero con sólido sedimento étnico nativo. Todo ha permanecido por allí típico, a pesar del tránsito de gentes; pero de un tipismo enriquecido con mil adaptaciones felices. Los trajes, orientales por el color y el vuelo de la falda, las tocas de punto y el triángulo del tápalo, nos traen un vago recuerdo indostánico. Las arracadas de filigrana de oro y los collares de monedas de cuños diversos: doblones y aztecas, águilas americanas y libras de Inglaterra, oro tintinante y pechos en punta; cestos redondos y anchos o tinajas de corte clásico sobre la cabeza, que se mantiene firme mientras ondulan las caderas y el talle; por la arena blanca, pies descalzos inmaculados; fondo de palmeras y de torres barrocas; río para el baño y mercado de frutas y peces al amanecer; he allí elementos para la ópera exótica, aunque, por lo común, sólo se malgastan en el drama de rivalidades enconadas que se resuelven a machetazos. Se expresa, sin embargo, el afán intenso que late bajo la confusión exterior por medio de una danza semiautóctona titulada la *sandunga*. Autóctono propiamente no es ningún arte contemporáneo en América; la más primorosa cerámica de México, la de Tolimán, en Jalisco, muestra a las claras la influencia china, no directa, sino a través de los tibores y mantones que traían las naos y por los talleres que fundaron las misiones católicas. La danza tehuana es, sin embargo, de lo más característico de que pueda ufanarse el continente. Cuando se presenta solemne, la acompañan orquestas de cuerda, a las cuales se incorpora una docena de clarines militares. Irrumpe un toque de corneta y en derredor la orquesta inicia, mantiene, un contraste de ritmos violentos y desfallecimientos lánguidos. Los hombres visten de blanco, estilo de la tierra cálida. Las mujeres lucen falda roja o azul, floreada y de amplio vuelo; blusa amarilla, corta; los brazos torneados al aire, y al cuello rosarios de oro; duro el cuerpo color de avellana; erectos, impúdicos los senos bajo la leve tela flameante; desnudo el ombligo; el torso, onduloso, serpea. En la frente, una toca de encaje; largas las pestañas negras, recta la nariz y sensuales y pecaminosos los labios, que modulan una lengua dulce y pérfida, incomprensible como sus almas. Sujeto a la nuca, el pañuelo· de seda rojo o amarillo cae en ángulo, encubriendo a medias la espalda, los hombros. Comienzan el baile erguidas y voluptuosas, fusión inconsciente de altivez y de sensualidad. Los ritmos violentos les despiertan ardores de sol en canícula. Y los pasos lentos fingen dulzuras peligrosas de vena subterránea, *cenote* maya que corre a muchos metros de profundidad, frío bajo las arenas calcinadas de la superficie. Parece que toda la selva acudiese al llamado heroico de los clarines de júbilo; del suelo mismo nacen ansias de fecundidad que envuelven, estremecen las pantorrillas desnudas y suculentas de las bailadoras. El simulacro amoroso desenvuelve su seducción multisecular, se consuma con fuego y estrépito; danzan juntas un instante las parejas firmemente abrazadas, luego se separan y el ritmo se torna lánguido. Las mismas escenas se repiten largas horas de la noche serena, bajo las estrellas, y sin más interrupción en lo infinito que la fugaz refulgencia de los bólidos. Una y otra vez la magia de los sonidos vuelve a lanzar los cuerpos a la dicha de la pasión fingida, más perdurable que la realidad costosa, extenuante. Tira el alcohol a los machos exhaustos y siguen bailando ahora solas las mujeres, incitantes y hieráticas, eternamente victoriosas en la lid erótica. Los clarines ya no lanzan al viento su clamor impetuoso; está vencida la intermitente virilidad y sobrevive el ritmo lánguido. Una voz femenina imperturbable, voz de bruja o de Diótima campestre, repite en voz alta la copla intencionada y doliente:

¡Ay sandunga, mamá por Dios!

En el idioma zapoteca nativo, dulce y pérfido, cuchichean las mujeres del coro. A la vera del empalmado, bajo la copa de los tamarindos, roncan su fatiga los borrachos. Los cuerpos todos están vencidos y el alma espera con alborozo la aurora, que limpiará de sombras y endriagos no sólo el contorno y el bosque; también el pecho y la mente. El efecto simplemente rítmico, musical y exultante, aparte lo erótico, hace de esta práctica un arte singular que bien merece dejar su rubro en un rincón de nuestra carta, titulado *sandunga*, así como en Cuba podría apuntarse *rumba* o en Colombia el *bambuco*.

Al tocar Panamá descubrimos otro baile típico muy singular: el *tamborito*. Es una especie de danzón agitado, ardoroso, que las

mujeres bailan en túnica blanca vaporosa y toca evidentemente indostánica, decorada con tembleques de plata. Se descompone el
baile en coplas y danzas y produce un efecto bizarro; se siente que
la función del estrecho, por fin convertido en canal, es desde antiguo ligar dos mundos: la lengua de Castilla, sonora, lozana en el
canto criollo, y las sensualidades lujuriosas, mística, del Cipango
de Marco Polo. Síntesis de estirpes, cuando se logra se produce siempre un gran arte. El Imperio español se derrumbó antes de que pudieran tener efusión plena estos gérmenes; pero quedan por allí rastros vivos, dignos de incorporarse alguna vez en el genio de un
gran artista local.

Bajando por el Perú sería obligatorio escribir "Arqueología"
por la región del Cuzco. Pero antes tendría que quedar anotado un
emporio arquitectónico en Quito, donde el coloniaje castellano levantó monumentos   el convento de San Francisco, por ejemplo—
que no desmerecen trasladados a no importa qué lugar de la tierra.
Menos abundante que en México y con un matiz propio, la vieja arquitectura ecuatoriana sería testimonio bastante, si México desapa-
reciese, de lo que hizo un arte que padecía el trasplante y todavía
mejoraba, se enriquecía con el cambio.

Por Chile y en la región norte de la Argentina hay que recurrir otra vez a la vida popular para encontrar la huella del arte.
La *cueca*, versión de la marinera peruana y de la jota española; el
pericón argentino, derivado de la contradanza europea; las inimi-
tables *vidalitas*; los *tristes*, profundamente conmovedores, con su
reminiscencia de la pampa solitaria y vasta.

Y nos queda ese mundo que es el Brasil. En Bahía existen valiosos retoños del manuelito y unos mosaicos holandeses. El Brasil
no puede prescindir de crearse una arquitectura. Pasada la época
horrible de las imitaciones de la Opera de París —Nuevo Teatro
de San Pablo, etcétera—, la nación brasilera estaba entrando al saludable retorno de la tradición portuguesa. Contornos semiplateres-
cos, con el aditamento precioso de la mayólica en plena fachada.
En Puebla, de México, hay verdaderos aciertos en este género. Y la
luz del Brasil está clamando por el estilo que acabaran de coordi-
nar los arquitectos de la expedición de Vasco de Gama. Otras brillantes síntesis de mundos. Sólo eso puede, sólo eso debe cuajar en
Brasil. Y no debe conformarse con nada menos.

Y por lo pronto, y mientras llega ese período de la construcción arquitectónica en grande que coincide con el florecimiento máximo de una cultura, no olvidemos esa hija menor del *fado*: la *machicha*. Celebra el goce del amor y la abundancia; el ritmo patrio y las castañas de Pará. Ya no tiene aquel dejo melancólico del *fado*, trasunto de navegaciones y de naufragios. La colonia próspera ha suplantado a la metrópoli en ruina. Y Portugal no desaparece, no se torna arqueología: revive en América optimista, generoso y tendido en vuelo certero a la conquista del porvenir.

En rigor, la América hispánica no posee sino folklore; pero esto es ya buena simiente de producción futura.

("Notas de Viajes", *Obras Completas*, Vol. 2, México, 1958)

PEDRO HENRIQUEZ UREÑA

1884 - 1946

Nuestra América se justificará ante la humanidad
del futuro cuando, constituida en magna patria,
fuerte y próspera por los dones de su naturaleza
y por el trabajo de sus hijos, dé el ejemplo de la
sociedad donde se cumple la emancipación del
brazo y de la inteligencia.

P. H. U.

*Desde muy niño dio Pedro Henríquez Ureña muestras de su
vocación por las letras. El hogar dominicano que le vio nacer, pudo
proporcionarle el ambiente necesario para que no se lastimara su
tierna devoción por las cosas del espíritu. Dedicados a la enseñanza,
Francisco Henríquez y Salomé Ureña supieron dirigir los primeros
pasos de aquel niño sediento de Shakespeare y de Ibsen. Junto a sus
hermanos —que también brillarían en el cielo literario de América— inició su carrera preparando una antología de poetas quis-
queyanos y unas hojas manuscritas, periódicos de circulación doméstica. Esas actividades infantiles "fueron la primera manifestación de sus futuras dotes de crítico y ensayista," según declara su
hermano Max.*

*El acontecer político de su país y la salud materna motivaron
cambios de residencia para Pedro. Mas sus primeros estudios continuaron sin interrupción mientras celebraba inolvidables veladas
literarias con familiares y amigos. De aquellos años de juventud
también quedaron bellas miniaturas poéticas. A los diez y siete años
fue enviado a los Estados Unidos para completar su educación, pero
al poco tiempo, por haberse radicado en Cuba su padre, tiene que
interrumpir sus estudios y aceptar un empleo en La Habana. Ya
ha escrito un grupo de trabajos que señalan las preferencias de su
pluma. Los reúne y publica con el título de* Ensayos críticos. *Los
estudios sobre Rodó y el modernismo que allí aparecen, confirman
su valor de crítico literario; otras páginas de ese, su primer libro,*

reflejan el interés por la literatura inglesa y la devoción por América que siempre matizará su obra. El autor de Ariel, *desde el Uruguay, supo adivinar la calidad del joven ensayista: en una carta de 1906 le descubre los dos rasgos preciosos que siempre distinguirían a Pedro Henríquez Ureña: "la rara y felicísima unión del entusiasmo y la moderación reflexiva."*

Poco tiempo permaneció en La Habana. Le llegaban los ecos de la actividad cultural de México, y allí se dirigió para mezclar su esfuerzo con el de mexicanos ilustres que formarían la generación del Centenario. Durante seis años, como dijo Alfonso Reyes, ayudó a los jóvenes del Ateneo "a entender y, por mucho, a descubrir a México." El año 1910 le sorprende en la preparación de una Antología de poetas mexicanos, y marca la fecha de publicación de su segundo libro: Horas de estudio. *Su vida es otra, confiesa allí: "La adolescencia entusiasta, exclusiva en el culto de lo intelectual, taciturna a veces por motivos internos, nunca exteriores, desapareció para dejar paso a la juventud trabajosa, afanada por vencer las presiones ambientes, los círculos de hierro que limitan a la aspiración ansiosa de espacio sin término." Aquellas horas de estudio, que había podido distraer en sus "días alcióneos," habían fructificado en sus ensayos como "El verso endecasílabo," "Vida intelectual de Santo Domingo," "Rubén Darío," y otros que completan esa colección de estudios sobre literatura y filosofía. Con ellos, todo el mundo hispánico conoció su valiosa labor: Menéndez y Pelayo, comprendió que eran el producto "de una exquisita educación intelectual comenzada desde la infancia y robustecida con el trato de los mejores libros."*

En 1914, durante su segunda visita a La Habana, Pedro Henríquez Ureña es designado corresponsal en Washington del Heraldo *de Cuba, el periódico que dirigía Manuel Márquez Sterling. Como dijo este último, en México, "el místico había excluido al gobernante": el presidente Madero había sido asesinado. Y el joven dominicano que sentía aquel país como su propia patria, refugió en Cuba su disgusto y rebeldía. Había terminado la carrera de abogado, pero no quiso esperar a recoger su título: "No podía resistir," ha explicado su hermano, "el ambiente asfixiante del régimen de Victoriano Huerta."*

Después de un año de intensa actividad de periodista, que

también le lleva a New York, ingresa en la Universidad de Minnesota. Allí enseña español mientras estudia en el Departamento de Lenguas Romances para optar por el doctorado ("Doctor of Philosophy). Su rápida y brillante carrera se ve coronada, dos años después, con la publicación en Madrid de su tesis: La versificación irregular en la poesía castellana. *Durante todo el año 1920 permanece Pedro Henríquez Ureña en Madrid, con el grupo que dirigía Menéndez Pidal en el Centro de Estudios Históricos. Al año siguiente lo llama José Vasconcelos para ayudar a la reorganización de la enseñanza mexicana. Nombrado profesor de la Universidad de México, acompañó al activo Secretario de Instrucción Pública en un viaje por la América del Sur. Y al pasar por la Argentina, le ofrecen cátedra las Universidades de La Plata y Buenos Aires; también le invita Amado Alonso a trabajar en el Instituto de Filología. Decide entonces irse de México.*

Casi sin interrupción permanecerá veinte años en la Argentina. Pero la rica actividad pedagógica que allí desarrolla, no afectará su extensa obra crítica: ella va apareciendo en algunas revistas europeas y en las mejores de nuestro continente. Además, entre otros libros fundamentales publica sus: Seis ensayos en busca de nuestra expresión (1928), Sobre el problema del andalucismo dialectal de América (1932) La cultura y las letras coloniales en Santo Domingo (1936), Plenitud de España (1940); *y prepara muchas de las* Cien Obras Maestras *para la Editorial Losada.*

En 1940 recibe Pedro Henríquez Ureña la más alta distinción que le hicieron los Estados Unidos: La Universidad de Harvard lo invita para ocupar la cátedra de Poética "Charles Eliot Norton," que había ocupado, entre otras figuras de renombre universal, T. S. Elliot, Robert Frost y el músico Strawinsky. Era la primera vez que un hispanoamericano daba tan importante ciclo de conferencias. "In search of Expression" *fue el nombre común de aquel curso que, en 1945, la misma Universidad de Harvard publicó con el título de* Literary Currents in Hispanic America.

Meses más tarde, en mayo de 1946, murió en Buenos Aires el gran dominicano que halló patria en todo el continente. Pero antes terminaría su Historia de la Cultura en la América Hispánica *para completar su viaje pródigo por el mundo del pensamiento. Junto a su obra valiosa, y como fruto de un magisterio apostólico, sus dis-*

cípulos se hacían maestros y repartían la semilla generosa. "Al nombre de Pedro vincúlase también el nombre de América," ha dicho Jorge Luis Borges. Es que él había descubierto las afinidades de nuestros países y las tenía ordenadas en sus libros; América se salía del egoísmo provinciano para mostrarse con toda la amplitud de su realidad.

BIBLIOGRAFIA

I. EDICIONES

OBRAS COMPLETAS, SELECCIONES Y ANTOLOGIAS.

Obra Crítica. México: Fondo de Cultura Económica, 1960.

Ensayos en busca de nuestra expresión. Buenos Aires: Editorial Raigal, 1952.

Pedro Henríquez Ureña, Antología. Selección, Prólogo y Notas de Max Henríquez Ureña. Ciudad Trujillo: Librería Dominicana, 1950.

Plenitud de América Ensayos Escogidos. Buenos Aires: Peña, Del Giudice, 1952.

Páginas escogidas. Prólogo de Alfonso Reyes, Selección de José Luis Martínez. México: Secretaría de Educación Pública, 1946.

Pedro Henríquez Ureña en los Estados Unidos (Alfredo A. Roggiano). México: Cultura, 1961.

LIBROS

En la orilla. Mi España. México: Editorial México Moderno, 1922.

Ensayos críticos. La Habana: Imprenta Esteban Fernández, 1905.

Historia de la cultura en la América Hispánica. 6a. ed. México: Fondo de Cultura Económica, 1963.

Horas de estudio. París: Ollendorf, 1910.

Las corrientes literarias en la América Hispánica. 3a. ed. Mexico: Fondo de Cultura Económica, 1964.

La utopía de América. La Plata: Editorial Estudiantina, 1925.

Literary Currents in Hispanic America. Cambridge, Massachusetts: Harvard University Press, 1945.

Plenitud de España. Buenos Aires: Losada, 1940.

Seis ensayos en busca de nuestra expresión. Buenos Aires: Babel, 1928.

II. ESTUDIOS

Anderson Imbert, Enrique. "Pedro Henríquez Ureña," Sur, XV, No. 141 (julio, 1946).

Arciniegas, Rosa. "Americanismo de Pedro Henríquez Ureña," UniversalCar, 10 de julio, 1958.

Carilla, Emilio. "El americanismo de Pedro Henríquez Ureña," RevLL, Vol. I, No. 1 (1949).

—————. "Obra crítica de Pedro Henríquez Ureña," RIB, Vol. XIII (1963).

—————. "Pedro Henríquez Ureña en sus cartas," BLH, No. 4 (1962).

—————. *Pedro Henríquez Ureña y otros estudios.* Buenos Aires: Tempra, 1940.

Castro Leal, Antonio. "Pedro Henríquez Ureña, humanista americano," CuA, Vol. V, No. 4 (1946).

Ferreira Jõao-Francisco. *Presença de América em Pedro Henríquez Ureña.* Pôrto Alegre, Brazil, 1961.

Henríquez Ureña, Max. "Hermano y Maestro, Selección y Notas," *Pedro Henríquez Ureña. Antología.* Ciudad Trujillo: Librería Dominicana, 1950.

"Homenaje a Pedro Henríquez Ureña," AUSD, Vol. X (1946).

"Homenaje a Pedro Henríquez Ureña," LetrasBA, Vol. I, No. 4 (diciembre 1946).

"Homenaje a Pedro Henríquez Ureña," LetrasM, 15 de julio, 1946.

Homenaje a Pedro Henríquez Ureña. Ciudad Trujillo: Universidad de Santo Domingo, 1947.

"Homenaje a Pedro Henríquez Ureña," RevIb, Vol. XXI, Nos. 41-42 (enero-diciembre, 1956).

Lizaso, Félix. "Pedro Henríquez Ureña, primado de América," CurCon, Vol. XXXI, Nos. 181-183 (abril-junio, 1947).

Martínez Estrada, Ezequiel. "Homenaje a Pedro Henríquez Ureña," Sur, Vol. XV, No. 141 (julio, 1946).

—————. "Pedro Henríquez Ureña, evocación iconomántica, estrictamente personal," CuA, Vol. XIX, No. 5 (1960).

Reyes, Alfonso. "Encuentros con Pedro Henríquez Ureña," CCLC, Vol. X (enero-febrero, 1955).

—————. "Evocación de Pedro Henríquez Ureña," *Grata Compañía.* Tezontle, México, 1948.

Rodríguez Demorizi, Emilio. *Dominicanidad de Pedro Henríquez Ureña.* Ciudad Trujillo: Pol Hnos., 1947.

Roggiano, Alfredo A. "Pedro Henríquez Ureña," BCCU, Vol. III, No. 3 (marzo, 1954).

—————. *Pedro Henríquez Ureña en los Estados Unidos.* México: Editorial Cultura, T. G., S. A., 1961.

Romero, Francisco. "Como murió Pedro Henríquez Ureña," RepAm, Vol. XLVII (1951).

Romero, José Luis. "Pedro Henríquez Ureña y la cultura hispanoamericana," Real, Vol. III (enero-febrero, 1948).

Sánchez, Luis Alberto. "Pedro Henríquez Ureña," CuA, Vol. XXII, No. 5 (1963).

Speratti Piñero, Emma. "Crono-bibliografía de Pedro Henríquez Ureña," *Obra Crítica*. México: Fondo de Cultura Económica, 1960.

Torri, Julio. "Recuerdos de Pedro Henríquez Ureña," RyF, Vol. XII (1946).

LA UTOPIA DE AMERICA

No vengo a hablaros en nombre de la Universidad de México, no sólo porque no me ha conferido ella su representación para actos públicos, sino porque no me atrevería a hacerla responsable de las ideas que expondré. Y sin embargo, debo comenzar hablando largamente de México, porque aquel país, que conozco tanto como mi Santo Domingo, me servirá como caso ejemplar para mi tesis. Está México ahora en uno de los momentos activos de su vida nacional, momento de crisis y de creación. Está haciendo la crítica de su vida pasada; está investigando qué corrientes de su formidable tradición lo arrastran hacia escollos al parecer insuperables y qué fuerzas serían capaces de empujarlo hasta puerto seguro. Y México está creando su vida nueva, afirmando su carácter propio, declarándose apto para fundar su tipo de civilización.

Advertiréis que no os hablo de México como país joven, según es costumbre al hablar de nuestra América, sino como país de formidable tradición, porque bajo la organización española persistió la herencia indígena, aunque empobrecida. México es el único país del Nuevo Mundo donde hay tradición, larga, perdurable, nunca rota, para todas las cosas, para toda especie de actividades: para la industria minera como para los tejidos, para el cultivo de la astronomía como para el cultivo de las letras clásicas, para la pintura como para la música. Aquél de vosotros que haya visitado una de las exposiciones de arte popular que empiezan a convertirse, para México, en benéfica costumbre, aquél podrá decir qué variedad de tradiciones encontró allí representadas, por ejemplo, en cerámica: la de Puebla, donde toma carácter del Nuevo Mundo la loza de Talavera; la de Teotihuacan, donde figuras primitivas se dibujan en blanco sobre negro; la de Guanajuato, donde el rojo y el verde juegan sobre fondo amarillo, como en el paisaje de la región; la de Aguascalientes, de ornamentación vegetal en blanco o negro sobre rojo oscuro; la de Oaxaca, donde la mariposa azul y la flor amarilla surgen, como de entre las manchas del cacao, sobre la tierra blanca; la de Jalisco, donde el bosque tropical pone sobre el fértil barro nativo toda su riqueza de líneas y su pujanza de color. Y aquél de vosotros que haya visitado las ciudades antiguas de México —Puebla, Querétaro, Oaxaca, Morelia, Mérida, León—, aquél podrá decir cómo parecen hermanas, no hijas, de las españolas: porque las ciudades españolas, salvo las extremadamente arcaicas, como Avila y Toledo, no tienen aspecto medieval, sino el aspecto que les dieron los siglos XVI a XVIII, cuando precisamente se edificaban las viejas ciudades mexicanas. La capital, en fin, la triple México —azteca, colonial, independiente—, es el símbolo de la continua lucha y de los ocasionales equilibrios entre añejas tradiciones y nuevos impulsos, conflicto y armonía que dan carácter a cien años de vida mexicana.

Y de ahí que México, a pesar de cuanto tiende a descivilizarlo, a pesar de las espantosas conmociones que lo sacuden y revuelven hasta los cimientos, en largos trechos de su historia, posea en su pasado y en su presente con qué crear o —tal vez más exactamente—. con qué continuar y ensanchar una vida y una cultura que son peculiares, únicas, suyas.

Esta empresa de civilización no es, pues, absurda, como lo parecería a los ojos de aquellos que no conocen a México sino a través de la interesada difamación del cinematógrafo y del telégrafo; no es caprichosa, no es mero deseo de *Jouer à l'autochtone*, según la opinión escéptica. No: lo autóctono, en México, es una realidad; y lo autóctono no es solamente la raza indígena, con su formidable dominio sobre todas las actividades del país, la raza de Morelos y de Juárez, de Altamirano y de Ignacio Ramírez: autóctono es eso, pero lo es también el carácter peculiar que toda cosa española asume en México desde los comienzos de la era colonial, así la arquitectura barroca en manos de los artistas de Taxco o de Tepozotlán como la comedia de Lope y Tirso en manos de Don Juan Ruiz de Alarcón.

Con fundamentos tales, México sabe qué instrumentos ha de emplear para la obra en que está empeñado, y esos instrumentos son la cultura y el nacionalismo. Pero la cultura y el nacionalismo no los entiende, por dicha, a la manera del siglo XIX. No se piensa en la cultura reinante en la era del capital disfrazado de liberalismo, cultura de *dilettantes* exclusivistas, huerto cerrado donde se cultivaban flores artificiales, torre de marfil donde se guardaba la ciencia muerta, como en los museos. Se piensa en la cultura social, ofrecida y dada realmente a todos y fundada en el trabajo: aprender no es sólo aprender a conocer sino igualmente aprender a hacer. No debe haber alta cultura, porque será falsa y efímera, donde no haya cultura popular. Y no se piensa en el nacionalismo político, cuya única justificación moral es, todavía, la necesidad de defender el carácter genuino de cada pueblo contra la amenaza de reducirlo a la uniformidad dentro de tipos que sólo el espejismo del momento hace aparecer como superiores: se piensa en otro nacionalismo, el espiritual, el que nace de las cualidades de cada pueblo cuando se traducen en arte y pensamiento, el que humorísticamente fue llamado, en el Congreso Internacional de Estudiantes celebrado allí, el nacionalismo de las jícaras y los poemas.

El ideal nacionalista invade ahora, en México, todos los campos. Citaré el ejemplo más claro: la enseñanza del dibujo se ha convertido en cosa puramente mexicana. En vez de la mecánica copia de modelos triviales, Adolfo Best, pintor e investigador, "penetrante y sutil como una espada", ha creado y difundido su novísimo sistema, que consiste en dar al niño, cuando *comienza* a dibujar, solamente los siete elementos lineales de las artes mexicanas, indígenas y populares (la línea recta, la quebrada, el círculo, el semicírculo, la ondulosa, la *ese*, la espiral) y decirle que los emplee a la manera mexicana, es decir, según reglas derivadas también de las artes de México; así, no cruzar nunca dos líneas sino cuando la cosa representada requiera de modo inevitable el cruce.

Pero al hablar de México como país de cultura autóctona, no pretendo aislarlo en América: creo que, en mayor o menor grado, toda nuestra América tiene parecidos caracteres, aunque no toda ella alcance la riqueza de las tradiciones mexicanas. Cuatro siglos de vida hispánica han dado a nuestra América rasgos que la distinguen.

La unidad de su historia, la unidad de propósitos en la vida política y en la intelectual, hacen de nuestra América una entidad, una *magna patria*, una agrupación de pueblos destinados a unirse cada día más y más. Si conserváramos aquella infantil audacia con que nuestros antepasados llamaban Atenas a cualquier ciudad de América, no vacilaría yo en compararnos con los pueblos, políticamente disgregados pero espiritualmente unidos, de la Grecia clásica y la Italia del Renacimiento. Pero sí me atreveré a compararnos con ellos para que aprendamos, de su ejemplo, que la desunión es el desastre.

Nuestra América debe afirmar la fe en su destino, en el porvenir de la civilización. Para mantenerlo no me fundo, desde luego, en el desarrollo presente o futuro de las riquezas materiales, ni siquiera en esos argumentos, contundentes para los contagiados del delirio industrial, argumentos que se llaman Buenos Aires, Montevideo, Santiago, Valparaíso, Rosario. No, esas poblaciones demuestran que, obligados a competir dentro de la actividad contemporánea, nuestros pueblos saben, tanto como los Estados Unidos, crear en pocos días colmenas formidables, tipos nuevos de ciudad que difieren radicalmente del europeo, y hasta acometer, como Río de Janeiro, hazañas no previstas por las urbes norteamericanas. Ni me fundaría, para no dar margen a censuras pueriles de los pesimistas, en la obra, exigua todavía, que representa nuestra contribución espiritual al acervo de la civilización en el mundo, por más que la arquitectura colonial de México, y la poesía contemporánea de toda nuestra América, y nuestras maravillosas artes populares, sean altos valores.

Me fundo sólo en el hecho de que, en cada una de nuestras crisis de civilización, es el espíritu quien nos ha salvado, luchando contra elementos en apariencia más poderosos; el espíritu solo, y no la fuerza militar o el poder económico. En uno de sus momentos de mayor decepción, dijo Bolívar que si fuera posible para los pueblos volver al caos, los de la América latina volverían a él. El temor no era vano: los investigadores de la historia nos dicen hoy que el Africa central pasó, y en tiempos no muy remotos, de la vida social organizada, de la civilización creadora, a la disolución en que hoy la conocemos y en que ha sido presa fácil de la codicia ajena: el puente fue la guerra incesante. Y el *Facundo* de Sarmiento es la descripción del instante agudo de nuestra lucha entre la luz y el caos, entre la civilización y la barbarie. La barbarie tuvo consigo largo tiempo la fuerza de la espada; pero el espíritu la venció, un empeño como de milagro. Por eso hombres magistrales como Sarmiento, como Alberdi, como Bello, como Hostos, son verdaderos creadores o salvadores de pueblos, a veces más que los libertadores de la independencia. Hombres así, obligados a crear hasta sus instrumentos de trabajo, en lugares donde a veces la actividad económica estaba reducida al mínimum de la vida patriarcal, son los verdaderos representantes de nuestro espíritu. Tenemos la costumbre de exigir, hasta al escritor de gabinete, la aptitud magistral: porque la tuvo, fue representativo José Enrique Rodó. Y así se explica que la juventud de hoy, exigente como toda juventud, se ensañe contra aquellos hombres de inteligencia poco amigos de terciar en los problemas que a ella le interesan y en cuya solución pide la ayuda de los maestros.

Si el espíritu ha triunfado, en nuestra América, sobre la barbarie interior, no cabe temer que lo rinda la barbarie de afuera. No nos deslumbre el poder ajeno: el poder es siempre efímero. Ensanchemos el campo espiritual: demos el alfabeto a todos los hombres; demos a cada uno de los instrumentos mejores para trabajar en bien de todos; esforcémonos por acercarnos a la justicia social y a la libertad verdadera; avancemos, en fin, hacia nuestra utopía.

¿Hacia la utopía? Sí: hay que ennoblecer nuevamente la idea clásica. La utopía no es vano juego de imaginaciones pueriles: es una de las magnas creaciones espirituales del Mediterráneo, nuestro gran mar antecesor. El pueblo griego da al mundo occidental la inquietud del perfeccionamiento constante. Cuando descubre que el hombre puede individualmente ser mejor de lo que es y socialmente vivir mejor de como vive, no descansa para averiguar el secreto de toda mejora, de toda perfección. Juzga y compara; busca y experimenta sin descanso; no le arredra la necesidad de tocar a la religión y a la leyenda, a la fábrica social y a los sistemas políticos. Es el pueblo que inventa la discusión, que inventa la crítica. Mira al pasado, y crea la historia; mira al futuro, y crea las utopías.

El antiguo oriente se había conformado con la estabilidad de la organización social: la justicia se sacrificaba al orden, el progreso a la tranquilidad. Cuando alimentaron esperanzas de perfección —la victoria de Ahura Mazda entre los persas o la venida del Mesías para los hebreos— las situaron fuera del alcance del esfuerzo humano: su realización sería obra de leyes o de voluntades más altas. Grecia cree en el perfeccionamiento de la vida humana por medio del esfuerzo humano. Atenas se dedicó a crear utopías: nadie las revela mejor que Aristófanes; el poeta que las satiriza no sólo es capaz de comprenderlas sino que hasta se diría simpatizador de ellas ¡tal es el esplendor con que llega a presentarlas! Poco después de los intentos que atrajeron la burla de Aristófanes, Platón crea, en *La República,* no sólo una de las obras maestras de la filosofía y de la literatura, sino también la obra maestra en el arte singular de la utopía.

Cuando el espejismo del espíritu clásico se proyecta sobre

Europa, con el Renacimiento, es natural que resurja la utopía. Y desde entonces, aunque se eclipse, no muere. Hoy, en medio del formidable desconcierto en que se agita la humanidad, sólo una luz unifica a muchos espíritus: la luz de una utopía, reducida, es verdad, a simples soluciones económicas por el momento, pero utopía al fin, donde se vislumbra la única esperanza de paz entre el infierno social que atravesamos todos.

¿Cuál sería, pues, nuestro papel en estas cosas? Devolverle a la utopía sus caracteres plenamente humanos y espirituales, esforzarnos porque el intento de reforma social y justicia económica no sea el límite de las aspiraciones; procurar que la desaparición de las tiranías económicas concuerde con la libertad perfecta del hombre individual y social, cuyas normas únicas, después del *neminem laedere,* sean la razón y el sentido estético. Dentro de nuestra utopía, el hombre deberá llegar a ser plenamente humano, dejando atrás los estorbos de la absurda organización económica en que estamos prisioneros y el lastre de los prejuicios morales y sociales que ahogan la vida espontánea; a ser, a través del franco ejercicio de la inteligencia y de la sensibilidad, el hombre libre, abierto a los cuatro vientos del espíritu. ¿Y cómo se concilia esta utopía, destinada a favorecer la definitiva aparición del hombre universal, con el nacionalismo antes predicado, nacionalismo de jícaras y poemas, es verdad, pero nacionalismo al fin? No es difícil la conciliación: antes al contrario, es natural. El hombre universal con que soñamos, a que aspira nuestra América, no será descastado: sabrá gustar de todo, apreciar todos los matices, pero será de su tierra; su tierra, y no la ajena, le dará el gusto intenso de los sabores nativos, y ésa será su mejor preparación para gustar de todo lo que tenga sabor genuino, carácter propio. La universalidad no es el desarraigamiento: en el mundo de la utopía no deberán desaparecer las diferencias de carácter que nacen del clima, de la lengua, de las tradiciones; pero todas estas diferencias, en vez de significar división y discordancia, deberán combinarse como matices diversos de la unidad humana. Nunca la uniformidad, ideal de imperialismos estériles; sí la unidad, como armonía de las multánimes voces de los pueblos.

Y por eso, así como esperamos que nuestra América se aproxime a la creación del hombre universal, por cuyos labios hable libremente el espíritu, libre de estorbos, libre de prejuicios, esperamos que toda América, y cada región de América, conserve y perfeccione todas sus actividades de carácter original, sobre todo en las artes: las literarias, en que nuestra originalidad se afirma cada día; las plásticas, tanto las mayores como las menores, en que poseemos el doble tesoro, variable según las regiones, de la tradición española y de la tradición indígena, fundidas ya en corrientes nuevas; y las musicales, en que nuestra insuperable creación popular aguarda a los hombres de genio que sepan extraer de ella todo un sistema nuevo que será maravilla del futuro.

Y sobre todo, como símbolos de nuestra civilización para unir y sintetizar las dos tendencias, para conservarlas en equilibrio y armonía, esperemos que nuestra América siga produciendo lo que es acaso su más alta característica: los hombres magistrales, héroes verdaderos de nuestra vida moderna, verbo de nuestro espíritu y creadores de vida espiritual.

(*La Utopía de América. Patria de la Justicia,*
La Plata, 1925)

PATRIA DE LA JUSTICIA

Nuestra América corre sin brújula en el turbio mar de la humanidad contemporánea. ¡Y no siempre ha sido así! Es verdad que nuestra independencia fue estallido súbito, cataclismo natural: no teníamos ninguna preparación para ella. Pero es inútil lamentarlo ahora: vale más la obra prematura que la inacción; y de todos modos, con el régimen colonial de que llevábamos tres siglos, nunca habríamos alcanzado preparación suficiente: Cuba y Puerto Rico son pruebas. Y con todo, Bolívar, después de dar cima a su ingente obra de independencia, tuvo tiempo de pensar, con el toque genial de siempre, los derroteros que debíamos seguir en nuestra vida de naciones hasta llegar a la unidad sagrada. Paralelamente, en la campaña de independencia, o en los primeros años de vida nacional, hubo hombres que se empeñaron en dar densa sustancia de ideas a nuestros pueblos: así, Moreno y Rivadavia en la Argentina.

Después... Después se desencadenó todo lo que bullía en el fondo de nuestras sociedades, que no eran sino vastas desorganizaciones bajo la apariencia de organización rígida del sistema colonial.

Civilización contra barbarie, tal fue el problema, como lo formuló Sarmiento. Civilización o muerte, eran las dos soluciones únicas, como las formulaba Hostos. Dos estupendos ensayos para poner orden en el caos contempló nuestra América, aturdida, poco después de mediar el siglo XIX: el de la Argentina, después de Caseros, bajo la inspiración de dos adversarios dentro de una sola fe, Sarmiento y Alberdi, como jefes virtuales de aquella falange singular de activos hombres de pensamiento; el de México, con la Reforma, con el grupo de estadistas, legisladores y maestros, a ratos convertidos en guerreros, que se reunió bajo la terca fe patriótica y humana de Juárez. Entre tanto, Chile, único en escapar a estas hondas convulsiones de crecimiento, se organizaba poco a poco, atento a la voz magistral de Bello. Los demás pueblos vegetaron en pueril inconciencia o padecieron bajo afrentosas tiranías o agonizaron en el vértigo de las guerras fratricidas: males pavorosos para los cuales nunca se descubría el remedio. No faltaban intensos civilizadores, tales como en el Ecuador las campañas de Juan Montalvo en periódico y libro, en Santo Domingo la prédica y la fundación de escuelas con Hostos y Salomé Ureña; en aquellas tierras invadidas por la cizaña, rendían frutos escasos; pero ellos nos dan la fe: ¡no hay que desesperar de ningún pueblo mientras haya en él diez hombres justos que busquen el bien!

Al llegar el siglo XX, la situación se define, pero no mejora: los pueblos débiles, que son los más en América, han ido cayendo poco a poco en las redes del imperialismo septentrional, unas veces sólo en la red económica, otras en doble red económica y política; los demás, aunque no escapan del todo al mefítico influjo del Norte, desarrollan su propia vida, en ocasiones, como ocurre en la Argentina, con esplendor material no exento de las gracias de la cultura. Pero, en los unos como en los otros, la vida nacional se desenvuelve fuera de toda dirección inteligente: por falta de ella, no se ha sabido evitar la absorción enemiga; por falta de ella, no se atina a dar orientación superior a la existencia próspera. En la Argentina, el desarrollo de la riqueza, que nació con la aplicación de las ideas de los hombres del 52, ha escapado a todo dominio; enorme tren, de avasallador impulso, pero sin maquinista... Una que otra excepción, parcial, podría mencionarse: el Uruguay pone su orgullo en enseñarnos unas cuantas leyes avanzadas; México, desde la revolución de 1910, se ha visto en la dura necesidad de pensar sus problemas: en parte, ha planteado los de distribución de la riqueza y de la cultura, y a medias y a tropezones ha comenzado a buscarles solución; pero no toca siquiera a uno de los mayores: convertir al país de minero en agrícola, para echar las bases de la existencia tranquila, del desarrollo normal, libre de los aleatorios caprichos del metal y del petróleo.

Si se quiere medir hasta dónde llega la cortedad de visión de nuestros hombres de estado, piénsese en la opinión que expresaría cualquiera de nuestros supuestos estadistas si se le dijese que la América española debe tender hacia la unidad política. La idea le parecería demasiado absurda para discutirla siquiera. La denominaría, creyendo haberla herido con flecha destructora, una utopía.

Pero la palabra utopía, en vez de flecha destructora, debe ser nuestra flecha de anhelo. Si en América no han de fructificar las utopías, ¿dónde encontrarán asilo? Creación de nuestros abuelos espirituales del Mediterráneo, invención helénica contraria a los ideales asiáticos que sólo prometen al hombre una vida mejor fuera de esta vida terrena, la utopía nunca dejó de ejercer atracción sobre los espíritus superiores de Europa; pero siempre tropezó allí con la maraña profusa de seculares complicaciones: todo intento para deshacerlas, para sanear siquiera con gotas de justicia a las sociedades enfermas, ha significado —significa todavía— convulsiones de largos años, dolores incalculables.

La primera utopía que se realizó sobre la Tierra —así lo creyeron los hombres de buena voluntad— fue la creación de los Estados Unidos de América: reconozcámoslo lealmente. Pero a la vez meditemos en el caso ejemplar: después de haber nacido de la libertad, de haber sido escudo para las víctimas de todas las tiranías y espejo para todos los apóstoles del ideal democrático, y cuando acababa de pelear su última cruzada, la abolición de la esclavitud, para librarse de aquel lamentable pecado, el gigantesco país se volvió opulento y perdió la cabeza; la materia devoró al espíritu; y la democracia que se había constituido para bien de todos se fue convirtiendo en la factoría para lucro de unos pocos. Hoy, el que fue arquetipo de libertad es uno de los países menos libres del mundo.

¿Permitiremos que nuestra América siga igual camino? A fines del siglo XIX lanzó el grito de alerta el último de nuestros apóstoles, el noble y puro José Enrique Rodó: nos advirtió que el empuje de las riquezas materiales amenazaban ahogar nuestra ingenua vida espiritual; nos señaló el ideal de la magna patria, la América española. La alta lección fue oída; con todo, ella no ha bastado para detenernos en la marcha ciega. Hemos salvado, en gran parte, la cultura, especialmente en los pueblos donde la riqueza alcanza a costearla; el sentimiento de solidaridad crece; pero descubrimos que los problemas tienen raíces profundas.

Debemos llegar a la unidad de la magna patria; pero si tal propósito fuera su límite en sí mismo, sin implicar mayor riqueza ideal, sería uno de tantos proyectos de acumular poder por el gusto del poder, y nada más. La nueva nación sería una potencia internacional, fuerte y temible, destinada a sembrar nuevos terrores en el seno de la humanidad atribulada. No, si la magna patria ha de unirse, deberá unirse para la justicia, para asentar la organización de la sociedad sobre las bases nuevas, que alejen del hombre la continua zozobra del hambre a que lo condena su supuesta libertad y la estéril impotencia de su nueva esclavitud, angustiosa como nunca lo fue la antigua, porque abarca a muchos más seres y a todos los envuelve en la sombra del porvenir irremediable.

El ideal de justicia está antes que el ideal de cultura: es superior el hombre apasionado de justicia al que sólo aspira a su propia perfección intelectual. Al diletantismo egoísta, aunque se ampare bajo los nombres de Leonardo o de Goethe, opongamos el nombre de Platón, nuestro primer maestro de utopía, el que entregó al fuego todas sus invenciones de poeta para predicar la verdad y la justicia en nombre de Sócrates, cuya muerte le reveló la terrible imperfección de la sociedad en que vivía. Si nuestra América no ha de ser sino una prolongación de Europa, si lo único que hacemos es ofrecer suelo nuevo a la explotación del hombre por el hombre (y por desgracia, ésa es hasta ahora nuestra única realidad), si no nos decidimos a que ésta sea la tierra de promisión para la humanidad cansada de buscarla en todos los climas, no tenemos justificación: sería preferible dejar desiertas nuestras altiplanicies y nuestras pampas si sólo hubieran de servir para que en ellas se multiplicaran los dolores humanos, no los dolores que nada alcanzará a evitar nunca, los que son hijos del amor y la muerte, sino los que la codicia y la soberbia infligen al débil y al hambriento. Nuestra América se justificará ante la humanidad del futuro cuando, constituida en magna patria, fuerte y próspera por los dones de su naturaleza y por el trabajo de sus hijos, dé el ejemplo de la sociedad donde se cumple "la emancipación del brazo y de la inteligencia".

En nuestro suelo nacerá entonces el hombre libre, el que, hallando fáciles y justos los deberes, florecerá en generosidad y en creación.

Ahora, no nos hagamos ilusiones: no es ilusión la utopía, sino el creer que los ideales se realizan sobre la tierra sin esfuerzo y sin sacrificio. Hay que trabajar. Nuestro ideal no será la obra de uno o dos o tres hombres de genio, sino de la cooperación sostenida, llena de fe, de muchos, innumerables hombres modestos; de entre ellos surgirán, cuando los tiempos estén maduros para la acción decisiva, los espíritus directores; si la fortuna nos es propicia, sabremos descubrir en ellos los capitanes y timoneles, y echaremos al mar las naves.

Entre tanto, hay que trabajar, con fe, con esperanza todos los días. Amigos míos: a trabajar.

(*La Utopía de América. Patria de la Justicia*, La Plata, 1925)

EL DESCONTENTO Y LA PROMESA

"Haré grandes cosas: lo que son no lo sé." Las palabras del rey loco son el mote que inscribimos, desde hace cien años, en nuestras banderas de revolución espiritual. ¿Venceremos el descontento que provoca tantas rebeliones sucesivas? ¿Cumpliremos la ambiciosa promesa?

Apenas salimos de la espesa nube colonial al sol quemante de la independencia, sacudimos el espíritu de timidez y declaramos señorío sobre el futuro. Mundo virgen, libertad recién nacida, repúblicas en fermento, ardorosamente consagradas a la inmortal utopía: aquí habían de crearse nuevas artes, poesía nueva. Nuestras tierras, nuestra vida libre, pedían su expresión.

LA INDEPENDENCIA LITERARIA

En 1823, antes de las jornadas de Junín y Ayacucho, inconclusa todavía la independencia política, Andrés Bello proclamaba

la independencia espiritual: la primera de sus *Silvas americanas* es
una alocución a la poesía, "maestra de los pueblos y los reyes",
para que abandone a Europa —Luz y miseria— y busque en esta orilla del Atlántico el aire salubre de que gusta su nativa rusti-
quez. La forma es clásica; la intención es revolucionaria. Con la
alocución, simbólicamente, iba a encabezar Juan María Gutiérrez
nuestra primera grande antología, la *América poética*, de 1846. La
segunda de las *Silvas* de Bello, tres años posterior, al cantar la
agricultura de la zona tórrida, mientras escuda tras las pacíficas
sombras imperiales de Horacio y de Virgilio el "retorno a la naturaleza", arma de los revolucionarios del siglo XVIII, esboza todo
el programa "siglo XIX" del engrandecimiento material, con la
cultura como ejercicio y corona. Y no es aquel patriarca, creador
de la civilización, el único que se enciende en espíritu de iniciación
y profecía: la hoguera anunciadora salta, como la de Agamenón,
de cumbre en cumbre, y arde en el campo de victoria de Olmedo,
en los gritos insurrectos de Heredia, en las novelas y las campañas
humanitarias y democráticas de Fernández de Lizardi, hasta en los
cielitos y en los diálogos gauchescos de Bartolomé Hidalgo.

A los pocos años surge otra nueva generación, olvidadiza y
descontenta. En Europa, oíamos decir, o en persona lo veíamos,
el romanticismo despertaba las voces de los pueblos. Nos parecieron
absurdos nuestros padres al cantar en odas clásicas la romántica
aventura de nuestra independencia. El romanticismo nos abriría
el camino de la verdad, nos enseñaría a completarnos. Así lo pensaba Esteban Echeverría, escaso artista, salvo en uno que otro paisaje de líneas rectas y masas escuetas, pero claro teorizante. "El
espíritu del siglo —decía— lleva hoy a las naciones a emancipar-
ce, a gozar de independencia, no sólo política, sino filosófica y literaria". Y entre los jóvenes a quienes arrastró consigo, en aquella
generación argentina que fue voz continental, se hablaba siempre
de "ciudadanía en arte como en política" y de "literatura que llevara los colores nacionales".

Nuestra literatura absorbió ávidamente agua de todos los
ríos nativos: la naturaleza; la vida del campo, sedentaria y nómade;
la tradición indígena; los recuerdos de la época colonial; las hazañas de los libertadores; la agitación política del momento... La
inundación romántica duró mucho, demasiado; como bajo pretexto de inspiración y espontaneidad protegió la pereza, ahogó mu-

chos gérmenes que esperaba nutrir... Cuando las aguas comenzaron a bajar, no a los cuarenta días bíblicos, sino a los cuarenta años, dejaron tras sí tremendos herbazales, raros arbustos y dos copudos árboles, resistentes como ombúes: el *Facundo* y el *Martín Fierro*.

El descontento provoca al fin la insurrección necesaria: la generación que escandalizó al vulgo bajo el modesto nombre de *modernista* se alza contra la pereza romántica y se impone severas y delicadas disciplinas. Toma sus ejemplos en Europa, pero piensa en América. "Es como una familia (decía uno de ella, el fascinador, el deslumbrante Martí). Principió por el rebusco imitado y está en la elegancia suelta y concisa y en la expresión artística y sincera, breve y tallada, del sentimiento personal y del juicio criollo y directo." ¡El juicio criollo! O bien: "A esa literatura se ha de ir: a la que ensancha y revela, a la que saca de la corteza ensangrentada el almendro sano y jugoso, a la que rebustece y levanta el corazón de América." Rubén Darío, si en las palabras liminares de *Prosas profanas* detestaba "la vida y el tiempo en que le tocó nacer", paralelamente fundaba la *Revista de América* cuyo nombre es programa, y con el tiempo se convertía en el autor del yambo contra Roosevelt, del *Canto a la Argentina* y del *Viaje a Nicaragua*. Y Rodó, el comentador entusiasta de *Prosas profanas*, es quien luego declara, estudiando a Montalvo, que "sólo han sido grandes en América aquellos que han desenvuelto por la palabra o por la acción un sentimiento americano".

Ahora, treinta años después hay de nuevo en la América española juventudes inquietas, que se irritan contra sus mayores y ofrecen trabajar seriamente en busca de nuestra expresión genuina.

TRADICION Y REBELION

Los inquietos de ahora se quejan de que los antepasados hayan vivido atentos a Europa, nutriéndose de imitación, sin ojos para el mundo que los rodeaba: pero olvidan que en cada generación se renuevan, desde hace cien años, el descontento y la promesa. Existieron, sí, existen todavía, los europeizantes, los que llegan a abandonar el español para escribir en francés, o, por lo menos, escribiendo en nuestro propio idioma ajustan a moldes franceses su estilo y hasta piden a Francia sus ideas y sus asuntos. O los hispanizantes, enfermos de locura gramatical, hipnotizados por toda cosa de España que no haya sido trasplantada a estos suelos. Pero atrevámonos a dudar de todo. ¿Estos crímenes son realmente insólitos e imperdonables? ¿El criollismo cerrado, el afán nacionalista, el multiforme delirio en que coinciden hombres y mujeres hasta de bandos enemigos, es la única salud? Nuestra preocupación es de especie nueva. Rara vez la conocieron, por ejemplo, los romanos: para ellos, las artes, las letras, la filosofía de los griegos eran la norma; a la norma sacrificaron, sin temblor ni queja, cualquier tradición nativa. El *carmen saturnium,* su "versada criolla", tuvo que ceder el puesto al verso de pies cuantitativos; los brotes autóctonos de diversión teatral quedaban aplastados bajo las ruedas del carro que traía de casa ajena la carga de argumentos y formas; hasta la leyenda nacional se retocaba, en la epopeya aristocrática para enlazarla con Ilión; y si pocos escritores se atrevían a cambiar de idioma (a pesar del ejemplo imperial de Marco Aurelio, cuya prosa griega no es mejor que la francesa de nuestros amigos de hoy), el viaje a Atenas a la desmedrada Atenas de los tiempos de Augusto, tuvo el carácter ritual de nuestros viajes a París, y el acontecimiento se celebraba, como ahora con el obligado banquete, con odas de despedida como la de Horacio a la nave en que se embarcó Virgilio. El alma romana halló expresión en la literatura, pero bajo preceptos extraños, bajo la imitación exigida en método de aprendizaje.

Ni tampoco la Edad Media vio con vergüenza las imitaciones. Al contrario: todos los pueblos, a pesar de sus características imborrables, aspiraban a aprender y aplicar las normas que daba la Francia del Norte para la canción de gesta, las leyes del trovar que dictaba Provenza para la poesía lírica; y unos cuantos temas iban y venían de reino en reino, de gente en gente: proezas carolingias, historias célticas de amor y de encantamiento, fantásticas tergiversaciones de la guerra de Troya y las conquistas de Alejandro, cuentos del zorro, danzas macabras, misterios de Navidad y de Pasión, farsas de carnaval... Aun el idioma se acogía, temporal y parcialmente, con la moda literaria: el provenzal, en todo el Mediterráneo latino; el francés, en Italia, con el cantar épico; el gallego, en Castilla, con el cantar lírico. Se peleaba, así, en favor del idioma propio, pero contra el latín moribundo, atrincherado en la Universidad y en la Iglesia, sin sangre de vida real, sin el prestigio de las Cortes o de las fiestas populares. Como excepción, la Inglaterra del siglo XIV echa abajo el frondoso árbol francés plantado allí por el conquistador del XI.

¿Y el Renacimiento? El esfuerzo renaciente se consagra a buscar, no la expresión característica, nacional ni regional, sino la expresión del arquetipo, la norma universal y perfecta. En descubrirla y definirla concentran sus empeños Italia y Francia, apoyándose en el estudio de Grecia y Roma, arca de todos los secretos. Francia llevó a su desarrollo máximo este imperialismo de los paradigmas espirituales. Así, Inglaterra y España poseyeron sistemas propios de arte dramático, el de Shakespeare, el de Lope (improvisador genial, pero débil de conciencia artística, hasta pedir excusas por escribir a gusto de sus compatriotas); pero en el siglo XVIII iban plegándose a las imposiciones de París: la expresión del espíritu nacional sólo podía alcanzarse a través de fórmulas internacionales.

Sobrevino al fin la rebelión que asaltó y echó a tierra el imperio clásico, culminando en batalla de las naciones, que se peleó en todos los frentes, desde Rusia hasta Noruega y desde Irlanda hasta Cataluña. El problema de la expresión genuina de cada pueblo está en la esencia de la revolución romántica, junto con la negación de los fundamentos de toda doctrina retórica, de toda fe en "las reglas del arte" como la clave de la creación estética. Y, de generación en generación, cada pueblo afila y aguza sus teorías nacionalistas, justamente en la medida en que la ciencia y la máquina multiplican las uniformidades del mundo. A cada concesión práctica va unida una rebelión ideal.

EL PROBLEMA DEL IDIOMA

Nuestra inquietud se explica. Contagiados, espoleados, padecemos aquí en América urgencia romántica de expresión. Nos sobrecogen temores súbitos: queremos decir nuestra palabra antes de que nos sepulte no sabemos qué inminente diluvio.

En todas las artes se plantea el problema. Pero en literatura es doblemente complejo. El músico podría, en rigor sumo, si cree encontrar en eso la garantía de originalidad, renunciar al lenguaje tonal de Europa: al hijo de pueblos donde subsiste el indio —como

en el Perú y Bolivia— se le ofrece el arcaico pero inmarcesible
sistema nativo, que ya desde su escala pentatónica se aparta del europeo. Y el hombre de países donde prevalece el espíritu criollo es
dueño de preciosos materiales, aunque no estrictamente autóctonos:
música traída de Europa o de Africa, pero impregnadas del sabor
de las nuevas tierras y de la nueva vida, que se filtra en el ritmo
y el dibujo melódico.

Y en artes plásticas cabe renunciar a Europa, como en el sistema mexicano de Adolfo Best, construido sobre los siete elementos
lineales del dibujo azteca, con franca aceptación de sus limitaciones. O cuando menos, si sentimos excesiva tanta renuncia, hay
sugestiones de muy varia especie en la obra del indígena, en la
del criollo de tiempos coloniales que hizo suya la técnica europea
(así, con esplendor de dominio, en la arquitectura), en la popular
de nuestros días, hasta en la piedra y la madera y la fibra y el
tinte que dan las tierras natales.

De todos modos, en música y en artes plásticas es clara la par-
tición de caminos: o el europeo, o el indígena, o en todo caso el
camino criollo indeciso todavía y trabajoso. El indígena representa quizás empobrecimiento y limitación, y para muchos, a cu
yas ciudades nunca llega el antiguo señor del terruño, resulta camino exótico: paradoja típicamente nuestra. Pero, extraños o familiares, lejanos o cercanos, el lenguaje tonal y el lenguaje plásti-
co de abolengo indígena son inteligibles.

En literatura, el problema es complejo, es doble: el poeta,
el escritor, se expresan en idioma recibido de España. Al hombre
de Cataluña o de Galicia le basta escribir su lengua vernácula para realizar la ilusión de sentirse distinto del castellano. Para nosotros esta ilusión es fruto vedado o inaccesible. ¿Volver a las lenguas indígenas? El hombre de letras, generalmente, las ignora, y la
dura tarea de estudiarlas y escribir en ellas lo llevaría a la consecuencia final de ser entendido entre muy pocos, a la reducción inmediata de su público. Hubo, después de la conquista, y aún se
componen, versos y prosas en lengua indígena, porque todavía
existen enormes y difusas poblaciones aborígenes que hablan cien
—si no más— idiomas nativos; pero raras veces se anima esa literatura con propósitos lúcidos de persistencia y oposición. ¿Crear
idiomas propios, hijos y sucesores del castellano? Existió hasta años
atrás —grave temor de unos y esperanza loca de otros— la idea

de que íbamos embarcados en la aleatoria tentativa de crear idiomas criollos. La nube se ha disipado bajo la presión unificadora
de las relaciones constantes entre los pueblos hispánicos. La tentativa, suponiéndola posible, habría demandado siglos de cavar foso
tras foso entre el idioma de Castilla y los germinantes en América,
resignándonos con heroísmo franciscano a una rastrera, empobrecida expresión dialectal mientras no apareciera el Dante creador de
alas y de garras. Observemos, de paso, que el habla gauchesca del
Río de la Plata, substancia principal de aquella disipada nube, no
lleva en sí diversidad suficiente para erigirla siquiera en dialecto
como el de León o el de Aragón: su leve matiz la aleja demasiado
poco de Castilla, y el *Martín Fierro* y el *Fausto* no son ramas que
disten del tronco lingüístico más que las coplas murcianas o an-
daluzas.

No hemos renunciado a escribir en español, nuestro problema de la expresión original y propia comienza ahí. Cada idioma
es una cristalización de modos de pensar y de sentir, y cuanto en
él se escribe se baña en el color de su cristal. Nuestra expresión
necesitará doble vigor para imponer su tonalidad sobre el rojo y
el gualda.

LAS FORMULAS DEL AMERICANISMO

Examinemos las principales soluciones propuestas y ensaya-
das para el problema de nuestra expresión en literatura. Y no
se me tache prematuramente de optimista cándido porque vaya
dándoles aprobación provisional a todas: al final se verá el por qué.

Ante todo, la naturaleza. La literatura descriptiva habrá de
ser, pensamos durante largo tiempo, la voz del Nuevo Mundo.
Ahora no goza de favor la idea: hemos abusado en la aplicación;
hay en nuestra poesía romántica tantos paisajes como en nuestra
pintura impresionista. La tarea de describir, que nació del entusiasmo, degeneró en hábito mecánico. Pero ella ha educado nuestros ojos: del cuadro convencional de los primeros escritores coloniales, en quienes sólo de raro en raro asomaba la faz genuina de
la tierra, como en las serranías peruanas del Inca Garcilaso, pasa-
mos poco a poco, y finalmente llegamos, con ayuda de Alexander
von Humboldt y de Chateaubriand, a la directa visión de la naturaleza. De mucha olvidada literatura del siglo XIX sería justicia

y deleite arrancar una vivaz colección de paisajes y miniaturas de
fauna y flora. Basta detenernos a recordar para comprender, tal
vez con sorpresa, cómo hemos conquistado, trecho a trecho, los
elementos pictóricos de nuestra pareja de continentes y hasta el aroma espiritual que se exhala de ellos: la colosal montaña; las vastas altiplanicies de aire fino y luz tranquila donde todo perfil se
recorta agudamente; las tierras cálidas del trópico, con sus mara-
ñas de selvas, su mar que asorda y su luz que emborracha; la pampa profunda; el desierto "inexorable y hosco". Nuestra atención
al paisaje engendra preferencias que hallan palabras vehementes:
tenemos partidarios de la llanura y partidarios de la montaña. Y
mientras aquéllos, acostumbrados a que los ojos no tropiecen con
otro límite que el horizonte, se sienten oprimidos por la vecindad
de las alturas, como Miguel Cané en Venezuela y Colombia, los
otros se quejan del paisaje "demasiado llano", como el personaje
de la *Xamaica* de Güiraldes, o bien, con voluntad de amarlo, vencen la inicial impresión de monotonía y desamparo y cuentan cómo,
después de largo rato de recorrer la pampa, ya no la vemos: vemos
otra pampa que se nos ha hecho en el espíritu (Gabriela Mistral).
O acerquémonos al espectáculo de la zona tórrida: para el nativo
es rico de luz, calor y color, pero lánguido y lleno de molicie; todo
se le deslíe en largas contemplaciones, en plásticas sabrosas, en danzas lentas:

> *y en las ardientes noches del estío*
> *la bandola y el canto prolongado*
> *que une su estrofa al murmurar del río...*

Pero el hombre de climas templados ve el trópico bajo deslumbramiento agobiador: así lo vio Mármol en el Brasil, en aquellos versos célebres, mitad ripio, mitad hallazgo de cosa vivida;
así lo vio Sarmiento en aquel breve y total apunte de Río de Janeiro:

"Los insectos son carbunclos o rubíes, las mariposas plumi-
llas de oro flotantes, pintadas las aves, que engalanan penachos y
decoraciones fantásticas, verde esmeralda la vegetación, embalsa-
madas y púrpuras las flores, tangible la luz del cielo, azul cobalto
el aire, doradas a fuego las nubes, roja la tierra y las arenas en-
tremezcladas de diamantes y de topacios".

A la naturaleza sumamos el primitivo habitante. ¡Ir al indio! Programa que nace y renace en cada generación, bajo muchedumbre de formas en todas las artes. En literatura, nuestra interpretación del indígena ha sido irregular y caprichosa. Poco hemos agregado a aquella fuerte visión de los conquistadores como Hernán Cortés, Ercilla, Cieza de León, y de los misioneros como fray Bartolomé de las Casas. Ellos acertaron a definir dos tipos ejemplares, que Europa acogió e incorporó a su repertorio de figuras humanas: el "indio hábil y discreto", educado en compleja y exquisitas civilizaciones propias, singularmente dotado para las artes y las industrias, y el "salvaje virtuoso", que carece de civilización mecánica, pero vive en orden, justicia y bondad, personaje que tanto sirvió a los pensadores europeos para crear la imagen del hipotético hombre del "estado de naturaleza" anterior al contrato social. En nuestros cien años de independencia, la romántica pereza nos ha impedido dedicar mucha atención a aquellos magníficos imperios cuya interpretación literaria exigiría previos estudios arqueológicos; la falta de simpatía humana nos ha estorbado para acercarnos al superviviente de hoy, antes de los años últimos, excepto en casos como el memorable de los *Indios Ranqueles*; y al fin, aparte del libro impar y delicioso de Mansilla, las mejores obras de asunto indígena se han escrito en países como Santo Domingo y el Uruguay, donde el aborigen de raza pura persiste apenas en rincones lejanos y se ha diluido en recuerdo sentimental. "El espíritu de los hombres flota sobre la tierra en que vivieron, y se le respira", decía Martí.

Tras el indio, el criollo. El movimiento criollista ha existido en toda la América española con intermitencias, y ha aspirado a recoger las manifestaciones de la vida popular, urbana y campestre, con natural preferencia por el campo. Sus límites son vagos: en la pampa argentina, el criollo se oponía al indio, enemigo tradicional, mientras en México, en la América central, en toda la región de los Andes y su vertiente del Pacífico, no siempre existe frontera perceptible entre las costumbres de carácter criollo y las de carácter indígena. Así mezcladas las reflejan en la literatura mexicana los romances de Guillermo Prieto y el *Periquillo* de Lizardi, despertar de la novela en nuestra América, a la vez que despedida de la picaresca española. No hay país donde la existencia criolla no inspire cuadros de color peculiar, entre todas, la literatura argentina,

tanto en el idioma culto como en el campesino, ha sabido apoderarse de la vida del gaucho en visión honda como la pampa. Facundo
Quiroga, Martín Fierro, Santos Vega, son figuras definitivamente
plantadas dentro del horizonte ideal de nuestros pueblos. Y no creo
en la realidad de la querella de Fierro contra Quiroga. Sarmiento,
como civilizador, urgido de acción, atenaceado por la prisa, escogió
para el futuro de su patria el atajo europeo y norteamericano en vez
del sendero criollo, informe todavía, largo, lento, interminable tal vez,
o desembocado en callejón sin salida; pero nadie sintió mejor que él
los soberbios ímpetus, la acre originalidad de la barbarie que aspira-
ba a destruir. En tales oposiciones y en tales decisiones está el Sarmiento aquilino: la mano inflexible escoge; el espíritu amplio se
abre a todos los vientos. ¿Quién comprendió mejor que él a España, la España cuyas malas herencias quiso arrojar al fuego, la que
visitó "con el santo propósito de levantarle el proceso verbal", pero que a ratos le hacía agitarse en ráfagas de simpatía? ¿Quién
anotó mejor que él las limitaciones de los Estados Unidos, de esos
Estados Unidos cuya perseverancia constructora exaltó a modelo
ejemplar?

Existe otro americanismo, que evita al indígena, y evita el
criollismo pintoresco, y evita el puente intermedio de la era colonial, lugar de cita para muchos antes y después de Ricardo Palma: su precepto único es ceñirse siempre al Nuevo Mundo en los
temas, así en la poesía como en la novela y el drama, así en la
crítica como en la historia. Y para mí, dentro de esa fórmula
sencilla como dentro de las anteriores, hemos alcanzado, en momentos felices, la expresión vívida que perseguimos. En momentos felices, recordémoslo.

EL AFAN EUROPEIZANTE

Volvamos ahora la mirada hacia los europeizantes, hacia los
que, descontentos de todo americanismo con aspiraciones de sabor autóctono, descontentos hasta de nuestra naturaleza, nos prometen la salud espiritual si mantenemos recio y firme el lazo que
nos ata a la cultura europea. Creen que nuestra función no será
crear, comenzando desde los principios, yendo a la raíz de las
cosas, sino continuar, proseguir, desarrollar sin romper tradiciones ni enlaces.

Y conocemos los ejemplos que invocarían, los ejemplos mismos que nos sirvieron para rastrear el origen de nuestra rebelión nacionalista: Roma, la Edad Media, el Renacimiento, la hegemonía francesa del siglo XVIII . . . Detengámonos nuevamente ante ellos. ¿No tendrán razón los arquetipos clásicos contra la libertad romántica de que usamos y abusamos? ¿No estará el secreto único de la perfección en atenernos a la línea ideal, que sigue desde sus remotos orígenes la cultura de Occidente? Al criollista que se defienda —acaso la única vez en su vida— con el ejemplo de Grecia, será fácil demostrarle que el milagro griego, si más solitario, más original que las creaciones de sus sucesores, recogía vetustas herencias: ni los griegos vienen de la nada; Grecia, madre de tantas invenciones, aprovechó el trabajo ajeno, retocando y perfeccionando, pero, en su opinión, tratándose de acercarse a los cánones, a los paradigmas que otros pueblos, antecesores suyos o contemporáneos, buscaron con intuición confusa. [1]

Todo aislamiento es ilusorio. La historia de la organización espiritual de nuestra América, después de la emancipación política, nos dirá que nuestros propios orientadores fueron, en momento oportuno, europeizantes: Andrés Bello, que desde Londres lanzó la declaración de nuestra independencia literaria, fue motejado de europeizante por los proscriptos argentinos veinte años después, cuando organizaba la cultura chilena; y los más violentos censores de Bello, de regreso en su patria, habían de emprender en su turno tareas de europeización, para que ahora se lo afeen los devotos del criollismo puro.

Apresurémonos a conceder a los europeizantes todo lo que les pertenece, pero nada más, y a la vez tranquilicemos al criollista. No sólo sería ilusorio el aislamiento —la red de las comunicaciones lo impide—, sino que tenemos derecho a tomar de Europa todo lo que nos plazca: tenemos derecho a todos los beneficios de la cultura occidental. Y en literatura —ciñéndonos a nuestro problema— recordemos que Europa estará presente, cuando menos, en el arrastre histórico del idioma.

---

[1] Víctor Bérard, el helenista revolucionario, llega a pensar que la epopeya homérica fue "producto del genio nacional y fruto lentamente madurado de largos esfuerzos nativos, pero también brusco resultado de influencias y de modelos exóticos: ¿en todo país y en todo arte no aparecen los grandes nombres en la encrucijada de una tradición nacional y de una intervención extranjera?" (L'Odyssée, texto y traducción, París, 1924).

Aceptemos francamente como inevitable, la situación compleja: al expresarnos habrá en nosotros, junto a la porción sola, nuestra, hija de nuestra vida, a veces con herencia indígena, otra porción substancial, aunque sólo fuere el marco, que recibimos de España. Voy más lejos: no sólo escribimos el idioma de Castilla, sino que pertenecemos a la Romania, la familia románica que constituye todavía una comunidad, una unidad de cultura, descendiente de la que Roma organizó bajo su potestad; pertenecemos —según la repetida frase de Sarmiento— al Imperio Romano. Literariamente, desde que adquieren plenitud de vida las lenguas romances, a la Romania nunca le ha faltado centro, sucesor de la Ciudad Eterna: del siglo XI al XIV fue Francia, con oscilaciones iniciales entre Norte y Sur; con el Renacimiento se desplaza a Italia; luego, durante breve tiempo, tiende a situarse en España; desde Luis XIV vuelve a Francia. Muchas veces la Romania ha extendido su influjo a zonas extranjeras, y sabemos cómo París gobernaba a Europa, y de paso a las dos Américas, en el siglo XVIII pero desde los comienzos del siglo XIX se definen, en abierta y perdurable oposición, zonas rivales: la germánica, suscitadora de la rebeldía; la inglesa, que abarca a Inglaterra con su imperio colonial, ahora en disolución, y a los Estados Unidos; la eslava . . . Hasta políticamente hemos nacido y crecido en la Romania. Antonio Caso señala con eficaz precisión los tres acontecimientos de Europa cuya influencia es decisiva sobre nuestros pueblos: el Descubrimiento, que es acontecimiento español; el Renacimiento, italiano; la Revolución, francés. El Renacimiento da forma —en España sólo a medias— a la cultura que iba a ser trasplantada a nuestro mundo; la Revolución es el antecedente de nuestras guerras de independencia. Los tres acontecimientos son de pueblos románicos. No tenemos relación directa con la Reforma ni con la evolución constitucional de Inglaterra, y hasta la independencia y la Constitución de los Estados Unidos alcanzan prestigio entre nosotros merced a la propaganda que de ellas hizo Francia.

LA ENERGIA NATIVA

Concedido todo eso, que es todo lo que en buen derecho ha de reclamar el europeizante, tranquilicemos al criollo fiel recordándole que en la existencia de la Romania como unidad, como entidad colectiva de cultura, y la existencia del centro orientador, no son estorbos definitivos para ninguna originalidad, porque aquella comunidad tradicional afecta sólo a las formas de la cultura, mientras que el carácter original de los pueblos viene de su fondo espiritual, de su energía nativa.

Fuera de momentos fugaces en que se ha adoptado con excesivo rigor una fórmula estrecha, por excesiva fe en la doctrina retórica, o durante períodos en que una decadencia nacional de todas las energías lo ha hecho enmudecer, cada pueblo se ha expresado con plenitud de carácter dentro de la comunidad imperial. Y en España, dentro del idioma central, sin acudir a los rivales, las regiones se definen a veces con perfiles únicos en la expresión literaria. Así, entre los poetas, la secular oposición entre Castilla y Andalucía, el contraste entre Fray Luis de León y Fernando de Herrera, entre Quevedo y Góngora, entre Espronceda y Bécquer.

El compartido idioma no nos obliga a perdernos en la masa de un coro cuya dirección no está en nuestras manos: sólo nos obliga a acendrar nuestra nota expresiva, a buscar el acento inconfundible. Del deseo de alcanzarlo y sostenerlo nace todo el rompecabezas de cien años de independencia proclamada; de ahí las fórmulas de americanismo, las promesas que cada generación escribe, sólo para que la siguiente las olvide o las rechace, y de ahí la reacción, hija del inconfesado desaliento, en los europeizantes.

EL ANSIA DE PERFECCION

Llegamos al término de nuestro viaje por el palacio confuso, por el fatigoso laberinto de nuestras aspiraciones literarias, en busca de nuestra expresión original y genuina. Y a la salida creo volver con el oculto hilo que me sirvió de guía.

Mi hilo conductor ha sido el pensar que no hay secreto de la expresión sino uno: trabajarla hondamente, esforzarse en hacerla pura, bajando hasta la raíz de las cosas que queremos decir; afinar, definir, con ansia de perfección.

El ansia de perfección es la única forma. Contentándonos con usar el ajeno hallazgo, del extranjero o del compatriota, nunca comunicaremos la revelación íntima; contentándonos con la tibia y confusa enunciación de nuestras intuiciones, las desvirtuaremos ante el oyente y le parecerán cosa vulgar. Pero cuando se ha alcanzado la expresión firme de una intuición artística, va en ella, no sólo el sentido universal, sino la esencia del espíritu que la poseyó y el sabor de la tierra de que se ha nutrido.

Cada fórmula de americanismo puede prestar servicio (por eso les di a todas aprobación provisional); el conjunto de las que hemos ensayado nos da una suma de adquisiciones útiles, que hacen flexible y dúctil el material originario de América. Pero la fórmula, al repetirse, degenera en mecanismo y pierde su prístina eficacia; se vuelve receta y engendra una retórica.

Cada grande obra de arte crea medios propios y peculiares de expresión; aprovecha las experiencias anteriores, pero las rehace, porque no es una suma, sino una síntesis, una invención. Nuestros enemigos, al buscar la expresión de nuestro mundo, son la falta de esfuerzo, y la ausencia de disciplina, hijos de la pereza y la incultura, o la vida en perpetuo disturbio y mudanza, llena de preocupaciones ajenas a la pureza de la obra: nuestros poetas, nuestros escritores, fueron las más veces, en parte son todavía, hombres obligados a la acción, la faena política y hasta la guerra, y no faltan entre ellos, los conductores e iluminadores de pueblos.

EL FUTURO

Ahora, en el Río de la Plata cuando menos, empieza a constituirse la profesión literaria. Con ella debiera venir la disciplina, el reposo que permite los graves empeños. Y hace falta la colaboración viva y clara del público: demasiado tiempo ha oscilado entre la falta de atención y la excesiva indulgencia. El público ha de ser exigente; pero ha de poner interés en la obra de América. Para que haya grandes poetas, decía Walt Whitman, ha de haber grandes auditorios.

Sólo un temor me detiene, y lamento turbar con una nota pesimista el canto de esperanzas. Ahora que parecemos navegar en dirección hacia el puerto seguro, ¿no llegaremos tarde? ¿El hombre del futuro seguirá interesándose en la creación artística y literaria, en la perfecta expresión de los anhelos superiores del espíritu? El occidental de hoy se interesa en ellas menos que el de ayer, y mucho menos que el de tiempos lejanos. Hace cien, cincuenta años, cuando se auguraba la desaparición del arte, se rechazaba el agüero con gestos fáciles: "siempre habrá poesía". Pero después —fenómeno nuevo en la historia del mundo, insospechado y sorprendente— hemos visto surgir a existencia próspera sociedades activas y al parecer felices, de cultura occidental, a quienes no preocupa la creación artística, a quienes les basta la industria, o se contentan con el arte reducido a procesos industriales: Australia, Nueva Zelandia, aun en el Canadá. Los Estados Unidos ¿no habrán sido el ensayo intermedio? Y en Europa, bien que abunde la producción artística y literaria, el interés del hombre contemporáneo no es el que fue. El arte había obedecido hasta ahora a dos fines humanos: uno, la expresión de los anhelos profundos, del ansia de eternidad, del utópico y siempre renovado sueño de la vida perfecta; otro, el juego, el solaz imaginativo en que descansa el espíritu. El arte y la literatura de nuestros días apenas recuerdan ya su antigua función trascendental; sólo nos va quedando el juego . . .   Y el arte reducido a diversión, por mucho que sea diversión inteligente, pirotecnia del ingenio, acaba en hastío.

. . . No quiero terminar en tono pesimista. Si las artes y las letras no se apagan, tenemos derecho a considerar seguro el porvenir. Trocaremos en arca de tesoros la modesta caja donde ahora guardamos nuestras escasas joyas, y no tendremos por qué temer el sello ajeno del idioma en que escribamos, porque para entonces habrá pasado a estas orillas del Atlántico el eje espiritual del mundo español.

(La Nación, Buenos Aires,
29 de agosto de 1926)

CAMINOS DE NUESTRA HISTORIA LITERARIA

La literatura de la América española tiene cuatro siglos de existencia, y hasta ahora los dos únicos intentos de escribir su historia completa se han realizado en idiomas extranjeros: uno, hace cerca de diez años, en inglés (Coester); otro, muy reciente, en alemán (Wagner). Está repitiéndose, para la América española, el caso de España: fueron los extraños quienes primero se aventuraron a poner orden en aquel caos o —mejor— en aquella vorágine de mundos caóticos. Cada grupo de obras literarias —o, como decían los retóricos, "cada género"— se ofrecía como "mar nunca antes navegado", con sirenas y dragones, sirtes y escollos. Buenos trabajadores van trazando cartas parciales: ya nos movemos con soltura entre los poetas de la Edad Media; sabemos cómo se desarrollaron las novelas caballerescas, pastoriles y picarescas; conocemos la filiación de la familia de Celestina... Pero para la literatura religiosa debemos contentarnos con esquemas superficiales, y no es de esperar que se perfeccionen, porque el asunto no crece en interés; aplaudiremos siquiera que se dediquen buenos estudios aislados a Santa Teresa o a Fray Luis de León, y nos resignaremos a no poseer sino vagas noticias, o lecturas sueltas, del Beato Alonso Rodríguez o del padre Luis de la Puente. De místicos luminosos, como Sor Cecilia del Nacimiento, ni el nombre llega a los tratados históricos. [1] De la poesía lírica de los "siglos de oro" sólo sabemos que nos gusta, o cuándo nos gusta; no estamos ciertos de quién sea el autor de poesías que repetimos de memoria; los libros hablan de escuelas que nunca existieron, como la salmantina; ante los comienzos del gongorismo, cuantos carecen del sentido del estilo se desconciertan, y repiten discutibles leyendas. Los más osados exploradores se confiesan a merced de vientos desconocidos cuando se internan en el teatro, y dentro de él, Lope es caos él solo, monstruo de su laberinto.

¿Por qué los extranjeros se arriesgaron, antes que los nativos, a la síntesis? Demasiado se ha dicho que poseían mayor aptitud, mayor tenacidad; y no se echa de ver que sentían menos las dificultades del caso. Con los nativos se cumplía el refrán: los árboles no dejan ver el bosque. Hasta este día, a ningún gran crítico o investigador español le debemos una visión completa del paisaje. D. Marcelino Menéndez y Pelayo, por ejemplo, se consagró a describir uno por uno los árboles que tuvo ante los ojos; hacia la mitad de la tarea le traicionó la muerte. [2]

En América vamos procediendo de igual modo. Emprendemos estudios parciales: la literatura colonial de Chile, la poesía en Mé-

---

[1] Debo su conocimiento, no a ningún hispanista, sino al doctor Alejandro Korn, el sagaz filósofo argentino. Es significativo.

[2] A pesar de que el colosal panorama quedó trunco, podría organizarse una historia de la literatura española con texto de Menéndez y Pelayo. Sobre muchos autores sólo se encontrarían observaciones incidentales, pero sintéticas y rotundas.

xico, la historia en el Perú . . . Llegamos a abarcar países enteros, y el Uruguay cuenta con siete volúmenes de Roxlo, la Argentina con cuatro de Rojas (¡ocho en la nueva edición!). El ensayo de conjunto se lo dejamos a Coester y Wagner. Ni siquiera lo hemos realizado como simple suma de historias parciales, según el propósito de la *Revue Hispanique*: después de tres o cuatro años de actividad la serie quedó en cinco o seis países.

Todos los que en América sentimos el interés de la historia literaria hemos pensado en escribir la nuestra. Y no es pereza lo que nos detiene: es, en unos casos, la falta de ocio, de vagar suficiente (la vida nos exige, ¡con imperio!, otras labores); en otros casos, la falta del dato y del documento: conocemos la dificultad, poco menos que insuperable, de reunir todos los materiales. Pero como el proyecto no nos abandona, y no faltará quien se decida a darle realidad, conviene apuntar observaciones que aclaren el camino.

LAS TABLAS DE VALORES

Noble deseo, pero grave error cuando se quiere hacer historia es el que pretende recordar a todos los héroes. En la historia literaria el error lleva a la confusión. En el manual de Coester, respetable por el largo esfuerzo que representa, nadie discernirá si merece más atención el egregio historiador Justo Sierra que el fabulista Rosas Moreno, o si es mucho mayor la significación de Rodó que la de su amigo Samuel Blixen. Hace falta poner en circulación tablas de valores: nombres centrales y libros de lectura indispensable. [3]

Dejar en la sombra populosa a los mediocres; dejar en la penumbra a aquellos cuya obra pudo haber sido magna pero quedó a medio hacer: tragedia común en nuestra América, con sacrificios y hasta injusticias sumas es como se constituyen las constelaciones de clásicos en todas las literaturas. Epicarmo fue sacrificado a la gloria de Aristófanes; Georgias y Protágoras a las iras de Platón.

La historia literaria de la América española debe escribirse alrededor de unos cuantos nombres centrales: Bello, Sarmiento, Montalvo, Martí, Darío, Rodó.

[3] A dos escritores nuestros, Rufino Blanco Fombona y Ventura García Calderón, debemos conatos de bibliotecas clásicas de la América española. De ellas prefiero las de García Calderón, por las selecciones cuidadosas y la pureza de los textos.

NACIONALISMOS

Hay dos nacionalismos en la literatura: el espontáneo, el natural acento y elemental sabor de la tierra nativa, al cual nadie escapa, ni las excepciones aparentes; y el perfecto, la expresión superior del espíritu de cada pueblo, con poder de imperio, de perduración y expansión. Al nacionalismo perfecto, creador de grandes literaturas, aspiramos desde la independencia: nuestra historia literaria de los últimos cien años podría escribirse como la historia del flujo y reflujo de aspiraciones y teorías en busca de nuestra expresión perfecta; deberá escribirse como la historia de los renovados intentos de expresión y, sobre todo, de las expresiones realizadas.

Del otro nacionalismo, del espontáneo y natural, poco habría que decir si no se le hubiera convertido, innecesariamente, en problema de complicaciones y enredos. Las confusiones empiezan en el idioma. Cada idioma tiene su color, resumen de larga vida histórica. Pero cada idioma varía de ciudad en ciudad, de región a región, y a las variaciones dialectales, siquiera mínimas, acompañan multitud de matices espirituales diversos. ¿Sería de creer que mientras cada región de España se define con rasgos suyos, la América española se quedará en nebulosa informe, y no se hallará medio de distinguirla de España? ¿Y a qué España se parecería? ¿A la andaluza? El andalucismo de América es una fábrica de poco fundamento, de tiempo atrás derribada por Cuervo. [4]

En la práctica, todo el mundo distingue al español del hispanoamericano: hasta los extranjeros que ignoran el idioma. Apenas existió población organizada de origen europeo en el Nuevo Mundo, apenas nacieron los primeros criollos, se declaró que diferían de los españoles; desde el siglo XVI se anota, con insistencia, la diversidad. En la literatura, todos la sienten. Hasta en D. Juan Ruiz de Alarcón: la primera impresión de todo lector suyo es que *no se parece* a los otros dramaturgos de su tiempo, aunque de ellos recibió —rígido ya— el molde de sus comedias: temas, construcción, lenguaje, métrica.

[4] A las pruebas y razones que adujo Cuervo en su artículo *El castellano en América*, del *Bulletin Hispanique*, de Burdeos, en 1901, ha agregado otras en dos trabajos míos: *Observaciones sobre el español en América* en la *Revista de Filología Española*, de Madrid, 1921, y *El supuesto andalucismo de América*, en las publicaciones del Instituto de Filología de la Universidad de Buenos Aires, 1925.

Constituimos los hispanoamericanos grupos regionales diversos: lingüísticamente, por ejemplo, son cinco los grupos, las zonas. ¿Es de creer que tales matices no trascienden a la literatura? No; el que ponga atención los descubrirá pronto, y les será fácil distinguir cuando el escritor es rioplatense, o es chileno, o es mexicano.

Si estas realidades paladinas se obscurecen es porque se tiñen de pasión y prejuicio, y así oscilamos entre dos turbias tendencias: una que tiende a declararnos "llenos de carácter", para bien o para mal, y otra que tiende a declararnos "pájaros sin matiz, peces sin escamas", meros españoles que alteramos el idioma en sus sonidos y en su vocabulario y en su sintaxis, pero que conservamos inalterables, sin adiciones, la *Weltanschaung* de los castellanos o de los andaluces. Unas veces, con infantil pesimismo, lamentamos nuestra falta de fisonomía propia; otras veces inventamos credos nacionalistas, cuyos complejos dogmas se contradicen entre sí. Y los españoles, para censurarnos, declaran que a ellos no nos parecemos en nada: para elogiarnos, declaran que nos confundimos con ellos.

No; el asunto es sencillo. Simplifiquémoslo: nuestra literatura se distingue de la literatura de España, porque no puede menos de distinguirse, y eso lo sabe todo observador. Hay más: en América, cada país, o cada grupo de países ofrece rasgos peculiares suyos en la literatura, a pesar de la lengua recibida de España, a pesar de las constantes influencias europeas. Pero ¿estas diferencias son como las que separan a Inglaterra de Francia, a Italia de Alemania? No; son como las que median entre Inglaterra y los Estados Unidos. ¿Llegarán a ser mayores? Es probable.

AMERICA Y LA EXUBERANCIA

Fuera de las dos corrientes están muchos que no han tomado partido, en general, con una especie de realismo ingenuo aceptan la natural e inofensiva suposición de que tenemos fisonomía propia, siquiera no sea muy expresiva. Pero ¿cómo juzgan? Con lecturas casuales: *Amalia* o *María*, *Facundo* o *Martín Fierro*, Nervo o Rubén. En esas lecturas de azar se apoyan muchas ideas peregrinas; por ejemplo, la de nuestra exuberancia.

Veamos, José Ortega y Gasset, en artículo reciente, recomienda a los jóvenes argentinos "estrangular el énfasis", que él ve como una falta nacional. Meses atrás, Eugenio d'Ors, al despedirse de Madrid el ágil escritor y acrisolado poeta mexicano Alfonso Reyes, lo llamaba "el que le tuerce el cuello a la exuberancia". Después ha vuelto al tema, a propósito de escritores de Chile. América es, a los ojos de Europa —recuerda d'Ors— la tierra exuberante, y razonando de acuerdo con la usual teoría de que cada clima da a sus nativos rasgos espirituales característicos ("el clima influye los ingenios", decía Tirso), se nos atribuyen caracteres de exuberancia en la literatura. Tales opiniones (las escojo por muy recientes) nada tienen de insólitas; en boca de americanos se oyen también.

Y, sin embargo, yo no creo en la teoría de nuestra exuberancia. Extremando, hasta podría el ingenioso aventurar la tesis contraria; sobrarían escritores, desde el siglo XVI hasta el XX, para demostrarla. Mi negación no esconde ningún propósito defensivo. Al contrario, me atrevo a preguntar: ¿se nos atribuye y nos atribuimos exuberancia y énfasis, o ignorancia y torpeza? La ignorancia, y todos los males que de ella se derivan, no son caracteres: son situaciones. Para juzgar nuestra fisionomía espiritual conviene dejar aparte a los escritores que no saben revelarla en su esencia porque se lo impiden sus imperfecciones en cultura y en dominio de formas expresivas. ¿Qué son muchos? Poco importa; no llegaremos nunca a trazar el plano de nuestras letras si no hacemos previo desmonte.

Si exuberancia es fecundidad, no somos exuberantes; no somos, los de América española, escritores fecundos. Nos falta "la vena", probablemente; y nos falta la urgencia profesional: la literatura no es profesión, sino afición, entre nosotros; apenas en la Argentina nace ahora la profesión literaria. Nuestros escritores fecundos son excepciones; y ésos sólo alcanzan a producir tanto como los que en España representen el término medio de actividad; pero nunca tanto como Pérez Galdós o Emilia Pardo Bazán. Y no se hable del siglo XVII; Tirso y Calderón bastan para desconcertarnos; Lope produjo él solo tanto como todos juntos los poetas dramáticos ingleses de la época isabelina. Si Alarcón escribió poco, no fue mera casualidad.

¿Exuberancia es verbosidad? El exceso de palabras no brota en todas partes de fuentes iguales; el inglés lo hallará en Ruskin, o en Landor, o en Thomas de Quincey, o en cualquier otro de sus estilistas ornamentales del siglo XIX; el ruso, en Andreiev: excesos distintos entre sí, y distintos del que para nosotros representan Castelar o Zorrilla. Y además, en cualquier literatura, el autor mediocre, de ideas pobres, de cultura escasa, tiende a verboso; en la española, tal vez más que en ninguna. En América volvemos a tropezar con la ignorancia; si abunda la palabrería es porque escasea la cultura, la disciplina, y no por exuberancia nuestra. *Le climat* —parodiando a Alceste— *ne fait rien à l'affaire.* Y en ocasiones nuestra verbosidad llama la atención, porque va acompañada de una preocupación estilística, buena en sí, que procura exaltar el poder de los vocablos, aunque le falte la densidad de pensamiento o la chispa de imaginación capaz de trocar en oro el oropel.

En fin, es exuberancia el énfasis. En las literaturas occidentales, al declinar el romanticismo, perdieron prestigio la *inspiración*, la elocuencia, el énfasis, "primor de la scriptura", como le llamaba nuestra primera monja poetisa, doña Leonor de Ovando. Se puso de moda la sordina, y hasta el silencio. *Seul le silence est grand,* se proclamaba ¡enfáticamente todavía! En América conservamos el respeto al énfasis mientras Europa nos lo prescribió; aún hoy nos quedan tres o cuatro poetas *vibrantes,* como decían los románticos. ¿No representarán simple retraso en la moda literaria? ¿No se atribuirá a influencia del trópico lo que es influencia de Víctor Hugo? ¿O de Byron, o de Espronceda, o de Quintana? Cierto; la elección de maestros ya es indicio de inclinación nativa. Pero —dejando aparte cuanto reveló carácter original— los modelos enfáticos no eran los únicos; junto a Hugo estaba Lamartine; junto a Quintana estuvo Meléndez Valdés. Ni todos hemos sido enfáticos ni es éste nuestro mayor pecado actual. Hay países de América, como México y el Perú, donde la exaltación es excepcional. Hasta tenemos corrientes y escuelas de serenidad, de refinamiento, de sobriedad; del *modernismo* a nuestros días, tienden a predominar esas orientaciones sobre las contrarias.

AMERICA BUENA Y AMERICA MALA

Cada país o cada grupo de países —está dicho—, da en América matiz especial a su producción literaria: el lector asiduo lo reconoce. Pero existe la tendencia, particularmente en la Argentina, a dividirlos en dos grupos únicos: la América mala y la buena, la tropical y la *otra*, los *petits pays chauds* y las naciones "bien organizadas". La distinción, real en el orden político y económico —salvo uno que otro punto crucial, difícil en extremo—, no resulta clara ni plausible en el orden artístico. Hay, para el observador, literatura de México, de la América central, de las Antillas, de Venezuela, de Colombia, de la región peruana, de Chile, del Plata; pero no hay una literatura de la América tropical frondosa y enfática y otra literatura de la América templada, toda serenidad y discreción. Y se explicaría —según la teoría climatológica en qué se apoya parcialmente la escisión intentada —porque, contra la creencia vulgar, la mayor parte de la América española situada entre los trópicos no cabe dentro de la descripción usual de la zona tórrida. Cualquier manual de geografía nos lo recordará: la América intertropical se divide en tierras bajas y en tierras altas; sólo las tierras bajas son legítimamente tórridas, mientras las altas son de temperatura fresca, muchas veces fría. ¡Y el Brasil ocupa la mayor parte de las tierras bajas entre los trópicos! Hay opulencia en el espontáneo y delicioso barroquismo de la arquitectura y las letras brasileñas. Pero el Brasil no es América española . . . En la que sí lo es, en México y a lo largo de los Andes, encontrará el viajero vastas altiplanicies que no le darán impresión de exuberancia, porque aquellas alturas son poco favorables a la fecundidad del suelo y abundan en las regiones áridas. No se conoce allí "el calor del trópico". Lejos de ser ciudades de perpetuo verano, Bogotá y México, Quito y Puebla, La Paz y Guatemala merecerían llamarse ciudades de otoño perpetuo. Ni siquiera Lima o Caracas son tipo de ciudad tropical: hay que llegar, para encontrarlos, hasta La Habana (¡ejemplar admirable!), Santo Domingo, San Salvador. No es de esperar que la serenidad y las suaves temperaturas de las altiplanicies y de las vertientes favorezcan "temperamentos ardorosos" o "imaginaciones volcánicas". Así se ve el carácter dominante de la literatura mexicana es de discreción, de melancolía, de tonalidad gris (recórrase la serie de los poetas desde el fraile Navarrete hasta González Martínez), y en ella nunca prosperó la tendencia a la exaltación, ni aun en las épocas de influencia de Hugo, sino en personajes aislados, como Díaz Mirón, hijo de la costa cálida, de la tierra baja. Así se ve que el carácter de

las letras peruanas es también de discreción y mesura; pero en vez
de la melancolía pone allí sello particular la nota humorística, herencia de la Lima virreinal, desde las comedias de Pardo y Segura hasta la actual descendencia de Ricardo Palma. Chocano resulta
la excepción.

La divergencia de las dos Américas, *la buena y la mala*, en
la vida literaria, sí comienza a señalarse, y todo observador atento
lo habrá advertido en los años últimos; pero en nada depende de
la división en zona templada y zona tórrida. La fuente está en la diversidad de cultura. Durante el siglo XIX, la rápida nivelación,
la semejanza de situaciones que la independencia trajo a nuestra
América, permitió la aparición de fuertes personalidades en cualquier país: si la Argentina producía a Sarmiento, el Ecuador a
Montalvo; si México daba a Gutiérrez Nájera, Nicaragua a Rubén
Darío. Pero las situaciones cambian: las *naciones serias* van dando
forma y estabilidad a su cultura, y en ellas las letras se vuelven actividad normal; mientras tanto, en "las otras naciones", donde las
instituciones de cultura, tanto elemental como superior, son víctimas de los vaivenes políticos y del desorden económico, la literatura ha comenzado a flaquear. Ejemplos: Chile, en el siglo XIX,
no fue uno de los países hacia donde se volvían con placer los ojos
de los amantes de las letras; hoy sí lo es. Venezuela tuvo durante
cien años, arrancando nada menos que de Bello, literatura valiosa,
especialmente en la forma: abundaba el tipo del poeta y del escritor dueño del idioma, dotado de *facundia*. La serie de tiranías ignorantes que vienen afligiendo a Venezuela desde fines del siglo
XIX —al contrario de aquellos curiosos "despotismos ilustrados"
de antes, como el de Guzmán Blanco— han deshecho la tradición
intelectual: ningún escritor de Venezuela menor de cincuenta años
disfruta de reputación en América.

Todo hace prever que, a lo largo del siglo XX, la actividad
literaria se concentrará, crecerá y fructificará en "la América
buena"; en la otra —sean cuales fueren los países que al fin la
constituyen—, las letras se adormecerán gradualmente hasta quedar aletargadas.

(*Valoraciones*, La Plata, agosto de 1925)

LA AMERICA ESPAÑOLA Y SU ORIGINALIDAD

Al hablar de la participación de la América española en la cultura intelectual del Occidente es necesario partir de hechos geográficos, sociales, políticos.

Desde luego, la situación geográfica; la América española está a gran distancia de Europa: a distancia mayor sólo se hallan, dentro de la civilización occidental, los dominios ingleses de Australia y Nueva Zelandia.

Las naciones de nuestra América, aun las superiores en población y territorio, no alcanzan todavía importancia política y económica suficiente para que el mundo se pregunte cuál es el espíritu que las anima, cuál es su personalidad real. Si a Europa le interesaron los Estados Unidos desde su origen como fenómeno político singular, como ensayo de democracia moderna, no le interesó su vida intelectual, hasta mediados del siglo XIX; es entonces cuando Baudelaire descubre a Poe. [1]

Finalmente, mientras los Estados Unidos fundaron su civilización sobre bases de población europea, porque allí no hubo mezcla con la indígena, ni tenía importancia numérica dominante la de origen africano, en la América española la población indígena ha sido siempre muy numerosa, la más numerosa durante tres siglos; sólo en el siglo XIX comienza el predominio cuantitativo de la población de origen europeo. [2] Ninguna inferioridad del indígena ha sido estorbo a la difusión de la cultura de tipo occidental; sólo con grave ignorancia histórica se pretendería desdeñar al indio, creador de grandes civilizaciones,en nombre de la teoría de las diferencias de capacidad entre las razas humanas, que por su falta de fundamento científico podríamos dejar desvanecerse como pueril supervivencia de las vanidades de tribu si no hubiera que combatirla como maligno pretexto de dominación.

[1] En Inglaterra se leía a los escritores de los Estados Unidos desde antes; la comunidad de idioma lo explica, como explica que en España se hayan conocido siempre unos cuantos escritores en nuestra América. Pero ningún escritor norteamericano ejerció influencia sobre los ingleses hasta que Henry James se trasladó a vivir entre ellos; fuera de las vagas conexiones entre Poe y los prerrafaelistas, hasta el siglo XX, no se encontrará en Inglaterra influjo de escritores norteamericanos residentes en los Estados Unidos.

[2] Consúltese el estudio de Angel Rosenblat "El desarrollo de la población indígena de América", publicado en la revista *Tierra Firme* de Madrid, 1935, y reimpreso en volumen.

Basta recordar cómo Spengler, en 1930 tardío defensor de la derrota mística de las razas, en 1918 contaba entre las grandes culturas de la historia, junto a la europea clásica y la europea moderna, junto a la china y a la egipcia, la indígena de México y el Perú. No hay incapacidad; pero la conquista decapitó la cultura del indio, destruyendo sus formas superiores (ni siquiera se conservó el arte de leer y escribir los jeroglíficos aztecas), respetando sólo las formas populares y familiares. Como la población indígena, numerosa y diseminada en exceso, sólo en mínima porción pudo quedar íntegramente incorporada a la civilización de tipo europeo, nada llenó para el indio el lugar que ocupaban aquellas formas superiores de su cultura autóctona. [3]

El indígena que conserva su cultura arcaica produce extraordinaria variedad de cosas: en piedra, en barro, en madera, en frutos, en fibras, en lanas, en plumas. Y no sólo produce: crea. En los mercados humildes de México, de Guatemala, del Ecuador, del Perú, de Bolivia, pueden adquirirse a bajo precio obras maestras, equilibradas en su estructura, infalibles en calidad y armonía de los colores. La creación indígena popular brota del suelo fértil de la tradición y recibe aire vivificador del estímulo y la comprensión de todos, como en la Grecia antigua o en la Europa medieval.

En la zona de cultura europea de la América española falta riqueza del suelo y ambiente como la que nutre las creaciones arcaicas del indígena. Nuestra América se expresará plenamente en formas modernas cuando haya entre nosotros densidad de cultura moderna. Y cuando hayamos acertado a conservar la memoria de los esfuerzos del pasado, dándole solidez de tradición. [4]

[3] Hay ejemplares eminentes, sin embargo, de indios puros con educación hispánica; así en México, Fernando de Alva Ixtlixóchitl, "el Tito Livio del Anáhuac"; Miguel Cabrera, el gran pintor del siglo XVIII; Benito Juárez, el austero defensor de las instituciones democráticas; Ignacio Manuel Altamirano, novelista, poeta, maestro de generaciones.

Los tipos étnicamente mezclados sí forman parte, desde el principio, de los núcleos de cultura europea. Están representados en nuestra vida literaria y artística, sin interrupciones, desde el Inca Garcilaso, en el siglo XVI, hasta Rubén Darío, en nuestra época.

[4] De hombres y mujeres de América trasplantados a Europa son ejemplos la condesa de Merlin, la escritora cubana que presidió uno de los "salones célebres" de París. Flora Tristán, la revolucionaria peruana; Théodore Chassériau, el pintor, nacido en Santo Domingo bajo el gobierno de España; José María de Heredia, Jules Laforgue, el Conde de Lautréamont, William Henry Hudson, Reynaldo Hahn, Jules Supervielle.

Caso aparte, los trasplantados a España; como entre España y la po-

Venciendo la pobreza de los apoyos que da el medio, dominado el desaliento de la soledad, creándose ocios fugaces de contemplación dentro de nuestra vida de cargas y azares, nuestro esfuerzo ha alcanzado expresión en obras significativas: cuando se las conozca universalmente, porque haya ascendido la función de la América española en el mundo, se las contará como obras esenciales.

Ante todo, el maravilloso florecimiento de las artes plásticas en la época colonial, y particularmente de la arquitectura, que después de iniciarse en construcciones de tipo ojival bajo la dirección de maestros europeos adoptó sucesivamente todas las formas modernas y desarrolló caracteres propios, hasta culminar en grandes obras del estilo barroco. De las ocho obras maestras de la arquitectura barroca en el mundo, dice Sacheverell Sitwell, el poeta arquitecto, cuatro están en México: el Sagrario Metropolitano, el templo conventual de Tepozotlán, la iglesia parroquial de Tasco, Santa Rosa de Querétaro. El barroco de América difiere del barroco de España en su sentido de la estructura, cuyas líneas fundamentales persisten dominadoras bajo la profusión ornamental: compárese el Sagrario de México con el Transparente de la Catedral de Toledo.

Y el barroco de América no se limitó a su propio territorio nativo: en el siglo XVIII refluyó sobre España.

Ahora encontramos otro movimiento artístico que se desborda de nuestros límites territoriales: la restauración de la pintura mural, con los mexicanos Rivera y Orozco, acompañada de extensa producción de pintura al óleo, en que participan de modo sorprendente los niños. La fe religiosa dio aliento de vida perdurable a las artes coloniales; la fe en el bien social se lo da a este arte nuevo de México. Entre tanto, la abundancia de pintura y escultura en el Río de la Plata está anunciando la madurez que ha de seguir a la inquietud; se definen personalidades y —signo interesante— entre las mujeres tanto como entre los hombres.

En la música y la danza se conoce el hecho, pero no su historia. América recibe los cantares y los bailes de España, pero los

blación hispanizada de América sólo hay diferencias de matiz, el americano en España es muchas veces plenamente americano y plenamente español, sin conflicto interno ni externo. Así fueron Juan Ruiz de Alarcón, Pablo de Olavide, Manuel Eduardo de Gorostiza, Gertrudis Gómez de Avellaneda, Rafael María Baralt, Francisco A. de Icaza.

transforma, los convierte en cosa nueva, en cosa suya. ¿Cuándo? ¿Cómo? Se perdieron los eslabones. Sólo sabemos que desde fines del siglo XVI, como ahora en el XX, iban danzas de América a España: el capuchino, la gayumba, el retambo, el zambapalo, el zarandillo, la chacona, que se alza a forma clásica en Bach y en Rameau. Así, modernamente, la habanera en Bizet y en Ravel.

En las letras, desde el siglo XVI hay una corriente de creación auténtica dentro de la producción copiosa: en el Inca Garcilaso, gran pintor de la tierra del Perú y de su civilización, novelesca, narrador gravemente patético de la conquista y de las discordias entre los conquistadores; en Juan Ruiz de Alarcón, eticista del teatro español, disidente fundador de la comedia moral en medio del lozano mundo de pura poesía dramática de Lope de Vega y Tirso de Molina (Francia los conoce bien a través de Corneille); en Bernardo de Valbuena, poeta de luz y de pompa, que a los tipos de literatura barroca de nuestro idioma añade un nuevo y deslumbrante: el barroco de América [5]; Sor Juana Inés de la Cruz, alma indomable, insaciable en el saber y en la virtud activa, cuya calidad extraña se nos revela en unos cuantos rasgos de poesía y en su carta autobiográfica. Todavía procede de los tiempos coloniales, inaugurando los nuevos, Andrés Bello, espíritu filosófico que renovó cuanto tocó, desde la gramática del idioma, en él por primera vez autónoma, hasta la historia de la epopeya y el romance en Castilla, donde dejó "aquella marca de genio que hasta en los trabajos de erudición cabe", según opinión de Menéndez y Pelayo, y a la vez poeta que inicia, con nuestro Heredia hispánico, la conquista de nuestro paisaje. [6]

Después, a lo largo de los últimos cien años, altas figuras sobre la pirámide de una multitud de escritores, Sarmiento, Montalvo, Hostos, Martí, Rodó, Darío.

Desde el momento de la independencia política, la América española aspira a la independencia espiritual; enuncia y repite el programa de generación en generación, desde Bello hasta la

---

[5] Valbuena no nació en América, como se ha creído, pero vino en la infancia.

[6] Estos apuntes sólo se refieren a artes y letras, pero el nombre de Bello evoca el de dos filólogos excepcionales: Rufino José Cuervo, maestro único en el dominio sobre la historia de nuestro léxico, y Manuel Orozco y Berra, que desde 1857 clasificó las lenguas indígenas de México, cuando todavía pocos investigadores se aventuraron a seguir los pasos de Bopp.

vanguardia de hoy. La larga época romántica, opulenta de esperanzas, realizó pocas: quedan el *Facundo*, honda visión de nuestro drama político; los *Recuerdos de provincia*, reconstrucción del pasado que se desvanece; los *Viajes*, de Sarmiento, genial en todo; la poesía de asuntos criollos, desde los cuadros geórgicos de Gutiérrez González hasta las gestas ásperamente vigorosas de *Martín Fierro*; las miniaturas coloniales de Ricardo Palma; páginas magníficas de Montalvo, de Hostos, de Varona, de Sierra, donde se pelea el duelo entre el pensamiento y la vida de América. La época de Martí y de Darío es rica en perfecciones, señaladamente en poesía. La época nueva, el momento presente, se carga de interrogaciones sociales, se arroja al mar de todos nuestros problemas.

(*La Nación*, Buenos Aires,
27 de septiembre de 1936)

ALFONSO REYES

1889-1959

> El puro saber de salvación nos convertiría en
> pueblos postrados, de santones mendicantes y en-
> flaquecidos; el puro saber de cultura, en sofistas
> y mandarines; el puro saber de dominio, en bár-
> baros científicos que es la peor especie de barbarie.
> Sólo el equilibrio nos garantiza la lealtad a la
> tierra y al cielo. Tal es la incumbencia de Amé-
> rica.
>
> A. R.

*En Monterrey, capital de Nuevo León, vivió hasta 1905 la fa-
milia del general Bernardo Reyes. Allí el joven Alfonso completó
la instrucción primaria y, guiado por Manuel José Othón, dejó publicadas sus primeras aventuras poéticas. Medio siglo después,
Félix Lizaso señaló el aniversario y en conmemoración de aquella
su primera salida en letras de molde, se inició la valiosa edición
de sus* Obras completas. *A los diez y siete años de edad entra en
la Escuela Nacional Preparatoria, para luego continuar su formación
académica en la de Altos Estudios hasta su graduación, en 1913.
Pero antes de profesar como licenciado en Derecho, Alfonso Reyes
ha sido testigo de grandes sucesos políticos y motor de importantes
acontecimientos culturales: participa en la redacción de la revista*
Savia Nueva, *que nutrió la "Generación del Centenario"; funda con
varios amigos el Ateneo de la Juventud, donde domina el tema americano en sus trascendentales conferencias; colabora en la Universidad Popular y desempeña la primera cátedra de filología española
que hubo en México.*

*También ha iniciado su preciosa carrera literaria: "Hicimos,"
dijo Pedro Henríquez Ureña de aquella época de Reyes, "largas
excursiones a través de la lengua y la literatura española. Las excursiones tenían la excitación peligrosa de las cacerías prohibidas;
en América, la interpretación de toda tradición española estaba bajo
la vigilancia de espíritus académicos, apostados en su siglo XVIII."*

De aquellas "excursiones" y de la rica actividad intelectual que emprendiera con México Alfonso Reyes, dejaba éste sembrada la semilla de su obra futura: con El paisaje en poesía mexicana del siglo XIX, *describirá la fuerza de la naturaleza en el sentimiento poético del continente; con* Los poemas rústicos de Manuel José Othón, *descubre lo original mexicano; en* Cuestiones estéticas, *aparecen las preciosas valoraciones sobre Góngora y la novela sentimental del siglo XV español.* América, México y España, *como objetivos primarios: los caminos que las unen; y recorrer en aquellas rutas las huellas ancestrales de nuestra cultura.*

El 9 de febrero de 1913, al iniciarse la "Decena Trágica," el general Reyes muere con una sublevación militar que atacaba el Palacio Nacional del presidente Madero. Su hijo Alfonso recibe a los pocos meses un nombramiento para la legación mexicana en París, designación que tuvo —como confesó él mismo— "su poquito de destierro honorable": Madero había sido asesinado y gobernaba el país Victoriano Huerta. Poco tiempo permanece en Francia porque la guerra mundial le obligó a trasladarse a España. No siente el cambio; para él, "ya no existen los Pirineos." En Madrid trabaja en el Centro de Estudios Históricos, bajo la dirección de Menéndez Pidal y junto a Américo Castro, Solalinde, Tomás Navarro, Federico de Onís. Escribe artículos en distintos periódicos, y se relaciona con el mundo intelectual español de Unamuno, Azorín, García Lorca, Valle Inclán, Ortega. Su hablar mexicano le refugia la nostalgia y le gana el afecto de españoles que miraban sus ternuras en América: algunos ya sufren o sienten nuestras repúblicas "como un problema personal."

La Revue Hispanique, *la* Revista de Filología Española *y el* Boletín de la Real Academia, *recogieron su obra hispanista. Los periódicos* El Sol *y* El imparcial, *así como el semanario* España, *publicaron sus ensayos de intención y creación literaria. En 1925 Reyes vuelve a Francia para representar a su país como Ministro Plenipotenciario. Dos años más tarde termina su etapa europea: deja la huella de su riquísima producción. Ya ha publicado los* Cartones de Madrid (1917) *su libro de ensayos* El suicida (1917), Visión del Anáhuac (1917), Simpatías y diferencias (1921-1926), Cuestiones gongorinas (1927) *y otros libros que le aseguran la fama.*

Después de una corta estancia en México, Alfonso Reyes es

designado Embajador en la Argentina. Reside en Buenos Aires hasta 1930, año en que es trasladado, con el mismo rango diplomático, a Río de Janeiro. Seis años más tarde volverá a la Argentina para regresar definitivamente a México en, 1939.

En el tiempo que ha pasado en la América del Sur, la pluma de Alfonso Reyes no se ha detenido. Sigue observando con curiosidad renacentista los temas todos del pensamiento. Y para la juventud ha traído su mensaje de superación intelectual: "Ábrase paso la Inteligencia: reclame su sitio en la primera trinchera. Y los que sólo tengan costumbre de tratar con ideas y no sepan tratar con hombres, ésos, que acepten su dolor." Era un amplio programa de unidad, paz y cultura para el continente.

También en esos años ven la luz nuevos libros de poesía, colecciones de ensayos de su estancia en España, y formas originales de su filosofía de la cultura: Discurso por Virgilio (1931), Atenea política (1932), Homilía por la cultura (1938). *Y las preciosas colaboraciones que integran su correo literario de* Monterrey (1930-1937).

Los veinte últimos años de Alfonso Reyes tienen a México como escenario. Allí funda el centro de investigaciones que se llamó el Colegio de México. Luego crea, con antiguos compañeros de sus empeños juveniles, el Colegio Nacional: "comunidad de cultura al servicio de la sociedad", para estudios superiores. Es quizás la época más productiva del fecundo ensayista. Muchas de las ideas que venían apuntando desde sus primeras investigaciones, quedan organizadas: la historia y la crítica literaria, en su Pasado inmediato (1941) *y* El deslinde (1944); *su preocupación filosófica y americana en* La última Tule (1942) *y* Tentativas y orientaciones (1944); *el amplio tema de su humanismo, en* La crítica en la edad ateniense (1941), El horizonte económico en los albores de Grecia (1950), Sirte (1949), Mallarmé entre nosotros (1955), Estudios helénicos (1957). *Completa su mensaje poético con los* Romances (1945), Cortesía (1948) *y otros libros que cumplen su premonición: "Seréis, versos, mis últimas locuras,/ y tú prosodia mi postrer arrimo." A los setenta años "la arañita jugando sobre su pecho" —como él describía la sensación de su enfermedad— se durmió para siempre. Su corazón no. Sigue latiendo en la fuerza de su humanismo prodigioso.*

El tema amplio de Alfonso Reyes invita al estudio de su mag-
nífica labor y cada día aumenta el interés por la palabra alfonsina.
De ese empeño generoso del investigador ha dicho Andrés Iduarte:
"Nadie ignora que es imposible asir y desmenuzar el aire, pero todos
lo intentan por devoción, a pesar de la seguridad del fracaso. El
amor intelectual, ya que no el cabal entendimiento, es el premio de
la personalidad seductora." Por eso, paralela a la hazaña de su obra,
seguirá creciendo la crítica sedienta del mejor aroma.

BIBLIOGRAFIA

I. EDICIONES

Obras completas de Alfonso Reyes. 16 Vols. México: Fondo de Cultura Económica, 1955-1964.

II. ESTUDIOS

Abreu Gómez, Ermilo. "Alfonso Reyes íntimo," NMex, Vol. I (1932).

—————. "El deslinde," LetrasM, 1 de septiembre, 1944.

Alfonso Reyes: Datos biográficos y bibliográficos. México: Universidad de Nuevo León, 1955.

"Alfonso Reyes y su jubileo literario," AyLet, Vol. XII, No. 2 (1955).

Alfonso Reyes: Vida y obra - Bibliografía - Antología. New York: Hispanic Institute, 1956.

Alone [Hernán Díaz Arrieta]. "Crónica literaria: Atenea Política, por Alfonso Reyes," NacS, 26 de febrero, 1933.

Anderson Imbert, Enrique. *Alfonso Reyes, Pasado inmediato y otros ensayos.* México: El Colegio de México, 1941.

—————. "Alfonso Reyes y Las vísperas de España," Sur, Vol. VIII, No. 40 (1938).

Aramburu, Julio. "Alfonso Reyes," Nos, Vol. LVI (junio, 1927).

Arciniegas Germán. "Alfonso Reyes, por la gracia de América," CCLC, No. 41 (marzo-abril, 1960).

Balseiro, José A. "Mis recuerdos de Alfonso Reyes," *Expresión de Hispanoamérica.* 2a. serie. Puerto Rico: Instituto de Cultura Puertorriqueña, 1964.

Basave Fernández del Valle, Agustín. "La imagen del hombre en Alfonso Reyes," Abs, Vol. XXVII (1963).

Borges, Jorge Luis. "Alfonso Reyes," MexC, No. 21 (octubre-diciembre, 1955).

Carrión, Benjamín. "Alfonso Reyes: la x en la frente," LetE, No. 103 (julio-septiembre, 1955).

Castro Leal, Antonio. (Prólogo) *Simpatías y diferencias.* 2a. ed. 2 Vols. México: Porrúa, 1945.

Chacón y Calvo, José María. "Alfonso Reyes (Notas fragmentarias)," RepAm, 9 de abril, 1923.

"Datos bibliográficos de Alfonso Reyes," VUM, 1 de abril, 1953.

El Colegio Nacional a Alfonso Reyes en su cincuentenario de escritor. México: El Colegio Nacional, 1956.

Frank, Waldo. "Significación de Alfonso Reyes," DiH, 28 de agosto, 1955.

Gaos, José. "Alfonso Reyes o el escritor," CuA, Vol. CXII, No. 5 (septiembre-octubre, 1960).

García Blanco, Manuel. *El escritor mexicano Alfonso Reyes y Unamuno.* México: Archivo de Alfonso Reyes, 1956.

García Calderón, Francisco. (Prólogo) *Cuestiones estéticas.* París: Librería P. Ollendorf, 1911.

Garrido, Luis. *Alfonso Reyes.* México: Imprenta Universitaria, 1954.

Ghiano, Juan Carlos. "Alfonso Reyes, cincuenta años de escritor," HCPC, No. 77 (1957).

González, Manuel Pedro. "Ficha bibliográfica de Alfonso Reyes," RevIb, Vol. XV, No. 29 (julio, 1949).

González de Mendoza, J. M. "Alfonso Reyes, anecdótico," Abs, Vol. XXVII (1963).

Gutiérrez Girardot, Rafael. *La imagen de América en Alfonso Reyes.* Madrid: Insula, 1955.

—————. "La Utopía americana de Alfonso Reyes," CuH, Vol. IX, No. 25 (enero, 1952).

Guzmán, Martin Luis. "Alfonso Reyes y las letras mexicanas," *A orillas del Hudson.* México: Botas, 1920.

Henríquez Ureña, Pedro. "A Mexican writer," MinD, 1 de marzo, 1918.

—————. "Alfonso Reyes," Nac, 2 de julio, 1927.

—————. "Días alcióneos. Antonio Caso y Alfonso Reyes," Osiris, 27 de febrero y 15 de agosto, 1910.

Hernández Luna, Juan. "Imagen de América en Alfonso Reyes," FyL, Vol. XI, No. 38 (abril-junio, 1950).

"Homenaje a Alfonso Reyes," Nación, 27 de noviembre, 1955.

"Homenaje a Alfonso Reyes," Asom, Vol. XVI, No. 2 (1960).

"Homenaje a Alfonso Reyes," CuA, Vol. CIX, No. 2 (marzo-abril, 1960).

"Homenaje a Alfonso Reyes," GaMe, VI, No. 65 (1960).

"Homenaje a Alfonso Reyes," RevIb, No. 59 (julio, 1965).

Iduarte, Andrés. "Alfonso Reyes, Aquellos días (1917-1920)," RHM, Vol. VI (1940).

————. "Alfonso Reyes: Vida y Obra," *Alfonso Reyes: Vida y Obra - Bibliografía - Antología.* New York: Hispanic Institute, 1956.

————. "Conferencia sobre Alfonso Reyes," Nación, 8 de julio, 1956.

Jiménez, Juan Ramón. "Españoles de tres mundos," Sur, Vol. X, Nos. 79 y 82 (1941).

Lida, Raimundo. "Alfonso Reyes y su literatura," NacionC, 1 de diciembre, 1955.

Lizaso, Félix. "Presencia de México en la obra de Alfonso Reyes," RBNH, Vol. VI, No. 4 (1955).

————. "Visita a Alfonso Reyes," RepAm, Vol. XLIX, No. 7 (1955).

Mañach, Jorge. "Universalidad de Alfonso Reyes," CCLC, No. 15 (noviembre-diciembre, 1955).

Martínez, José Luis. "La obra de Alfonso Reyes," CuA, Vol. LXI, No. 1 (1952).

————. "Los ciclos en la obra de Alfonso Reyes," AyLet, Vol. III, No. 3 (julio-septiembre, 1960).

Meléndez, Concha. "Alfonso Reyes: Flechador de ondas," RBC, XXXIV (1934).

————. *Ficciones de Alfonso Reyes.* México: Universidad Nacional Autónoma de México, 1956.

————. "Soledades de Alfonso Reyes," LaTo, Vol. VIII, No. 32 (octubre-diciembre, 1960).

Mistral, Gabriela. "La hora de Alfonso Reyes en América," GaMe, Vol. III, No. 28 (diciembre, 1956).

————. "Reloj de Sol. Simpatías y diferencias," Univer, abril, 1937.

"Notas e informaciones sobre la imagen de América en Alfonso Reyes," BolBo, No. 21 (1953).

Olguín, Manuel. *Alfonso Reyes, ensayista - vida y pensamiento.* México: Ediciones de Andrea, 1956.

————. "La filosofía social de Alfonso Reyes," RHM, enero, 1955.

Onís, Federico de. "Alfonso Reyes," Sur, Vol. XVIII, No. 186 (abril, 1950).

Paz, Octavio. "El jinete del aire (1889-1959)," CCLC, No. 41 (marzo-abril, 1960).

Picón-Salas, Mariano. "Alfonso Reyes y nuestra América. Varón Humanísimo," Ex, 14 de agosto, 1955.

—————. "Letra de Alfonso Reyes," CCLC, No. 41 (marzo-abril, 1960).

Rangel Frías, Raúl. "Evocación de Alfonso Reyes," VUM, 26 de mayo, 1963.

Rangel Guerra, Alfonso. "Alfonso Reyes y su idea de la historia," UnivNL, Nos. 14-15 (abril, 1957).

—————. "La odisea de Alfonso Reyes," AyLet, Vol. III, No. 1 (enero-marzo, 1960).

Reyes, Aurora. "Entrevista al maestro Reyes," Ex, 16 de octubre, 1955.

Roa, Raul. "Actitud y altitud de Alfonso Reyes," VUM, Vol. V, No.250 (1955).

Robb, James Willis. "El modo 'heráldico' de Alfonso Reyes," GaMe, Vol. IX, No. 95 (1962).

—————. "Imagen de América en Alfonso Reyes," HuN, No. 5 (1964).

—————. Patterns of image and structure in the essays of Alfonso Reyes. Washington: Catholic University of America Press, 1958.

—————. "Una imagen en la prosa ensayística de Alfonso Reyes," NRFH, Vol. XV (1961).

Rodríguez Demorizi, Emilio. "Alfonso Reyes y lo dominicano," CuaDC, No. 19 (marzo, 1945).

Romero, Francisco. "Carta a Alfonso Reyes," ND, Vol. XXXVIII, No. 1 (enero, 1958).

Sánchez, Luis Alberto. "Alfonso Reyes, el incansable," ND, Vol. XXXI, No. 4 (octubre, 1951).

—————. "Imagen de Alfonso Reyes," CCLC, No. 71 (1963).

Silva Castro, Raúl. "Notas sobre Alfonso Reyes," A, octubre, 1933.

Torres Bodet, Jaime. "Alfonso Reyes," RR, 8 de mayo, 1937.

Torres Ríoseco, Arturo. "Diálogos con Alfonso Reyes," ND, Vol. XL, No. 2 (1960).

Valle, Rafael Heliodoro. "Diálogos con Alfonso Reyes," ND, Vol. XIX, No. 7 (1938).

Villaurrutia, Xavier. "Huellas de Alfonso Reyes," Falange, julio, 1923.

Zea, Leopoldo. "Alfonso Reyes: Nacionalismo y universalismo," NacionC, 20 de octubre, 1955.

—————. "Alfonso Reyes y la inteligencia americana," La filosofía en México. Vol. II. México: Biblioteca Mínima Mexicana, 1955.

LA VENTANA ABIERTA HACIA AMERICA

Ante todo, prescindir de las prédicas sentimentales —de que tanto se abusa— y sustituirlas por la difusión de algunos conocimientos precisos, donde caben tanto el interés como el agrado. Cuando se habla de "estrechar lazos", la gente comienza a sonreír... La mejor de las causas se ha venido así desprestigiando. El hispanoamericanismo no es sólo cuestión de "fuerza de la sangre": también de fuerza de la razón. En la fuerza de la sangre no vale la pena insistir. Falta la campaña de la razón. Conozco a un ilustre sabio que es orador en sus ratos perdidos. Me convence mucho menos cuando asegura en público que España espera a los americanos "con el corazón desbordado" que cuando, en el silencio de su biblioteca, redacta una admirable monografía, en que establece por primera vez dos o tres direcciones de la ciencia americana.

Me complazco en repetir las hermosas palabras de Ortega y Gasset: "América representa el mayor deber y el mayor honor de España". Fuerza es que los pueblos tengan ideales o los inventen. Así como América no descubrirá plenamente el sentido de su vida en tanto que no rehaga, pieza a pieza, su "conciencia española", así España no tiene mejor empresa en el mundo que reasumir su papel de hermana mayor de las Américas. A manera de ejercicios espirituales, al americano debiera imponerse la meditación metódica de las cosas de España, y al español la de las cosas de América. En las escuelas y en los periódicos debiera recordarse constantemente a los americanos el deber de pensar en España; a los españoles, el de pensar en América. En las hojas diarias leeríamos cada semana estas palabras: "Americanos, ¿habéis pensado en España? Españoles, ¿habéis pensado en América?" Concibo la educación de un joven español que se acostumbrara a adquirir todos los meses algún conocimiento nuevo sobre América, por modesto que fuese. Hay que acostumbrar al español a que tenga siempre una ventana abierta hacia América.

Y, de paso, perseguir, aniquilar toda obra de discordia. Por ejemplo —pues la persuasión que entra por los ojos es la más profunda y pegadiza, y habla un lenguaje universal—, ¿por qué tolera el público, por qué consienten los directores de opinión esas inicuas propagandas cinematográficas (propagandas inconscientes a veces), en que se representa a los pueblos de Hispanoamérica como hordas insensatas? ¿Estamos acaso tan ricos de virtudes que podamos despilfarrar lo poco que nos queda? En las actuales circunstancias del mundo, es poco cuanto se haga para restaurar los fundamentos de la concordia y la fraternidad entre los pueblos.

(*El Tiempo*, Madrid, 8 de marzo de 1921)

NOTAS SOBRE LA INTELIGENCIA AMERICANA

1.   Mis observaciones se limitan a lo que se llama la América Latina. La necesidad de abreviar me obliga a ser ligero, confuso y exagerado hasta la caricatura. Sólo me corresponde provocar o desatar una conversación, sin pretender agotar el planteo de los problemas que se me ofrecen, y mucho menos aportar soluciones. Tengo la impresión de que, con el pretexto de América, no hago más que rozar al paso algunos temas universales.

2.   Hablar de civilización americana sería, en el caso, inoportuno: ello nos conduciría hacia las regiones arqueológicas que caen fuera de nuestro asunto. Hablar de cultura americana sería algo equívoco: ello nos haría pensar solamente en una rama del árbol de Europa trasplantada al suelo americano. En cambio, podemos hablar de la inteligencia americana, su visión de la vida y su acción en la vida. Esto nos permitirá definir, aunque sea provisionalmente, el matiz de América.

3.   Nuestro drama tiene un escenario, un coro y un personaje. Por escenario no quiero ahora entender un espacio, sino más bien un tiempo, un tiempo en el sentido casi musical de la palabra: un compás, un ritmo. Llegada tarde al banquete de la civilización europea, América vive saltando etapas, apresurando el paso y corriendo de una forma en otra, sin haber dado tiempo a que madure del todo la forma precedente. A veces, el salto es osado y la nueva forma tiene el aire de un alimento retirado del fuego antes de alcanzar su plena cocción. La tradición ha pesado menos, y esto explica la audacia. Pero falta todavía saber si el ritmo europeo —que procuramos alcanzar a grandes zancadas, no pudiendo emparejarlo a su paso medio—, es el único "tempo" histórico posible: y nadie ha demostrado todavía que una cierta aceleración del proceso sea contra natura. Tal es el secreto de nuestra historia, de nuestra po-

lítica, de nuestra vida, presididas por una consigna de improvisación. El coro: las poblaciones americanas se reclutan, principalmente, entre los antiguos elementos autóctonos, las masas ibéricas de conquistadores, misioneros y colonos, y las ulteriores aportaciones de inmigrantes europeos en general. Hay choques de sangres, problemas de mestizaje, esfuerzos de adaptación y absorción. Según las regiones, domina el tinte indio, el ibérico, el gris del mestizo, el blanco de la inmigración europea general, y aun las vastas manchas del africano traído en otros siglos a nuestro suelo por las antiguas administraciones coloniales. La gama admite todos los tonos. La laboriosa entraña de América va poco a poco mezclando esta sustancia heterogénea, y hoy por hoy, existe ya una humanidad americana característica, existe un espíritu americano. El actor o personaje, para nuestro argumento, viene aquí a ser la inteligencia.

4.   La inteligencia americana va operando sobre una serie de disyuntivas. Cincuenta años después de la conquista española, es decir a primera generación, encontramos ya en México un modo de ser americano: bajo las influencias del nuevo ambiente, la nueva instalación económica, los roces con la sensibilidad del indio y el instinto de propiedad que nace de la ocupación anterior, aparece entre los mismos españoles de México un sentimiento de aristocracia indiana, que se entiende ya muy mal con el impulso arribista de los españoles recién venidos. Abundan al efecto los testimonios literarios: ya en la poesía satírica y popular de la época, ya en las observaciones sutiles de los sabios peninsulares, como Juan de Cárdenas.* La crítica literaria ha centrado este fenómeno, como en su foco luminoso, en la figura del dramaturgo mexicano don Juan Ruiz de Alarcón, quien a través de Corneille —que la pasó a Molière— tuvo la suerte de influir en la fórmula del moderno teatro de costumbres de Francia. Y lo que digo de México, por serme más familiar y conocido, podría decirse en mayor o menor grado del resto de nuestra América. En este resquemor incipiente latía ya el anhelo secular de las independencias americanas. Segunda disyuntiva: no bien se logran las independencias, cuando aparece el inevitable conflicto entre americanistas e hispanistas, entre los que cargan el acento en la nueva realidad, y los que lo cargan en la an-

---

* Médico español radicado en México que publicó en 1591 *Problemas y secretos maravillosos de las Indias*. Contrasta en esta obra el refinamiento del criollo y la rudeza del recién llegado peninsular.

tigua tradición. Sarmiento es, sobre todo, americanista. Bello es, sobre todo, hispanista. En México se recuerda cierta polémica entre el indio Ignacio Ramírez y el español Emilio Castelar que gira en torno a iguales motivos. Esta polémica muchas veces se tradujo en un duelo entre liberales y conservadores. La emancipación era tan reciente que ni el padre ni el hijo sabían todavía conllevarla de buen entendimiento. Tercera disyuntiva: un polo está en Europa y otro en los Estados Unidos. De ambos recibimos inspiraciones. Nuestras utopías constitucionales combinan la filosofía política de Francia con el federalismo presidencial de los Estados Unidos. Las sirenas de Europa y las de Norteamérica cantan a la vez para nosotros. De un modo general, la inteligencia de nuestra América (sin negar por ello afinidades con las individualidades más selectas de la otra América), parece que encuentra en Europa una visión de lo humano más universal, más básica, más conforme con su propio sentir. Aparte de recelos históricos, por suerte cada vez menos justificados y que no se deben tocar aquí, no nos es simpática la tendencia hacia las segregaciones étnicas. Para no salir del mundo sajón, nos contenta la naturalidad con que un Chesterton, un Bernard Shaw, contemplan a los pueblos de todos los climas, concediéndoles igual autenticidad humana. Lo mismo hace Gide en el Congo. No nos agrada considerar a ningún tipo humano como mera curiosidad o caso exótico divertido, porque ésta no es la base de la verdadera simpatía moral. Ya los primeros mentores de nuestra América, los misioneros, corderos de corazón de león, gente de terrible independencia, abrazaban con amor a los indios, prometiéndoles el mismo cielo que a ellos les era prometido. Ya los primeros conquistadores fundaban la igualdad en sus arrebatos de mestizaje: así, en las Antillas, Miguel Díaz y su Cacica, a quienes encontramos en las páginas de Juan de Castellanos; así aquel soldado, un tal Guerrero, que sin este rasgo sería oscuro, el cual se negó a seguir a los españoles de Cortés, porque estaba bien hallado entre indios y, como en el viejo romance español, "tenía mujer hermosa e hijos como una flor". Así, en el Brasil, los célebres João Ramalho y el Caramurú, que fascinaron a las indias de San Vicente y de Bahía. El mismo conquistador Cortés entra en el secreto de su conquista al descansar sobre el seno de Doña Marina; acaso allí aprende a enamorarse de su presa como nunca supieron hacerlo otros capitanes de corazón más frío (el César de las Galias), y empieza a dar albergue en su alma a ciertas

ambiciones de autonomismo que, a puerta cerrada y en familia, había de comunicar a sus hijos, más tarde atormentados por conspirar
contra la metrópoli española. La Iberia imperial, mucho más que
administrarnos, no hacía otra cosa que irse desangrando sobre América. Por acá, en nuestras tierras, así seguimos considerando la vida:
en sangría abierta y generosa.

5.   Tales son el escenario, el coro, el personaje. He dicho las
principales disyuntivas de la conducta. Hablé de cierta consigna de
improvisación, y tengo ahora que explicarme. La inteligencia americana es necesariamente menos especializada que la europea. Nuestra estructura social así lo requiere. El escritor tiene aquí mayor
vinculación social, desempeña generalmente varios oficios, raro es
que logre ser un escritor puro, es casi siempre un escritor "más"
otra cosa u otras cosas. Tal situación ofrece ventajas y desventajas.
Las desventajas: llamada a la acción, la inteligencia descubre que
el orden de la acción es el orden de la transacción, y en esto hay
sufrimiento. Estorbada por las continuas urgencias, la producción
intelectual es esporádica, la mente anda distraída. Las ventajas resultan de la misma condición del mundo contemporáneo. En la crisis, en el vuelco que a todos nos sacude hoy en día y que necesita
del esfuerzo de todos, y singularmente de la inteligencia (a menos
que nos resignáramos a dejar que sólo la ignorancia y la desesperación concurran a trazar los nuevos cuadros humanos), la inteligencia americana está más avezada al aire de la calle; entre nosotros
no hay, no puede haber torres de marfil. Esta nueva disyuntiva de
ventajas y desventajas admite también una síntesis, un equilibrio
que se resuelve en una peculiar manera de entender el trabajo intelectual como servicio público y como deber civilizador. Naturalmente que esto no anula, por fortuna, las posibilidades del paréntesis, del lujo del ocio literario puro, fuente en la que hay que volver a bañarse con una saludable frecuencia. Mientras que, en Europa, el paréntesis pudo ser lo normal. Nace el escritor europeo en
el piso más alto de la Torre Eiffel. Un esfuerzo de pocos metros,
y ya campea sobre las cimas montales. Nace el escritor americano
como en la región del fuego central. Después de un colosal esfuerzo,
en que muchas veces le ayuda una vitalidad exacerbada que casi
se parece al genio, apenas logra asomarse a la sobrehaz de la tierra.
Oh, colegas de Europa: bajo tal o cual mediocre americano se esconde a menudo un almacén de virtudes que merece ciertamente

vuestra simpatía y vuestro estudio. Estimadlo, si os place, bajo el
ángulo de aquella profesión superior a todas las otras que decían
Guyau y José Enrique Rodó: la profesión general de hombre. Bajo
esta luz, no hay riesgo de que la ciencia se desvincule de los con-
juntos, enfrascada en sus conquistas aisladas de un milímetro por
un lado y otro milímetro por otro, peligro cuyas consecuencias tan
lúcidamente nos describía Jules Romains en su discurso inaugural
del PEN Club. En este peculiar matiz americano tampoco hay amenaza de desvinculaciones con respecto a Europa. Muy al contrario,
presiento que la inteligencia americana está llamada a desempeñar
la más noble función complementaria: la de ir estableciendo síntesis,
aunque sean necesariamente provisionales; la de ir aplicando pron-
tamente los resultados, verificando el valor de la teoría en la carne
viva de la acción. Por este camino, si la economía de Europa ya
necesita de nosotros, también acabará por necesitarnos la misma
inteligencia de Europa.

6.   Para esta hermosa armonía que preveo, la inteligencia
americana aporta una facilidad singular, porque nuestra mentali-
dad, a la vez que tan arraigada a nuestras tierras como ya lo he
dicho, es naturalmente internacionalista. Esto se explica, no sólo
porque nuestra América ofrezca condiciones para ser el crisol de
aquella futura "raza cósmica" que Vasconcelos ha soñado, sino también porque hemos tenido que ir a buscar nuestros instrumentos
culturales en los grandes centros europeos, acostumbrándonos así
a manejar las nociones extranjeras como si fueran cosa propia. En
tanto que el europeo no ha necesitado de asomarse a América para
construir su sistema del mundo, el americano estudia, conoce y prac-
tica a Europa desde la escuela primaria. De aquí una pintoresca
consecuencia que señalo sin vanidad ni encono: en la balanza de
los errores de detalle o incomprensiones parciales de los libros europeos que tratan de América y de los libros americanos que tratan
de Europa, el saldo nos es favorable. Entre los escritores americanos es ya un secreto profesional el que la literatura europea equi-
voque frecuentemente las citas en nuestra lengua, la ortografía de
nuestros nombres, nuestra geografía, etc. Nuestro nacionalismo
connatural, apoyado felizmente en la hermandad histórica que a
tantas repúblicas nos une, determina en la inteligencia americana
una innegable inclinación pacifista. Ella atraviesa y vence cada vez
con mano más experta los conflictos armados y, en el orden inter-

nacional, se deja sentir hasta entre los grupos más contaminados por cierta belicosidad política a la moda. Ella facilitará el gracioso injerto con el idealismo pacifista que inspira a las más altas mentalidades norteamericanas. Nuestra América debe vivir como si se preparase siempre a realizar el sueño que su descubrimiento provocó entre los pensadores de Europa: el sueño de la utopía, de la república feliz, que prestaba singular calor a las páginas de Montaigne, cuando se acercaba a contemplar las sorpresas y las maravillas del nuevo mundo.

7. En las nuevas literaturas americanas es bien perceptible un empeño de autoctonismo que merece todo nuestro respeto, sobre todo cuando no se queda en el fácil rasgo del color local, sino que procura echar la sonda hasta el seno de las realidades psicológicas. Este ardor de pubertad rectifica aquella tristeza hereditaria, aquella mala conciencia con que nuestros mayores contemplaban el mundo, sintiéndose hijos del gran pecado original, de la *capitis diminutio* de ser americanos. Me permito aprovechar aquí unas páginas que escribí hace seis años:[1]

La inmediata generación que nos precede, todavía se creía nacida dentro de la cárcel de varias fatalidades concéntricas. Los más pesimistas sentían así: en primer lugar, la primera gran fatalidad, que consistía desde luego en ser humanos, conforme a la sentencia del antiguo Sileno recogida por Calderón:

> *Porque el delito mayor*
> *del hombre es haber nacido.*

Dentro de éste, venía el segundo círculo, que consistía en haber llegado muy tarde a un mundo viejo. Aún no se apagaban los ecos de aquel romanticismo que el cubano Juan Clemente Zenea compendia en dos versos:

> *Mis tiempos son los de la antigua Roma,*
> *y mis hermanos con la Grecia han muerto.*

En el mundo de nuestras letras, un anacronismo sentimental dominaba a la gente media. Era el tercer círculo, encima de las desgracias de ser humano y ser moderno, la muy específica de ser americano; es decir, nacido y arraigado en un suelo que no era el

[1]*Monterrey*. Correo Literario, Río de Janeiro, octubre de 1930.

foco actual de la civilización, sino una sucursal del mundo. Para usar una palabra de nuestra Victoria Ocampo, los abuelos se sentían "propietarios de un alma sin pasaporte". Y ya que se era americano, otro handicap en la carrera de la vida era el ser latino o, en suma, de formación cultural latina. Era la época del *A quoi tient la supériorité des Anglo-Saxons?* Era la época de la sumisión al presente estado de las cosas, sin esperanzas de cambio definitivo ni fe en la redención. Sólo se oían las arengas de Rodó, nobles y candorosas. Ya que se pertenecía al orbe latino, nueva fatalidad dentro de él pertenecer al orbe hispánico. El viejo león hacía tiempo que andaba decaído. España parecía estar de vuelta de sus anteriores grandezas, escéptica y desvalida. Se había puesto el sol en sus dominios. Y, para colmo, el hispanoamericano no se entendía con España, como sucedía hasta hace poco, hasta antes del presente dolor de España, que a todos nos hiere. Dentro del mundo hispánico, todavía veníamos a ser dialecto, derivación, cosa secundaria, sucursal otra vez: lo hispano-americano, nombre que se ata con guioncito como con cadena. Dentro de lo hispanomericano, los que me quedan cerca todavía se lamentaban de haber nacido en la zona cargada de indio: el indio, entonces, era un fardo, y no todavía un altivo deber y una fuerte esperanza. Dentro de esta región, los que todavía más cerca me quedan tenían motivos para afligirse de haber nacido en la temerosa vecindad de una nación pujante y pletórica, sentimiento ahora transformado en el inapreciable honor de representar el frente de una raza. De todos estos fantasmas que el viento se ha ido llevando o la luz del día ha ido redibujando hasta convertirlos, cuando menos, en realidades aceptables, algo queda todavía por los rincones de América, y hay que perseguirlo abriendo las ventanas de par en par y llamando a la superstición por su nombre, que es la manera de ahuyentarla. Pero, en sustancia, todo ello está ya rectificado.

8.   Sentadas las anteriores premisas y tras este examen de causa, me atrevo a asumir un estilo de alegato jurídico. Hace tiempo que entre España y nosotros existe un sentimiento de nivelación y de igualdad. Y ahora yo digo ante el tribunal de pensadores internacionales que me escucha: reconocemos el derecho a la ciudadanía universal que ya hemos conquistado. Hemos alcanzado la mayoría de edad. Muy pronto os habituaréis a contar con nosotros.

(*Sur*, Buenos Aires, septiembre de 1936)

EL DESTINO DE AMERICA

Ya tenemos descubierta a América. ¿Qué haremos con América? Comienza la inserción del espíritu: a la Cruzada Medieval sucede la Cruzada de América. A partir de este instante, el destino de América —cualesquiera sean las contingencias y los errores de la historia— comienza a definirse a los ojos de la humanidad como posible campo donde realizar una justicia más igual, una libertad mejor entendida, una felicidad más completa y mejor repartida entre los hombres, una soñada república, una Utopía. América se anuncia con fuertes toques de clarín a la mente de los más altos europeos. ¡Qué primavera de sueños! En cuanto América asoma la cabeza como la nereida en la égloga marina, la librería registra una producción casi viciosa de narraciones utópicas. Los humanistas resucitan el estilo de la novela política, a la manera de Platón, y empiezan, con los ojos puestos en el Nuevo Mundo, a idear una humanidad más dichosa. Los dogmatismos se quiebran ante el espectáculo de las nuevas costumbres. Se concibe la posibilidad de otras civilizaciones más fieles a la tierra; y el "filósofo desnudo" de Pedro Mártir prepara ya al "buen salvaje" de Rousseau, tan lleno de virtud natural como están naturalmente llenos de miel los frutos del suelo. El exotismo americano —que Chinard, Dermenghem y otros han estudiado cuidadosamente— da nueva sazón a las literaturas. A diferencia del exotismo oriental, que fue puramente pintoresco o estético, este exotismo americano lleva una intención política y moral; es decir, que la literatura quiere comprobar, con el espectáculo de América, una imagen propuesta a priori: la Edad de Oro de los antiguos, el estado de inocencia natural, sin querer darse por entendida de lo que había de herético en esta noción. ¿Quién, entre los más nobles maestros del pensamiento europeo, pudo escapar al deslumbramiento? Adviértase la huella en Erasmo, en Tomás Moro, Rabelais, Montaigne, el Tasso, Bacon y Tomás Campanella. Si Juan Ponce de León delira por encontrar la surgente de la juventud eterna en la Florida, los filósofos piden al Nuevo Mundo un estímulo para el perfeccionamiento político de los pueblos. Tal es la verdadera tradición del Continente, en que hay el deber de insistir.

El testimonio de Montaigne es singularmente expresivo. En su alma se da el drama del Descubrimiento envuelto en aquella clara música de ideas que todavía nos conmueve. Montaigne reconoce que el solo contraste entre el Antiguo y el Nuevo Mundo lo despertó a esa comprensión para todas las doctrinas que Bacon y Shakespeare aprenderán de él, ese perdón, esa caridad. Durante la juventud de Montaigne, América se iba ensanchando día por día, y la creciente gravitación de América parece irlo levantando sobre el nivel moral de su tiempo. Leía con avidez los relatos de los cronistas de Indias; y además, como funcionario de Burdeos, veía llegar y admiraba los efectos y productos de la nueva zona generosa. Un criado suyo había vivido diez años en el Brasil y le contaba las costumbres de los indígenas. Montaigne se interesa, traduce poemas y canciones de los caníbales. Dispuesto siempre a abrir la ventana de la paradoja, se le antoja preguntarse si, después de todo, la civilización acostumbrada no sería un inmenso desvío; *si el hombre de América,*

> *el preciosamente Inca desnudo*
> *y el de plumas vestido Mexicano*

—que diría Góngora—, no estaría más cerca del Creador; si las costumbres no tendrían tan sólo un fundamento relativo. Y acaba así por descubrir el refinamiento y el arte entre las poblaciones edénicas del Tupí-Guaraní. Es cierto, se decía Montaigne, que aquellos indígenas son caníbales, pero ¿no es peor que comerce a sus semejantes el esclavizar y consumir, como lo hace el europeo, a las nueve décimas partes de la humanidad? América tortura a sus prisioneros de guerra; pero Europa, piensa Montaigne, se permite mayores torturas en nombre de la religión y de la justicia. Y ved aquí brotar, en la mente de un europeo representativo, los prenuncios de los más avanzados y aun los más audaces puntos de vista que ofrece el espíritu moderno. El disgusto contra el error europeo se fue volviendo atmósfera. Contamina al protestantismo y al puritanismo, y mucho más al cuaquerismo, que acaba por instalarse en América. Pero, entre tanto, el catolicismo ha ensayado también sus utopías sociales en las Fundaciones mexicanas de Vasco de Quiroga, en las primeras misiones del Brasil, en el Imperio jesuítico del Paraguay.

¡Qué radiante promesa, el Nuevo Mundo, para todos los descontentos y los reformadores! Mientras los mercaderes procuraban sus lucros, los apóstoles religiosos emprendían su obra de redención, y legiones de soñadores se movilizaban hacia la esperanza. América, puede decirse sin violencia, fue querida y descubierta (casi "inventada") como campo de operaciones para el desborde de los altos ímpetus quiméricos. Crearon, descubrieron a América los que tenían sed en el cuerpo o en el alma, los que necesitaban casas de oro para saciar su ansia de lujo, o conciencias libres donde sembrar e inculcar la idea de Dios y la idea del bien. Más tarde, América siguió siendo refugio del perseguido: ya es casa hospitalaria para religiones proscritas de hugonotes y puritanos, ya es tierra en que el ojo acusador da treguas a la regeneración de Caín.

Sobrevino la colonización europea. Durante unos siglos van a pesar sobre América los lentos procesos de la gestación, y entonces el ideal late dormido. Si la semilla cayó con el Descubrimiento, ahora, al canalizarse la energía espiritual en una administración de virreinatos, la semilla se calienta sordamente bajo la tierra. No está muerta: al contrario. A medida que las repúblicas se emancipan, el ideal se va despojando y definiendo, y se caracteriza por su universalidad. A lo largo del siglo XIX, los más ardientes utopistas —sean espiritualistas, socialistas o comunistas— tienden hacia el Nuevo Mundo como a un lugar de promisión, donde se realice la felicidad a que todos aspiran bajo diversos nombres. Hoy por hoy, el Continente se deja abarcar en una esperanza, y se ofrece a Europa como una reserva de humanidad.

O éste es el sentido de la historia, o en la historia no hay sentido alguno. Si esto no es, esto debe ser y todos los americanos lo sabemos. Podrán las contingencias inmediatas, las groserías exteriores desviarnos del camino un día, un año y hasta ciento: la gran trayectoria se salvará. La declinación de nuestra América es segura como la de un astro. Empezó siendo un ideal y sigue siendo un ideal. América es una Utopía.

Concluyamos. Antes de ser descubierta, América era ya presentida en los sueños de la poesía y en los atisbos de la ciencia. A la necesidad de completar la figura geográfica, respondía la necesidad de completar la figura política de la tierra. El rey de la fábula poseía la moneda rota: le faltaba el otro fragmento para descifrar la leyenda de sus destinos. Ora se hablaba, como en la Atlántida de Platón, de un continente desaparecido en el vórtice de los océanos; ora, como en la Ultima Tule de Séneca, de un continente por aparecer más allá de los horizontes marinos. Antes de dejarse sentir por su presencia, América se dejaba sentir por su ausencia. En el lenguaje de la filosofía presocrática, digamos que el mundo, sin América, era un caso de desequilibrio en los elementos, de extralimitación, de *hybris*, de injusticia. América, por algún tiempo, parecía huir frente a la quilla de los fascinados exploradores.

Una vez descubierta América, la mente humana, incansable en sus empeños hacia la conquista del bien social, se da a imaginar, en el orden teórico, Utopías y Repúblicas Perfectas, a las que pudiera servir de asilo las nuevas regiones promisoras; y se da, en el orden práctico, a plantear empresas de ensanche político y religioso, que no cabían ya en los límites de la vieja Europa. El pretexto, la provocación del milagro, había sido una cosa humilde: la sublevación de las cocinas, privadas de las especias orientales por la caída de Constantinopla en poder del turco. El vehículo fue una cosa material y grosera: la explotación económica de las colonias, el afán de enriquecimiento inmediato. Pero, por encima de todo ello, el ideal se había puesto en marcha.

A partir de ese instante, entre las vicisitudes históricas, entre vacilaciones y acasos —puesto que la vida no procede nunca en línea recta—, América aparece como el teatro para todos los intentos de la felicidad humana, para todas las aventuras del bien. Y hoy, ante los desastres del Antiguo Mundo, América cobra el valor de una esperanza. Su mismo origen colonial, que la obligaba a buscar fuera de sí misma las razones de su acción y de su cultura, la ha dotado precozmente de un sentido internacional, de una elasticidad envidiable para concebir el vasto panorama humano en especie de unidad y conjunto. La cultura americana es la única que podrá ignorar, en principio, las murallas nacionales y étnicas. Entre la homogeneidad del orbe latino y la homogeneidad del orbe sajón —los dos personajes del drama americano— la simpatía democrática oficia de nivelador, rumbo a la *homonoia*. Las naciones americanas no son, entre sí, tan extranjeras como las naciones de otros continentes. Tres siglos de elaboración; un siglo de azarosos tanteos, desatados por las independencias y las nuevas organizaciones; medio siglo más de coherencia y cooperación. Tal es, en su perspectiva general, la senda de América.

(*Ultima Tule*, México, 1942)

DE POESIA HISPANOAMERICANA

El carácter hispanoamericano comienza a delinearse desde los primeros tiempos de la Colonia. En la literatura, encuentra ya una expresión inconsciente con el mexicano Ruiz de Alarcón, quien lleva a la Comedia Española del siglo XVII un matiz que entonces se calificó de "extrañeza". Pero las letras hispanoamericanas sólo adquieren importancia general en el siglo XIX, después de la independencia política de nuestras Repúblicas. Aunque nunca se cortó la vinculación espiritual con España, se advierten entonces tres fenómenos: 1º mayor motivación interior de las literaturas hispanoamericanas; 2º mayor receptividad para otras influencias extranjeras; y 3º ciertos paralelismos de evolución que permiten trazar generalizaciones desde el Río Bravo hasta el Río de la Plata. Por ser nación de lengua lusitana, dejamos fuera de esta reseña al Brasil, que sigue camino aparte, aunque no divergente.

La literatura hispanoamericana cobra verdadero relieve y logra conquistar su sitio en el sol con el movimiento llamado Modernismo, el cual se prolonga hasta los comienzos del siglo XX.

La importancia de este movimiento poético oscurece las anteriores etapas y, sobre todo, hace olvidar que no sólo significa una aportación en el verso, sino también en la prosa española. La verdad es que el carácter americano logró imprimirse antes en la prosa que en el verso. El punto no ha sido suficientemente estudiado. Desde los albores del siglo XIX, la prosa americana, además de recoger un espectáculo social ya diferenciado de la Metrópoli europea, deja sentir preocupaciones técnicas propias. A veces, como en el argentino Sarmiento, se trata de encontrar una expresión nueva. A veces, como en el ecuatoriano Montalvo, se trata de empaparse de nuevo en los modelos hispánicos del Siglo de Oro. Mientras la prosa española peninsular es romántica, costumbrista o académica, la prosa española continental (la nuestra) deja ver, en Sarmiento, la innovación constante, espoleada por "el ritmo urgente del pensamiento" (P. Henríquez Ureña); y en Montalvo, recuerda el tono de Quevedo, entonces insólito en España. Llegando ya a los modernistas, aparecen, en Martí, la sentencia corta y eléctrica al modo de Gracián; en Gutiérrez Nájera, la sentencia etérea y saltarina, cuyo secreto murió con él. Ambas contrastan con el fraseo largo y movedizo del español Valera, o con los amplios períodos oratorios del español Castelar. Y ya en nuestros días, nuestra prosa alcanza, con Rodó, la tersa serenidad renaniana, y con Gómez Carrillo, injustamente olvidado en este proceso técnico, la agilidad de la crónica parisiense. Respecto al estudio científico de la lengua, América trae una verdadera transformación de los métodos con Bello, Cuervo, Suárez, De la Peña, etc.

El nuevo espíritu español data de la llamada Generación del 98. El nuevo espíritu americano data de los años de 80. Una y otra revolución proceden de diferentes impulsos, y luego se cambian influencias entre sí. En España, tras el desastre de la guerra con los Estados Unidos, se trata —sin perder de vista los fines de reforma estética— de enfrentarse con la realidad española, rectificando las falsas perspectivas de la antigua grandeza imperial. En América la revolución es puramente estética, y adquiere un sesgo de universalidad que, de momento, la aleja de las cosas americanas; o, cuando casualmente las aborda, les imprime una leve torsión de estilo. En este sentido, y refiriéndose al Rubén Darío de las *Prosas Profanas,* pudo Rodó hacer suya esta afirmación: "Indudablemente, Rubén Darío no es el poeta de América". El refinamiento del Modernismo lo alejaba de las ásperas realidades nacionales, de que más bien quería escapar. Su universalidad lo hacía romper las fronteras. Su ambición de escalar las más altas cimas lo hacía disimular toda referencia a la modesta colina habitada por el poeta. El poeta, o quería ser un ciudadano del mundo, librándose de la liga dialectal o postcolonial; o soñaba que vivía en París, la primera urbe literaria, que en muchos casos no llegó a conocer siquiera; o se declaraba morador de un país abstracto y legendario. Como se ha dicho, el Modernismo parece un mentís a las teorías de Buckle y de Taine sobre la modelación por el medio ambiente. El Modernismo es un desquite contra el ambiente.

Antes del Modernismo, nuestra poesía ofrece un carácter subromántico, y continúa una tradición muy siglo XIX. Esta tradición había acabado por aislarla un poco del mundo, enfermándola de escorbuto. La influencia avasalladora de Francia la sacude y transforma. Suele repetirse que el Modernismo es hijo inesperado y paradójico del Simbolismo francés. Pero la corriente viene de más lejos y se nutre con todas las aguas que bajan desde la cumbre huguiana: románticas, parnasianas y decadentes. Es casi seguro que, para 1888, ni Silva, ni Casal, ni Rubén Darío habían practicado a los simbolistas franceses. Entre los precursores no hay reflejos de Mallarmé.

Los hay en cambio de Hugo, Musset, Nerval, Gautier, Leconte de Lisle, Banville, Baudelaire, Heredia, Coppée, Verlaine, Moréas; y hasta de otros menores como Arvers, Bouilhet, Mendès, que hoy no leemos y que tal vez nos explican mejor la formación de nuestros poetas. Claro que hay también huellas de otros países: Poe, Walt Whitman, Heine, Leopardi, D'Annunzio, Rossetti, Wilde y aun los mitos escandinavos. Pero estos enriquecimientos extraños, o llegaron en el vehículo de Francia o fue Francia quien los señaló a la atención del Modernismo.

La transfusión del espíritu francés en el Modernismo es difícil de aquilatar. En estas contaminaciones lejanas hay siempre un coeficiente de error, aunque de error fecundo: deseamos imitar y, sin querer, transformamos. Lo que Francia trajo fue un toque de universalidad, permitiendo a nuestra poesía ponerse a compás con el mundo. La lengua francesa parecía entonces la lengua natural del pensamiento y de la poesía. El Modernismo abrió la ventana sobre Francia, se le entró el aire de los más vastos horizontes, e hizo olvidar o ver bajo un prisma de refracción lo que había dentro de casa. Así se trasladaron a nuestra poesía la Francia versallesca, la Francia moderna, la Grecia francesa, y aun ciertos efluvios orientales de Golconda y de Ofir. Nuestra poesía se pobló de princesitas fabulosas, de abates madrigalescos, de vizcondes exóticos, de Antigüedad clásica entendida al modo parnasiano y luego al modo sensual. Rubén Darío, profesional de la mitología clásica, exclama también: ". . . Oh Halagabal, de cuya corte —oro, seda, mármol —me acuerdo en sueños". Y añade que sólo la América anterior al descubrimiento ofrece motivos a la poesía. "Lo demás es tuyo, demócrata Walt Whitman". Sin embargo, en su evolución ulterior, se enfrenta con su mundo, y encuentra el modo de cantar a un presidente de República, lo que le parecía imposible al principio. Los modernistas, en su infancia, pudieron decir lo que de su propia infancia dijo Verlaine:

> *Tout enfant, j'allais rêvant Ko-Hinnor,*
> *Somptuosité persane et papale,*
> *Héliogabale et Sardanapale!*

Para dar entrada a esta nueva sensibilidad y a esta imaginería poética desusada, era indispensable transformar los moldes del verso y agitar otra vez la lengua poniendo en circulación sus recursos. En este empeño, pudo deslizarse algún galicismo, para escándalo de los puristas. Pero hoy, a distancia, nos damos cuenta de que los modernistas fueron bastante fieles al espíritu de la lengua. No fueron más lejos que la revolución italianizante en el Renacimiento español; y el resultado es de igual trascendencia. A vueltas de unos cuantos neologismos, se buscaron en el acervo tradicional palabras olvidadas; se resucitaron arrumbadas formas métricas; se ensayaron ritmos nuevos; y sobre todo, se concedió a los versos ya en uso mayor elasticidad de acentos. Se intentaron audacias sintácticas; se dejaron caer construcciones gramaticales que habían perdido su frescura. Y todo ello, en general, logró aclimatarse, como en su día se aclimataron muchos latinismos gongorinos. Por una parte, se renovaban asuntos y metáforas; por otra, la lengua adquiría mayor riqueza y fluidez. La anquilosis anterior quedó corregida. Sus tímidos atrevimientos se reducían a las 'licencias poéticas", groseros medios para alargar o acortar las palabras. Ahora se prescindió de la licencia y se conquistó la libertad.

En los primeros brotes románticos, cuando el Romanticismo era todavía una revolución, hay ensayos de polifonismo generoso y aun lujos de alternancias métricas en un mismo poema: en España, Espronceda y Zorrilla; en América, Bello y la Avellaneda. Este impulso nunca triunfó del todo, y se fue gastando poco a poco. Igual que en los dos siglos anteriores, los poetas eran, sobre todo, poetas de octosílabo y endecasílabo, con la excepción de los fabulistas del XVIII, Iriarte y Samaniego, y de los cantores populares. Ya se quejaba Darío de que los únicos que renovaban acentos y formas eran los autores del Género Chico, sin duda por influjo de la música retozona para la cual componían sus versos. Cuando el Modernismo desarticuló y vivificó el alejandrino de catorce sílabas (ilustre tradición medieval en el "mester de clerecía") ; o el dodecasílabo (ilustre ascendencia en las antiguas "coplas de arte mayor") ; o cuando reincorporó en la poesía culta el endecasílabo anapéstico, y hasta se atrevió a alternarlo con el yámbico, los timoratos creyeron que el verso iba a perecer por corrupción ¡y es cuando palpitó con más vida! Ante aquellos gallardos anapestos:

> *Libre la frente que el casco rehusa,*
> *casi desnuda en la gloria del día...*
> (Darío, *Pórtico*)

algunos hablaron de "innovaciones peligrosas". El docto Menéndez y Pelayo, maestro de todo humanismo español, hizo entonces notar con una sonrisa que los temibles anapestos no eran más que los "versos de gaita gallega" que siempre han andado en los sonsonetes del pueblo:

Tanto bailé con el ama del cura,
tanto bailé que me dio calentura.

Y la alarma fue mayor todavía cuando se adaptó al español el enea-sílabo, sobre el modelo del octosílabo francés:

En Ecbatana fue una vez,
o más bien creo que en Bagdad...
(Darío, *La hembra del pavo real*)

En cuanto a los asuntos, el seguir las transformaciones de un solo tema podría llevar a conclusiones curiosas. Sería instructivo escribir un capítulo sobre la ornitología poética americana. Sacaríamos la conclusión de que nuestra poesía sigue dos rumbos: el de las aves de presa y el de las aves ornamentales. Al primero corresponde el tono vigoroso, y al segundo el delicado. El primero, herencia de las águilas huguianas, está en los cóndores, buitres y gerifaltes de Andrade y Díaz Mirón. El segundo, en las tórtolas sentimentales de Milanés, en los cisnes heráldicos de Darío, en las cigüeñas extáticas de Valencia. Con González Martínez, aparece más tarde el ave de la meditación, el buho. Por supuesto, los dos tonos se dan en un mismo poeta: en Díaz Mirón hay, por lo menos, una tórtola inolvidable; en González Martínez, por lo menos, un cisne ilustre. Esto nos llevaría a las dos tendencias de la poesía americana: el alfeñique y el granito, la blandura y la bravura, o como ha dicho un chusco, el remilgo y el "compadrismo", o valentonada en el sentido argentino de la palabra.

Las etapas son artificios de la interpretación. El Modernismo se articula con otras tendencias y está cruzado por vetas inasimila-bles. De uno de sus indiscutibles creadores, Gutiérrez Nájera, ha podido decir Justo Sierra que fue la "flor de otoño del Romanticismo mexicano".

Zorrilla de San Martín, contemporáneo de los primeros modernistas, no podría asociarse con ellos. Su *Tabaré*, historia del selvático sentimental, hijo de un indio y de una blanca, único poema de asunto indígena que sobrevive entre los varios que ensayaron en ambas márgenes del Plata, sólo aparece en 1886. Aunque se lo ha comparado ligeramente con Longfellow, es muy diferente en intención y en carácter. Todos los hispanoamericanos lo han leído. Ostenta una gran excelencia formal, y se relaciona con las nociones del "buen salvaje" que el descubrimiento de América suscitó en la mente europea, mucho antes de que las sistemara Rousseau.

También escapa a la estricta clasificación Salvador Díaz Mirón (1853-1928), de quien algunos piensan que llegó a ser el poeta más perfecto de México, y otros conceden que es quien logró escribir los versos más perfectos. En el tránsito de su primera a su segunda manera, cruza un camino que va desde el Romanticismo oratorio y estentóreo, hasta una poesía a la vez esotérica y horaciana (por contradictorio que parezca), tocando de pasada en un realismo que alcanza grotescas aberraciones. Quemado en la hoguera de Hugo, castigado luego por un torturante anhelo de perfección, rayano en manía. En su primera época puso de moda los gritos de combate que hicieron estragos por todas las literaturas americanas, la antítesis fáciles y la retórica efectista; y en su última época se erigió en maestro de dificultades técnicas airosamente resueltas, sin quedar nunca satisfecho y reconociéndose inferior a su ideal, pero superior a lo demás. En tal concepto, recuerda la tragedia estética de Mallarmé. Ya no pudo entonces ser imitado, como tampoco imitó a nadie. Sus enigmas y sus soluciones eran fruto de su solitaria investigación, aunque muchas veces desemboquen en la corriente de las tradiciones más clásicas. Gran domesticador de palabras, se arroja sobre las imágenes de los sentidos con fuerza muy pocas veces igualada, y con rara adivinación idiomática. Es ejemplar como acierto y como fracaso. Algunos quieren todavía ver en él aquella falsa figura de su juventud: el azote de los tiranos, el paladín de libertades. No hay tal: su tirano era un mero lugar retórico, y el único tirano con quien de veras se enfrentó fue el lenguaje estético. La única libertad que amaba es aquella que se vislumbra más allá de un túnel erizado de voluntarios obstáculos. En él se da nítidamente el conflicto íntimo de la poesía: la lucha de Jacob con el ángel, el duelo entre el pensamiento y la palabra.

Otro mexicano, Manuel José Othón (1858-1906), que nace

bajo la inspiración de Núñez de Arce y luego recibe la impronta ar-
cádica de nuestro Pagaza y el estremecimiento de los clásicos latinos,
tampoco acomoda en el Modernismo; desborda las escuelas. Trasciende a Fray Luis de León y a Virgilio: de aquél tiene la urdim-
bre católica y la serenidad luminosa; de éste, los arrullos y el amor
a la naturaleza. De sí propio, cierto panteísmo rural que no podría
confundirse con la bucólica, porque en su campo no hay líricos pas-
tores. Es el paisaje mismo el que habla; es, como en San Juan de la
Cruz, "la soledad sonora". En este carácter, no ha sido todavía su-
perado. Después de él ha habido más paisaje de símbolos que paisajes de cosas. El río saca el pecho y entona su salmodia, las gorgo-
ritas dialogan con el viento y la fronda; las águilas se incrustan en
el cielo ardoroso "como clavos que se hunden lentamente"; el galope
de los berrendos rasga de pronto la inmovilidad del desierto. Y de
repente, entre aquellas desolaciones, cruza un amor salvaje, una
aventura de hembra, arena, rocas y lianas, que arranca al poeta
gritos de amor y odio según el registro grave de Baudelaire.

No habría tiempo aquí para analizar la continuidad musical
de Luis G. Urbina (1864-1934), otro mexicano, en quien a veces
todo un verso y hasta todo un pequeño poema parecen una sola
palabra fluida. Estricto contemporáneo de Rubén Darío, se escucha
en él una quejumbre que viene de muy hondo y muy lejos ("la vieja
lágrima" de su poema), y cruza la marea modernista, solitario y
dulce, en su leve esquife romántico.

Se ve, pues, que las series cronológicas no coinciden con los
cuadros artísticos.—Volvamos al Modernismo.

Se considera como creadores del Modernismo al cubano José
Martí (1853-1895), al mexicano Manuel Gutiérrez Nájera (1859-
1895), al colombiano José Asunción Silva (1860-1896), y al cubano
Julián del Casal (1863-1893). Todos ellos mueren entre los 30 y los
42 años y representan una poesía de temperatura juvenil.

José Martí, en el *Ismaelillo* y en los *Versos sencillos,* da una
nota de intensidad y de ternura. El ataque directo y la pasmosa
simplicidad comunican a las emociones paternales una gracia deliciosa, que nada tiene de común con aquella chabacanería hogareña
y filantrópica de Juan de Dios Peza, a quien la gente llama "poeta
del hogar". Al leer a Martí, en verso o en prosa, es imposible li-
bertarse de la imagen del verduguillo, de la hoja fina y rígida que
nos atraviesa el corazón. Pero cualquiera que sea la importancia de

su verso, su prosa de orador, ensayista y polemista es incomparablemente superior. La lengua española alcanza aquí nuevas conquistas. Martí es una de las naturalezas literarias más dotadas de América. Pero gran parte de su obra, y su vida misma, fueron sacrificadas a su apostolado de libertad. Su arte es un arte de relámpagos; cada relámpago revela y esconde inexplorados paisajes. Hijo del dolor, no perdió nunca la sonrisa. Era bravo como león, y no se avergonzó de sus lágrimas. En él podemos a un tiempo admirar al escritor y venerar al hombre, deleite siempre apetecible.

En Gutiérrez Nájera se perciben con toda claridad la articulación romántica y la fertilización francesa. Como lo hemos dicho, era también un gran prosista. En el verso, su ternura es más deliciosa y cultivada que en su hermano de Cuba. En su tiempo se le tachaba de un erotismo que hoy apenas nos impresiona. Después vino a llamársele "convidado al banquete de la locura", acaso por ciertas hendeduras trágicas, negras, que recorren de pronto sus bien cortadas estrofas. Alma efusiva y musical, melancólica y elegante, poco a poco se desenvuelve en ella cierta rotundez clásica que ape-nas iba ya a cuajar en sus últimos poemas, y que se anunciaba desde el principio por su afición a componer en un solo orden de metáforas coherentes. Su poema *De blanco* es un hermoso eco americano de la *Sinfonía en blanco mayor*, de Gautier, llamada todavía a provocar la *Sinfonía en gris menor*, de Darío. Cuando imita a Bouilhet, a Arvers, y hasta a Nerval, los mejora, los ordena, los sintetiza. Sin conocerla descubrió por su propia cuenta la fórmula de la poesía simbolista —"reivindicar en la música el bien de la poesía"— no sólo por la musicalidad externa de su oda *A la Corregidora*, sino por aquella sed inefable ante la "Serenata" de Schubert: "¡Así hablara mi alma, si pudiera!"

En Silva hay descubrimiento rítmico, exquisitez, sabiduría, pesimismo, delicuescencia, estetismo a lo "Des Esseintes", capricho y hasta folklore. El *Nocturno* es un contagioso lamento que a duras penas se decide a acabar, y que prolonga en el verso el llanto que derramó, en la prosa, su compatriota Jorge Isaacs con la novela *María*. El don de lágrimas de este infortunado dandy, joven y hermoso, alcanza, a través de las audaces repeticiones verbales, una armonía imitativa del sollozo, y lo emparienta con Edgar Allan Poe. A veces gestea humorísticamente con las *Gotas amargas*; otras se arriesga con la estética de los perfumes, obra que perdió en un naufragio; y de cuando en vez recuerda los cantos y juegos infantiles. Pero su destino es inexorable, y se encamina hacia el cementerio de los suicidas, fascinado por una sombra fraternal que lo llama desde la tumba.

Casal es francesista y japonista, aunque su París y su Japón nacen de los libros. En sus sonetos se advierten la disciplina parnasiana y la atención para la antigua belleza. También tiene ojos para las estampas de su tierra. Los encantos estéticos no logran aliviarlo de la obsesión de la muerte. La muerte lo acecha en todos los rincones y prepara el rapto prematuro. Entre él y el Darío de la juventud hay simpatías y contaminaciones. En Darío hay asomos de japonismo: ¡aquella cubana-japonesa, "Digna de que un gran pintor —La pinte junto a una flor— En un vaso de marfil"! El japonismo dará otro fruto tardío, aunque de extracción más directa, en el mexicano José Juan Tablada, que por algún tiempo puso de moda el Haikai. [. . .]

(*The Nation*, New York,
29 de marzo y 5 de abril de 1941)

CAPRICHO DE AMERICA

La imaginación, la loca de la casa, vale tanto como la historia para la interpretación de los hechos humanos. Todo está en saberla interrogar y en tratarla con delicadeza. El mito es un testimonio fehaciente sobre alguna operación divina. *La Odisea* puede servir de carta náutica al que, entendiéndola, frecuente los pasos del Mediterráneo. Dante, enamorado de las estrellas,

> . . . *Le divine fiammelle*
> *dànno per gli occhi una dolcezza al core*
> *che intender non la può chi non la prova,*

acaba por adelantarse al descubrimiento de la Cruz del Sur. Y asimismo, entre la más antigua literatura, los relatos novelescos de los egipcios (y quién sabe si también entre las memorias de la desaparecida y misteriosa era de Aknatón), encontramos ya que la fantasía se imanta hacia el Occidente, presintiendo la existencia de una tierra ignota americana. A través de los griegos, Europa hereda esta inclinación de la mente, y ya en el Renacimiento podemos decir que América, antes de ser encontrada por los navegantes, ha sido inventada por los humanistas y los poetas. La imaginación, la loca de la casa, había andado haciendo de las suyas.

Préstenos la imaginación su caballo con alas y recorramos la historia del mundo en tres minutos. La masa solar, plástica y blanda —más aún: vaporosa—, solicitada un día por la vecindad de algún otro cuerpo celeste que la atrae, levanta una inmensa cresta de marea. Aquella cresta se rompe en los espacios. Los fragmentos son los planetas y nuestra Tierra es uno de ellos. Desde ese remoto día los planetas giran en torno a su primitivo centro como verdaderas ánimas en pena. Porque aquel arrancamiento con que ha comenzado su aventura es el pecado original de los planetas, y si ellos pudieran se reunirían otra vez en la unidad solar de que sólo son como destrozos.

La Tierra, entregada pues a sí misma, va equilibrando como puede sus partes de mar y suelo firme. Pero aquella corteza de suelo firme se desgarra un día por las líneas de menor resistencia, ante las contracciones y encogimientos de su propia condensación. Y aquí —nueva ruptura y destrozo, segundo pecado— comienzan a alejarse unos de otros los continentes flotantes, según cierta fatalidad geométrica. Uno de los resultados de este destrozo es nuestra América.

Imaginemos todavía. Soñemos, para mejor entender la realidad. Soñemos que un día nuestra América constituyó, a su vez, una grande comunidad humana, cuyas vinculaciones salvaran mágicamente la inmensidad de los territorios, las murallas de montañas, la cerrazón de los bosques impracticables. A la hora en que los primeros europeos se asoman a nuestro Continente, esta unidad se ha roto ya. Quetzalcoatl, el civilizador de México, ha huido hacia el Sur, precisamente empujado por las tribus sanguinarias que venían del Norte, y ha dejado allá por Guatemala la impronta de sus plantas, haciéndose llamar Cuculcán. Semejante fenómeno de disgregación se ha repetido en todos los focos del Nuevo Mundo. Acaso hay ya pueblos des-civilizados, recaídos en la barbarie a consecuencia de la incomunicación, del nuevo destrozo o tercer pecado. Los grandes imperios americanos no son ya centros de cohesión, sino residencias de un poder militar que sólo mantiene la unión por la fuerza.

Todavía la historia hace un nuevo intento de reunificación, atando, ya que no a una sola, a dos fuertes razas europeas toda esta pedacería de naciones americanas. Sajones e iberos se dividen el continente. Pero como todo aspira a bastarse a sí mismo, las dos grandes familias americanas que de aquí resultan se emancipan un día. El proceso de fecundación europea sólo ha servido, como un recurso lateral, para nutrirlas artificialmente, para devolverles la conciencia de su ser continental, para restaurar entre ellas otra vez el sueño de una organización coherente y armónica.

Y, en efecto, cuando los padres de las independencias americanas se alzan contra las metrópolis europeas, bien puede decirse que se sienten animados de un espíritu continental. En sus proclamas de guerra se dirigen siempre a "los americanos", de un modo general y sin distinción de pueblos, y cada uno de ellos se imagina que lucha por todo el Continente. Naturalmente, este fenómeno sólo es apreciable en los países hispanoamericanos, únicos para los cuales tiene sentido. Luminosa imagen del planeta que ronda en torno a su sol, Bolívar sueña entonces en la aparición de la Grande América. Pero el tiempo no está maduro, y la independencia procede por vías de fraccionamientos nacionales.

En las distintas etapas recorridas, asistimos, pues, a un juego cósmico de rompecabezas. Los tijeretazos de algún demiurgo caprichoso han venido tajando en fragmentos la primitiva unidad, y uno de los fragmentos en partes, y una de las partes en pedazos, y uno de los pedazos en trozos. Y la imaginación —cuyo consejo hemos convenido en seguir para ver a dónde nos lleva— nos está diciendo en voz baja que, aunque esa unidad primitiva nunca haya existido, el hombre ha soñado siempre con ella, y la ha situado unas veces como fuerza impulsora y otras como fuerza tractora de la historia: si como fuerza impulsora, en el pasado, y entonces se llama la Edad de Oro; si como fuerza tractora, en el porvenir, y entonces se llama la Tierra Prometida. De tiempo en tiempo, los filósofos se divierten en esbozar los contornos de la apetecida ciudad perfecta, y estos esbozos se llaman Utopías, de que los Códigos Constitucionales (si me permitís una observación de actualidad) no son más que la última manifestación.

Así pues —y aquí volvemos a la realidad profunda de los mitos con que he comenzado estas palabras—, hay que concebir la esperanza humana en figura de la antigua fábula de Osiris: nuestra esperanza está destrozada, y anda poco a poco juntando sus *disjecti membra* para reconstruirse algún día. Soñamos, como si nos acordáramos de ella (Edad de Oro a la vez que Tierra Prometida), en una América coherente, armoniosa, donde cada uno de los fragmentos, triángulos y trapecios encaje, sin frotamiento ni violencia en el hueco de los demás. Como en el juego de dados de los niños, cuando cada dado esté en su sitio tendremos la verdadera imagen de América.

Pero —¡Platón nos asista!— ¿existe en algún repliegue de la realidad esta verdadera imagen de América? ¡Oh, sí: existe en nuestros corazones, y para ella estamos viviendo! Y he aquí cómo llegamos a la Idea de América, idea que tiene de paradójico el que casi se la puede ver con los ojos, como aquella *Ur-Pflanze* o planta de las plantas (verdadero paradigma del reino vegetal) en la célebre conversación de Goethe y Schiller.

(*Jornal do Brasil*, Río de Janeiro, 22 de octubre de 1933)

VALOR DE LA LITERATURA HISPANOAMERICANA

El panorama de nuestras literaturas no es fácil de abarcar. Los manuales de que disponemos, entre los cuales cuentan algunos beneméritos libros extranjeros, no han logrado contentarnos del todo. Carecen de perspectiva y sentido de las jerarquías en el mejor de los casos. En el peor de los casos, su información es defectuosa y trazan cuadros arbitrarios. La buena doctrina y la buena documentación andan dispersas entre veinte o más monografías relativas a un país o a un género determinados. Y todavía cuando se llegara al apetecible manual hispanoamericano, faltaría conjugarlo convenientemente con el manual español, dando a la literatura de nuestra lengua una organización de conjunto.

Por eso, para el que de veras desee conocernos, el mejor camino es acudir a las fuentes, al trato directo con nuestras obras fundamentales. Después de todo, los esquemas históricos sólo recogen la sombra del fenómeno literario y nunca podrían sustituirlo.

Si es una verdad general que el conocimiento de una literatura no puede comunicarse de modo automático, como en extractos de vitaminas, sino en alimentos vivos que han de pasar por el paladar, o en suma, por la conciencia del lector, esta verdad general se agudiza para nuestra América, por lo mismo que el panorama, la guía, el organismo crítico total está todavía en elaboración.

Por suerte toda literatura admite el ser estudiada en torno a unos cuantos nombres eminentes, los cuales sirven de puntos de concentración o puntos de arranque a las cohortes, las generaciones, las pléyades. En el caso de Hispanoamérica, por ejemplo, se disciernen, dentro de la gran familia, unos cinco grupos lingüísticos y, cuando menos, otras tantas zonas de matiz literario característico. Cada grupo, cada zona, tiene sus héroes, sus inventores o intérpretes máximos; y junto a ellos, sus coros de propagación o de precipitación. Pues bien: para un primer contacto, bastaría con mostrar las páginas culminantes de estas grandes figuras, sumariamente comentadas. Los educadores que logren realizarlo y ofrecer así a los pueblos amigos las coordenadas de nuestro mapa, habrán prestado un servicio eminente a la causa de las Américas, que hoy se confunde con la esperanza humana.

La literatura, en efecto, no es una actividad de adorno, sino la expresión más completa del hombre. Todas las demás expresiones se refieren al hombre en cuanto es especialista de alguna actividad singular. Sólo la literatura expresa al hombre en cuanto es hombre, sin distingo ni calificación alguna. No hay mejor espejo del hombre. No hay vía más directa para que los pueblos se entiendan y se conozcan entre sí, que esta concepción del mundo manifestada en las letras. Tal es el sentido, tal es el alcance de los programas literarios de radio que ahora se inauguran.

Pero estos programas no podrán realizar sus fines si se entregan a la audacia de quienes no se hayan familiarizado largamente con nuestros hábitos mentales y con nuestra tradición escrita. Si es ya un pecado contra el espíritu que el simple turista se atreva a generalizaciones y juicios sociológicos sobre nuestros pueblos, tras un raudo viaje de ocho días, cortado por breves estancias en posadas u hoteles donde solamente llegan los ecos estilizados y convencionales de nuestra vida; sin siquiera conocer nuestra lengua y sin haberse preocupado de adquirir antes una preparación suficiente —lo que limita este género de relatos a la modesta proporción de un recuerdo de familia, de cuyo seno nunca debieran salir—, mayor pecado sería entregar la exposición de programas sobre nuestra cultura a los practicones sin criterio; y máxime a través del radio, donde la inmensa difusión aumenta el concepto de la responsabilidad.

En el estado actual de las cosas, sólo las autoridades reconocidas, los críticos eminentes de nuestros propios países pueden correctamente encargarse de semejantes programas. Algunos extranjeros nos conocen y entienden: aun ellos, sólo podrían ser acompañantes y asesores en esta obra de educación, pero ninguno de ellos podría dirigirla a satisfacción de nuestros públicos que, bueno es saberlo, son exigentes.

Este problema, como todo problema de cambio, se divide en dos: una oferta y una demanda. Me referiré primero a la oferta y luego a la demanda; me enfrentaré primero con los propios, y luego con los extraños.

¿Cómo se ofrecen al extranjero nuestras literaturas? Los iberoamericanos que han frecuentado otros medios literarios saben bien que el verdadero obstáculo para que los extranjeros se informen sobre nuestra América está en los libros. No quiero decir una paradoja, me explicaré. Por una parte, el obstáculo está en la falta de guías generales, como ya lo he dicho; y por otra, como consecuencia de lo anterior, en la superabundancia de libros inútiles o sólo en parte aprovechables con que queremos anonadar al que desea documentarse.

¿Cómo pretender que un lector o un escritor extranjeros, que encuentran en su propio ambiente los elementos de su formación espiritual acostumbrada y el estímulo acostumbrado de su vida mental, se den tiempo todavía, cuando sienten el deseo de conocer nuestros países, para leerse los sesenta o cien volúmenes de nuestras colecciones de clásicos nacionales? Tiene sus clásicos América, y ellos debieran estar en la memoria de todos. Pero en las recopilaciones particulares andan confundidos muchos otros que no lo son, aun cuando puedan poseer indiscutible valor casero. ¿Qué pueden, por ejemplo, importar al mundo todos esos libros que, en el mejor supuesto, sólo merecen llamarse "materiales para la historia"? Todo esto es asunto de especialistas, de investigadores, de quienes esta vez no tratamos. Al mundo no debemos mostrar canteras y sillares, sino a ser posible edificios ya construidos. De lo contrario tendremos que resignarnos a ser mal entendidos; o a que los extraños nos hagan el edificio conforme a perspectivas desviadas; o lo que es peor, a que este edificio pretendan levantarlo los supernumerarios de las culturas extranjeras, los que no encuentran ya cabida dentro de su propio terreno literario, como ha ocurrido algunas veces.

El fárrago, el fárrago es lo que nos mata. Cuidémosle a nuestra América la silueta; pongámosla a régimen; depurémosla de adiposidades. Todos estamos convencidos de que ha llegado para nuestra América el momento de dar, en el mundo del espíritu, algo como un gran golpe de Estado. Conviene, pues, que estemos ágiles y bien entrenados. Yo no recomendaría en los seminarios y gimnasios otro ejercicio que el despojar la tradición.

Pues no todo lo que ha existido debe conservarse, por la sencilla razón de que, como todo tiene sus efectos, hay masas enteras de hechos y actividades que han quedado del todo resumidas, vaciadas, aprovechadas en un resultado compendioso. Y este resultado viene a ser entonces lo único que establece tradición; es decir, lo que crea una porción viva a lo largo del ser histórico que somos. A los americanos de hoy, la posteridad ha de juzgarnos por el mayor o menor acierto con que hayamos dado en esos pulsos, en esos puntos latientes de nuestra existencia.

Ya hemos abierto los ojos; ya no nos dejamos adormecer con letanías de la rutina y con enumeraciones mecánicas de grandes hombres. Nuestros manuales históricos ofrecen una verdadera superabundancia de padres de la patria; nuestros manuales literarios, una superabundancia de padres del alfabeto y desbravadores del arisco potro del espíritu. Hay que jardinar esta maleza; hay que someter a geometría y a razón tanto plano desordenado. Los extranjeros nos ponen en un grave apremio cuando nos piden los seis o diez libros indispensables para conocer nuestro país.

Estas y otras reflexiones parecidas me empujaron, hace unos diez años, a convocar voluntades, desde una revista personal, para emprender lo que me pareció justo llamar "el aseo de América". Propuse entonces la creación, en cada una de nuestras Repúblicas, de una colección representativa, una Biblioteca Mínima (la B. M.), que se ofreciera al viajero y al escritor no especialista; que pudiera consultarse en las Direcciones del Turismo, en las sedes diplomáticas y consulares; que los comisionados oficiales llevaran siempre consigo en su equipaje; que se obsequiara a las bibliotecas extranjeras, a los clubes, a las escuelas de los países amigos; que formara parte de nuestros programas primarios como capítulo de educación cívica. La B. M. sería nuestro pasaporte por el mundo, nuestra moneda espiritual.

Soñaba yo con que un gran editor prohijara la idea; y de antemano aconsejaba el defenderse contra el afán de lucro o contra la desmedida afición erudita que, multiplicando los entes sin necesidad, resultarían aquí en una agitación tan estéril como la pereza, pues la B. M. original iría soltando colas y apéndices hasta desvirtuarse del todo. Y concluía con estas palabras: "Ningún esfuerzo más digno de la inteligencia que aquel que se traza de antemano sus límites. Hay sacrificio en ello, sin duda; pero también sacrificamos algo de la generosidad natural en eso de uñas y cabellos, y no los dejamos crecer como ellos quieren. Todo por el aseo de América: ésta sea nuestra divisa". (*Monterrey*, Río de Janeiro, diciembre de 1931).

Recibí preciosas comunicaciones de varios países, índices posibles de las distintas B. M. nacionales. Y hoy contamos con la excelente Biblioteca de Cultura Peruana, en trece pequeños volúmenes, de Ventura García Calderón, que sin duda persigue nuestros mismos propósitos y que pudiera servir de ejemplo a otras Repúblicas. En cuanto a monografías históricas de literaturas particulares, tras el intento interrumpido de la *Revue Hispanique*, ha comenzado a aparecer la serie del Instituto de Cultura Latinoamericana de Buenos Aires, y pronto aparecerá otra en México.

Enfrentémonos ahora con la demanda. El interés por nuestras literaturas, ¿es sólo un interés accidental de la hora que atravesamos, o debe ser entendido como un interés humano permanente? Si sólo fuese lo primero, ya sería bastante atendible; pero, además, es lo segundo. Veamos de explicarlo.

Las literaturas hispanas, de Europa y de América, no representan una mera curiosidad, sino que son parte esencial en el acervo de la cultura humana. El que las ignora, ignora por lo menos lo suficiente para no entender en su plenitud las posibilidades del espíritu; lo suficiente para que su imagen del mundo sea una horrible mutilación. Hasta es excusable pasar por alto algunas zonas europeas que no pertenecen al concepto goethiano de la Literatura Mundial. Pero pasar por alto la literatura hispánica es inexcusable. El que la ignora está fuera de la cultura.

Por lo que a España se refiere, no es necesario remontarse a

las cimas del genio; ni siquiera hace falta recordar que la imaginación de Cervantes ha dominado el pensamiento. No: la literatura
española, en su acarreo total, ha creado formas mentales y formas
de expresión sin las cuales sería inexplicable la historia literaria en
conjunto, y el proceso que conduce hasta la hora presente carecería
de algunas articulaciones indispensables. El romance viejo español
es, en su género, una creación artística tan excelsa como los coros
de la tragedia helénica. Y sin la comedia del Siglo de Oro o sin la
novela picaresca, el panorama de las letras europeas se deshace como
una tela sin mallas.

La interpretación hispánica de la vida es una función integrante en el descubrimiento de la realidad por la mente. A tal
punto que quien nunca se ha asomado a ella —sea un hombre o sea
un pueblo— hace figura de arribista en la especie, de insolente recién llegado, cuya sensibilidad está todavía cruda y no se ha dorado
en el fuego de la experiencia, no ha alcanzado aún la saturación de
ingredientes que le comunique el sabor humano pleno y cabal.

Los pueblos hispánicos poseen una perspicacia singular para
descubrir esta condición de crudeza y de inexperiencia. Desde lejos
ventean al bárbaro. Esto suelen ignorarlo los extranjeros, y es bueno y útil y hasta es piadoso que se les diga. Los pueblos hispánicos,
además, son lo bastante conscientes para no dejarse nunca aturdir
por otras grandezas que no sean las de la verdadera afinación del
espíritu. Admiran al que llemaba Gracián "el hombre en su punto",
y la masa humana sin cocción y sin condimento les parece nada más
materia prima, sin derecho a mayor estimación que aquella que la
materia prima merece.

Hasta aquí sólo he tomado en consideración, por lo que se refiere a la demanda, a España y no a las Américas. La orgullosa declaración que hago respecto a España, ¿es igualmente aplicable a las
Américas? Sin duda que sí.

Por lo que respecta a la concepción del mundo, el sentimiento
hispánico, al derramarse sobre América en onda colonizadora, fue
sometido a un debate heroico, a una crisis suprema de transporte
hacia un medio nuevo y de injerto con elementos exóticos. En suma,
ha sido castigado en una prueba de vitalidad. El estudio y conocimiento de esta magna experiencia de resultado positivo para la historia, mal podría ser indiferente a la integración de la cultura. España no ha hecho solamente colonias ni se quedó en protectorados

de explotación, como otros pueblos imperiales que todavía no ma-
duran su ciclo hasta llegar al desprendimiento del fruto, sino que
hizo gérmenes de naciones nuevas que ya salieron a la autonomía
política y a la mayoría suficiente. La única experiencia comparable por estar ya acabada, la de Roma, resulta estrecha junto a ésta:
su derrame fue menor en el espacio, menor en la audacia, menor en
la creación de un patrimonio cultural definido.

Por lo que respecta a la sola literatura, hay que analizar de
cerca el fenómeno. Nuestra América no ha producido *todavía* un
Dante, un Shakespeare, un Cervantes, un Goethe. Nuestra literatura, como conjunto, ofrece un aspecto de improvisación y también
bién de cosa incompleta. No nos detengamos a saber por qué. Pre-
guntémonos simplemente si puede una literatura en tal estado aspirar a ser indispensable en el cuadro de la cultura humana. No dudamos en afirmarlo.

Hay culturas que, por su misma orientación eminentemente
espiritual, pueden vivir entre la incomodidad, el sobresalto y la pobreza, que a otros pueblos —no dotados de semejante orientación— los habrían atajado en su camino y aun los habrían con-
ducido rápidamente a la barbarie. Nuestra organización social deficiente obliga al literato a ser, ante todo, un hombre como los demás, en lucha con los contratiempos, y sólo escritor a ratos perdidos. No hay alojamiento reservado para él; vive a la intemperie,
sin poder especializarse del todo. Y si nuestra cultura ha logrado,
no sólo sobrenadar, sino adelantar visiblemente por entre vicisitudes semejantes, el resultado de la prueba por la negativa es tanto
más honroso, y el conocimiento y estudio de esta magna experiencia tampoco aquí podría ser indiferente a la integración de la cultura.

Nuestras escuelas y universidades son pobres, nuestras bibliotecas desorganizadas, nuestros recursos editoriales, casi primitivos, irrisoria nuestra compensación para los trabajadores del espíritu. A pesar de eso, la cultura atmosférica que en nuestras repúblicas se respira es, por término medio, superior a la que encontramos en países más afortunados. Nuestros jóvenes graduados salen
de las casas de estudios a ganarse la vida porque no les queda otro
remedio; pero han acabado generalmente su carrera pensando en
que ella sea un medio de sustento. Entregados a su inclinación natural, preferirían la vida de creación pura, intelectual, o preferirían

la acción heroica. "Tierras de poetas y generales", decía Rubén Darío. Y ya el Mariscal Pilsudski observaba profundamente que no hay dos temperamentos más afines que el de la acción y el de la poesía. Entiéndase por acción la creación, no la repetición: el oficio del artista, no el del artesano.

Hay, por acá entre nosotros, una herencia acumulada, impresa en los estratos del alma, que hace hasta del analfabeto un hombre evolucionado por la sola sensibilidad. En el modo de dar los buenos días de un castellano viejo, como de un gaucho argentino o de un ranchero mexicano; en el solo continente y en la mirada de nuestros desiertos campesinos, aunque a veces apenas sepan deletrear, hay varios siglos de civilización en compendio. Los extranjeros deben percatarse de que el hombre hispanoamericano los sopesa y los juzga desde que les echa encima los ojos.

Hemos carecido de eso que se llama las técnicas. Somos los primeros en lamentarlo y en desear corregir las deficiencias que la fatalidad, y no la inferioridad, nos ha impuesto. Pero podemos afirmar con orgullo que hasta hoy nuestros pueblos sólo han conocido y practicado una técnica: el talento.

Hay más aún. El que a ciertos valores sumos de nuestras letras no se haya concedido hasta hoy categoría internacional es triste consecuencia del decaimiento político de la lengua española, no de que tales valores sean secundarios. Tanto peor para quienes lo ignoran: Ruiz de Alarcón, Sor Juana Inés de la Cruz, Bello, Sarmiento, Moltalvo, Martí, Darío, Sierra, Rodó, Lugones, pueden hombrearse en su línea con los escritores de cualquier país que hayan merecido la fama universal, a veces simplemente por ir transportados en una literatura a la moda. Y entre los centenares que dejo de nombrar, hay obras aisladas que podría envidiar cualquier literatura.

No es eso todo. La experiencia de nuestra cultura tiene un valor de porvenir, que asume en estos instantes una importancia única. Hemos llegado a la vida autónoma cuando ya nuestra lengua no dominaba el mundo. Los que se criaron dentro de un orbe cultural en auge, o siquiera dentro de una lengua que aún sostenía su fuerza imperial, por eso mismo han vivido limitados dentro de ese orbe o de esa cultura. Nosotros, en cambio, hemos tenido que buscar la figura del universo juntando especies dispersas en todas las lenguas y en todos los países. Somos una raza de síntesis humana. Somos el verdadero saldo histórico. Todo lo que el mundo haga mañana tendrá que contar con nuestro saldo.

En cuanto a lo que significa la América hispana como personaje en el diálogo de los intereses materiales y comerciales del Continente, ello es tan obvio que no vale la pena de detenerse a subrayarlo.

En resumen: no somos una lengua muerta para entretenimiento de especialistas. El orbe hispano nunca se vino abajo, ni siquiera a la caída del imperio español, sino que se ha multiplicado en numerosas facetas de ensanches todavía insospechados. Nuestra lengua y nuestra cultura están en marcha, y en ellas van transportadas algunas simientes de porvenir. No somos una curiosidad para aficionados, sino una porción integrante y necesaria del pensamiento universal. No somos pueblos en estado de candor, que se deslumbren fácilmente con los instrumentos externos de que se acompaña la cultura, sino pueblos que heredan una vieja civilización y exigen la excelencia misma de la cultura. Nos importa más el resultado inteligente de todo trabajo que el método con que se lo realice, y nos reímos del método cuando el resultado es mezquino. Las papeletas bien clasificadas nos dejan fríos cuando el libro para en una sandez.

No nos sentimos inferiores a nadie, sino hombres en pleno disfrute de capacidades equivalentes a las que se cotizan en plaza. Y por lo mismo que han sido muy amargos nuestros sufrimientos; y por lo mismo que hoy nos defraudan los maestros que nos enseñaron a confiar en el bien, recibimos con los brazos abiertos, y con la conciencia cabal de nuestros actos, al que se nos acerca con una palabra sincera de entendimiento, de armonía y de concordia. Nuestro júbilo es grande cuando esa palabra nos viene de la gente que ha hecho del respeto humano su actual bandera.

(*La Prensa*, Buenos Aires,
12 de octubre de 1941)

ALGO SOBRE CASTILLA

Con motivo del milenario de Castilla, me pide la BBC, de Londres, que exprese brevemente lo que sea la representación de Castilla a los ojos de un hispanoamericano. No creo sinceramente que esta representación difiera de la que pueda tener un español peninsular. Castilla no se presta a interpretaciones sutiles ni para-dójicas. Castilla tiene algo de evidencia, de cosa fundamental, de principio inconmovible. La aceptamos, casi, como una gravitación fatal de la historia. Su clásica geometría no ha sido agitada por las ráfagas einsteinianas. Su valor está en la perduración de su senti-do. Si ya no en el orden político, en el orden espiritual sigue sien-do —como Israel para el filósofo judío— el corazón de donde reciben su sangre todos los miembros. Castilla, "Castilla la gentil" en el lenguaje del Cid Campeador, sigue siendo, para el orbe his-pánico de ambos Continentes, el punto de referencia, el apellido co-mún. Y hasta nuestro pueblo se ha acostumbrado a ponderar con su nombre la calidad excelsa; y así dice: "jabón de Castilla, palo-ma de Castilla, trigo de Castilla, nuez de Castilla, rosa de Castilla", para significar el mejor jabón, la paloma de mejor casta, el trigo más sustancioso, la nuez más gustosa o la más pura de las flores.

Quien non ha visto Castilla
non ha visto maravilla.

Cuando decimos "Castilla", acude a nuestra mente una pre-cipitación de sustantivos graves y trascendentales, y junto a ellos pa-recen adjetivos y adornos todas las otras condiciones de España. Castilla es cimiento, semilla, tradición, centro, nervio, alma. Castilla es valor, sobriedad, aceptación realista a la vez que liberación me-tafísica. Es virilidad, pobreza con limpieza, alegría prudente y sin estruendo, virtud sin teatralidad, poesía sin extremos de artificio, justicia no exenta de piedad, heroicidad callada y bondad.

Algo desolada a veces, como en esas llanuras pardas, color de estameña de santo, por donde siempre creemos divisar, a lo lejos, la lanza intachable de Don Quijote. Otras veces, aunque esto se re-cuerda menos, risueña, sombrosa y perfumada en los oasis de Ga-liana, Aranjuez, Jarama, Henares y Esquivias, "donde Cervantes quiso ser el pastor Elicio". Majestuosa en el Guadarrama; eclógica en los dorados mantos de mies salpicados con sangre de amapolas y acianos. Ya ascética, ya dulce, nada falta en su arcoíris patético. Y con razón advierte la crítica que, mientras la poesía abstracta, quintaesenciada y amatoria de los trovadores brotó en países tan graciosos y amenos como Portugal y Galicia, en cambio los cantores de la naturaleza abundan en el solar castellano. Castilla está toda en la serena respiración de los versos de Fray Luis de León o en la hondura y la limpidez del mártir Antonio Machado. Castilla es la España sin anécdota, indiferente a las ligerezas del turista que anda en busca de extravagancias. Es la España de piedra y cielo.

Hasta Castilla llegó un día el beso voluptuoso de Italia, comunicado por la luminosa rada de Valencia, donde eran los guantes y los perfumes más nombrados, nido de la novelística licenciosa de ha cuatro siglos. Hasta Castilla llegó también la fiebre del oro americano; y Sevilla, puerto de la novelística picaresca, temblaba de sueños amarillos y velas por la mar. Y caballeros del placer de Italia y los caballeros del lucro de América —señores y hampones, que muchas veces lo eran a un tiempo— no sé qué cruzada emprendieron hasta el viejo corazón de España. Ello es que Castilla se quedó más pobre y filosófica, las lágrimas secas en las mejillas, como una Niobe deshijada. ("Viaje a la España de Castrogil", *Las vísperas de España. Obras Completas*, t. II, pp. 188-9.)

Y así está, a modo de la estatua de Niobe, marcando el límite en que comienza y acaba el ser español, esperando el toque de victoria que ha de devolverla a la vida, cuando el mundo actual rectifique sus injusticias y cuando echemos a la basura toda esa España de hojalatería que han inventado los mentecatos. Dice el romance de Fernán González, caudillo milenario de la independencia castellana, que la tierra misma se abrió para tragarse a las huestes del rey Almanzor, cuando llevaban guerra a Castilla. La tierra tiene hoy entrañas más duras. Pero ¡quién sabe, quién sabe!

(*Obras Completas*, Vol. IX, México, 1959)

PUEBLO AMERICANO

La verdad es que yo no me represento muy bien los antecedentes de mi casa. Todo me ha llegado en ráfagas y en guiñapos, y ni siquiera he tenido la suerte de consultar los árboles genealógicos y las crónicas minuciosas que, según me aseguran, han trazado cuidadosamente algunos parientes tapatíos.

Cuando mi padre era Secreario de Guerra y Marina y se lo tenía por el probable sucesor del trono porfiriano, apareció un Rey de Armas, un señor de la heráldica, con cierta historia de nuestro linaje que partía, naturalmente de las Cruzadas. Entre los antecesores figuraba el propio San Bernardo, fundador de Claraval, opositor de Abelardo y de Arnaldo de Brescia, predicador de la segunda Cruzada, afortunado mantener de Inocencio II en el cisma contra Anacleto, autor de célebres cartas y tratados, monje de armas tomar y patrono de mi padre —aunque no reconocido por éste—, que también celebraba sus días el 20 de agosto.

El escudo, a lo que recuerdo, no era de mal gusto, pero me sería imposible reconstruirlo. El mamotreto quedó olvidado en la biblioteca de mi padre, donde yo —que andaba en los once años— me pasaba las horas largas. Di con él y me apliqué a estudiarlo. Ya tenía yo mis barruntos de que todas esas grandezas no eran más que tortas y pan pintados. Pero me divertía el contar con alguna hermosa mentira como punto de arranque. A falta de una prehistoria establecida, como a los griegos, me hubiera bastado una mitología.

No me dejaron mi juguete. Delante de mi padre, mis hermanos mayores me gastaron una broma que tuvo fatales consecuencias: —¿Ya sabes —le dijeron —que este muchacho va a mandarse bordar el escudo de los Cruzados en sus camisas del domingo?

Ni por las burlas lo aceptó aquel príncipe liberal, a cuya grandeza no hacían falta viejos cuarteles: ¡ya supo él darlos a sus tropas, en las guerras de la República, así como no los dio al enemigo! Temió el contagio de aquella impostura sutil: a juego suelen comenzar estas vanidades, y un día se apoderan de la vacilante razón. Decidió cortar por lo sano. Mandó quemar toda mi inventada nobleza.

¡Sea enhorabuena! Pueblo me soy: y como buen americano, a falta de líneas patrimoniales me siento heredero universal. Ni sangre azul, y ni siquiera color local muy teñido. Mi familia ha sido una familia a caballo. A seguimiento de las campañas paternas, el hogar mismo se trasladaba, de suerte que el solar provinciano se borra un poco en las lejanías. Mi arraigo es arraigo en movimiento. El destino que me esperaba más tarde sería el destino de los viajeros. Mi casa es la tierra. Nunca me sentí profundamente extranjero en pueblo alguno, aunque siempre algo náufrago del planeta. Y esto, a pesar de la frontera postiza que el mismo ejercicio diplomático parecía imponerme. Soy hermano de muchos hombres, y me hablo de tu con gente de varios países. Por dondequiera me sentí lazado entre vínculos verdaderos.

La raíz profunda, inconsciente e involuntaria, está en mi ser mexicano: es un hecho y no una virtud. No sólo ha sido causa de alegrías, sino también de sangrientas lágrimas. No necesito invocarlo en cada página para halago de necios, ni me place descontar con el fraude patriótico el pago de mi modesta obra. Sin esfuerzo mío y sin mérito propio, ello se revela en todos mis libros y empapa como humedad vegetativa todos mis pensamientos. Ello se cuida solo. Por mi parte, no deseo el peso de ninguna tradición limitada. La herencia universal es mía por derecho de amor y por afán de estudio y trabajo, únicos títulos auténticos.

(*Parentalia, Primer Libro de Recuerdos,* México, 1959)

INDICE DE OBRAS*

* El material seleccionado para esta antología procede también de las *Obras completas* de Bello, Sarmiento, Hostos, Martí, Rodó, Vasconcelos, y Reyes —mencionadas en la bibliografía particular de esos autores— o de la publicación donde aparecieron originalmente.

BIBLIOGRAFIA ADICIONAL

Anderson Imbert, Enrique. *Estudios sobre escritores de América*. Buenos Aires: Editorial Raigal, 1954.

Antología del pensamiento social y político de América Latina. Introducción de Leopoldo Zea. Selección y notas Abelardo Villegas. Washington, D. C.: Unión Panamericana, 1964.

Arrieta, Rafael Alberto. *Dickens y Sarmiento. Otros estudios*. Buenos Aires: El Ateneo, 1928.

——————. *Estudios en tres literaturas*. Buenos Aires: Editorial Losada, 1939.

——————. *Presencias. Páginas conmemorativas*. Buenos Aires: Editorial Julio Suárez, 1936.

Arrom, José Juan. *Certidumbre de América*. La Habana: Anuario Bibliográfico Cubano, 1959.

——————. *Esquema generacional de las letras hispanoamericanas*. Bogotá: Instituto Caro y Cuervo, 1963.

Balseiro, José. *Expresión de Hispanoamérica*. Puerto Rico: Instituto de Cultura Puertorriqueña. Vol. I: 1960, Vol. II: 1964.

Baquero, Gastón. *Escritores hispanoamericanos de hoy*. Madrid: Colección Nuevo Mundo, 1961.

Bazin, Robert. *Histoire de la littérature américaine de langue espagnole*. París: Librairie Hachette, 1953.

Blanco-Fombona, Rufino. *Autores americanos juzgados por españoles*. París: Editorial Hispano-Americana, 1914.

——————. *Grandes escritores de América. (Siglo XIX)*. Madrid: Renacimiento, 1917.

Carrión, Benjamín. *Los creadores de la nueva América*. Madrid: Editorial Sociedad General Española de Librería, 1928.

Contreras, Francisco. *L'Esprit de l'Amérique Espagnole*. París: Col. de la Nouvelle Revue Critique, 1931.

Crawford, William Rex. *A Century of Latin-American Thought*. Cambridge, Mass.: Harvard University Press, 1961.

Cúneo, Dardo. *Aventura y Letra de América latina*. Buenos Aires: Editorial Pleamar, 1964.

Darío, Rubén. *Obras completas*. Tomo II Semblanzas. Madrid: Afrodisio Aguado, S. A., 1950.

Davis, Harold E. *Latin American Social Thaught.* University Press of Washington, D. C., 1963.

Díez Canedo, Enrique. *Letras de América.* México: El Colegio de México, 1944.

Espinosa, Enrique [Samuel Glusberg]. *De un lado y otro.* Santiago: Babel, 1955.

Frugoni, Emilio. *El libro de los elogios.* Montevideo: Editorial Afirmación, 1953.

Gaos, José. *Pensamiento de lengua española.* México: Editorial Stylo, 1945.

García Calderón, Ventura. *Semblanzas de América.* Madrid: Editorial Renacimiento, 1929.

García Godoy, Federico. *Americanismo literario.* Madrid: Editorial América, 1915.

—————. *La literatura americana de nuestros días (Páginas efímeras).* Madrid: Sociedad Española de Librería, 1915.

García Prada, Carlos. *Estudios hispanoamericanos.* México: El Colegio de México, 1945.

Giménez Pastor, Arturo. *El romanticismo bajo la tiranía.* Buenos Aires, 1922.

Giusti, Roberto. *Crítica y polémica.* Buenos Aires: Editorial Nosotros, 1917.

González Blanco, Andrés. *Escritores representativos de América.* Madrid: Editorial Américá, 1917.

Groussac, Paul. *El viaje intelectual.* Madrid: Librería de Victoriano Suárez, 1904.

Guzmán, Daniel de. *México Epico.* México: Editorial B. Costa-Amic, 1962.

Henríquez Ureña, Pedro. *Ensayos críticos.* La Habana: Imprenta de Esteban Fernández, 1905.

—————. *Horas de estudio.* París: Ollendorf, 1910.

—————. *Obra crítica.* México: Fondo de Cultura Económica, 1960.

Iduarte, Andrés. *Pláticas hispanoamericanas.* México: Fondo de Cultura Económica, 1951.

Jiménez, Juan Ramón. *Españoles de tres mundos.* Buenos Aires: Editorial Losada, 1942.

Marinello, Juan. *Literatura hispanoamericana, hombres, meditaciones.* México: Universidad Nacional de México, 1937.

Mead, Robert G. *Breve historia del ensayo hispanoamericano.* México: Ediciones de Andrea, 1956.

Meléndez, Concha. *Asomante: Estudios hispanoamericanos.* Río Piedras: Universidad de Puerto Rico, 1943.

Mijares, Augusto. *Hombres e ideas en América; ensayos.* 2a. ed. Caracas: Escuela técnica industrial, 1946.

Mitre, Bartolomé y otros. *Galería de notabilidades argentinas*. Buenos Aires: Imprenta Americana, 1857.

Onis, José de. *The United States as seen by Spanish American Writers* (1776-1890). New York: Hispanic Institute in the United States, 1952.

Pan American Union. *Hombres, tierras y voces de América*. Buenos Aires: Editorial de la Revista Americana de Buenos Aires, 1939.

Piñeyro y Barry, José N. *Hombres y Glorias de América*. París: Garnier Hnos., 1903.

Remos, Juan J. *Micrófono*. La Habana: Molina y Cía., 1937.

Rodó, José Enrique. *Cinco ensayos*. Madrid: Biblioteca Andrés Bello, 1917.

Rojas, Manuel. *De la poesía a la Revolución*. Santiago de Chile: Ediciones Ercilla, 1938.

Sánchez, Luis Alberto. *Escritores representativos de América*. 6 Vols. Madrid: Editorial Gredos, 1963-1964.

Sánchez, Luis Amador. *Cuatro estudios*. Brasil: Universidad de São Paulo, Facultade de Filosofía, Ciéncias e Letras, 1958.

Sánchez Reulet, Aníbal. *La filosofía latinoamericana contemporánea*. Washington, D. C.: Unión Panamericana, 1949.

Santos González, Claudio. *Poetas y críticos de América*. París: Garnier Hno., 1912.

Schultz de Mantovani, Frida. *Apasionados del Nuevo Mundo*. Buenos Aires: Editorial Raigal, 1952.

Torres Caicedo, José María. *Ensayos biográficos y de crítica literaria sobre los principales poetas y literatos hispanoamericanos*. París: Dramard Baudy y Cía., 1868.

Torres Ríoseco, Arturo. *Ensayos sobre Literatura Latinoamericana*. México: Fondo de Cultura Económica, 1953.

—————. *Expressão literaria do Novo Mondo*. Río de Janeiro: Editorial da Casa Editora Brasileira, 1945.

—————. *New World Literature. Tradition and revolt in Latin America*. Berkeley: University of California Press, 1949.

Unamuno, Miguel de. *Algunas consideraciones sobre la literatura hispanoamericana*. Buenos Aires: Espasa-Calpe, 1947.

Valera, Juan. *Ecos argentinos*. Buenos Aires: Emecé, 1943.

Vitier, Medardo. *Del ensayo americano*. México: Fondo de Cultura Económica, 1945.

Zaldumbide, Gonzalo. *Cuatro clásicos americanos*. Madrid: Ediciones Cultura Hispánica, 1951.

Zea, Leopoldo. *Dos etapas del pensamiento en Hispanoamérica. Del romanticismo al positivismo*. México: El Colegio de México, 1949.

Zum Felde, Alberto. *Indice crítico de la literatura hispanoamericana*, tomo II *La Narrativa*. México: Editorial Guarania, 1959.

Abreviaturas Usadas en las Bibliografías

A - Atenea. Concepción, Chile.
Abs - Abside. México.
ALatPR - Alma Latina. San Juan, Puerto Rico.
Amcr - América. Quito.
AmerW - Américas. Unión Panamericana. Washington, D. C.
ArJM - Archivo José Martí. La Habana, Cuba.
Asom - Asomante. San Juan, Puerto Rico.
AUCuen - Anales de la Universidad de Cuenca. Ecuador.
AUCh - Anales de la Universidad de Chile. Santiago.
AUSD - Anales de la Universidad de Santo Domingo. Ciudad Trujillo.
AyLet - Armas y Letras. Monterrey, N. L., México.
BAAL - Boletín de la Academia Argentina de Letras. Buenos Aires.
BACLH - Boletín de la Academia Cubana de la Lengua. La Habana.
BAV - Boletín de la Academia Venezolana. Caracas.
BCCU - Boletín Comisión Nacional Cubana de la Unesco. La Habana.
BICLA - Boletín del Instituto de Cultura Latino-Americana. Buenos Aires.
BLH - Boletín de Literaturas Hispánicas. Rosario, Argentina.
BolBo - Bolívar. Bogotá.
BUCh - Boletín. Universidad de Chile. Santiago.
BUPan - Boletín de la Unión Panamericana. Washington, D. C.
CA - Cultura. Ambato, Ecuador.
CaCE - Casa de la Cultura Ecuatoriana. Quito.
CAP - Cuadernos de Arte y Poesía. Quito, Ecuador.
Carteles - Carteles. La Habana, Cuba.
CBA - Comentario. Buenos Aires.
CCLC - Cuadernos del Congreso por la Libertad de la Cultura. París.
CIBA - Claridad. Buenos Aires.
Clio - Clio. Santo Domingo, República Dominicana.
CM - La Casa Montalvo, Organo de la Biblioteca de Autores Nacionales. Ecuador.
CMLR - Canadian Modern Language Review.
ComCR - Combate. San José, Costa Rica.
CProf - Cuba Profesional. La Habana.
CuA - Cuadernos Americanos. México.
CuaDC - Cuadernos Dominicanos de Cultura.
CuC - Cuba Contemporánea. La Habana.
CuH - Cuadernos Hispanoamericanos. Madrid.
CUn - Cultura Universitaria. Caracas.
CurCon - Cursos y Conferencias. Buenos Aires.
CVc - Cultura Venezolana. Caracas.
DiH - El Diario de Hoy. El Salvador.
EstA - Estudios Americanos. Sevilla.
EstV - Estudios. Valencia.
Etct - Et caetera. Guadalajara, México.
Ex - Excélsior. México.
Falange - La Falange. México.
FyL - Filosofía y Letras. México.
GaL - Galicia Libre. Madrid.

GaMe - La Gaceta, México.
H - Historia. Lima, Perú.
HCPC - Hojas de Cultura Popular Colombiana. Bogotá.
Hiper - Hiperion. Montevideo.
HispK - Hispania. Universidad de Kansas.
HoMe - Horizontes. Revista bibliográfica. México.
Hu - Humanidades. Universidad Nacional de La Plata. Argentina.
HumaM - Humanismo. México.
HuN - Humanitas. Universidad de Nuevo León. Monterrey, México.
HuT - Humanitas. San Miguel de Tucumán, Argentina.
HX - Hatun Xauxa. Jauja, Perú.
IN - Ilustración Nariñense. Pasto, Colombia.
Ipna - Ipna. Lima.
LaTo - La Torre. Río Piedras, Puerto Rico.
LD - Listín Diario. Santo Domingo.
LetE - Letras del Ecuador. Quito.
Letras - Letras. Asunción, Paraguay.
LetrasBA - Letras. Boletín del Círculo de Profesores de Castellano y Literatura.
    Buenos Aires.
LetrasM - Letras de México. México.
Lyc - Lyceum. La Habana.
MdS - Mar del Sur. Lima, Perú.
MEC - El Monitor de la Educación Común. Buenos Aires.
MexC - México en la Cultura. Buenos Aires.
MinD - The Minnesota Daily. Minneapolis.
MLJ - Modern Language Journal. Menasha, Wis.
MP - Mercurio Peruano. Lima.
Nac - La Nación. Buenos Aires.
Nacion - El Nacional. México.
NacionC - El Nacional. Caracas.
NacS - La Nación. Santiago de Chile.
ND - La Nueva Democracia. New York.
Nivel - Nivel. Gaceta de Cultura. México.
NMex - Nuestro México. México.
Nos - Nosotros. Buenos Aires.
Nota (La) - La Nota. Buenos Aires.
Nove - Novedades. México.
NRFH - Nueva Revista de Filología Hispánica. México.
Osiris - Osiris. Santo Domingo.
PolCar - Política. Caracas.
ProtBA - La Protesta. Buenos Aires.
RAm - La Revista de América. París.
RAv - Revista de Avance. La Habana.
RBC - Revista Bimestre Cubana. La Habana.
RBlan - La Revista Blanca. Barcelona.
RBNH - Revista de la Biblioteca Nacional. La Habana.
RCNVR - Revista del Colegio Nacional Vicente Rocafuerte. Guayaquil.
Real - Realidad. Buenos Aires.
REd - Revista de Educación. La Plata, República Argentina.
REdTr - Revista de Educación. Santo Domingo, Cuidad Trujillo.
RepAm - Repertorio Americano. San José, Costa Rica.
RevCu - Revista Cubana. La Habana.
RevChil - Revista Chilena. Santiago de Chile.
RevIb - Revista Iberoamericana. México.
RevInd - Revista de las Indias. Bogotá.
RevLL - Revista de Lenguas y Literaturas. Tucumán, Argentina.
RevMod - Revista Moderna de México. México.
RFil - Revista de Filosofía. Buenos Aires.

RFLCHabana - Revista de la Facultad de Letras y Ciencias. Universidad de la Habana. La Habana.
RGuat - Revista de Guatemala. Guatemala.
RHM - Revista Hispánica Moderna. New York.
RIB - Revista Internacional de Bibliografía. Washington.
RIESM - Revista del Instituto de Estudios Superiores. Montevideo.
RLAIM - Revista de Literatura Argentina e Iberoamericana. Mendoza, Argentina.
RNac - Revista Nacional. Montevideo, Uruguay.
RNC - Revista Nacional de Cultura. Caracas.
RNLCS - Revista Nacional de Literatura y Ciencias Sociales. Montevideo, Uruguay.
RR - Revista de Revistas. México.
RUBA - Revista de la Universidad de Buenos Aires, Argentina.
RUZ - Revista de la Universidad del Zulia. Maracaibo, Venezuela.
RyF - Razón y Fe. Madrid.
SiP - Studi ispanici. Pisa, Italia.
Sur - Sur. Buenos Aires.
Todo - Todo. México.
Triv - Trivium. Monterrey, México.
UA - Universidad de Antioquia. Medellín, Colombia.
UDLH - Universidad de la Habana. La Habana.
UNAM - Universidad Nacional Autónoma de México. México.
Univer - Universitario. París.
UniversalCar - El Universal. Caracas.
UnivNL - Universidad. Organo de la Universidad de Nuevo León. Monterrey, México.
UnivSF - Universidad. Santa Fe, Argentina.
VUM - Vida Universitaria. México.
XUS - Xavier University Studies.

INDICE GENERAL